suhrkamp taschenbuch 4420

Warum tut Liebe weh, jedenfalls gelegentlich? Was fasziniert uns noch heute an Figuren wie Emma Bovary oder den unglücklich Liebenden aus Emily Brontës *Sturmhöhe*? Aber vor allem: Was unterscheidet uns von ihnen? Gibt es einen Unterschied zwischen dem Liebeskummer zu Zeiten Jane Austens und der Art und Weise, wie wir ihn heute erfahren und damit umgehen? Wie fühlt sie sich an, die Liebe in Zeiten des Internet?

»Über Liebe wird man nicht mehr diskutieren können, ohne sich auf dieses Buch zu beziehen.« *Die Zeit*

Eva Illouz ist Professorin für Soziologie an der Hebräischen Universität von Jerusalem. Zuletzt erschienen: *Die Errettung der modernen Seele* (2009 und stw 1997), *Gefühle in Zeiten des Kapitalismus* (stw 1857) und *Der Konsum der Romantik* (stw 1858).

Eva Illouz
Warum Liebe weh tut

Eine soziologische Erklärung

Aus dem Englischen von
Michael Adrian

Suhrkamp

2. Auflage 2012

Erste Auflage 2012
suhrkamp taschenbuch 4420
© Suhrkamp Verlag Berlin 2011
Druck: CPI – Ebner & Spiegel, Ulm
Printed in Germany
Umschlag: Hermann Michels und Regina Göllner
ISBN 978-3-518-46420-5

Inhalt

Lesen soll mich das Mädchen, das, sieht's den Verlobten,
                         nicht kalt bleibt,
Und der Knabe, den Lust anrührt, von der er nichts weiß.
Irgendein Jüngling, wie ich jetzt vom Bogen verwundet,
                              erkenne
Jene Symptome, die ihm anzeigen eigene Glut,
Wundre sich lange und rufe: »Belehrt von welchem Verräter
Schrieb der Dichter da auf, was mir grad selbst widerfuhr?«

                                              – Ovid

Einleitung:
Das Elend der Liebe

Doch diese Segnungen der Liebe sind selten: Zur Zeit kommen auf jede befriedigende Liebesbeziehung, auf jede kurze Zeit der Bereicherung, zehn niederschmetternde Liebeserfahrungen, gefolgt von lang anhaltenden »Tiefs« voller Liebeskummer, die häufig zur Zerstörung der Betroffenen führen oder zumindest einen emotionalen Zynismus auslösen, der es schwer oder unmöglich macht, je wieder zu lieben. Weshalb ist das so, wenn es nicht zwangsläufig im Prozeß der Liebe mit enthalten ist?

*– Shulamith Firestone**

Heathcliff und Catherine sind die berühmt-berüchtigten Helden von *Sturmhöhe*, einem Roman aus jener langen literarischen Tradition, in der die Liebe als ein quälend schmerzhaftes Gefühl beschrieben wird.[1] Trotz der großen Liebe, die Heathcliff und Catherine füreinander entwickelten, während sie zusammen aufwuchsen, entscheidet sich Catherine, Edgar Linton zu heiraten, einen gesellschaftlich angemesseneren Partner. Als Heathcliff zufällig mithört, wie Catherine erklärt, eine Ehe mit ihm wäre unter ihrer Würde, nimmt er gedemütigt Reißaus. Catherine sucht ihn in den Feldern und wird, als sie ihn nicht findet, todsterbenskrank.

Madame Bovary ist die berühmt-berüchtigte Heldin des gleichnamigen Romans, der auf weitaus ironischere Weise die unglückliche Ehe einer romantischen Frau mit einem zwar gutmütigen, aber recht durchschnittlichen Provinzarzt beschreibt. Diesem ist es nicht gegeben, die romanhaften

---

* Das Motto stammt aus Shulamith Firestone, *Frauenbefreiung und sexuelle Revolution* [1970], übers. von G. Strempel-Frohner, Frankfurt/M. 1987, S. 143. Das dem Buch vorangestellte Motto auf S. 7 stammt aus Publius Ovidius Naso, *Liebesgedichte. Amores. Lateinisch-Deutsch*, hg. u. übers. von Niklas Holzberg, Düsseldorf u. Zürich 2002, II, Vs. 5-10.

1 Emily Brontë, *Sturmhöhe* [1847], übers. v. G. Etzel, Berlin 2008.

und gesellschaftlichen Phantasien seiner Frau zu befriedigen. Emma glaubt, den romantischen Helden, von dem sie so häufig las und träumte, in der Gestalt Rodolphe Boulangers, eines schneidigen Grundeigentümers, gefunden zu haben. Nach einer dreijährigen Affäre beschließen die beiden, miteinander durchzubrennen. An dem verhängnisvollen Tag jedoch erhält sie einen Brief von Rodolphe, mit dem dieser sein Versprechen bricht. Obwohl der Erzähler die romantischen Gefühle seiner Heldin zumeist ironisch schildert, beschreibt er Emmas Schmerz hier voller Mitgefühl:

> Emma lehnte sich an das Fensterkreuz und las den Brief mit zornverzerrtem Gesicht immer wieder von neuem. Aber je gründlicher sie ihn studierte, um so wirrer wurden ihre Gedanken. Im Geist sah sie den Geliebten, hörte ihn reden, zog ihn leidenschaftlich an sich. Das Herz schlug ihr in der Brust wie mit wuchtigen Hammerschlägen, die immer rascher und unregelmäßiger wurden. Ihre Augen irrten im Kreise. Sie fühlte den Wunsch in sich, daß die ganze Welt zusammenstürze. Wozu weiterleben? Wer hinderte sie, ein Ende zu machen, sie, die Vogelfreie? Sie bog sich weit aus dem Fenster hinaus und starrte hinab auf das Straßenpflaster.
> »Mut, Mut!« rief sie sich zu.[2]

So extrem er auch ist, ist uns Catherines und Emmas Schmerz immer noch verständlich. Wie das vorliegende Buch jedoch zeigen möchte, haben sich die Liebesqualen, wie sie diese beiden Frauen erleben, im Laufe der Zeit in Inhalt, Färbung und Struktur verändert. Zum einen ist der Widerspruch zwischen Gesellschaft und Liebe, den beide Romanheldinnen in ihrem Leiden austragen, kaum noch von Bedeutung. Es gäbe heute wohl keine nennenswerten ökonomischen Hürden oder normativen Verbote, die Catherine oder Emma daran hinderten, ihre Liebe zum ersten und einzigen Kriterium ihrer Wahl zu machen. Im Gegenteil, unser heutiges Verständnis von Angemessenheit würde von uns verlangen,

---

2 Gustave Flaubert, *Madame Bovary* [1857], rev. Übers. von A. Schurig, Frankfurt/M. ⁵1981, S. 277.

dem Diktat unseres Herzens zu folgen und nicht unserem sozialen Milieu. Zweitens würde eine zögerliche Catherine oder eine in ihrer leidenschaftslosen Ehe gefangene Emma nicht mehr erkranken, durchbrennen oder dem Tode verfallen, sondern durch eine ganze Batterie von Experten gerettet werden: Psychologische Berater, Paartherapeuten, Scheidungsanwälte und Schlichtungsexperten nähmen sich der privaten Dilemmata zukünftiger oder gelangweilter Ehefrauen an und befänden über sie. Ohne die (oder ergänzend zur) Hilfe der Experten würde eine Emma oder Catherine unserer Tage das Geheimnis ihrer Liebe mit anderen teilen, wohl am ehesten mit Freundinnen, zumindest aber mit anonymen Gelegenheitsbekanntschaften aus dem Internet, was die Einsamkeit ihrer Leidenschaft um einiges lindern würde. Ein dichter Strom von Worten, Selbstanalysen und freundschaftlichem oder fachmännischem Rat träte zwischen ihr Verlangen und ihre Verzweiflung. Und schließlich wäre eine zeitgenössische Catherine oder Emma vielleicht am Boden zerstört vor Enttäuschung, aber wohl kaum mehr dem Tode nahe oder drauf und dran, Selbstmord zu begehen. Sie würde vielmehr eine Menge Zeit darauf verwenden, nachzudenken und mit Freunden und Fachleuten über ihren Schmerz zu sprechen, würde dessen Ursachen wahrscheinlich auf ihre eigene defizitäre Kindheit (oder die ihrer Liebhaber) zurückführen und wäre darüber hinaus ein wenig stolz, nicht auf ihre leidvolle Erfahrung, sondern genau darauf, mittels einer ganzen Batterie von Selbsthilfetechniken über sie hinweggekommen zu sein. Das moderne Liebesleid zieht einen nahezu endlosen Kommentar nach sich, dessen Zweck darin besteht, seine Ursachen zu verstehen und mit den Wurzeln auszureißen. Zu sterben, Selbstmord zu verüben oder ins Kloster zu gehen, zählt nicht mehr zu unseren kulturellen Repertoires und schon gar nicht mehr zu denen, auf die wir stolz sind. Damit ist natürlich nicht gemeint, daß wir »Post-« oder »Spätmodernen« nichts von den Qualen der Liebe wüßten. Ja, wir wissen vielleicht sogar mehr über sie als unsere Vorgängerinnen und Vorgänger. Sehr wohl ist damit aber die Behauptung verbunden, daß sich die soziale Organisation des Liebesleids tiefgreifend verändert hat. Das vorliegende Buch widmet sich dem Versuch, die Natur dieses Wandels zu verstehen.

Tatsächlich dürften die mit Intimbeziehungen verbundenen Qualen in unserer Zeit nur den wenigsten erspart geblieben sein. Diese Qualen erleiden wir in vielerlei Gestalt: sei es, daß wir auf der Suche nach dem Märchenprinzen/ der Märchenprinzessin zu viele Frösche küssen, daß wir uns der Sisyphusarbeit der Partnersuche im Internet unterziehen oder daß wir einsam von Barbesuchen, Partys und Blind Dates nach Hause kommen. Kommen dann einmal Beziehungen zustande, ist es mit den Qualen nicht vorbei, insofern man in diesen Beziehungen gelangweilt, verängstigt oder wütend werden kann, schmerzhafte Auseinandersetzungen und Konflikte durchzustehen hat, ja vielleicht am Ende die Bestürzung, Selbstzweifel und Depressionen ertragen muß, die mit Trennungen und Scheidungen einhergehen können. Und dies sind nur einige der Möglichkeiten, warum die Suche nach Liebe für die allermeisten modernen Männer und Frauen eine quälend schwierige Erfahrung ist. Könnte die Soziologin die Stimmen der Menschen hören, die nach Liebe suchen, dann vernähme sie eine lange und laute Litanei des Jammerns und Stöhnens.

Obwohl diese Erfahrungen so weit verbreitet, ja nahezu kollektiven Charakters sind, beharrt unsere Kultur darauf, daß sie eine Folge gestörter oder unreifer Psychen darstellen. Unzählige Selbsthilfeleitfäden und -workshops wollen uns dabei helfen, unser Liebesleben besser in den Griff zu bekommen, indem sie uns auf die vielen verborgenen Weisen aufmerksam machen, wie wir unbewußt unsere eigenen Niederlagen herbeiführen. Die Freudsche Kultur, von der wir durchdrungen sind, hat die wirkmächtige Behauptung aufgestellt, daß sexuelle Anziehungskraft am besten durch unsere vergangenen Erfahrungen zu erklären sei und die je eigene Liebespräferenz sich früh im Leben im Verhältnis zwischen dem Kind und seinen Eltern ausbilde. Für viele bietet die Freudsche These, der zufolge die Familie das Muster des erotischen Lebenswegs zuschneidet, die Haupterklärung dafür, warum und wie wir dabei scheitern, unsere Liebe zu finden oder zu bewahren. Unbekümmert um logische Inkonsistenz, vertritt die Freudsche Kultur darüber hinaus sogar, daß unsere Partner, ob sie unseren Eltern ähnlich sind oder nicht, ein unmittelbares Spiegelbild unserer Kindheitserfahrungen darstellen – die ja ihrerseits der Schlüssel sein sollen, mit dessen Hilfe unser romantisches Schicksal zu erklären ist. Mit der Idee des Wiederholungszwangs ging Freud noch einen Schritt weiter und argumentierte, daß frühkindliche Verlusterlebnisse, wie schmerzlich auch immer sie waren, das ganze Erwachsenenleben über wiederholt werden, um sie auf diese Weise bewältigen zu können. Diese Idee hatte einen gewaltigen Einfluß auf die allgemeine Auffassung und Behandlung des Liebeselends, indem sie es zu einer heilsamen Dimension des Reifeprozesses erklärte. Mehr noch: Die Freudsche Kultur legt nahe, daß das Liebeselend im großen und ganzen unvermeidlich und selbstverschuldet sei.

Insbesondere die klinische Psychologie war dafür verantwortlich, die Idee in den Raum zu stellen (und ihr wissenschaftliche Legitimität zu verleihen), die Liebe und ihr Scheitern seien durch die seelische Geschichte des Individuums zu erklären und unterlägen folglich auch dessen Kontrolle. Obwohl der ursprüngliche Begriff des Unbewußten darauf ausgerichtet war, traditionelle, gleichsam von einem allwissenden Erzähler ausgehende Modelle von Verantwortung aufzulösen, trug die Psychologie entscheidend dazu bei, den Bereich des Romantischen und Erotischen in die private Verantwortung des Individuums zu verbannen. Ob

beabsichtigt oder nicht, stellten Psychoanalyse und Psycho-
therapie ein respekteinflößendes Arsenal von Techniken bereit, mit denen die Individuen zwar eloquent zum Sprechen
gebracht, aber auch unweigerlich für ihr Liebesleiden selbst
verantwortlich gemacht wurden.

Die Vorstellung, das romantische Elend sei hausgemacht,
hat im Laufe des 20. Jahrhunderts einen geradezu unheimli-
chen Siegeszug erlebt, vielleicht, weil die Psychologie gleichzeitig das tröstliche Versprechen abgab, es könne überwunden werden. Schmerzvolle Liebeserlebnisse wurden zum
Gegenstand endloser psychologischer Kommentare und
zu einer beeindruckend starken Triebfeder, die eine ganze
Batterie von Experten (Psychoanalytiker, Psychologen und
Therapeuten jeglicher Couleur), das Verlagswesen, das
Fernsehen und zahlreiche andere Zweige der Medienbran-
che in Aktion treten ließ. Die ungewöhnlich erfolgreiche
Selbsthilfeindustrie wurde vor dem Hintergrund der tiefverwurzelten Überzeugung möglich, daß unser Elend haarge-
nau unserer psychischen Entwicklung entspricht, daß Sprechen und Selbsterkenntnis heilsam sind und daß die Bestimmung der Muster und Ursachen unserer Leiden uns dabei
hilft, diese zu überwinden. Die Qualen der Liebe verweisen
jetzt nur noch auf das Selbst, auf seine private Geschichte
und seine Fähigkeit, sich selbst zu gestalten.

Gerade weil wir in einer Zeit leben, in der die Idee der
individuellen Verantwortung uneingeschränkt herrscht, erfüllt die Soziologie eine nach wie vor unverzichtbare Aufgabe. War es Ende des 19. Jahrhunderts radikal zu behaupten, Armut sei nicht das Resultat von Charakterschwäche
oder zweifelhafter Moral, sondern die Folge systematischer
ökonomischer Ausbeutung, so müssen wir heute geltend
machen, daß unsere privaten Niederlagen nicht nur unseren schwachen Psychen zuzuschreiben sind, sondern daß
die Wechselfälle und Nöte unseres Gefühlslebens vielmehr
durch institutionelle Ordnungen geprägt werden. Dieses

Buch will mithin erreichen, daß die Analyse der Probleme zeitgenössischer Beziehungen aus einer anderen als der üblichen Perspektive in Angriff genommen wird. Denn diese Probleme bestehen nicht in dysfunktionalen Kindheiten oder mangelnder seelischer Selbsterkenntnis, sondern in jenem Bündel sozialer und kultureller Spannungen und Widersprüche, die das moderne Selbst und seine Identität strukturieren.

Für sich gesehen ist das keine neue These. Seit langem schon streiten feministische Autorinnen und Denkerinnen sowohl gegen die verbreitete Überzeugung, die Liebe sei die Quelle allen Glücks, als auch gegen das psychologisch-individualistische Verständnis unseres Liebeselends. Anders als eine populäre Mythologie es will, behaupten Feministinnen, ist die Liebe nicht die Quelle von Transzendenz, Glück und Selbstverwirklichung. Vielmehr gilt ihnen die romantische Liebe als einer der Hauptgründe für die Kluft zwischen Männern und Frauen, und sie sehen in ihr eine jener kulturellen Praktiken, durch die Frauen dazu gebracht werden, ihre Unterwerfung unter die Männer zu akzeptieren (und zu »lieben«). Denn wenn sie lieben, agieren Männer und Frauen nach wie vor die tiefen Spaltungen aus, die ihre jeweiligen Identitäten charakterisieren: Nach Simone de Beauvoirs berühmter Charakterisierung bewahren die Männer noch in der Liebe ihre Souveränität, während die Frauen in der Liebe nach Selbstaufgabe streben.[3] In ihrem kontroversen Buch *Frauenbefreiung und sexuelle Revolution* ging Shulamith Firestone noch einen Schritt weiter: Die Quelle der gesellschaftlichen Macht und Energie der Männer ist die Liebe, mit der Frauen sie noch immer zu versorgen pflegen, was nichts anderes heißt, als daß die Liebe der Zement ist, mit dem das Gebäude der männlichen Herrschaft errichtet

3 Simone de Beauvoir, *Das andere Geschlecht. Sitte und Sexus der Frau* [1949], übers. von U. Aumüller u. G. Osterwald, Reinbek bei Hamburg 2000.

wurde.[4] Die romantische Liebe verschleiert die Segregation nach Klasse und Geschlecht nicht nur, sie macht sie erst möglich. In Ti-Grace Atkinsons markanter Formulierung ist die romantische Liebe der »psychologische Angelpunkt der Frauenverfolgung«.[5] Die Stärke der feministischen Perspektive ist in mehr als einer Hinsicht offensichtlich. Besonders schlagend ist die feministische Behauptung, daß sich Liebe und Sexualität im Kern um einen Machtkampf drehen und daß Männer in diesem Machtkampf auf Dauer die Oberhand behalten, weil wirtschaftliche und sexuelle Macht zusammengehen. Die sexuelle Macht des Mannes besteht in der Fähigkeit, die Liebesobjekte zu definieren sowie die Regeln der Partnersuche und des Ausdrucks romantischer Gefühle festzulegen. Letztlich gründet die männliche Macht in dem Umstand, daß die Identitäten und die Hierarchie der Geschlechter im Ausdruck und der Erfahrung romantischer Gefühle ausgelebt und reproduziert werden – und daß umgekehrt Gefühle umfassendere wirtschaftliche und politische Machtunterschiede stabilisieren.[6]

In vielerlei Hinsicht ist es jedoch genau diese Annahme eines Primats der Macht, die ein Manko jener mittlerweile tonangebenden Strömung der feministischen Liebeskritik darstellt. Zu Zeiten, als das Patriarchat noch wesentlich mächtiger war als heute, spielte die Liebe eine viel *gerin-*

---

4 Firestone, *Frauenbefreiung und sexuelle Revolution.*

5 Ti-Grace Atkinson, »Radikaler Feminismus und die Liebe. Artikel vom 2. April 69«, in: dies., *Amazonen Odyssee*, übers. von G. Strempel, München 1976, S. 38-43, hier: S. 40.

6 Vgl. Catharine A. MacKinnon, *Sexual Harassment of Working Women. A Case of Sex Discrimination*, New Haven 1979; Adrienne Rich, »Zwangsheterosexualität und lesbische Existenz« [1980], in: Audre Lorde u. Adrienne Rich, *Macht und Sinnlichkeit. Ausgewählte Texte*, hg. von Dagmar Schultz, übers. von R. Stendhal u.a., 3., erw. Aufl., Berlin 1991, S. 138-168; Susan Schechter, »Towards an Analysis of the Persistence of Violence Against Women in the Home«, in: *Aegis*, Juli/August 1979, S. 46-56; dies., *Women and Male Violence. The Visions and Struggles of the Battered Women's Movement*, Boston 1983.

gere Rolle für die Subjektivität von Männern und Frauen. Mehr noch: Die gewachsene kulturelle Bedeutung der Liebe scheint mit einer Schwächung, nicht mit einer Stärkung der männlichen Macht in der Familie sowie mit der Ausbildung eher egalitärer und symmetrischer Geschlechterverhältnisse einhergegangen zu sein. Zudem lebt ein Gutteil der feministischen Theorie von der Voraussetzung, daß Macht *der* grundlegende Baustein von Liebes- und anderen sozialen Beziehungen ist. Folglich muß sie die überwältigende Fülle an empirischen Belegen ignorieren, denen zufolge Liebe nicht weniger grundlegend ist als Macht und darüber hinaus eine starke unsichtbare Triebfeder für soziale Beziehungen darstellt. Indem sie die Liebe der Frauen (und ihr Verlangen, zu lieben) auf das Patriarchat reduziert, beraubt sich die feministische Theorie in vielen Fällen der Einsicht in die Gründe, warum die Liebe einen so mächtigen Einfluß auf moderne Frauen *und* Männer hat. Auch übersieht sie den egalitären Zug, der der Ideologie der Liebe innewohnt, sowie ihr Potential, das Patriarchat von innen zu unterwandern. Zweifellos spielt das Patriarchat eine zentrale Rolle, wenn es darum geht, die Struktur der Beziehungen zwischen Männern und Frauen, aber auch die unheimliche Faszination zu erklären, die die Heterosexualität nach wie vor auf beide Geschlechter ausübt. Diese Kategorie allein kann aber nicht erklären, warum das Liebesideal moderne Männer und Frauen so ungewöhnlich stark in seinen Bann zieht. Diesen Bann auf ein »falsches Bewußtsein« zu reduzieren heißt, die Antwort vorwegzunehmen, bevor die Frage überhaupt gestellt ist.[7]

In den folgenden Kapiteln möchte ich somit nach den institutionellen Gründen für das Elend der Liebe fragen, dabei aber zugleich voraussetzen, daß die Erfahrung der Liebe uns auf eine Weise im Griff hat, die nicht einfach mit einem

---

7 Eine ausgezeichnete Antwort auf diese Frage bietet Ann Swidler, *Talk of Love. How Culture Matters*, Chicago 2001.

»falschen Bewußtsein« zu erklären ist. Ich werde zu zeigen versuchen, daß der Grund, warum die Liebe so entscheidend für unser Glück und unsere Identität ist, eng mit dem Grund zusammenhängt, warum sie ein so schwieriger Teil unserer Erfahrung ist; beides hat damit zu tun, wie Selbst und Identität in der Moderne institutionalisiert werden. Wenn viele von uns »eine bohrende Furcht oder Unruhe« in Liebesdingen verspüren und den Verdacht haben, die Liebe ginge mit einem »Gefühl der Verärgerung, der Ruhelosigkeit und der Unzufriedenheit mit uns selbst« einher, um mich der Worte des Philosophen Harry Frankfurt zu bedienen,[8] so deshalb, weil die Liebe das »Gefangensein« des Selbst in den Institutionen der Moderne einschließt, widerspiegelt und verstärkt[9] – wobei diese Institutionen selbstverständlich durch die ökonomischen und die Geschlechterverhältnisse geprägt sind. Wie Karl Marx bekanntlich sagte: »Die Menschen machen ihre eigene Geschichte, aber sie machen sie nicht aus freien Stücken unter selbstgewählten, sondern unter unmittelbar vorhandenen, gegebenen und überlieferten Umständen.«[10] Wenn wir lieben oder schmollen, dann tun wir dies, indem wir auf Ressourcen zurückgreifen und uns in Situationen befinden, die wir nicht selbst gemacht haben, und diese Ressourcen und Situationen sind es, die das vorliegende Buch untersuchen möchte. Auf den folgenden Seiten wird meine Generalthese lauten, daß sich etwas an der Struktur des romantischen Selbst grundlegend verändert hat. Sehr allgemein läßt sich dieser Wandel als einer in der Struktur des romantischen Willens beschreiben. Verändert

8 Harry G. Frankfurt, *Gründe der Liebe*, übers. von M. Hartmann, Frankfurt/M. 2005, S. 9.

9 Eyal Chowers, *The Modern Self in the Labyrinth*, Cambridge (Mass.) 2004.

10 Karl Marx, *Der achtzehnte Brumaire des Louis Bonaparte* [1852], kommentiert von Hauke Brunkhorst, Frankfurt/M. 2007, S. 9. Vgl. auch Peter Wagner, *A Sociology of Modernity. Liberty and Discipline*, London u. New York 1994.

hat sich also, was wir wollen und wie wir schließlich das, was wir wollen, mit einem Sexualpartner umsetzen (Kapitel 1 und 2); sodann das, was das Selbst verletzlich macht, uns also das Gefühl vermittelt, wertlos zu sein (Kapitel 3); und schließlich die Organisation unseres Begehrens – der Inhalt der Gedanken und Gefühle, die unsere erotischen und romantischen Wünsche auslösen (Kapitel 4 und 5). Wie der Wille strukturiert ist, wie Anerkennung konstituiert und wie Begehren ausgelöst wird, dies sind die drei Hauptachsen, entlang deren ich die Transformationen der Liebe in der Moderne analysiere. Letztlich geht es mir darum, mit der Liebe zu machen, was Marx mit den Waren gemacht hat: zu zeigen, daß sie von konkreten gesellschaftlichen Verhältnissen geformt und hervorgebracht wird; zu zeigen, daß die Liebe auf einem Markt ungleicher konkurrierender Akteure zirkuliert; und die These aufzustellen, daß manche Menschen über größere Kapazitäten als andere verfügen, um die Bedingungen zu definieren, unter denen sie geliebt werden.

Wie andere Soziologen auch betrachte ich somit die Liebe als einen besonders gut geeigneten Mikrokosmos, um die Prozesse der Moderne zu verstehen. Im Unterschied zu ihnen jedoch ist die Geschichte, die ich hier erzähle, nicht die eines heroischen Siegs des Gefühls über die Vernunft oder der Gleichberechtigung über geschlechtliche Ausbeutungsverhältnisse, sondern eine wesentlich doppelbödigere.

Was ist die Moderne?

Mehr als irgendeine andere Disziplin entstand die Soziologie aus der fieberhaften und besorgten Frage nach der Bedeutung und den Konsequenzen der Moderne: Karl Marx, Max Weber, Emile Durkheim, Georg Simmel – sie alle versuchten, die Bedeutung des Übergangs von der »alten« zur »neuen« Welt zu verstehen. Die »alte« Welt war: Religion, Gemeinschaft, Ordnung und Stabilität. Die »neue« Welt brachte atemberaubende Veränderungen, Säkularität, die Auflösung gemeinschaftlicher Bindungen, wachsende Forderungen nach Gleichheit und eine quälend ungewisse Identität. Seit dieser außergewöhnlichen Übergangsperiode zwischen der Mitte des 19. und dem Beginn des 20. Jahrhunderts hat sich die Soziologie stets mit denselben einschüchternden Fragen beschäftigt: Wird der Bedeutungsverlust von Religion und Gemeinschaft die Gesellschaftsordnung gefährden? Werden wir auch ohne die Dimension des Heiligen imstande sein, ein sinnerfülltes Leben zu führen? Besonders Max Weber ließen Dostojewskis und Tolstois Fragen keine Ruhe: Wenn wir uns nicht mehr vor Gott fürchten, was macht uns dann moralisch? Wenn wir nicht mehr auf sakrale, kollektive und verbindliche Bedeutungen verpflichtet sind und durch sie bestimmt werden, was wird unserem Leben dann einen Sinn verleihen? Wenn das Individuum – statt Gott – im Zentrum der Moral steht, was wird dann aus der »Brüderlichkeitsethik«, jener Triebkraft der Religionen?[11] Tatsächlich bestand die Aufgabe der Soziologie von Anfang an in dem Versuch, zu verstehen, worin der Sinn des Lebens nach dem Niedergang der Religion bestehen würde.

Die meisten Soziologen waren sich einig: Die Moderne eröffnete aufregende Möglichkeiten, aber auch verhängnisvolle Risiken für unser Vermögen, ein sinnvolles Leben zu führen. Selbst Soziologen, die einräumten, die Moderne bedeute einen Fortschritt gegenüber Unwissenheit, chronischer Armut und allgegenwärtiger Unterwerfung, sahen in ihr eine Verarmung unserer Fähigkeit, schöne Geschichten zu erzählen und in Kulturen von reichem Gepräge zu leben. Die Moderne ernüchterte die Menschen und ließ ihre mächtigen, doch süßen Einbildungen, die ihnen das Elend ihres

11 Max Weber, »Die Wirtschaftsethik der Weltreligionen«, Abschnitt »Zwischenbetrachtung« [1915], in: ders., *Gesammelte Aufsätze zur Religionssoziologie I*, Stuttgart ⁹1988, S. 536-573.

Lebens erträglich gemacht hatten, wie Seifenblasen zerplatzen. Unverblendet und illusionslos sollten wir unser Leben ohne Verpflichtung auf höhere Prinzipien und Werte, ohne sakrale Inbrunst und Ekstase, ohne den Heroismus der Heiligen, ohne die Gewißheit und Wohlgeordnetheit göttlicher Gebote, vor allem aber ohne jene Dichtungen leben, die uns trösten und die Welt schöner machen.

Nirgendwo sticht eine derartige Ernüchterung so ins Auge wie im Reich der Liebe, das in der westeuropäischen Geschichte über Jahrhunderte hinweg von den Idealen der Ritterlichkeit, Galanterie und Romantik bestimmt worden war. Das männliche Ritterlichkeitsideal orientierte sich an einer grundlegenden Maßregel, nämlich die Schwachen couragiert und loyal zu verteidigen. Die Schwäche des weiblichen Geschlechts war somit in ein kulturelles System eingebunden, das diese Schwäche anerkannte und verklärte, indem es die männliche Macht und die weibliche Schwäche in liebenswerte Eigenschaften verwandelte, etwa in einen »Beschützerinstinkt« für die einen und in »Sanftmut« und Zartgefühl für die anderen. Zu lieben hieß folglich, die kulturellen Definitionen und Attribute von Weiblichkeit und Männlichkeit zu verherrlichen und mit Leben zu erfüllen. Das kulturelle System der Liebe, das sich auf den religiösen Sinn und später auf die romantische Ideologie stützte, verklärte die Frauen und stellte sie auf ein Podest, während es gleichzeitig den Männern Gelegenheit bot, ihren Heldenmut, ihre Ehre und eine vergrößerte Version ihres Selbst zur Schau zu stellen. Die gesellschaftliche Auslöschung der Frau konnte demzufolge mit der absoluten Hingabe des Mannes in der Liebe erkauft werden, die ihrerseits just der Schauplatz war, auf dem die Männer ihre Männlichkeit ausstellen und ausagieren konnten. Ja, daß den Frauen ökonomische und politische Rechte vorenthalten wurden, war mit der Zusicherung (und, wie wir vermuten dürfen, dem Ausgleich) verbunden, daß sie in der Liebe nicht nur von den

Männern beschützt würden, sondern ihnen auch überlegen wären. Es überrascht daher nicht, daß die Liebe historisch so ungemein verlockend für die Frauen war: Sie versprach ihnen den moralischen Status und die Achtung, die ihnen sonst in der Gesellschaft versagt blieben, und sie verklärte ihr soziales Los: als Mütter, Frauen und Geliebte andere zu umsorgen und zu lieben. Die Liebe war somit hochgradig verführerisch, weil sie die tiefgreifenden Ungleichheiten im Herzen der Geschlechterverhältnisse zugleich verschleierte und in ein schöneres Licht rückte.

Die Hoch- oder Hypermoderne – hier im engeren Sinne verstanden als die Zeit nach dem Ersten Weltkrieg – brachte eine Radikalisierung der gesellschaftlichen Tendenzen der frühen Moderne mit sich. Sie unterwarf die Kultur der Liebe sowie die in ihr implizierte Ökonomie der Geschlechtsidentität einem – mitunter tiefgreifenden – Wandel. Diese Kultur bewahrte, ja stärkte das Ideal der Liebe als einer Macht, die das alltägliche Leben zu transzendieren vermag. Doch als sie die beiden politischen Ideale der Geschlechtergleichheit und der sexuellen Freiheit ins Zentrum der Intimität rückte, entkleidete sie die Liebe jener ritualisierten Ehrerbietigkeit und mystischen Aura, in die sie bis dahin gehüllt gewesen war. Alles, was heilig an der Liebe war, wurde nun profan, und die Männer waren endlich gezwungen, nüchternen Sinnes die wahren Bedingungen zu sehen, unter denen Frauen lebten. Es ist dieser zutiefst gespaltene und doppelte Aspekt der Liebe – als Quelle existentieller Transzendenz und als bis in die Grundfesten umkämpfter Schauplatz, auf dem die Geschlechtsidentität ausagiert wird –, der die zeitgenössische romantische Kultur charakterisiert. Genauer gesagt: Die eigene geschlechtliche Identität und den Kampf der Geschlechter auszutragen heißt, den institutionellen und kulturellen Kern sowie die Dilemmata der Moderne auszutragen, Dilemmata, in deren Mittelpunkt die kulturellen und institutionellen Schlüsselmotive Authentizität, Autonomie, Gleichheit, Freiheit, Bindung und Verpflichtung* sowie Selbstverwirklichung stehen. Die Untersuchung der Liebe ist kein nebensächlicher, sondern ein *zentraler* Beitrag zur Untersuchung des Kerns und der Grundlagen der Moderne.[12]

Die heterosexuelle romantische Liebe ist einer der besten Schauplätze, um die Bilanz einer solchen ambivalenten Perspektive auf die Moderne zu ziehen, insofern wir in den vergangenen vier Jahrzehnten sowohl einer Radikalisierung von Freiheit und Gleichheit innerhalb der romantischen Bindung als auch einer radikalen Aufspaltung von Sexualität und Emotionalität beigewohnt haben. Die heterosexuelle romantische Liebe umfaßt die beiden wichtigsten kulturellen Revolutionen des 20. Jahrhunderts: zum einen die Individualisierung der Lebensstile und die Intensivierung emotionaler Lebensprojekte, zum anderen die Ökonomisierung sozialer Beziehungen, das Umsichgreifen ökonomischer Modelle zur Gestaltung des Selbst und sogar seiner Gefühle.[13] Sex und Sexualität wurden von moralischen Normen befreit und in individualisierte Lebensstile und Lebensprojekte integriert, während die kulturelle Grammatik des Kapitalismus mit Macht in den Bereich heterosexueller romantischer Beziehungen eingedrungen ist.

Als sich beispielsweise die (heterosexuelle) Liebe zum konstitutiven Thema des Romans entwickelte, bemerkte

* Der englische Ausdruck *commitment*, der in diesem Buch eine tragende Rolle spielt, verfügt in den hier relevanten Kontexten über ein Bedeutungsspektrum, das von Hingabe, Engagement, Verbindlichkeit und Verpflichtung bis zur Bindung im Sinne einer festen Beziehung reicht. Er wird im folgenden nach Möglichkeit mit *Bindung* oder *Verbindlichkeit*, gelegentlich aber auch mit *Verpflichtung* wiedergegeben. [Anm. d. Übers.]

12 Dies ist auch die theoretische und soziologische Perspektive verschiedener anderer Soziologen wie Antony Giddens, Ulrich Beck und Elisabeth Beck-Gernsheim sowie Zygmunt Bauman.

13 Vgl. Robert N. Bellah, Richard Madsen, William M. Sullivan, Ann Swidler u. Steven M. Tipton, *Gewohnheiten des Herzens. Individualismus und Gemeinsinn in der amerikanischen Gesellschaft*, übers. von I. Peikert, Köln 1987.

kaum jemand, daß sie sich eng mit einem anderen Thema
verband, das nicht weniger zentral für den bürgerlichen
Roman und die Moderne insgesamt war: das der sozialen
Mobilität. Wie die beiden oben angesprochenen Fälle von
Catherine und Emma nahelegen, war die romantische
Liebe fast immer zwangsläufig mit der Frage der sozialen
Mobilität verquickt. Das heißt: Eine der zentralen Fragen
des Romans (und später des Hollywoodkinos) war und
ist, ob – und wenn ja, unter welchen Bedingungen – Liebe
über soziale Mobilität triumphieren kann beziehungsweise
umgekehrt, ob die sozioökonomische Vereinbarkeit zweier
Menschen eine notwendige Voraussetzung für die Liebe bilden sollte. Mit anderen Worten: Das moderne Individuum
wurde gleichzeitig emotional und ökonomisch, romantisch und rational geformt. Der Grund hierfür ist, daß die
Schlüsselstellung der Liebe für die Ehe (und den Roman)
mit der nachlassenden Bedeutung der Ehe als Werkzeug
zum Schmieden von Familienbündnissen zusammenfiel und
die neue Rolle der Liebe für die soziale Mobilität kennt-
lich machte. Weit davon entfernt jedoch, einen Niedergang
ökonomischer Berechnung einzuläuten, vertiefte die Schlüsselstellung der Liebe diese in Wirklichkeit, weil Frauen und
Männer nun immer häufiger durch die soziale Alchimie der
Liebe gesellschaftlich auf- (und ab-)stiegen. Weil die Liebe
die Übereinstimmung von Eheschließung und Strategien der
ökonomischen und gesellschaftlichen Reproduktion weniger explizit und formal machte, umfaßte und vermengte
die moderne Partnerwahl in zunehmendem Maß sowohl
emotionale als auch ökonomische Erwartungen. Die Liebe
beinhaltete nunmehr rationale und strategische Interessen
und verschmolz so die wirtschaftlichen und emotionalen
Dispositionen der Akteure zu einer einzigen kulturellen Matrix. Eine der zentralen kulturellen Transformationen, die
mit der Moderne einhergingen, bestand somit in der Vermengung der Liebe mit ökonomischen Strategien sozialer

Mobilität. Das ist auch der Grund, warum das vorliegende Buch eine Reihe methodologischer Vorannahmen macht: Es beschäftigt sich eher mit der heterosexuellen als mit der homosexuellen Liebe, weil erstere mit einer Leugnung ökonomischer Motive bei der Wahl des Liebesobjekts sowie mit einer Verschmelzung der ökonomischen und der emotionalen Logiken verbunden ist. Diese beiden Logiken sind zuweilen harmonisch und bruchlos versöhnt, genausooft aber zersplittern sie das romantische Gefühl von innen heraus. Die Vermengung von Liebe und ökonomischem Kalkül verleiht der Liebe eine Schlüsselstellung im modernen Leben und bildet zugleich den Mittelpunkt der widersprüchlichen Zwänge, denen sie unterworfen worden ist. Dies ist somit einer der roten Fäden, anhand deren ich die Liebe in der Moderne neu interpretieren möchte, um zu zeigen, inwiefern Wahlfreiheit, Rationalität, Interesse und Konkurrenz die Art und Weise verändert haben, wie wir einen Partner suchen, kennenlernen, umwerben und wie wir dabei unsere eigenen Gefühle befragen und über sie entscheiden. Eine weitere Vorannahme des vorliegenden Buches besteht darin, daß es die Liebe stärker aus weiblicher als aus männlicher Perspektive betrachtet, genauer noch: aus der Perspektive von Frauen, die sich für die Ehe, Kinder und einen Lebensstil der Mittelschicht entscheiden. Wie ich im folgenden aufzuzeigen hoffe, ist es nämlich die Kombination dieser Sehnsüchte und ihre Position in einem freien Markt der sexuellen Begegnungen, die neue Formen der emotionalen Herrschaft von Männern über Frauen hervorbringen. Somit ist dieses Buch für viele von Belang, aber nicht für alle.

Die Liebe in der Moderne, die Liebe als Moderne

Zu den üblichen Verdächtigen, die man zur Erklärung des Siegeszugs der Moderne heranzieht, zählen das wissenschaftliche Wissen, die Druckerpresse, die Entwicklung des Kapitalismus, die Säkularisierung und der Einfluß demokratischer Ideen. Die Herausbildung eines emotionalen Selbst dagegen kommt in kaum einer Darstellung vor. Wie ich an anderer Stelle zu zeigen versucht habe,[14] ging die Ausbildung der Moderne tatsächlich mit der Hervorbringung eines reflexiven emotionalen Selbst einher, eines Selbst, das sich und seine Identität in erster Linie in emotionalen, um die Bewirtschaftung und Bekräftigung seiner Gefühle kreisenden Kategorien definierte. Das vorliegende Buch möchte das kulturelle Ideal und die Praxis der romantischen Liebe im kulturellen Kern der Moderne verankern und dabei vor allem ihre entscheidende Bedeutung für die Modellierung der eigenen Biographie und die Konstitution des emotionalen Selbst hervorheben. Wie Ute Frevert schrieb: »Gefühle machen Geschichte. [...] Gefühle sind aber nicht nur geschichtsmächtig, sondern auch [...] geschichtsträchtig.«[15]

Der Philosoph Gabriel Motzkin bietet einen Ansatz, wie wir über die Rolle der Liebe in dem langen Prozeß der Herausbildung des modernen individuellen Selbst nachdenken können. Nach seiner Darstellung machte der christliche (paulinische) Glaube die Gefühle der Liebe und der Hoffnung zu sowohl sichtbaren als auch zentralen Größen – und schuf damit ein emotionales (im Unterschied etwa zu einem intellektuellen oder politischen) Selbst.[16] Motzkin begründet dies damit, daß der Prozeß der Säkularisierung der Kultur unter anderem in einer Säkularisierung der religiösen Liebe bestand, die zweierlei Form annahm: Sie verwandelte die profane Liebe in ein sakrales Gefühl (das später als roman-

14 Eva Illouz, *Die Errettung der modernen Seele. Therapien, Gefühle und die Kultur der Selbsthilfe*, übers. von M. Adrian, Frankfurt/M. 2009.

15 Ute Frevert, »Was haben Gefühle in der Geschichte zu suchen?«, in: *Geschichte und Gesellschaft*, Jg. 35, Nr. 2 (2009), S. 183-208, hier: S. 202.

16 Gabriel Motzkin, »Secularization, Knowledge and Authority«, in: Gabriel Motzkin u. Yochi Fischer (Hg.), *Religion and Democracy in Contemporary Europe*, Jerusalem 2008, S. 35-54.

tische Liebe gepriesen wurde), und sie verwandelte die romantische Liebe in ein Gefühl, das im Widerspruch zu den von der Religion verhängten Restriktionen stand. Die Säkularisierung der Liebe spielte somit eine wichtige Rolle im Prozeß der Emanzipation von der Autorität der Religion.

Wollte man diese Analysen zeitlich genauer einordnen, so scheint die protestantische Reformation eine wichtige Stufe in der Herausbildung eines modernen romantischen Selbst gewesen zu sein, stand sie doch im Zeichen einer Reihe von Spannungen zwischen dem Patriarchalismus und den neuen gefühlsmäßigen Erwartungen, die sich mit dem Ideal der Kameradschaftsehe verbanden. »Die puritanischen Autoren ermutigten zur Formulierung neuer Verhaltensideale in der Ehe, wobei sie die Bedeutung der Intimität und der Intensität der Gefühle zwischen den Ehepartnern betonten. Die Ehemänner wurden angespornt, auf das geistige und seelische Wohlergehen ihrer Frauen zu achten.«[17]

Lawrence Stone, Francesca Cancian und Anthony Giddens haben in ihren Studien geltend gemacht, daß die Liebe zumal in den protestantischen Kulturen eine Quelle der Gleichberechtigung der Geschlechter darstellte, weil sie mit einer starken Wertschätzung der Frauen einherging.[18] Aufgrund der religiösen Ermahnung, die eigene Gemahlin mit Zartgefühl zu lieben, verzeichneten die Frauen eine Verbesserung ihres Status und ihrer Fähigkeit, Entscheidungen auf Augenhöhe mit den Männern zu treffen. Anthony Giddens und andere behaupten darüber hinaus, daß die Liebe eine zentrale Rolle für die Konstruktion der weiblichen Autonomie gespielt hat. Deren Ursprung sei in dem Umstand zu

17 Michael Macdonald, *Mystical Bedlam. Madness, Anxiety and Healing in Seventeenth-Century England*, Cambridge 1983, S. 98.

18 Francesca M. Cancian, *Love in America. Gender and Self-Development*, Cambridge u. New York 1987; Anthony Giddens, *Wandel der Intimität. Sexualität, Liebe und Erotik in modernen Gesellschaften*, übers. von H. Pelzer, Frankfurt/M. 1993; Lawrence Stone, *The Family, Sex and Marriage in England, 1500-1800*, New York 1977.

sehen, daß das kulturelle Ideal der romantischen Liebe im 18. Jahrhundert, sobald es von der religiösen Ethik abgelöst war, Frauen nicht weniger als Männer dazu anhielt, ihr Liebesobjekt frei zu wählen.[19] Tatsächlich erfordert und begründet ja schon die Idee der Liebe den freien Willen und die Autonomie der Liebenden. Motzkin und Fisher gehen sogar so weit zu sagen, daß »die Entwicklung demokratischer Konzeptionen von Macht eine langfristige Folge der Voraussetzung einer weiblichen Gefühlsautonomie ist«.[20] Die empfindsame Literatur- und Romanproduktion des 18. Jahrhunderts verstärkte diesen kulturellen Trend, weil das von ihr propagierte Liebesideal theoretisch und praktisch dazu beitrug, die Macht zu destabilisieren, die Eltern – insbesondere Väter – über die Ehen ihrer Töchter ausübten. Somit war das Ideal der romantischen Liebe in einer wichtigen Hinsicht ein Hebel der Frauenemanzipation: Es war ein Mittel der Individualisierung und Autonomie, auf welchen Umwegen eine solche Emanzipation auch immer verlaufen sein mag. Weil die Privatsphäre im 18. und 19. Jahrhundert stark aufgewertet wurde, konnten Frauen ausüben, was Ann Douglas mit Harriet Beecher Stowe als »*the pink and white tyranny*« bezeichnet, also das Streben »amerikanischer Frauen im 19. Jahrhundert nach Macht durch den Einsatz ihrer weiblichen Identität«.[21] Zwar beließ die Liebe die Frauen unter der Vormundschaft der Männer, doch legitimierte sie dabei zugleich ein Modell des Selbst, das privater, häuslicher und individualistischer Natur war und das vor allem emotionale Autonomie erforderte. So verstärkte die romantische Liebe innerhalb der Privatsphäre jenen moralischen Individualismus, der die Ausbildung der

19 Giddens, *Wandel der Intimität*.
20 Motzkin u. Fischer, *Religion and Democracy in Contemporary Europe*, S. 14.
21 Ann Douglas, *The Feminization of American Culture*, New York 1978, S. 6 f.

Öffentlichkeit begleitet hatte. Tatsächlich ist die Liebe das paradigmatische Beispiel und die eigentliche Antriebskraft eines neuen Modells der Geselligkeit, das Giddens als eines der »reinen Beziehung« bezeichnet hat.[22] Eine solche reine Beziehung fußt auf der vertragstheoretischen Annahme, daß sich zwei gleichberechtigte Individuen aus emotionalen und individuellen Gründen zusammentun. Sie wird von zwei Individuen um ihrer selbst willen begründet und kann nach Belieben eingegangen und aufgelöst werden.

Während die Liebe zweifellos eine beträchtliche Rolle bei der Herausbildung des von Historikern so genannten »affektiven Individualismus« gespielt hat, neigt die Geschichte der Liebe in der Moderne jedoch dazu, sich als eine heroische zu präsentieren, als eine Geschichte, die von der Knechtschaft zur Freiheit geführt habe. Wenn die Liebe siegt, dann treten dieser Lesart zufolge Zweck- und Vernunftehen von der Bühne ab, auf der nun Individualismus, Autonomie und Freiheit triumphieren. Zwar teile ich die Überzeugung, daß die Liebe sowohl das Patriarchat als auch die Institution der Familie in Frage gestellt hat, doch machte die »reine Beziehung« die Privatsphäre auch normativ unbeständiger und das romantische Bewußtsein zu einem unglücklichen. Was die Liebe zu einer so chronischen Quelle von Unbehagen, Desorientierung und sogar Verzweiflung werden läßt, kann meiner Ansicht nach nur durch die Soziologie und nur durch ein Verständnis des kulturellen und institutionellen Kerns der Moderne erklärt werden. Aus diesem Grund glaube ich auch, daß die hier entwickelte Analyse für die meisten Länder relevant ist, die an der Entwicklung der Moderne teilhatten – einer Moderne, die auf Gleichheit, Vertragsdenken, der Integration von Männern und Frauen in den kapitalistischen Markt so-

22 Anthony Giddens, *Modernity and Self-identity. Self and Society in the Late Modern Age*, Stanford 1991, Kap. 3; ders., *Wandel der Intimität*, Kap. 4.

wie institutionalisierten »Menschenrechten« als dem Kern
der Person beruht. Denn diese transkulturelle und institutionelle Matrix, die sich in vielen Ländern auf der ganzen
Welt findet, hat die traditionelle ökonomische Funktion der
Ehe und die traditionellen Weisen, die Geschlechterbeziehungen zu regulieren, zerrüttet und verwandelt. Zugleich
ermöglicht es uns diese Matrix, über den hochgradig ambivalenten normativen Charakter der Moderne nachzudenken. Meine Analyse der Liebe unter den Bedingungen der
Moderne ist *kritisch*, aber sie ist kritisch aus einer *ernüch-
tert modernen* Perspektive, das heißt aus einer Perspektive,
für die ausgemacht ist, daß die Moderne zwar Zerstörung
und Elend in großem Stil verursacht hat, für ihre zentralen
Werte (politische Emanzipation, Säkularismus, Rationalität, Individualismus, moralischer Pluralismus, Gleichheit)
aber gegenwärtig keine überlegene Alternative in Sicht ist.
Dennoch muß es ein ernüchtertes Unterfangen bleiben, für
die Moderne einzutreten, weil diese in ihrer westlichen kulturellen Ausprägung noch nie dagewesene Formen emotionalen Elends und der Zerstörung traditioneller Lebenswel-
ten herbeigeführt, ontologische Verunsicherung zu einem
dauerhaften Merkmal des modernen Lebens gemacht und
zunehmend auf die Organisation von Identität und Begehren übergegriffen hat.[23]

Warum wir die Soziologie brauchen

Für William James, den Großvater der modernen Psychologie, bestand der Ausgangspunkt für den Psychologen in
der Überlegung, daß »permanent in der einen oder anderen Form gedacht wird« und Denken, wie er festhielt, etwas
Persönliches ist: Jeder Gedanke ist Teil eines persönlichen

---

23 Vgl. René Girard, *Le sacrifice*, Paris 2003; ders., *Shakespeare. Theater des Neides* [1972], übers. von W. Meier, München 2011.

Bewußtseins, das dem Individuum zu einer Entscheidung darüber verhilft, mit welchen Erfahrungen der Außenwelt es sich auseinandersetzt und welche es ignoriert.[24] Im Gegensatz dazu sah die Soziologie ihre zentrale Aufgabe vom ersten Tag an darin, die *soziale* Grundlage von Überzeugungen zu entlarven. Für Soziologen gibt es keinen Gegensatz zwischen dem Individuellen und dem Sozialen, weil die Inhalte von Gedanken, Wünschen und inneren Konflikten auf einer institutionellen und kollektiven Grundlage beruhen. Wenn etwa eine Gesellschaft und Kultur sowohl die intensive Leidenschaft der romantischen Liebe als auch die heterosexuelle Ehe als Modelle für das Erwachsenenleben propagiert, dann prägt sie nicht nur unser Verhalten, sondern auch unsere Erwartungen, Hoffnungen und Träume vom Glück. Doch soziale Modelle bewirken noch mehr: Indem sie die Institution der Ehe mit dem Ideal der romantischen Liebe konfrontieren, bauen moderne Gemeinwesen gesellschaftliche Widersprüche in unsere Erwartungen ein, Widersprüche, die ihrerseits zu psychischen Realitäten werden. Die institutionelle Organisation der Ehe, die auf Monogamie, einer Lebensgemeinschaft und dem Zusammenlegen der ökonomischen Ressourcen zum Zweck der Wohlstandsmehrung fußt, schließt die Möglichkeit aus, eine romantische Liebe als intensive und alles verzehrende Leidenschaft aufrechtzuerhalten. Dieser Widerspruch zwingt die Akteure zu einem gehörigen Maß an kultureller Arbeit, um die beiden konkurrierenden kulturellen Rahmenbedingungen zu bewältigen und miteinander zu versöhnen.[25] Dieses Nebeneinander zweier kultureller Rahmenbedingungen macht seinerseits anschaulich, daß die der Liebe und Ehe oftmals innewohnenden Gefühle der Wut, Frustration und Enttäuschung in gesellschaftlichen und kulturellen Ordnun-

24 William James, *The Principles of Psychology*, Bd. 1 [1890], New York 2007, S. 224.
25 Vgl. Swidler, *Talk of Love*.

gen gründen. Während Widersprüche ein unvermeidlicher Bestandteil der Kultur sind und die Menschen üblicherweise mühelos zwischen ihnen schalten und walten, sind manche von ihnen doch schwieriger zu bewältigen als andere. Wenn sie unmittelbar an die Möglichkeit rühren, Erfahrungen zu versprachlichen, lassen sie sich nicht so einfach harmonisch ins Alltagsleben integrieren.

Daß Individuen die gleichen Erfahrungen unterschiedlich interpretieren oder daß sich uns soziale Erfahrungen zumeist durch psychologische Kategorien vermittelt darstellen, bedeutet nicht, daß diese Erfahrungen privat und einzigartig sind. Eine Erfahrung findet stets innerhalb einer Institution statt, die sie organisiert (das gilt für einen Patienten im Krankenhaus ebenso wie für einen renitenten Teenager in der Schule oder eine wütende Frau in ihrer Familie). Erfahrungen zeichnen sich durch Formen, Intensitäten und Beschaffenheiten aus, die daraus resultieren, wie Institutionen das Gefühlsleben strukturieren. So hat beispielsweise viel von der Wut und Enttäuschung im Eheleben damit zu tun, wie die Ehe die Geschlechterbeziehungen strukturiert sowie institutionelle und emotionale Logiken vermengt, etwa den Wunsch nach Verschmelzung und Gleichheit unter Absehung vom sozialen Geschlecht mit der Distanz, die der Vollzug von Geschlechterrollen unweigerlich mit sich bringt. Zu guter Letzt muß eine Erfahrung, damit sie einem selbst und anderen verständlich ist, eingespielten kulturellen Mustern folgen. Ein Kranker kann sich seine Krankheit als Strafe Gottes für seine vergangenen Missetaten erklären, als biologischen Zufall oder auch als Folge eines unbewußten Todeswunschs; alle diese Interpretationen sind Ausfluß ausgefeilter Erklärungsmuster, die von historisch situierten Personengruppen angewandt und anerkannt werden, und bewegen sich im Rahmen dieser Erklärungsmuster.

Das heißt nicht, daß ich die Vorstellung erheblicher psychischer Unterschiede zwischen Menschen bestreite oder in

Abrede stelle, daß diese Unterschiede eine wichtige Rolle in unserem Leben spielen. Mein Einwand gegen das vorherrschende psychologische Ethos ist vielmehr ein dreifacher: Erstens hat das, was wir für individuelle Bestrebungen und Erfahrungen halten, in Wirklichkeit häufig einen sozialen und kollektiven Gehalt; zweitens sind psychische Unterschiede oft – wenn auch nicht immer – nichts weiter als Unterschiede in den gesellschaftlichen Positionen und Aspirationen; und drittens besteht der Einfluß der Moderne auf die Ausprägung von Selbst und Identität genau darin, die psychischen Attribute der Individuen offenzulegen und zu entscheidenden Faktoren ihrer romantischen wie gesellschaftlichen Schicksale zu machen. Die Tatsache, daß wir psychologische Wesen sind – daß also unsere Psychologie so großen Einfluß auf unsere Geschicke hat –, *ist selbst eine soziologische Tatsache.* Indem sie die moralischen Ressourcen und sozialen Zwänge abbaut, die vormals den Bewegungsspielraum der Individuen in ihrer gesellschaftlichen Umgebung definierten, setzt die Struktur der Moderne die Individuen ihrer *eigenen* psychischen Struktur aus und macht auf diese Weise die Psyche so verletzlich wie wirkmächtig für das soziale Schicksal. Die Verletzlichkeit des Selbst in der Moderne läßt sich somit wie folgt zusammenfassen: Mächtige institutionelle Zwänge prägen unsere Erfahrungen, doch kommen die Individuen mit Hilfe der psychischen Ressourcen, die sie im Laufe ihrer sozialen Entwicklung angehäuft haben, mit diesen Zwängen zu Rande. Es ist dieser Doppelaspekt der modernen, zwischen dem Institutionellen und dem Psychischen angesiedelten sozialen Erfahrungen, den ich im Hinblick auf die Liebe und das Leiden an ihr dokumentieren will.

Soziologie und psychisches Leid

Seit ihren Gründungstagen bestand der wichtigste Forschungsgegenstand der Soziologie in kollektiven Formen von Leid: Ungleichheit, Armut, Diskriminierung, Krankheiten, politische Unterdrückung, Kriege und Naturkatastrophen bildeten das wichtigste Prisma, durch das die Soziologie die Qualen der Condition humaine erforschte. In der Analyse dieser Formen kollektiven Leids war die Soziologie überaus erfolgreich, doch versäumte sie es, auch das gewöhnliche psychische Leid innerhalb sozialer Beziehungen zu analysieren: Ressentiments, Erniedrigungen und unerwidertes Begehren sind nur einige der zahlreichen Beispiele für solche alltäglichen und unsichtbaren Formen von Leid. Die Soziologie schreckte davor zurück, emotionales Leid – das sie zu Recht als tragende Säule der klinischen Psychologie betrachtet – zu ihrem Zuständigkeitsbereich zu zählen, um nicht in die trüben Gewässer eines individualistischen und psychischen Gesellschaftsmodells hineingezogen zu werden. Wenn die Soziologie aber für die modernen Gesellschaften relevant bleiben will, muß sie zwingend die Gefühle untersuchen, in denen sich die Verletzlichkeit des Selbst unter den Bedingungen der Spätmoderne spiegelt, eine Verletzlichkeit, die zugleich institutioneller wie emotionaler Natur ist. Dieses Buch versucht den Nachweis zu führen, daß die Liebe ein solches Gefühl ist und daß eine sorgfältige Analyse der Erfahrungen, die mit ihr einhergehen, uns wieder zu der primären sowie unverändert notwendigen und hochaktuellen Aufgabe der Soziologie zurückführt.

Wenn wir über die Modernität des Liebesleidens nachdenken wollen, könnte der Begriff »soziales Leid« passend scheinen. Doch ist ein solcher Begriff für meine Zwecke nicht sehr nützlich, weil er so, wie die Anthropologen ihn verstehen, weiträumige sichtbare Folgen von Hungersnöten,

Armut, Gewalt und Naturkatastrophen bezeichnet[26] und weniger sicht- und greifbare Formen des Leidens ausblendet, zu denen etwa Beklemmungen, das Gefühl der eigenen Wertlosigkeit oder Depressionen zählen, die allesamt in das gewöhnliche Leben und gewöhnliche Beziehungen eingebettet sind.

Seelisches oder psychisches Leid hat zwei Haupteigenschaften: Wie Schopenhauer schrieb, rührt Leid von dem Umstand her, daß wir durch »Erinnerung und Vorhersehung« leben.[27] Leid ist, mit anderen Worten, durch die Vorstellungskraft vermittelt, durch die Bilder und Ideale, aus denen sich unsere Erinnerungen, Erwartungen und Sehnsüchte zusammensetzen.[28] Soziologischer formuliert heißt dies, daß Leid durch kulturelle Definitionen des Selbst vermittelt ist. Zweitens geht Leid typischerweise mit einem Verlust unserer Fähigkeit einher, Sinnzusammenhänge zu erfahren. Folglich nimmt Leid, wie Paul Ricœur sagt, häufig die Form einer Klage darüber an, daß es blind und willkürlich sei.[29] Weil Leid ein Einbruch des Irrationalen in das alltägliche Leben ist, verlangt es nach einer rationalen Erklärung, einer Interpretation des »verdienten Lohns«.[30] Anders

---

26 Arthur Kleinman, Veena Dass u. Margaret Lock (Hg.), *Social Suffering*, Berkeley 1997.

27 Arthur Schopenhauer, *Parerga und Paralipomena* [1851], Bd. 2, hg. von Ludger Lütkehaus, Zürich 1988, S. 266.

28 So könnte man beispielsweise spekulieren, daß egalitäre Kulturen mit einem egalitären kulturellen Imaginären und einer mobilen Gesellschaftsstruktur mehr seelisches Leid verursachen als Kastengesellschaften, in denen die Individuen keine oder nur geringe persönliche Erwartungen entwickeln.

29 Iain Wilkinson, *Suffering. A Sociological Introduction*, Cambridge 2005, S. 43.

30 In der Religion war dies die zentrale Aufgabe der Theodizee, die erklärte, warum Menschen leiden und warum es vor allem richtig ist, daß sie leiden. Im Bereich der romantischen Gefühle hat die klinische Psychologie die Funktion der Theodizee übernommen, zu erklären, warum wir leiden, und uns unser Leid auf diese Weise nicht nur verständlich, sondern auch annehmbar zu machen.

gesagt: Eine leidvolle Erfahrung wird um so unerträglicher
sein, je weniger sich ihr ein Sinn abgewinnen läßt. Wenn
unser Leid nicht erklärt werden kann, leiden wir doppelt:
unter dem Schmerz, den wir erfahren, und unter unserer
Unfähigkeit, ihm eine Bedeutung zu verleihen. Somit verweist uns jede Erfahrung von Leid stets auf die Erklärungssysteme, die zu ihrer Interpretation herangezogen werden.
Erklärungssysteme wiederum unterscheiden sich darin, wie
sie dem Schmerz einen Sinn verleihen. Sie unterscheiden sich
darin, wie sie Verantwortung zuschreiben, welche Aspekte
der Leiderfahrung sie thematisieren und hervorheben und
in welcher Form sie Leid in andere Erfahrungskategorien
übersetzen (oder nicht), ob diese nun »Erlösung«, »Rei-
fung«, »Wachstum« oder »Weisheit« heißen. Wie ich hinzufügen möchte, mag das *moderne* seelische Leid zwar eine
ganze Reihe – physiologischer wie psychischer – Reaktions-
formen umfassen, geprägt ist es jedoch durch den Umstand,
daß das Selbst – seine Definition und sein Selbstwertgefühl –
unmittelbar auf dem Spiel steht. Seelisches Leid beinhaltet
eine Erfahrung, die die Integrität des Selbst bedroht. Das
Leiden in zeitgenössischen intimen zwischenmenschlichen
Beziehungen spiegelt die Situation des Selbst unter Bedingungen der Moderne wider. Das romantische Leid ist keine
Marginalie verglichen mit mutmaßlich schwerwiegende-
ren Formen des Leids, weil es, wie ich zu zeigen versuchen
werde, die Dilemmata und Formen der Machtlosigkeit des
Selbst in der Moderne ausstellt und austrägt. Wie ich anhand einer Vielzahl von Quellen dokumentieren werde,[31]

31 Die vielfältigen Daten, auf die ich mich stütze, umfassen 70 Interviews mit Einwohnern aus drei Ballungsräumen in Europa, den Vereinigten
Staaten und Israel; eine bunte Auswahl von Selbsthilfegruppen im Internet;
zeitgenössische Romane sowie solche aus dem 19. Jahrhundert; eine umfangreiche Auswahl zeitgenössischer Ratgeber zu Liebesaffären, Partnersuche, Ehe und Scheidung; Internet-Kontaktbörsen; sowie eine über zwei
Jahre hinweg durchgeführte Analyse der wöchentlichen Kolumne »Modern Love« in der *New York Times*. Die von mir interviewten Personen

sind Erfahrungen des Verlassenseins und der unerwiderten Liebe genauso entscheidend für die eigene Lebenserzählung wie andere Formen sozialer Demütigung.

Man könnte an dieser Stelle zu Recht skeptisch einwenden, daß Dichter und Philosophen schon seit langem um die verheerenden Folgen der Liebe wissen und das Liebesleid immer schon einen zentralen Topos gebildet hat, der in der romantischen Bewegung mit ihrer wechselseitigen Spiegelung und Definition von Liebe und Liebesleid an ihr einen Höhepunkt fand. Doch möchte ich in diesem Buch den Nachweis führen, daß es etwas qualitativ Neues in der *modernen* Erfahrung des Liebeskummers gibt. Spezifisch modern am Liebesleid sind die Deregulierung von Heiratsmärkten (Kapitel 1), die Transformation der Architektur der Partnerwahl (Kapitel 2), die überwältigende Bedeutung der Liebe für die Ausbildung eines sozialen Selbstwertgefühls (Kapitel 3), die Rationalisierung der Leidenschaft (Kapitel 4) sowie die Art und Weise, wie die romantische Vorstellungskraft gebraucht wird (Kapitel 5). Wenn dieses Buch also davon handelt, was am Liebesleid wirklich neu und modern ist, zielt es trotzdem nicht darauf ab, die vielfältigen Erscheinungsformen von Liebesqualen vollständig zu behandeln, sondern lediglich einige von ihnen; auch bezwei-

waren zu sechzig Prozent Frauen und zu vierzig Prozent Männer und wurden, weil es wichtig war, daß sie der Interviewerin vertrauen, im Schneeballverfahren ausgewählt. Die Befragten waren zwischen 25 und 67 Jahre alt und verfügten alle über einen Hochschulabschluß. Unter ihnen befanden sich Alleinstehende, die nie verheiratet waren, geschiedene Alleinstehende sowie Verheiratete. Nationale Unterschiede wurden aus zwei Gründen nicht erörtert: Erstens erwiesen sich die Dilemmata, in denen diese Männer und Frauen steckten, von ihrer Art her als ausgesprochen ähnlich (was an sich schon ein Befund ist). Insofern, zweitens, jede Forschung eine Entscheidung impliziert, bestimmte Aspekte eines Phänomens herauszugreifen und andere außer acht zu lassen, bestand meine Entscheidung darin, mich nicht auf die Differenzen, sondern gerade auf die Gemeinsamkeiten der Erfahrungen dieser Männer und Frauen mit unterschiedlichem nationalem Hintergrund zu konzentrieren.

felt es nicht, daß viele Menschen ein glückliches Liebesleben haben. Doch treten Liebeselend und Liebesglück in einer spezifisch modernen Form in Erscheinung, und dieser Form möchte ich im folgenden meine Aufmerksamkeit widmen.

1.
Die große Transformation der Liebe oder die Entstehung von Heiratsmärkten

Was schreiben Sie mir da, meine Teure? Wie kann ich denn zu Ihnen kommen? Was würden die Leute sagen, mein Täubchen? Ich müßte doch über den Hof gehen, und unsere Hausgenossen würden es bemerken und Nachforschungen anstellen, – es würde Gerede und Klatscherei geben; sie würden der Sache einen falschen Sinn beilegen. Nein, mein Engelchen, es ist schon besser, wenn ich Sie morgen bei der Abendmesse wiedersehe; das wird vernünftiger und für uns beide unschädlicher sein.

– Fjodor Dostojewski

Welches Mädchen am Winesburger College fand [im Jahre 1951] einen Jungen »begehrenswert«? Ich jedenfalls hatte vom Vorhandensein solcher Gefühle unter den Mädchen in Winesburg oder Newark oder wo auch immer noch nie gehört. Soweit ich wusste, wurden Mädchen nicht von solchen Gefühlen beflügelt; sie wurden beflügelt von Grenzen, von Verboten, von strikten Tabus, die allesamt nur der Verwirklichung dessen dienten, was die meisten meiner Kommilitoninnen in Winesburg als ihr vorrangiges Ziel betrachteten: mit einem zuverlässigen jungen Lohnempfänger ebenjenes Familienleben, von dem sie durch den Besuch des Colleges vorübergehend ausgeschlossen waren, von neuem entstehen zu lassen, und dies so schnell wie möglich.

– Philip Roth*

Seit langem wird die Liebe als eine Erfahrung gezeichnet, die uns überwältigt und unseren Willen übergeht, als eine unwiderstehliche Macht, die sich unserer Kontrolle entzieht. In diesem und dem folgenden Kapitel stelle ich dagegen eine auf den ersten Blick wenig einleuchtende Behauptung auf: Um die Transformation der Liebe in der Moderne zu ver-

---

* Die Mottos stammen aus Fjodor Dostojewski, *Arme Leute* [1846], übers. von H. Röhl, Frankfurt/M. 1997, S. 22 f.; sowie aus Philip Roth, *Empörung*, übers. von W. Schmitz, München 2009, S. 55 f.

stehen, ist es mit am ergiebigsten, sie anhand der Kategorie der Wahl zu betrachten. Dies liegt nicht nur daran, daß zu lieben bedeutet, eine Person unter möglichen anderen auszuzeichnen und somit die eigene Individualität schon im Akt der Wahl eines Liebesobjekts zu begründen. Es hat auch damit zu tun, daß jemanden zu lieben heißt, mit Fragen des Wählens konfrontiert zu sein: »Ist er/sie der/die Richtige für mich?« – »Woher weiß ich, daß diese Person die richtige für mich ist?« – »Werde ich nicht vielleicht einem noch besseren Partner begegnen?« Diese Fragen verbinden die Dimension der Gefühle mit der Dimension der Wahl, die eine eigene, ausdifferenzierte Form von Handlung darstellt. In dem Maß, in dem ein modernes Selbst dadurch definiert ist, daß es selbst zu entscheiden und auszuwählen beansprucht – am offenkundigsten in den Bereichen des Konsums und der Politik –, kann uns die Liebe zu wichtigen Einsichten in die soziale Grundlage der Kategorie der Wahl in der Moderne verhelfen.

Die Wahl ist das entscheidende kulturelle Kennzeichen der Moderne, weil sie, zumindest in den Arenen der Wirtschaft und der Politik, den Gebrauch nicht nur der Freiheit, sondern auch von zwei Vermögen verkörpert, die den Gebrauch der Freiheit rechtfertigen, nämlich jener der Rationalität und der Autonomie. In diesem Sinne ist die Wahl einer der mächtigsten kulturellen und institutionellen Vektoren für die Prägung des modernen Selbst: Sie ist zugleich ein Recht und eine Form von Kompetenz. Wenn die Wahl ein eingefleischter Bestandteil der modernen Individualität ist, dann ist die Frage, *wie* und *warum* Menschen sich entscheiden, eine Beziehung einzugehen oder nicht, wesentlich für das Verständnis der Liebe als einer Erfahrung der Moderne.

Ökonomen, Psychologen und selbst Soziologen neigen dazu, die Wahl für ein natürliches Merkmal des Verstandsgebrauchs zu halten, für eine Art feststehende, unveränderliche Eigenschaft des Geistes, definiert als die Fähigkeit,

Präferenzen festzulegen, auf der Grundlage dieser abge-
stuften Präferenzen widerspruchsfrei zu handeln und unter
Einsatz der effizientesten Mittel Wahlentscheidungen zu
treffen. Indes ist die Wahl alles andere als eine einfache Kategorie und nicht weniger durch die Kultur geprägt als andere Merkmale des Handelns. In dem Maß, in dem die Wahl
eine Hierarchie zwischen rationalem Denken und Gefühlen
impliziert, in dem Maß, in dem sie eine implizite Wertschätzung der Fähigkeit zu wählen selbst sowie die kognitiven
Mechanismen zur Organisation des Wahlvorgangs umfaßt,
können wir sie als kulturell und gesellschaftlich geprägt bezeichnen – als eine Eigenschaft, die gleichermaßen eine der
Umwelt und eine der Gedanken und Überzeugungen ist, die
der Wählende *über* die Wahl hat.[1]

Eine der zentralen Transformationen, der die Liebe in der
Moderne unterworfen war, hat unmittelbar mit den Bedingungen zu tun, unter denen romantische Wahlentscheidungen getroffen werden. Diese Bedingungen sind von zweierlei
Art: Die eine betrifft die *Ökologie der Wahl* oder die gesellschaftliche Umwelt, die einen dazu treibt, Entscheidungen
in einer bestimmten Richtung zu treffen. Endogame Regeln
etwa, die Mitglieder derselben Familie oder Angehörige
anderer rassischer und ethnischer Gruppen als potentielle
Partner ausschließen, sind ein sehr gutes Beispiel dafür, wie
eine Wahl innerhalb einer sozialen Umwelt und durch diese
eingeschränkt ist. Die sexuelle Revolution hingegen verwandelte die Ökologie der sexuellen Wahl, indem sie eine
beträchtliche Zahl von Verboten bei der Wahl eines Sexual-
partners beseitigte. Die allgemeine soziale Umwelt, die das
Wählen beschränkt oder erleichtert, stellt ihre *Ökologie* dar.

---

1 Vgl. Hazel M. Markus u. Shinobu Kitayama, »Models of Agency. Sociocultural Diversity in the Construction of Action«, in: Virginia Murphy-
Berman u. John J. Berman (Hg.), *Cross-Cultural Differences in Perspectives
on the Self*, Nebraska Symposium on Motivation, Bd. 49, Lincoln 2003,
S. 1-58.

Die Ökologie der Wahl kann das Resultat gewollter und bewußt konzipierter Grundsätze[2] oder aber ungeplanter gesellschaftlicher Dynamiken und Prozesse sein.

Die Wahl ist aber noch durch einen anderen Aspekt gekennzeichnet, den ich als *Architektur der Wahl* bezeichnen möchte.[3] Die Architektur der Wahl hat mit Mechanismen zu tun, die subjektbezogen und kulturell geprägt sind: Sie betreffen sowohl die Kriterien, mittels deren man ein Objekt (Kunstwerk, Zahnpasta, künftigen Ehepartner) beurteilt, als auch die Modi der Selbstbefragung, also die Art und Weise, wie eine Person ihre eigenen Gefühle, ihr Wissen und ihr logisches Denken hinzuzieht, um zu einer Entscheidung zu kommen. Die Architektur der Wahl besteht aus einer Reihe kognitiver und emotionaler Prozesse und hängt, genauer gesagt, mit der Art und Weise zusammen, wie emotionale und rationale Formen des Denkens im Prozeß der Entscheidung überwacht werden. Eine Wahl kann das Resultat eines aufwendigen Prozesses der Selbstbefragung und der Prüfung alternativer Vorgehensweisen oder aber das Ergebnis einer »unmittelbaren« Spontanentscheidung sein. Alle diese Wege folgen jedoch spezifischen kulturellen Verläufen, die wir noch näher beleuchten müssen.

Sechs kulturelle Komponenten der Architektur der Wahl springen ins Auge:

(1) Schließt die Wahl ein Nachdenken über die indirekten Konsequenzen der eigenen Entscheidungen ein,[4] und wenn

---

2 Vgl. Richard H. Thaler u. Cass R. Sunstein, *Nudge. Wie man kluge Entscheidungen anstößt*, übers. von Chr. Bausum, Berlin 2009.

3 Dieses Konzept wurde unabhängig von dem Thalers und Sunsteins formuliert und zielt auf etwas anderes.

4 Beispiele für das Aufkommen neuer Formen, sich mit den indirekten Konsequenzen des eigenen Handelns zu befassen, finden sich bei Norbert Elias, *Über den Prozeß der Zivilisation. Soziogenetische und psychogenetische Untersuchungen* [1969], 2 Bde., Frankfurt/M. [24]2001; sowie bei Thomas L. Haskell, »Capitalism and the Origins of the Humanitarian Sensibility«, in: *The American Historical Review*, Jg. 90, Nr. 2 (1985), S. 339-361 (Teil 1), und Nr. 3 (1985), S. 547-566.

ja, welche Konsequenzen werden bedacht und ausgemalt? So dürften beispielsweise die gestiegenen Scheidungsraten eine neue Wahrnehmung der Konsequenzen einer Heirat bei der Entscheidung zur Eheschließung bedingt haben. Die Scheu vor dem Risiko und die Vorwegnahme des Bedauerns (*anticipation of regret*) können ihrerseits zu kulturell auffälligen Merkmalen mancher Entscheidungen (etwa der zur Heirat) werden und somit den Prozeß des Wählens verändern. Andererseits können Entscheidungen auch getroffen werden, ohne über die indirekten Folgen des eigenen Handelns nachzudenken – man denke etwa an die Finanzgenies, die nach dem Kollaps der Finanzmärkte ihre Wahrnehmung der Konsequenzen ihrer vor der Krise von 2008 gefällten Entscheidungen verändert haben müssen. Ob Konsequenzen im Vordergrund des Entscheidungsprozesses stehen und um welche es sich handelt, ist somit kulturell variabel.

(2) Findet im Rahmen des Entscheidungsprozesses eine formelle Konsultation statt? Folgt man beispielsweise expliziten Regeln, oder hält man sich an seine Intuition? Konsultiert man einen Experten (Orakel, Astrologen, Rabbi, Psychologen, Anwalt, Finanzberater), um seine Entscheidung zu treffen, oder beugt man sich Gruppenzwang und Gemeinschaftsnormen? Sofern ein Experte hinzugezogen wird, was genau wird in dem formellen Entscheidungsprozeß geklärt: die eigene »Zukunft«, die Gesetzeslage, die eigenen unbewußten Wünsche oder rationalen Eigeninteressen?

(3) Welche Formen von Selbstbefragung werden genutzt, um zu einer Entscheidung zu finden? Man kann sich auf sein intuitives, gewohntes Weltwissen verlassen, um eine Wahl zu treffen, oder systematisch nach möglichen Handlungsweisen suchen und diese abwägen, wobei man eine geistige Landkarte der verfügbaren Optionen entwerfen kann oder auch nicht. Man könnte aber auch aufgrund einer Erleuchtung in Form einer Epiphanie entscheiden. Zum Beispiel be-

obachten moderne Männer und Frauen in zunehmendem
Maß ihre eigenen Gefühle, wobei sie für diese Introspektion
auf psychologische Modelle zurückgreifen, um die Gründe
für ihre Gefühle zu verstehen. Solche Prozesse der Selbstbefragung variieren historisch und kulturell.

(4) Gibt es kulturelle Normen und Techniken, um den
eigenen Begierden und Wünschen zu mißtrauen? Die christliche Kultur etwa stellt die eigenen (sexuellen und anderen)
Wünsche und Begierden von Haus aus unter Verdacht, während eine Kultur der Selbstverwirklichung durch Konsum
dergleichen kaum praktiziert und im Gegenteil die Auffassung befördert, Begierden seien ein legitimer Grund für Entscheidungen. Kulturell konstruierter Argwohn (oder dessen
Abwesenheit) dürften den Verlauf und das Ergebnis von
Entscheidungsprozessen beeinflussen.

(5) Was gilt als akzeptabler Grund für eine Entscheidung? Sind rationale oder emotionale Formen der Bewertung legitime Grundlagen, um eine Wahl vorzunehmen, und
auf welchem Gebiet sind sie jeweils am ehesten anzutreffen?
So schreibt man dem Kauf eines Hauses und der Wahl eines Partners ein unterschiedliches Maß an rationaler beziehungsweise emotionaler Begründung zu. Selbst wenn wir in
Wirklichkeit auf dem Immobilienmarkt wesentlich »emotionaler« und auf dem Heiratsmarkt »rationaler« agieren,
als wir zugeben würden, beeinflussen kulturelle Modelle der
Affektivität und Rationalität die Art und Weise, wie wir unsere Entscheidungen treffen und verstehen.

(6) Wird das Wählen als solches um seiner selbst willen
geschätzt? (Die moderne, auf individuellen Rechten basierende Konsumkultur unterscheidet sich erheblich von vormodernen Kulturen, was die Wertschätzung des Wählens
um seiner selbst willen betrifft.) So ist beispielsweise bei der
Partnerwahl in Taiwan die Bindung an eine andere Person
aus Gründen, die nicht mit dem Paar zu tun haben (wie
sozialen Normen, sozialen Netzwerken oder den gegebenen

Umständen),[5] sehr viel häufiger als in Amerika. Die Kategorie der Wahl selbst unterscheidet sich in beiden Kulturen tiefgreifend.

Was Menschen als ihre Präferenzen verstehen, ob sie diese in emotionalen, psychologischen oder rationalen Kategorien begreifen, wie sie sich selbst im Hinblick auf ihre Präferenzen prüfen, all dies ist durch Sprachen des Selbst geprägt, die die Architektur der Wahl ausmachen.[6] Wenn sich die praktischen kognitiven und emotionalen Grundlagen der Architektur der Wahl historisch und kulturell unterscheiden, dann läßt sich das moderne Selbst sinnvoll durch die Umstände und Gepflogenheiten charakterisieren, die seine Wahlentscheidungen beeinflussen. Im vorliegenden und dem folgenden Kapitel versuche ich die Veränderungen in der Ökologie und der Architektur der romantischen Wahl zu beschreiben.

Der Charakter und die moralische Ökologie
der romantischen Wahl

Um die *differentia specifica* der zeitgenössischen modernen Liebe zu verstehen, möchte ich zunächst einen kulturellen Prototyp in den Blick nehmen, der modern genug ist, um den Mustern des affektiven Individualismus zu entsprechen, der sich aber doch hinreichend von unserem heutigen unterscheidet, um die relevanten Merkmale unserer zeitgenössischen romantischen Praktiken deutlicher hervortreten zu lassen. Für diese Analyse konzentriere ich mich auf literari-

5 Szu-Chia Chang u. Chao-Neng Chan, »Perceptions of Commitment Change During Mate Selection. The Case of Taiwanese Newlyweds«, in: *Journal of Social and Personal Relationships*, Jg. 24, Nr. 1 (2007), S. 55-68.

6 Vgl. Krishna Savani, Hazel Rose Markus u. Alana L. Conner, »Let Your Preference Be Your Guide? Preferences and Choices Are More Tightly Linked for North Americans than for Indians«, in: *Journal of Personality and Social Psychology*, Jg. 95, Nr. 4 (2008), S. 861-876.

sche Texte, weil sie kulturelle Modelle und Idealtypen besser als andere Daten versprachlichen. Ich habe insbesondere die literarische Welt der Jane Austen ausgewählt, die berühmt ist für ihre Beschäftigung mit dem Ehestand, der Liebe und dem sozialen Status.

Mir dienen Austens Texte nicht als tatsächliche historische Dokumente romantischer Praktiken, sondern als kulturelle Zeugnisse jener Annahmen, die das Selbst, die Moral und die zwischenmenschlichen Beziehungen im England des 19. Jahrhunderts organisieren. Ich ziehe ihre Romane somit nicht als Belegmaterial für die historische Komplexität der Ehepraktiken im England der Regency-Ära heran. Auch habe ich nicht vor, Austens Plots und Charaktere in ihrem Facettenreichtum zu beleuchten, wie es eine herkömmliche literaturwissenschaftliche Lektüre zweifellos vorzöge. Meine reduktionistische Herangehensweise ignoriert die Vielschichtigkeit und Komplexität ihrer Texte und konzentriert sich vielmehr auf das *System* kultureller Annahmen, das die in der Austenschen Welt verhandelten ehelich-romantischen Praktiken der Mittelklasse organisiert. Austen ist bekannt für ihre Kritik an dem zügellosen Egoismus, der in der Eheanbahnung herrschte, und warb für ein Verständnis der Ehe, das auf Zuneigung, gegenseitigem Respekt und Gefühlen beruhte (die allerdings in gesellschaftlich akzeptierten Normen verankert sein mußten). Kurz gesagt: Austens Texte interessieren mich, weil sie ein Bild der Liebe als Kompromiß zwischen klassenregulierter Ehe und individueller Wahl zeichnen und auf das kulturelle System verweisen, in dem Gefühle strukturiert wurden, also auf die Rituale, Regeln und Institutionen, die den Ausdruck und die Erfahrung von Gefühlen beschränkten.

Soweit literarische Texte systematisch kodifizierte kulturelle Annahmen – über das Selbst, die Moral oder Verhaltensrituale – beinhalten, können sie dabei helfen, kulturelle Modelle zu konstruieren, die sich von unseren eigenen unterscheiden, Idealtypen, die uns als Kontrastfolie eine Analyse unserer eigenen romantischen Praktiken erleichtern. Indem ich Parallelen zwischen Austens kulturellem Modell und den tatsächlichen Ritualen des Freiens in der Mittelklasse und oberen Mittelklasse des 19. Jahrhunderts ziehe, hoffe ich, einige Elemente der modernen gesellschaftlichen Organisation der Ehe zu verstehen. So wie Maler helle Hintergrundfarben verwenden, um die Gegenstände im Vordergrund ihres Gemäldes hervorzuheben, dient die Austensche Welt hier als eine bunte Leinwand, um die soziale Organisation romantischer Gefühle in den zeitgenössischen modernen Liebespraktiken deutlicher herauszustellen.

Die Liebe zum Charakter und der Charakter der Liebe

In ihrem Meisterwerk *Emma* erläutert Jane Austen das Wesen von Mr. Knightleys Liebe für Emma wie folgt: Emma

war oft nachlässig und launisch gewesen, hatte seinen Rat in den Wind geschlagen oder ihm sogar mutwillig widersprochen; ohne im Geringsten seine Verdienste anzuerkennen, hatte sie sich mit ihm gestritten, weil er ihre falsche und anmaßende Selbstgerechtigkeit nicht hinnehmen wollte – und doch hatte er sie aus Familiensinn, Gewohnheit und menschlicher Überlegenheit geliebt und sich um sie von Kindesbeinen an gekümmert mit dem Ziel, sie zu bilden, und begierig darauf, sie vor Fehlern zu bewahren, worin ihn weit und breit niemand unterstützt hatte.[7]

Das hier umrissene Bild der Liebe entspringt unmittelbar dem, was Männer und Frauen im 19. Jahrhundert als »Charakter« bezeichneten. Im Gegensatz zu einer langen abendländischen Tradition, in der die Liebe als ein die Urteilskraft überwältigendes und das Liebesobjekt bis zur Blindheit

---

7 Jane Austen, *Emma* [1816], übers. von U. u. Chr. Grawe, Stuttgart 2007, S. 494 f. [Übers. geringfügig modifiziert, Anm. d. Übers.]

idealisierendes Gefühl gilt, wird sie hier fest in Knightleys
Urteilsvermögen verankert. Dies ist der Grund, warum Emmas Fehler nicht weniger hervorgehoben werden als ihre Tugenden. Die einzige Person, die Emma liebt, ist auch die einzige, die ihre Fehler sehen kann. Jemanden zu lieben *heißt*,
ihn mit offenen Augen und wissendem Blick zu sehen. Und
ein solches Urteilsvermögen (und Bewußtsein der Mängel,
die jemand hat) impliziert, anders als wir es heute erwarten
würden, keine zwiespältigen Gefühle gegenüber Emma. Im
Gegenteil, Knightleys eigener vorzüglicher Charakter läßt
ihn Emmas Fehler vergeben, läßt ihn das erkennen, was sich
später als ihre eigene »menschliche Überlegenheit« herausstellen wird, und danach streben, ihren Charakter mit Eifer,
ja Leidenschaft zu verbessern. Emmas Defizite zu verstehen
ist nicht unvereinbar damit, ihr uneingeschränkt verpflichtet zu sein, weil beides derselben moralischen Quelle entspringt. Knightleys Liebe selbst ist in höchstem Maß moralisch, nicht nur, weil er das Objekt seiner Liebe auf einen
Moralkodex verpflichtet, sondern auch, weil Emma zu lieben mit dem moralischen Projekt verknüpft ist, ihren Geist
zu formen. Wenn er sie begierig betrachtet, dann nicht, weil
er vor Verlangen nach ihr brennt, sondern aus dem Wunsch
heraus, zu sehen, daß sie das Rechte tut. In dieser speziellen
Liebesauffassung ist es nicht die einmalige Originalität der
Person, die wir lieben, sondern die Fähigkeit dieser Person,
für jene Werte zu stehen, die wir – und andere – ehren. Interessanter noch: Emma fühlt sich durch Knightleys Zurecht-
weisungen keineswegs gedemütigt oder herabgesetzt, sondern sie akzeptiert seinen Tadel. Ja, wir dürfen sogar annehmen, daß sie Knightley gerade deshalb respektiert und liebt,
weil dieser sie als einziger gegenüber einem Moralkodex
verantwortlich macht, der sie beide übersteigt. So sehr ist
Emma diesem Moralkodex verpflichtet, daß sie die ihr von
Knightley zugefügten narzißtischen Wunden, wie wir heute
sagen würden, und seine Infragestellung ihrer guten Mei-

nung von sich selbst akzeptiert – im Namen einer Definition der Tugend, die sie mit ihm teilt. Von Knightley geliebt zu werden heißt, von ihm in Frage gestellt zu werden und sich der Herausforderung gewachsen zu zeigen, seine und ihre eigenen moralischen Standards aufrechtzuerhalten. Jemanden zu lieben heißt, das Gute in ihm und durch ihn zu lieben. Fürwahr: »In der christlichen wie in der hebräischen Tradition [...] wurde der Charakter (oder die ›Vorzüglichkeit‹ des Charakters) als Beständigkeit der Tugend und moralischen Bestimmung verstanden, die nur so den Weg zu einem guten Leben weisen«,[8] und diese Beständigkeit wurde in allen Dingen erwartet, auch in denen des Herzens. Im Unterschied zu der seit dem 17. Jahrhundert (am auffälligsten in Frankreich) vorherrschenden Auffassung ist das Herz hier kein Reich für sich, das unverständlich und keiner Vernunft und Moral verantwortlich wäre. Es ist vielmehr eng mit beiden verknüpft und wird durch sie reguliert. Und schließlich ist dies eine Liebe, die aus »Familiensinn und Gewohnheit« erwächst, weit entfernt von jener unmittelbaren Anziehung, die die Liebe auf den ersten Blick kennzeichnet. Die Liebe wird nicht als Bruch oder Übertretung des eigenen alltäglichen Lebens erfahren. Vielmehr kommt sie mit der Zeit, mit wachsender Vertrautheit, mit der Kenntnis der und engen Verbindung zur Familie und Alltäglichkeit des jeweils anderen. So eng ist die familiäre Vertrautheit, daß es für ein modernes Empfinden vage inzestuös klingt, zu hören, Knightley habe »sich um sie von Kindesbeinen an gekümmert«. Es ist eine Liebe, bei der man bereits in den Alltag und die Familie des anderen eingebunden ist und im Laufe der Zeit zahllose Gelegenheiten hat, seinen Charakter zu beobachten, zu erkennen und zu prüfen. Wie James Hunter schreibt: »Charakter [...] verweigert sich der Zweckdienlichkeit.«[9] Der

8 James Davison Hunter, *Death of Character. Moral Education in an Age Without Good Or Evil*, New York 2000, S. 21.
9 Ebd., S. 19.

Metapher zufolge, mit der Kierkegaard vom Charakter zu sprechen pflegt, ist dieser der Person eingraviert.[10] Weil sie vom Charakter abhängt, ist die Liebe kein eruptives Ereignis, eher ein kumulatives, eines der *longue durée*.

Eine zeitgenössische Interpretation solcher Liebe wird Knightleys Gefühle für Emma vielleicht des Paternalismus und Kontrollwahns bezichtigen und »Charakter« beziehungsweise »Tugend« als Kodewörter für die patriarchalische Beherrschung von Frauen auffassen. Eine derartige Interpretation müßte freilich die verblüffende Souveränität übergehen, die Austens Heldinnen in Herzensdingen an den Tag legen. Man begegnet bei ihren Frauengestalten immer wieder dieser Art von *souveraineté*, die nur mit Hilfe der tiefen kulturellen Annahmen zu verstehen ist, die das Selbst dieser Frauen organisieren. Warum nimmt Elizabeth Bennett, die Heldin von *Stolz und Vorurteil*, Darcys arrogante und abschätzige Kommentare über ihr »ganz passables«[11] Aussehen nicht niedergeschlagen und mit einem Gefühl der Demütigung auf, sondern mit Witz und Geist? Weil Darcys Verächtlichkeit ihr Selbst- und Selbstwertgefühl weder prägt noch beeinträchtigt. Obwohl Darcy der mit Abstand attraktivste Heiratskandidat in ihrer unmittelbaren Umgebung ist, behält Elizabeth ihre Gefühle völlig unter Kontrolle und läßt sie erst zum Ausdruck kommen, als Darcy sich in *ihre* Vision und Definition der Liebe fügt.

Anne Elliot, die Hauptfigur von *Überredung*, bekommt mit, daß Kapitän Wentworth, der sie seit acht Jahren nicht mehr gesehen hat, ihre Schönheit für verblüht hält. Anne liebt Wentworth noch immer, aber anstatt, wie wir erwarten würden, am Boden zerstört zu sein, erweist sie sich nach und nach »froh darüber, sie [die entsprechenden Worte] gehört zu haben. Sie hatten eine ernüchternde Wirkung; sie

10 Zitiert nach ebd.
11 Jane Austen, *Stolz und Vorurteil* [1813], übers. von U. u. Chr. Grawe, Stuttgart 2008, S. 14.

dämpften ihre Erregung; sie gaben ihr Haltung und trugen deshalb zu ihrer Seelenruhe bei.«[12] Es fällt schwer, sich eine Reaktion vorzustellen, die von größerer Selbstbeherrschung zeugt, als froh darüber zu sein, daß der Mann, den man liebt, einen nicht mehr so attraktiv findet. Diese Haltung legt nahe, daß Annes Liebe nicht aus dem Bedürfnis nach der subjektiven Bestätigung durch einen Mann erwächst.

Oder, um ein letztes Beispiel anzuführen: Elinor Dashwood – die Heldin von *Verstand und Gefühl*[13] – hat sich in Edward Farrars verliebt und findet im nachhinein heraus, daß dieser heimlich mit einer anderen Frau namens Lucy verlobt ist. Als sie später erfährt, daß Edward seine Verlobung mit Lucy nicht aufgelöst hat (was bedeutet, daß er sie bald heiraten wird), erfreut sie sich an *seinem* moralischen Glanz, denn das einer anderen Frau gegebene Versprechen zu brechen, hätte ihn moralisch diskreditiert. Elinors Treue zu ihren moralischen Prinzipien hat eindeutig Vorrang vor ihrer Liebe zu Edward, wie auch seine Verlobung mit Lucy Vorrang vor seinen Gefühlen für Elinor haben muß. Charaktere wie Knightley, Wentworth und Anne Elliot benehmen sich nicht so, als gäbe es einen Konflikt zwischen ihrem moralischen Pflichtgefühl und ihrer Leidenschaft. Es gibt tatsächlich keinen solchen Konflikt in ihrem Verhalten, »weil die ganze Persönlichkeit ausgeglichen ist«.[14] Mit anderen Worten, es ist unmöglich, das Moralische vom Emotionalen zu trennen, weil es die moralische Dimension ist, die das Gefühlsleben organisiert, das hier somit auch über eine öffentliche Dimension verfügt.

Für unser modernes Empfinden sind Jane Austens Heldinnen nicht nur enorm selbstbeherrscht, sondern auch

12 Jane Austen, *Überredung* [1818], übers. von U. u. Chr. Grawe, Stuttgart 2007, S. 75.

13 Jane Austen, *Verstand und Gefühl* [1811, 1813], übers. von U. u. Chr. Grawe, Stuttgart 2007.

14 A. O. J. Cockshut, *Man and Woman. A Study of Love and the Novel, 1740-1940*, New York 1978.

merkwürdig frei von jeglichem Bedürfnis nach einer »Bestätigung« durch ihre Verehrer, wie wir heute sagen würden.
Insoweit scheint ihr Selbst weniger vom Blick eines Mannes
abzuhängen als das Selbst moderner Frauen (vgl. Kapitel
3). Angesichts der rechtlich unselbständigen und entmün-
digten Lage der Frauen zu jener Zeit scheint dies ein überraschender Befund zu sein. Eine einfache Erklärung für diesen
rätselhaften Umstand besteht gerade im Charakter dieser
Frauen, das heißt in ihrer Fähigkeit, ihr inneres und äußeres
Selbst zu einer moralischen Bestimmung zu verschmelzen,
die sowohl ihr Begehren als auch ihre Interessen transzen-
diert. Ihr Selbst- und Selbstwertgefühl wird ihnen von nie-
mandem verliehen, sondern rührt von ihrer Fähigkeit her,
moralische Gebote, die quasiobjektiv existieren, zu begreifen und ihnen Geltung zu verschaffen. Dieser Auffassung
zufolge leitet sich innerer Wert gerade von dem Vermögen
ab, die eigenen persönlichen Begierden einzuklammern und
darauf zu achten, daß die eigenen moralischen Prinzipien
tadellos verwirklicht werden, ob von ihnen selbst oder von
anderen, ob in der Liebe oder in anderen Dingen. In gewisser
Weise besteht »Charakter« gerade darin, Begehren und moralische Bestimmung zur Deckung zu bringen. Der Charakter ist somit eine Art vergegenständlichte und veräußerlichte
Version der Werte der Gruppe. Er beruht nicht auf einer
wesenhaften, ontologischen Definition des Selbst, sondern
ist performativer Natur: Er muß definitionsgemäß sichtbar
sein, so daß andere ihn erleben und gutheißen können; er
besteht nicht in einer unverwechselbaren psychologischen
Struktur und Emotionalität (jedenfalls nicht wesentlich),
sondern in Taten; er hat nichts mit der Einzigartigkeit und
Originalität des Selbst zu tun, sondern mit der Fähigkeit,
öffentlich erkennbare und erprobte Tugenden an den Tag
zu legen. Beim Charakter geht es folglich weniger um Innerlichkeit als um das Vermögen, eine Brücke zwischen dem
Selbst und der öffentlichen Welt der Werte und Normen zu

bauen. Der Charakter bewirkt, daß das Selbst von Ansehen und Ehre abhängt, die öffentlichen Verhaltensregeln unterliegen, und nicht so sehr von der privaten emotionalen »Bestätigung«, die ein besonderes Individuum verleiht. Im Zusammenhang von Liebe und Liebeswerben bezeichnet Charakter den Umstand, daß beide Liebenden ihr persönliches Selbstwertgefühl unmittelbar aus ihrer Fähigkeit beziehen, moralischen Kodes und Idealen zu entsprechen, und nicht aus einem Wert, den ein Verehrer respektive eine Verehrerin ihrem inneren Selbst zuspräche. Der Wert einer Frau scheint einigermaßen unabhängig von dem Wert verbürgt zu werden, den ihr ein Verehrer zuspricht (oder nicht). In dieser moralischen Ökonomie wissen sowohl der Verehrer als auch die Frau, wer sie sind und was ihr gesellschaftlicher und moralischer Wert ist; und von diesem Wissen aus baut sich ihre gegenseitige Liebe auf (vgl. Kapitel 3 für einen nützlichen Kontrast). Sie können natürlich qua Anziehung, Zuneigung und Liebe zwischen verschiedenen Optionen unterscheiden. Doch eine Wahl findet statt, indem sie sich bestehenden Moralkodizes und gesellschaftlichen Regeln anpassen, und es ist ihre Fähigkeit, diesen Kodes erfolgreich zu entsprechen, aus der die Akteure ihr Selbstwertgefühl beziehen. In diesem Sinne ist der Wert, den sie einander zuerkennen, wenn nicht ganz objektiv, so doch zumindest objektiv verankert.

Nun zieht der Vorschlag, daß das jeweilige Selbst dieser Frauen durch ihren Charakter erklärt wird, sofort eine weitere Frage nach sich: Was ermöglicht eine solche Trennung von innerem Wert und dem Prozeß des Liebeswerbens?[15] Zu

15 Der Begriff des Charakters muß von Dror Wahrmans Behauptung unterschieden werden, im 18. Jahrhundert habe es ein »Ancien Regime« der Identität gegeben, das sich später in das moderne, verinnerlichte, einzigartige Selbst verwandelt habe. Wie ich sie verstehe, ist dieser Konzeption zufolge das »Ancien Regime« eine weitreichende kulturelle Auffassung von Identitäten als »hohl« oder ohne zentrales Selbst, »ein Spiel von Oberflächen ohne wirkliche Substanz, Bezugnahme oder echten Wert«. Im Gegensatz dazu verfügt der von mir erörterte Begriff des Charakters über einen

behaupten, wie manche Philosophen und kommunitaristischen Soziologen dies tun, darin bestünde Charakter nun einmal, ist tautologisch. Die Behauptung, daß der Charakter die Dispositionen von Personen widerspiegelt und in der Fähigkeit besteht, ein eigenes Selbstwertgefühl hervorzubringen und aufrechtzuerhalten, geht an der Frage vorbei, *wie* genau er das tut. Gegen die etwas naive Vorstellung, Charakter bestünde in inneren Dispositionen, die ihrerseits die Fähigkeit zur Befolgung öffentlich geteilter Moralkodizes erklären sollen, möchte ich vorschlagen, daß das Vermögen, ein Selbstwertgefühl aus moralischen Kodes zu beziehen, ebenso wie die Zurschaustellung eines moralischen Charakters durch eine Reihe *sozialer* – nicht psychologischer oder moralischer – Mechanismen ermöglicht wird. Der Charakter ist nicht einfach ein Bündel innerer Dispositionen und geistiger Gewohnheiten, die aus der direkten Verinnerlichung moralischer Normen resultieren. Vielmehr wird der Charakter selbst in seiner moralischen Ausprägung dadurch möglich, daß bestimmte soziale Arrangements in die Person eingetragen und von dieser widergespiegelt werden; zu diesen gehört insbesondere die Art und Weise, wie Gefühle in eine allgemeine Ökologie der Wahl integriert werden. Während ein Philosoph oder Historiker sich mit der Beobachtung bescheiden könnte, daß die Liebe mit moralischen Bezugssystemen verwoben ist, ist es für eine Soziologin gerade diese Tatsache, die der Erklärung bedarf. *Wie* sind Liebe und Moral miteinander verwoben, das heißt, welche sozialen Mechanismen ermöglichen es, die Liebe für ein moralisches Projekt des Selbst einzuspannen? Ich werde zu zeigen versuchen, daß das, was wir als ein moralisches Selbst und moralische Gefühle bezeichnen, in einer spezifischen

stabileren Kern, selbst wenn dieser performativ zur Schau gestellt und bekräftigt werden muß. Vgl. Dror Wahrman, *The Making of the Modern Self. Identity and Culture in Eighteenth-Century England*, New Haven 2004, Zitat S. 207.

Ökologie und Architektur der Wahl besteht, in der es ein hohes Maß an Übereinstimmung zwischen privaten und öffentlichen Entscheidungen gibt und in der private Gefühle von einem Selbst ausgehen, das eine öffentliche Einheit ist. Während Austens Charaktere selbstverständlich über ein hohes Maß an Innerlichkeit verfügten, unterscheidet sich ihre Innerlichkeit von unserer heutigen darin, daß sie eine Übereinstimmung mit einer öffentlichen Welt von Ritualen und Rollen anstrebte. Welche sozialen Mechanismen eine solche Übereinstimmung ermöglichten, soll im folgenden konkretisiert werden.

Das Liebeswerben als soziales Netzwerk

Wie Austens andere Romane zeigt auch *Emma* das Liebeswerben als einen Prozeß, der sich im Umfeld der eigenen Verwandten und Nachbarn abspielt. Der Punkt ist dabei nicht, daß eine solche Überwachung eine Kontrollfunktion hatte und die Wahlmöglichkeiten beschränkte, obwohl sie das natürlich auch tat. Der Punkt ist vielmehr, daß das Liebeswerben damit in eine Aktivität verwandelt wurde, bei der das Selbst der Frau auf natürliche Weise in ihr soziales Netzwerk und ihre Verwandtschaft eingebunden und von diesen beschützt war. Im Prozeß des Liebeswerbens, wie ihn Austen, aber auch viele andere Romanautorinnen und -autoren beschreiben, ist es nicht so sehr die Frau, die beobachtet und geprüft wird, sondern der Mann. Der Mann absolviert seine Brautwerbung unter den wachsamen Blicken anderer und nähert sich der Frau folglich »vermittelt« durch eine Vielzahl sozialer Beziehungen. Wie der Literaturkritiker James Wood bemerkt, erfährt der Leser von *Verstand und Gefühl*, daß Elinor »entschlossen war, nicht nur jeden Aufschluß über seinen [Willoughbys] Charakter zu erlangen, zu dem ihr ihre eigenen Beobachtungen oder die Einsichten anderer verhelfen konnten, sondern auch ein aufmerksames Auge auf sein Verhalten gegenüber ihrer Schwester zu werfen«.[16] Einen Mann zu kennen hieß oftmals, ihn durch die Augen anderer zu kennen. Mollie Dorsey Sanford, die im Grenzland in Colorado lebte, vertraute 1860 ihrem Tagebuch an: »Oma hat es sich in ihren lieben alten Kopf gesetzt, daß er mein Liebhaber ist, und [...] ich glaube es mittlerweile auch. Ich begriff heute, als er kam und ich ihn so lange nicht gesehen hatte, wie sehr er mir ans Herz gewachsen ist.«[17] Ihre Liebe ist eine Enthüllung für sie, die ihr durch ihre Großmutter vermittelt wird; und eine derartige Enthüllung leitet sich von dem Umstand her, daß der betreffende Mann Teil ihres alltäglichen Lebens und ihrer familiären Beziehungen geworden ist. Eine solche intime Kenntnis eines potentiellen Ehepartners war nötig, um Vertrauen in die soziale und psychologische Verträglichkeit zweier Menschen aufzubauen. So wird Anne Elliot in *Überredung* stark von Lady Russell beeinflußt, die ihre erste (und einzige) Liebe, Kapitän Wentworth, für ungeeignet hält. Unser modernes Empfinden kann nur auf den Umstand reagieren, daß Lady Russells negative Einschätzung von Kapitän Wentworth Anne dazu zwang, ihr wahres und einziges Liebesobjekt aufzugeben. Aus einer anderen Perspektive jedoch wurde Lady Russells Fehler dadurch ermöglicht, daß Annes Selbst engmaschig beschützt, weil in Verwandtschaftsbeziehungen eingebettet war. Zwar trifft es zu, daß Austen die Grenzen dieses Systems aufzeigt, insofern Annes soziales Milieu Austens Schilderung nach unfähig ist, gesellschaftlichen Status von innerem Wert zu unterscheiden. Doch können Anne und der Leser nur ein solches Vertrauen

---

16 James Wood, »Inside Mr Shepherd«, in: *London Review of Books*, Jg. 26, Nr. 21 (4. November 2004), S. 41-43.

17 Mollie Dorsey Sanford, *Mollie. The Journal of Mollie Dorsey Sanford in Nebraska and Colorado Territories, 1857-1866*, Lincoln 2003, S. 57.

in ihre Einschätzung von Kapitän Wentworth gewinnen, weil sie so viele Gelegenheiten hatten, selbige zu überprüfen. In diesem Umfeld werden Männer somit engmaschig überwacht und Frauen durch ein engmaschiges Netz von Beziehungen beschützt.

Aus diesem Grund schloß die Brautwerbung sowohl in England als auch den Vereinigten Staaten häufig einen Prozeß der Überprüfung der Behauptungen und Referenzen von Verehrern ein. Die Brautwerbung »war ein Spiel voller Täuschungen, oberflächlichen Schwindeleien und Schmeicheleien. Doch war es unabdingbar, die Täuschungen aufzudecken und sicherzustellen, daß der ›andere‹ in der Tat die Person war, die einem über die langen Jahre der engste Freund bleiben würde.«[18]

Männer wurden genau unter die Lupe genommen, wie man der Tatsache entnehmen kann, daß potentielle Schwiegereltern den Leumund von Verehrern überprüften. Als zum Beispiel Samuel Clemens (der sich später Mark Twain nannte) um Olivia Langdon warb, verlangte deren Familie Empfehlungsschreiben, bevor sie ihm erlaubte, Olivia einen Antrag zu machen. Nachdem dies erledigt war, konnte Clemens über sich sagen:

Ich glaube, alle meine Referenzen können bestätigen, daß ich nie etwas Gemeines, Falsches oder Kriminelles getan habe. Sie können bestätigen, daß mir dieselben Türen, die mir vor sieben Jahren offenstanden, immer noch offenstehen; daß *alle* Freunde, die ich in sieben Jahren gewonnen habe, immer noch meine Freunde sind; daß ich überall dort, wo ich gewesen bin, wieder hingehen – & in hellem Tageslicht & erhobenen Hauptes eintreten kann.[19]

18 Alan MacFarlane, *Marriage and Love in England. Modes of Reproduction, 1300-1840*, Oxford 1986, S. 294.

19 Susan K. Harris, *The Courtship of Olivia Langdon and Mark Twain*, Cambridge 1996, S. 72.

Dieses Beispiel veranschaulicht die Tatsache, daß das Selbst der Frau während des Liebeswerbens fest in ihre Nahbeziehungen »eingekapselt« war und diese eine aktive Rolle in dem Prozeß spielten, den Verehrer zu bewerten und eine Verbindung mit ihm zu schmieden – mit dem Resultat, daß das weibliche Selbst durch andere abgepuffert und beschützt war. Weil sich mehrere Menschen an der sozialen Aufgabe beteiligten, einen Verehrer und potentiellen Ehemann einzuschätzen und zu bewerten, war die Meinung der Frau ein Reflex und eine Verlängerung ihres sozialen Netzwerks. Die Gefühle, die eine Frau für einen Mann empfand, wurden parallel zu der Meinung ausgelöst, die andere über ihn ausdrückten. Die Verschlingung von Gefühl und Urteil, von individuellem Empfinden und kollektiver Beobachtung implizierte, daß man, wenn man jemanden liebte und letztlich eine Entscheidung über einen potentiellen Gatten zu treffen hatte, unablässig in das moralische Universum der Gruppennormen und -tabus vertieft war. Sie implizierte somit auch, daß die eigene romantische Verstrickung mit dem Netz der Bindungen an andere verwoben war. Das jeweilige Selbst der Liebenden – das des Mannes und das der Frau – war durch eine dichte Präsenz anderer gepuffert, und diese anderen agierten als Schiedsrichter und Vollstrecker moralischer und gesellschaftlicher Normen.[20] Diese Umstände herrschten bis weit ins 19. Jahrhundert hinein vor.

20 Dies galt auch für die ärmeren Klassen, die über wenig oder gar kein Land verfügten, das sie in eine Ehe einbringen konnten. In der Tat stellt Michael MacDonald in seiner Untersuchung einer medizinisch-astrologischen Behandlung verschiedener Leiden im frühen 17. Jahrhundert fest, daß die Unterwerfung unter das Urteil der Eltern und die Gemeinschaftsnormen, selbst wenn sie realiter nicht immer erfolgte, stets im Hintergrund oder im Vordergrund des Heiratsentschlusses junger Menschen stand. Vgl. Michael MacDonald, *Mystical Bedlam. Madness, Anxiety, and Healing in Seventeenth-Century England*, Cambridge 1983, S. 96 f.

Offizielle und inoffizielle Regeln

In der Austenschen Welt wird die Partnersuche von einer Vielzahl unsichtbarer Regeln strukturiert. Nichtsoziologen neigen dazu, unter einer Regel etwas Begrenzendes zu verstehen. Für Soziologen jedoch haben Regeln auch ermöglichenden Charakter, insofern sie jenes Medium sind, durch das sich die Akteure zueinander in Beziehung setzen, Erwartungen bezüglich des anderen entwickeln und zusammen mit – bekannten wie unbekannten – anderen wohlbekannte Pfade entlangtrotten.[21] Rituale – ein Bündel von Regeln, die den Akteuren bekannt sind und mit deren Hilfe sie Beziehungen eingehen oder beenden – gleichen einem gut kartierten Weg durch einen Dschungel von Möglichkeiten. Sie rufen Erwartungen hervor, was als nächstes geschehen kann und geschehen sollte.[22] Anders gesagt: Rituale sind ein mächtiges Werkzeug, um Ängste zu bannen, die durch Unsicherheit hervorgerufen werden. So gab es im 19. Jahrhundert unter den besitzenden Klassen wenn nicht skrupulös befolgte Regeln, so doch Kodes und Verhaltensrituale, die den Rahmen für Zusammentreffen festlegten und respektiert zu werden hatten, damit Männer und Frauen sich als

21 Vgl. Anthony Giddens, *Die Konstitution der Gesellschaft. Grundzüge einer Theorie der Strukturierung* [1984], übers. von W.-H. Krauth u. W. Spohn, Frankfurt/M. 1995.

22 In seinem Roman *Am Strand* zeigt Ian McEwan ein Paar in seiner Hochzeitsnacht, vor dem so lang ersehnten wie gefürchteten Akt des Geschlechtsverkehrs. Die Hochzeitsnacht endet in einem Fiasko (sie wird nicht vollzogen) und bietet dem Erzähler Anlaß, über den Übergang von der »alten« zur »neuen« Sexualmoral nachzudenken, also über die Sexualmoral vor und nach der sexuellen Revolution der 1960er Jahre: »Selbst unter vier Augen galten tausend unausgesprochene Regeln. Und gerade weil sie nun erwachsen waren, taten sie nichts so Kindisches wie von einem Mahl aufzustehen, das man mit viel Mühe eigens für sie angerichtet hatte. Schließlich war Abendessenszeit.« Ian McEwan, *Am Strand*, übers. von B. Robben, Frankfurt/M. 2007, S. 26.

einander würdig erweisen konnten. In dieser Liebesordnung bezogen die Akteure ihren Sinn für Schicklichkeit aus den Verhaltensregeln, die sie befolgten.

Der Anstandsbesuch war ein solches Ritual. Er fand im Haus des Mädchens statt (wenn sie noch jung genug war, um als Mädchen bezeichnet zu werden); somit war es unstatthaft, daß der Mann die Initiative zu dem Besuch ergriff. Ein Mann konnte einem Mädchen zeigen, daß er es mochte, doch war es »Privileg« des Mädchens, den Mann zu einem Anstandsbesuch aufzufordern.[23] Die Frau hatte den Prozeß des Liebeswerbens unter Kontrolle. (Ein Grund dafür mag sein, daß zumindest bis zum amerikanischen Bürgerkrieg die Männer in den meisten Gegenden die Frauen zahlenmäßig übertrafen.) Die Praxis der Mittelklasse, daß der Mann der Frau seine Aufwartung machte, verlieh ihren Eltern und der Frau selbst die Kontrolle über den Prozeß des Liebeswerbens, und diese Kontrolle wurde nicht in Frage gestellt. So konnte denn auch ein Herr, der einer Dame auf einer Feier zum Zweck des Tanzens vorgestellt wurde, nicht automatisch auf der Straße an diese Bekanntschaft anknüpfen. Er mußte erneut von einem gemeinsamen Freund vorgestellt werden und die Erlaubnis der Frau bekommen, den Kontakt wieder aufzunehmen. Entscheidender noch für meine Argumentation ist, daß das Liebeswerben, einmal eingeleitet, sich in subtilen Abstufungen vollzog: Erst unterhielt sich das Paar miteinander, dann ging man gemeinsam spazieren, um einander schließlich, nachdem die wechselseitige Anziehung bestätigt war, Gesellschaft zu leisten. Die Gefühlsverwicklung stand, anders gesagt, unter genauer Beobachtung, insofern sie in wohlbekannten rituellen Sequenzen erfolgen mußte.

In dieser ritualisierten Liebesordnung folgten die Gefühle auf die Handlungen und Erklärungen (oder entstanden zeit-

23 Stephanie Coontz, *In schlechten wie in guten Tagen. Die Ehe – eine Liebesgeschichte*, übers. von W. Müller, Bergisch Gladbach 2006, S. 294.

gleich mit ihnen), sie bildeten aber strenggenommen nicht ihre Voraussetzung. Diese Organisation der Gefühle bezeichne ich als ein *Regime der Performativität von Gefühlen*, ein Regime also, in dem Gefühle durch die ritualisierten Handlungen und Verlautbarungen von Empfindungen ausgelöst werden. In gewissem Sinne werden unsere Gefühle immer durch die Gefühle anderer ausgelöst.[24] Doch die romantische Interaktion wirft ein spezielles Problem auf, weil die Frage der Gegenseitigkeit für sie von entscheidender Bedeutung ist und man, indem man seine Empfindungen offenbart, das Risiko eingeht, feststellen zu müssen, daß diese Empfindungen nicht erwidert werden. In einem performativen (das heißt ritualisierten) Regime der Gefühle enthüllt man Empfindungen nicht nur, sondern verspürt sie auch erst, nachdem man Verhaltensrituale befolgt und ihre Bedeutung entziffert hat. Es handelt sich somit um einen mehrstufigen Prozeß, der oft dadurch ausgelöst wird, daß der andere die entsprechenden Liebeszeichen und -kodes zum Einsatz bringt. Wir haben es mit dem Resultat eines subtilen Austauschs von Zeichen und Signalen zwischen zwei Menschen zu tun. In einem solchen Regime übernahm eine der beiden Seiten die soziale Rolle, die Gefühle der anderen Seite auszulösen, und diese Rolle oblag dem Mann. In einem performativen Regime der Gefühle war die Frau vom Liebesobjekt nicht überwältigt und konnte es vielleicht auch nicht sein; die Werbung folgte Regeln, die bewirkten, daß die Frau nach und nach in eine enge und intensive Verbundenheit hineingezogen wurde. Sie reagierte auf Gefühlszeichen, deren Ausdrucksmuster gründlich einstudiert waren.

24 Vgl. William M. Reddy, »Emotional Liberty. Politics and History in the Anthropology of Emotions«, in: *Cultural Anthropology*, Jg. 14, Nr. 2 (1999), S. 256-288; sowie ders., »Against Constructionism. The Historical Ethnography of Emotions«, in: *Current Anthropology*, Jg. 38, Nr. 3 (1997), S. 327-351.

In ihrer Untersuchung der Praktiken des Liebeswerbens im 19. Jahrhundert zitiert die Historikerin Ellen K. Rothman Eliza Southgate mit den Worten, »keine Frau wiegt sich im Glauben, sie könnte irgend jemanden lieben, bevor sie nicht eine Zuneigung zu sich selbst entdeckt hat«. Rothman fährt fort: »Eine Frau wartete, um sicher zu sein, daß ihre Gefühle erwidert wurden, bevor sie sie auch nur sich selbst eingestand.«[25] Der Umstand, daß die Liebe hochgradig ritualisiert war, schützte die Frauen vor dem Reich der Gefühle, das sie sonst hätte überwältigen können. Tatsächlich behandelt der ganze Roman *Verstand und Gefühl* genau die Frage der *Abstufung*, mit der man in Herzensdingen vorzugehen hat. Elinor predigt nicht Vernunft gegen Leidenschaft; vielmehr verkörpert und verteidigt sie die ritualisierte Version der Liebe, bei der intensive Gefühle erst preisgegeben und zum Ausdruck gebracht werden, nachdem sie eine ordnungsgemäße Abfolge der Anziehung, des Werbens und der Verbindlichkeit durchlaufen haben. In der ritualisierten Form der Liebe bestätigt das Gefühl die Verbindlichkeit so sehr, wie die Verbindlichkeit das Gefühl bestätigt. Das heißt: Obwohl Fragen nach der Ernsthaftigkeit und den wahren Gefühlen in einer performativen/ritualisierten romantischen Ordnung natürlich eine Rolle spielen, werden sie oft von der Sorge um die richtige Reihenfolge der Gefühle ersetzt: »Sobald ein Mann von dem Mädchen, um das er warb, hinreichend ermutigt worden war, hielt man es für angemessen, daß er zunächst um die Zustimmung des Vaters bat, bevor er einen Antrag machte. [...] [D]ie Frau mußte darauf warten, daß der Mann ihr eine Liebeserklärung machte, bevor sie ihre wahren Gefühle offenbarte.«[26]

Dieses Regime steht im Gegensatz zu einem *Regime emotionaler Authentizität*, von dem die modernen Beziehungen

25 Ellen K. Rothman, *Hands and Hearts. A History of Courtship in America*, New York 1984, S. 34.
26 Marilyn Yalom, *A History of the Wife*, New York 2001, S. 206.

durchdrungen sind. Authentizität setzt voraus, daß die Akteure ihre Gefühle kennen, daß sie aus solchen Gefühlen heraus handeln, die dann auch die tatsächlichen Bausteine einer Beziehung bilden müssen, daß Menschen sich ihre Gefühle selbst eingestehen (und vorzugsweise auch anderen) und daß sie Entscheidungen auf der Grundlage dieser Gefühle treffen. Ein Regime emotionaler Authentizität bringt die Menschen dazu, ihre eigenen Gefühle und die anderer genauestens zu hinterfragen, um über die Wichtigkeit, Ernsthaftigkeit und künftige Bedeutung ihrer Beziehungen zu entscheiden. »Liebe ich ihn *wirklich*, oder ist es nur Lust?« – »Wenn ich ihn liebe, wie tief, stark und echt ist meine Liebe?« – »Ist diese Liebe gesund oder narzißtisch?« Dies sind Fragen, die zu einem Regime der Authentizität gehören. In traditionalen Gesellschaften hingegen »hat Authentizität keinen Ort im Vokabular menschlicher Ideale. Hier sind die Menschen mit den Lebensoptionen zufrieden, die ihnen ihr Gesellschaftssystem bietet: Als ihr höchstes Gut begreifen sie [...] ›die Erfüllung einer festgelegten sozialen Funktion‹.«[27] Authentizität setzt voraus, daß es eine wirkliche (emotionale) Ontologie gibt, die jenen Regeln, durch die der Ausdruck und die Erfahrung von Gefühlen im allgemeinen und von Liebe im besonderen organisiert und kanalisiert werden, vorausgeht und über sie hinaus Bestand hat. Im Regime der Authentizität geht die Verbindlichkeit den vom Subjekt empfundenen Gefühlen nicht voraus, sondern folgt auf sie; die Gefühle werden so zur alternativen Motivation der Verbindlichkeit. Ein Regime der Authentizität verlangt vom Subjekt folglich, einen von zwei möglichen Wegen einzuschlagen, um sich Gewißheit über seine Gefühle zu verschaffen: entweder durch ein erhebliches Maß an Selbstprüfung, insofern die Frage nach der Natur und den »wahren« Gründen der Gefühle für das Subjekt

27 Marshall Berman, *The Politics of Authenticity. Radical Individualism and the Emergence of Modern Society*, New York 1970, S. XIX.

entscheidend wird, oder umgekehrt durch eine überwältigende Offenbarung, die sich aufgrund ihrer Intensität von selbst aufdrängt (etwa in der »Liebe auf den ersten Blick«). Eine Selbstprüfung setzt voraus, daß ein reflexives Selbstverständnis uns dabei helfen wird, die »wahre Natur« unserer Gefühle zu verstehen; der Modus der Epiphanie setzt voraus, daß Stärke und Irrationalität der eigenen Gefühle adäquate Gradmesser für die eigenen wahren Gefühle sind. Diese beiden Weisen, sich der Authentizität seiner romantischen Gefühle zu vergewissern, existieren in der zeitgenössischen Kultur Seite an Seite und führen, sofern sie befolgt werden, dazu, daß eine romantische Bindung weniger auf rituellen Regeln als auf emotionaler Innerlichkeit beruht.

Semiotische Konsistenz

Von zentraler Bedeutung für das performative Regime der Gefühle ist die entscheidende soziale Regel, daß jemandes Handlungen mit seinen Absichten übereinstimmen müssen. So bot ein Benimmführer von 1897 die folgenden Richtlinien:

Betragen eines Herrn gegenüber Damen. Es steht Herren frei, mit ihnen befreundete Damen zu Konzerten, Opern, Bällen und so weiter einzuladen, sie zu Hause zu besuchen, mit ihnen auszureiten und -zufahren und sich allen jungen Damen gegenüber angenehm zu machen, denen ihre Gesellschaft willkommen ist. Ja, es steht ihnen frei, nach Belieben Einladungen anzunehmen und auszusprechen. Sobald jedoch ein junger Herr alle anderen Damen vernachlässigt, um sich einer einzigen zu widmen, gibt er dieser Dame Grund zu der Annahme, er fühle sich besonders zu ihr hingezogen, und könnte sie zu dem Glauben veranlassen, sie solle seine Verlobte werden, ohne daß er ihr dies sagt. Ein Herr, der nicht ans Heiraten denkt, sollte seine Aufmerksamkeit nicht zu ausschließlich einer Dame widmen.[28]

28 John H. Young, *Our Deportment* [1897], Charleston 2008, S. 155.

Diese moralische Ordnung wurde wesentlich von einer se-
miotisch-moralischen Ordnung getragen, in der die Akteure
darauf achten mußten, daß ihre Handlungen nicht nur ihren Gefühlen, sondern auch ihren Absichten entsprachen.
Wie *Verstand und Gefühl* ausgiebig illustriert, galt eine In-
kongruenz zwischen Worten und Taten auf der einen Seite
und Absichten auf der anderen als Ursache dafür, moralisch
und gesellschaftlich Schiffbruch zu erleiden (Willoughbys
Problem besteht nicht darin, daß er keine Gefühle hätte, da
er ja in Marianne verliebt war, sondern in dem Umstand,
daß sein Verhalten seine tatsächlichen Absichten nicht *zu
erkennen gab*). Ein moralisch adäquater Verehrer bemühte
sich um eine maximale Übereinstimmung zwischen äußeren
Handlungen und inneren Absichten. Ein weiteres Beispiel
dafür, wie moralisch lobenswerte Charaktere eine solche
Übereinstimmung anstrebten, bietet *Überredung*: Nachdem
er glaubt, Anne liebe ihn nicht mehr, macht Kapitän Wentworth Louisa den Hof. Im weiteren Verlauf der Handlung
kommen jedoch der Leser und Wentworth zu der Einsicht,
daß er Anne immer noch liebt und ihr treu bleiben will. Weil
sein Verhalten aber den Eindruck erweckte, er mache Louisa
den Hof, verläßt er die Stadt, in der er sich vorübergehend
niedergelassen hatte. »Kurzum, er begriff zu spät, dass er
gefangen war und dass er sich genau in dem Augenblick, als
er sich völlig davon überzeugt hatte, dass ihm an Louisa gar
nichts lag, als an sie gebunden betrachten musste, wenn ihre
Gefühle für ihn so waren, wie die Harvilles vermuteten.«[29]
Weil das Liebeswerben hier so gründlich kodifiziert ist und
weil die von ihm verwendeten Signifikanten seinen Gefühlen
nicht entsprechen, verläßt Wentworth die Stadt – im Wissen,
daß es ehrlos ist, einer Frau den Hof zu machen, ohne Farbe
zu bekennen. Solche Kodes wurden vor allem von der englischen Oberschicht ausgesprochen ernstgenommen.

29 Austen, *Überredung*, S. 296.

Wie nicht anders zu erwarten, hatten diese Kodes auch den Atlantik überquert. Im Rahmen seiner Analyse des Liebeswerbens in der Bostoner Elite behandelt Timothy Kenslea die »Befreundeten (*friendlies*)«, eine Gruppe junger Frauen, die ziemlich viel über die Praktiken der Liebeswerbung nachdachten und redeten. In dieser Gruppe konnte eine »vorschnelle Geste oder Wendung, oder auch nur ein unangemessener Tonfall, als Unterpfand einer Bindung gelesen werden, wo gar keine beabsichtigt war«.[30]

Die minuziöse Kodifizierung der Liebesrituale hatte einen besonders hervorstechenden Effekt: Sie beseitigte Unsicherheit oder verringerte sie, indem sie das Reich der Gefühle fest und eng an ein kodifiziertes Zeichensystem band. Die Gefühle speisten die Zeichen und wurden von ihnen gespeist, insofern adäquat gesetzte Zeichen sowohl bei demjenigen, der das Ritual ausführte, als auch bei seinem ›Empfänger‹ Gefühle auslösten – und umgekehrt. Eine solche minuziöse Kodifizierung und Ritualisierung von Gefühlszeichen dürfte eine streng regulierte emotionale Dynamik gradueller Reziprozität hervorgerufen haben, das heißt eine subtile Abstufung von Gefühlsausdrücken, die ihrerseits weitere Gefühle und weitere rituelle Gefühlsausdrücke auslösten, beim Gegenüber wie bei einem selbst.

Interesse als Leidenschaft

Die vormoderne Partnersuche wurde so ernstgenommen, weil sie die schwerwiegendste ökonomische Operation im Leben vieler Menschen betraf, insbesondere weil das Eigentum einer Frau bei der Hochzeit auf ihren Mann überging. Dies hatte drei wichtige Implikationen.

Erstens war jegliches Gefühl in einem breiten Rahmen

30 Timothy Kenslea, *The Sedgwicks in Love. Courtship, Engagement, and Marriage in the Early Republic*, Boston 2006, S. 7.

gesellschaftlicher und ökonomischer Interessen angesiedelt. Einer sowohl innerhalb als auch außerhalb der Soziologie verbreiteten Auffassung zufolge ist interessegeleitetes Handeln ein Feind der Leidenschaft. Dagegen möchte ich geltend machen, daß Interessen nicht nur mit Leidenschaft vereinbar sind, sondern sogar den Impuls darstellen, der Leidenschaften auslöst und wachhält. Wie der Wirtschaftswissenschaftler Robert Frank behauptet, spielen Gefühle eine entscheidende Rolle dabei, die Verbindlichkeit unserer Interessen zu signalisieren und uns zu geeigneten Handlungen zu veranlassen, um diese Interessen zu verteidigen. Frank ist davon überzeugt, »daß Emotionen oft sehr wohl unseren Interessen dienen«.[31] Ja, was zur besonderen Intensität der Gefühle in der Austenschen Welt führte, war gerade der Umstand, daß sie fest in Vernunft und Interessenlagen verankert waren, die ihrerseits als mächtige Katalysatoren für Gefühle wirkten. Diese Feststellung läßt sich auf andere soziale Klassen erweitern: Weil die Ehe für das wirtschaftliche Überleben entscheidend war, brachte sie Strukturen emotionaler Verbindlichkeit hervor. In dieser Ordnung können sich Leidenschaften und Interessen, obwohl sie der Theorie nach unabhängig voneinander sind, wechselseitig verstärken: Geringschätzung (der Darcyschen Prägung etwa) oder Liebe (von der Art, wie Emma und Knightley sie empfinden) dienten als Werkzeug zur Wahrung der Klassenendogamie.

Die zweite Auswirkung der Verankerung der Ehe in wirtschaftlichen Interessen bestand darin, daß ein Heiratsantrag häufig aufgrund der gesellschaftlichen Stellung oder des Vermögensstands abgelehnt oder angenommen wurde. Vom 17. bis zum 19. Jahrhundert wurden in der Arbeiter- und Mittelklasse »potentielle Ehemänner von den Eltern üblicherweise dann abgelehnt, wenn sie ihnen nicht wohlhabend genug

31 Robert H. Frank, *Die Strategie der Emotionen*, übers. von R. Zimmerling, München 1992, S. 15.

waren«.[32] Wenn das Selbst – als Träger der Identität und des Selbstwertgefühls – in Austens Eheanbahnungssystem nicht so verletzlich ist wie das moderne Selbst, dann deshalb, weil es in eine *apriorische Rangordnung eingegliedert* ist, um mich auf die Studien des französischen Anthropologen Louis Dumont zu beziehen.[33] Tatsächlich werden diejenigen unter Austens Charakteren, denen jeglicher Sinn für ihren Platz in der Gesellschaft abgeht, wiederholt gedemütigt und so gezeichnet, daß sie ans Lächerliche oder Unmoralische grenzen (so etwa Harriet Smith in *Emma* oder William Elliot in *Überredung*). In der romantischen Ordnung, die Austen beschreibt, sind die romantisch Erfolgreichen jene, die wissen, wo ihr sozialer Ort ist, und nicht danach streben, über diesen hinauszugelangen, beziehungsweise darauf achten, nicht unter ihn herabzusinken. Anders gesagt: Weil die Kriterien, die über den Rang eines Menschen entschieden, Allgemeingut waren und weil die Entscheidung zur Eheschließung (zumindest auch) explizit auf der Klassenzugehörigkeit beruhte, hing eine Zurückweisung als potentieller Ehepartner nicht am inneren Wesen des Selbst, sondern allein an der Frage der gesellschaftlichen Stellung. Als Jane Austen selbst aufgefordert wurde, sich nicht mehr mit Tom Lefroy zu treffen, der ihr den Hof machte und den sie offensichtlich mochte, akzeptierte sie dieses Urteil, ohne zu protestieren – wußte sie doch, daß sie beide kein Geld hatten. Als Thomas Carlyles Antrag von Jane Welsh zunächst höflich zurückgewiesen wurde, durfte er ihre Zurückweisung seinen unsicheren finanziellen Aussichten zuschreiben, was er auch tat. Wenn das Selbst jedoch essentialisiert wird, wenn die Liebe definitionsgemäß auf das innerste Wesen einer Person zielt und nicht auf ihre Klassenzugehörigkeit und gesellschaftliche Stellung, dann bedeutet Liebe, daß ei-

32 MacDonald, *Mystical Bedlam*, S. 94.
33 Louis M. Dumont, *Gesellschaft in Indien. Die Soziologie des Kastenwesens* [1966], übers. von M. Venjakob, Wien 1976.

ner Person unmittelbar ein Wert zuerkannt wird, und eine Zurückweisung wird zu einer Zurückweisung des Selbst (vgl. Kapitel 3).

Und schließlich drittens: Das Übergewicht wirtschaftlicher Überlegungen bedeutet auch, daß die Bewertungsmodi »objektiver« waren – soll heißen, sie stützten sich auf den (mehr oder weniger) objektiven Status und Rang des potentiellen Partners, der im gemeinsamen sozialen Umfeld bekannt und akzeptiert war. So bestimmte die Aussteuer einer Frau ihren Wert auf dem Heiratsmarkt. »Die Mitgift war der wichtigste Faktor für die Heiratsfähigkeit einer jungen Frau und damit für ihr künftiges Leben.«[34] Die Mitgift spielte eine Schlüsselrolle bei der Zuschreibung von Status und dem Schmieden von Allianzen. »Die Höhe der Mitgift zeigte die soziale und ökonomische Stellung einer Braut an.«[35] In den meisten Fällen konnten selbst Frauen, die keinen direkten Zugriff auf ihre Mitgift hatten, »diese im Fall einer Trennung oder Scheidung zurückfordern«, ein Umstand, der Marion Kaplan zufolge »männliche Launenhaftigkeit« verhinderte »und die Frauen schützte«.[36] Die Tatsache, daß Mitgifte eine wichtige Funktion für die Partnerwahl hatten, bedeutete, daß die weibliche Heiratsfähigkeit auf »objektiven« Kriterien beruhte, die unabhängig vom spezifischen Selbstgefühl bestanden. Emma, jene Heldin von Jane Austen, die ihre Freundin Harriet Smith mit dem Vikar Elton, einem gesellschaftlichen Aufsteiger, zu verkuppeln versucht, macht sich keines Fehlurteils in bezug auf Harriets Aussehen oder Charakter schuldig, sondern eine falsche Einschätzung von Harriets *objektiver* Vereinbarkeit mit Eltons Aufstiegsambitionen. Emmas Fehler besteht darin, nicht auf objektive Kriterien zurückzugreifen,

---

34 Marion Kaplan, *The Marriage Bargain. Women and Dowries in European History*, New York 1985, S. 2.

35 Ebd., S. 4.

36 Ebd., S. 9.

um die Vereinbarkeit zu beurteilen, was einmal mehr darauf
hinweist, daß das Liebeswerben bei Jane Austen gänzlich im
Rahmen der Klassenendogamie angesiedelt ist. Der Rückgriff auf objektive Kriterien verankerte so eine private Wahl
in einer öffentlichen Rang- und Wertordnung. In diesem
Sinne war die Beurteilung der sozialen Angemessenheit eines Partners ein öffentlicher und kein privater Akt.

Der Ruf und die Einhaltung von Versprechen

Im Mittelpunkt dieses moralischen, semiotischen und ökonomischen Systems stand die Einhaltung von Versprechen.
Weil sich den meisten Menschen im Laufe ihres Lebens nur
wenige Heiratschancen boten und die Annullierung einer
Ehe schwerwiegende Folgen haben konnte, war der Ruf
ein entscheidendes Hilfsmittel der Partnerwahl. Eine zentrale Komponente dieses Rufs bildete die Fähigkeit, Versprechen zu halten. Soweit Versprechen den Eigennutzen
eines Menschen an den eines anderen binden – um Humes
Charakterisierung in Erinnerung zu rufen[37] –, wirkte die
Einhaltung von Versprechen als ein Mechanismus, der dazu
führte, daß die Menschen sich für die erste Wahlmöglichkeit entschieden, die »gut genug« war. Tatsächlich hat die
bunte Schar zweifelhafter Charaktere in Janes Austens Romanen eines gemeinsam: Sie alle brechen ihre Versprechen,
um ihre Heiratsaussichten zu verbessern und zu maximieren. Isabella Thorpe, Lucy und Willoughby zeichnen sich
durch ihr Unvermögen aus, ihre Versprechen zu halten, und
dieses Unvermögen ist die Folge ihres Wunsches, durch eine
Heirat den eigenen Vorteil zu maximieren. Dies deckt sich
mit Steven Shapins Beschreibung der moralischen Ordnung
des englischen Gentlemans im 17. und 18. Jahrhundert, den

37 Vgl. Randall Craig, *Promising Language. Betrothal in Victorian
Law and Fiction*, Albany 2000, S. 58.

Shapin durch seine Wahrheitsliebe und die Fähigkeit charakterisiert, sein Wort zu halten.[38]

Wer ein Versprechen bricht, schadet in Austens Welt ernsthaft seinem Ruf und seiner Ehre, ob Mann oder Frau. Das auffälligste Beispiel unter ihren Protagonisten ist das von Anne Elliot, die vor dem Einsetzen der Romanhandlung mit Wentworth verlobt war, die Verlobung aber auflöste, nachdem ihre Freundin und Beschützerin Lady Russell die Verbindung für unpassend befand. Jetzt wird Anne von ihrem wohlhabenden adligen Cousin William der Hof gemacht. Und so verhält sich Anne:

> Zu untersuchen, wie sie reagiert hätte, wenn es keinen Kapitän Wentworth gegeben hätte, lohnte sich nicht, denn es gab einen Kapitän Wentworth; und gleichgültig, ob die gegenwärtige Ungewissheit nun gut oder schlecht ausging, ihre Neigung würde ihm immer gehören. Ihre Verbindung mit ihm, davon sie überzeugt war, würde sie für andere Männer in ebenso unerreichbare Ferne rücken wie ihre unwiderrufliche Trennung.[39]

Dies ist eine programmatische Zurückweisung des Versuchs, im Bereich der Gefühle seinen Eigennutzen zu suchen und zu maximieren. Sie appelliert an Männer und Frauen, ihre Versprechen ohne Rücksicht darauf zu halten, welche besseren finanziellen Aussichten sich unterdessen aufgetan haben mögen. Kapitän Wentworth ist das mannhafte Gegenstück zu Annes Loyalität und Beständigkeit. Ja, wir erfahren von folgender Übereinstimmung mit Annes Verhalten und Gefühlen:

> Sie [Anne] war niemals verdrängt worden. Er hatte nicht einmal selbst geglaubt, jemals ihresgleichen begegnen zu können. So viel musste er tatsächlich eingestehen – dass er ihr unbewusst, ja unbeabsichtigt treu geblieben war. Dass er die Absicht gehabt hatte, sie zu vergessen, und geglaubt hatte, es erreicht zu haben. Er hatte sich für gleichgültig gehalten und war doch nur verbittert gewesen; und er war ungerecht

38 Steven Shapin, *A Social History of Truth*, Chicago 1994.
39 Austen, *Überredung*, S. 232.

gegenüber ihren Vorzügen gewesen, weil er darunter gelitten hatte. Er war inzwischen von der Vollkommenheit ihrer Persönlichkeit überzeugt, die bezauberndste Mitte zwischen Willensstärke und Nachgiebigkeit.[40]

Oder, um ein letztes Beispiel dafür zu geben, wie geläufig dieser Ehrenkodex der Einhaltung von Versprechen bis in die ersten Jahrzehnte des 20. Jahrhunderts war: Als Charity Royall, die Heldin von Edith Whartons Roman *Sommer*, herausfindet, daß Harney, der Mann, den sie liebt und zu heiraten gehofft hat, in Wirklichkeit mit Annabel Balch verlobt ist, schreibt sie ihm: »Ich möchte, daß Du Annabel Balch heiratest, wenn Du es ihr versprochen hast. Ich denke, Du hattest vielleicht Angst, mir würde das sehr weh tun. Ich denke, mir wäre lieber, Du handelst recht. Deine Dich liebende Charity.«[41]

Auch hier zieht es die Frau vor, auf ihre eigene Liebe und ihr künftiges Glück zu verzichten, damit das Versprechen des Mannes aufrechterhalten werden kann: Denn nichts ist ein so deutliches Zeichen von Charakter wie dieses Vermögen, das grundlegend ist für die moralische Ordnung.

Entscheidend für die Einhaltung von Versprechen ist die Annahme, das Selbst sei in der Lage, zeitliche Kontinuität zu beweisen. So erklärt Samuel Clemens (Mark Twain) in einem Brief an Olivias Vater Jervis Langdon: »Ich wünsche so sehr wie Sie, daß genügend Zeit verstreichen möge, um Ihnen in einer Weise, die keine Fragen offenläßt, zu zeigen, was *ich gewesen bin, was ich bin* und was ich *wahrscheinlich sein werde.* Sonst könnten Sie nicht zufrieden mit mir sein, sowenig wie ich selbst.«[42] Offensichtlich versucht Samuel

40 Ebd., S. 294.

41 Edith Wharton, *Sommer. Eine Liebesgeschichte* [1917], übers. von B. Schwarz u. a., München u. Zürich ³1994, S. 198.

42 Mark Twain, *Mark Twain's Letters*, Bd. 2: *1867-1868*, hg. von Harriet Elinor Smith, Richard Bucci u. Lin Salomo, Berkeley 1990, S. 357.

Clemens hier, seine Charakterstärke zu beweisen, indem er just die zeitliche Kontinuität seines Selbst zur Schau stellt, also dessen Fähigkeit, in der Zukunft das zu sein, was er bereits ist (oder eine verbesserte Version davon). Der Charakter beweist sich durch Beständigkeit und das Vermögen, im Mittelpunkt des Willens zu vereinen, wer man war, wer man ist und wer man sein wird.

In der Austenschen Welt zeigt sich eine solche Beständigkeit an der fast demonstrativen Weise, auf die Charaktere »bessere« Gelegenheiten ausschlagen und ihren früheren und bescheideneren Bindungen den Vorzug geben. Als ein Mechanismus, der der Suche nach einem Partner und dem Wunsch, den eigenen Nutzen zu maximieren, ein Ende setzte, gehörte die Fähigkeit, sein Versprechen zu halten, zur Grundlage von Bindungen. In der Praxis respektierte offensichtlich nicht jeder seine Verlobung, wie die Tatsache belegt, daß etwa im England des 19. Jahrhunderts Eheversprechen gebrochen wurden,[43] worüber dann Gerichte zu befinden hatten. Solche gebrochenen Versprechen nahm man immerhin ernst genug, um sie strafrechtlich zu verfolgen, und sie waren vergleichsweise selten, weil der Ruf von Männern wie Frauen entscheidend davon abhing, wie sie sich in den ehelichen Dingen verhielten. Der Bruch eines Eheversprechens galt als so schwere Verletzung der moralischen Ordnung, daß Henry Thorne (in Anthony Trollopes Roman *Doctor Thorne*) vom Bruder der Frau getötet wird, die er verführt und der er die Ehe versprochen hat, nur um sie dann zu verlassen. Als man den Bruder vor Gericht gestellt, sinniert Trollope/der Erzähler ironisch: »Er wurde des Totschlags für schuldig befunden und zu sechs Monaten Gefängnis verurteilt. Unsere Leser werden die Strafe vermutlich als zu hart empfinden.«[44] Eine solche soziale Ord-

43 Ginger S. Frost, *Promises Broken. Courtship, Class, and Gender in Victorian England*, Charlottesville u. London 1995.
44 Anthony Trollope, *Doctor Thorne* [1858], London 1953, S. 198.

nung verband die Gefühle, das moralische Selbst und die Zeit auf einer einzigen Achse.

Rollen und Verpflichtung*

In Edith Whartons gefeiertem Buch *Zeit der Unschuld* entscheidet sich der Held, Newland Archer, seine heftige Leidenschaft für Ellen Olenska aufzugeben und sich an seine frühere Verpflichtung zu halten, May Welland zu heiraten. Seine künftige Ehe mit einer Frau aus seiner eigenen Klasse sieht er wie folgt:

> Längst schon hatte er erkannt, daß May von der Freiheit, die sie zu besitzen glaubte, nur den einen Gebrauch machen konnte: sie ihm auf dem Altar der Liebe zu opfern. [...] Doch mit einer Auffassung von der Ehe, die so unkompliziert, so wenig neugierig wie ihre war, konnte eine Krise nur dann entstehen, wenn er sich ihr gegenüber offensichtlich gemein betrug; die Lauterkeit ihres Empfindens für ihn machte das aber undenkbar. *Was auch geschehen würde, ihm war klar, daß sie stets treu und tapfer sein und ihm nie etwas nachtragen werde: Darum fühlte er sich zu derselben Haltung ihr gegenüber verpflichtet.*[45]

Das Drama, das der Roman entfaltet, lebt von dem Widerspruch zwischen Newland Archers Verpflichtung, May zu heiraten, und seiner privaten, antiinstitutionellen Sehnsucht, seine Leidenschaft für Ellen Olenska zu leben. In diesem Modell der Ehe stellen Gefühle, die in der Innerlichkeit der Person angesiedelt sind, nicht die Legitimation, jedenfalls nicht die einzige Legitimation des ehelichen Bunds dar. Erfahren werden Gefühle hier vielmehr durch vertraute Rollen und die Fähigkeit, sein Leben lang die eigene Rolle konsequent durchzuhalten. Zudem wird über den Wert und die Qualität dieser Ehe nicht anhand der Frage entschie-

---

* Vgl. Einleitung, Anm. d. Übers. auf S. 23.

45 Edith Wharton, *Zeit der Unschuld* [1920], übers. von R. Kraushaar u. B. Schwarz, München u. Zürich [7]1997, S. 257 (meine Hervorhebung).

den, ob jeder Charakter in ihr sein authentisches Selbst zum Ausdruck bringen und seine verborgene Innerlichkeit ausleben kann. Eine gute Ehe bestand in der Fähigkeit, die eigene Rolle erfolgreich zu spielen, nämlich die zu dieser Rolle gehörigen Gefühle zu empfinden und zur Schau zu stellen. Der allgemeine kulturelle und moralische Rahmen, der diese Rolleninszenierung anleitete, bestand im Imperativ der Verpflichtung, in der Fähigkeit, den wechselseitigen Versprechungen gerecht zu werden, die eigene soziale Rolle zu spielen und die zur Rolle gehörigen (echten) Gefühle zu empfinden.

Die Verpflichtung war folglich eine moralische Struktur, die den Gefühlen sowohl vor als auch in der Ehe den Weg wies und die Akteure dazu brachte, ihr Innenleben aus der Perspektive der Frage, was sie tun sollten, zu betrachten. Dies bedeutet nicht, daß die Menschen keine Innerlichkeit oder keine Gefühle hatten, sondern daß eine solche Innerlichkeit deontologisch strukturiert war – also durch die Frage bestimmt, was sie tun und wer sie sein sollten. So vertraute die obenerwähnte Mollie Dorsey Sanford, die ihrem Mann zuliebe an der Grenze zum Wilden Westen in Colorado lebte, 1860 ihrem Tagebuch an: »Ich schäme mich für mein starkes Heimweh. Selbstverständlich *sage* ich nicht alles, was ich hier hineinschreibe. [...] Ich versuche, By [ihrem Ehemann] zuliebe fröhlich zu sein, aus Angst, er könnte glauben, ich sei nicht glücklich mit ihm. Er hat nicht die Familienbande, die ich habe, und versteht das nicht.«[46] Was unser modernes Empfinden an diesen wenigen Zeilen befremdet, ist der Umstand, daß sie nicht durch Mollies authentisches Selbst motiviert sind, wie wir es heute nennen würden, sondern durch ihre Verpflichtung auf ihre Rolle als Ehefrau. Es ist allerdings höchst unwahrscheinlich, daß sich eine moderne junge Frau für ihr Heimweh schämen

---

46 Sanford, *Mollie*, S. 145.

würde. Mollies Schamgefühl verdankt sich hier im wesentlichen dem Eindruck, ihrer *Rolle* als Ehefrau nicht gerecht zu werden. Dies ist zweifellos ein Beispiel dafür, daß »die traditionelle viktorianische Arbeits- und Autoritätsteilung zwischen Ehemännern und Ehefrauen vom Atlantik bis zum Pazifik das Rückgrat der Ehe blieb«.[47] Die Gefühle einer modernen Frau würden im Gegensatz dazu wortreich gewürdigt werden und Vorrang vor ihrer Rolle genießen. Mehr noch: In modernen Definitionen der Ehe wird vom Gatten erwartet, daß er Empfindungen dieser Art tatkräftig registriert und unterstützt, das heißt auf sie achtet, sie anerkennt und als berechtigt akzeptiert. Zur modernen Intimität gehört die verbale Offenbarung von Gefühlen, jedoch auch – und vielleicht entscheidender noch – der Akt, solche Gefühle mit dem Partner zu teilen, womit die Erwartung verbunden ist, daß das emotionale Selbst enthüllt und offengelegt wird, um »Unterstützung« und Anerkennung zu finden. Somit wäre ein weiterer spürbarer Unterschied zu unserem modernen Empfinden, daß Mollie es nicht richtig findet, ihre inneren authentischen Gefühle mitzuteilen. Im Gegenteil, um sich angemessen zu verhalten, muß man aus ihrer Perspektive in der Lage sein, diese Gefühle hinter einer Maske von Fröhlichkeit zu verbergen. Ihre Rolle überzeugend zu spielen heißt für diese Frau, ihrem Mann dabei zu helfen, seine eigene Rolle zu spielen, und daraus bezieht sie ein Gefühl der Erfüllung und Angemessenheit. Mehr noch: Wahrscheinlich versucht diese Frau noch nicht einmal, ihre wahren Gefühle zu verstehen und auszudrücken. Viel mehr sorgt sie der Umstand, daß sie, brächte sie ihre negativen Gefühle zum Ausdruck, ihrem Mann das Gefühl vermitteln könnte, er könne seine Aufgabe, sie glücklich zu machen, nicht angemessen erfüllen. Mit anderen Worten, sie hält es für *ihre* Verantwortung, sein Gefühl seiner eigenen Ange-

---

47 Yalom, *History of the Wife*, S. 260.

messenheit zu unterstützen, das sich über seine Fähigkeit definiert, sie glücklich zu machen. Am interessantesten ist vielleicht schließlich, wie neutral sie feststellt, daß er sie nicht verstehen kann. Tatsächlich beruft sie sich darauf, um die Tatsache zu erklären und zu entschuldigen, daß er nicht an ihrem privaten Unglück teilzuhaben vermag. Wir sehen hier einen extremen Gegensatz zu der Erwartung moderner Männer und vor allem Frauen, ihr intimes Selbst enthüllen und mit dem ihres Partners verflechten zu können. Vormoderne eheliche Verhältnisse setzen ein Selbst voraus, das auf komplizierte Weise mit dem des anderen verbunden, aber in diesem Verbundensein weder nackt noch authentisch ist. Das Selbst des Mannes und das der Frau, in die uns der Tagebucheintrag einen Einblick gewährt, sind nach modernen Standards emotional distanziert (sie lassen einander keinen Blick in ihre Gedanken und Gefühle erhaschen); und doch sind sie untrennbar miteinander verwoben und voneinander abhängig. Ein modernes Selbst hingegen erwartet vom jeweils anderen, emotional nackt und intim, aber unabhängig zu sein. In einer modernen Ehe kommt ein hochgradig individualisiertes und ausdifferenziertes Selbst mit einem zweiten solchen zusammen;[48] und es ist ihre fein abgestimmte Vereinbarkeit, die eine erfolgreiche Ehe ausmacht, nicht die Zurschaustellung von Rollen. Zur Grundlage der Intimität wird die Feinabstimmung der emotionalen Veranlagung zweier Personen.

Um das Wesen der Verpflichtung noch besser zu verstehen, können wir uns an Amartya Sens interessante Unterscheidung zwischen Mitgefühl und Verpflichtung halten. Wenn mich die Vorstellung, daß Menschen gefoltert werden, tief verstört, schreibt Sen, dann ist dies ein Fall von

---

48 Vgl. Robert N. Bellah, Richard Madsen, William M. Sullivan, Ann Swidler u. Steven M. Tipton, *Gewohnheiten des Herzens. Individualismus und Gemeinsinn in der amerikanischen Gesellschaft*, übers. von I. Peikert, Köln 1987.

Mitgefühl. Wenn diese Vorstellung jedoch für mich persönlich nicht unbehaglich oder erschütternd ist, mich aber
trotzdem dazu bringt, etwas daran für abgrundtief falsch
zu halten, dann handelt es sich um einen Fall von Verpflichtung. Eine Handlung, die aus einer Verpflichtung heraus
erfolgt, ist somit wahrhaft unegoistisch in dem wörtlichen
und nichtmoralischen Sinn, daß sie das Zentrum des Selbst,
den Kern, von dem es ausstrahlt, nicht tangiert.[49] Wenn wir
uns an diese Definition halten, dann ist die Verpflichtung
nicht zunächst oder hauptsächlich durch individuelle Gefühle motiviert. Ein ähnlicher Unterschied besteht zwischen
der auf Verpflichtung und der auf emotionaler Authentizität beruhenden Ehe. Die letztere lebt von dem Versuch,
zwei unabhängige emotionale Identitäten unter einen Hut
und in Einklang zu bringen, und muß unentwegt die emotionalen Umstände und Gründe, aus denen man überhaupt
zusammenfand, erzeugen und neu erzeugen. Die Verpflichtung hingegen geht nicht von einem individualisierten emotionalen Selbst aus und zielt nicht darauf ab, fortlaufende
emotionale Ansprüche zu befriedigen. Gefühle sind Folgen
sozialer Rollen und nicht ihre apriorischen Voraussetzungen.

Somit sollten der »Charakter« und die Verpflichtung,
die das Liebeswerben und die ehelichen Praktiken regu-
lierten, weder als psychologische Eigenschaften von Akteuren noch als Anzeichen einer moralischeren Kultur verstanden werden, sondern als Ausfluß spezifischer sozialer
Mechanismen:[50] der dichtgeknüpften sozialen Netzwerke,
die das Selbst einkapselten und abpufferten; der objektiven

49 Amartya K. Sen, »Rationale Trottel. Eine Kritik der behavioristischen Grundlagen der Wirtschaftstheorie« [1977], übers. von A. F. Middelhoek, in: Stefan Gosepath (Hg.), *Motive, Gründe, Zwecke. Theorien
praktischer Rationalität*, Frankfurt/M. 1999, S. 76-102, hier: S. 84 f.

50 Diese Mechanismen fanden sich eher in protestantischen Ländern
als in katholischen, in denen das Ideal der kameradschaftlichen Liebe als
Grundlage der Ehe eine geringere Bedeutung hatte.

(was so viel heißt wie: relativ nichtsubjektiven) Kriterien in der Partnerwahl; der explizit endogamen Kriterien in der Partnerwahl, also des sozialen, religiösen und ökonomischen Status als unverhohlenem und legitimem Entscheidungsgrund; eines Regimes der – durch Rituale geregelten – Performativität der Gefühle; der Rolle der Einhaltung von Versprechen; sowie der Tatsache, daß die sozialen Rollen die Orientierung an Verpflichtungen erleichterten. Der Sinn und Zweck dieser Feststellungen besteht entschieden *nicht* darin, die Vergangenheit zu glorifizieren, und noch weniger darin, die Menschen des 19. Jahrhunderts als besser oder moralischer auszuzeichnen. Sie sollen vielmehr die folgende These plausibel machen: Was Moralphilosophen oder Kommunitaristen als moralische Dispositionen betrachten mögen, wird durch soziale Mechanismen erklärt, die die emotionalen Interaktionen von Männern und Frauen, und sei es auch nur zum Teil, zu öffentlichen Ritualen und Rollen zuschneiden. In der Folge konnte das Selbst durch den Blick der anderen und ihre Bewertung nicht so leicht verletzt werden, gerade weil die Gefühle der Akteure nicht aus der Innerlichkeit ihres Selbst hervorgingen. Die Modi und Kriterien der Bewertung, die Fähigkeit, seine Liebe aufrechtzuerhalten, die völlige Zielstrebigkeit des Selbst im Liebeserleben waren somit durch soziale Mechanismen geprägt, die Dispositionen in »Tugenden« verwandelten. Diese zugleich sozialen und moralischen, privaten und öffentlichen Mechanismen waren es, die die Partnerwahl der Mittelklasse und oberen Mittelklasse zumindest in der englischsprachigen Welt bis weit ins 19. Jahrhundert hinein regelten. Was sich in der Moderne dann änderte, waren just die Bedingungen, unter denen Liebesentscheidungen getroffen wurden.

Die große Transformation der romantischen Ökologie: Die Entstehung von Heiratsmärkten

Es ist eine Binsenweisheit, daß Gesellschaften, in denen die Wahl eines Ehepartners auf Liebe beruht, zum Individualismus neigen, also dazu, Individuen – und nicht ihrem Clan oder ihrer Familie – die Entscheidung zur Heirat zu überlassen, womit sie zugleich deren emotionale Autonomie legitimieren. Aber angesichts der Tatsache, daß der affektive »Individualismus« in Westeuropa seit mindestens dreihundert Jahren existiert,[51] ist dieses Konzept zu allgemein und zu ungenau, um die modernen emotionalen Transaktionen treffend zu beschreiben. Die englische und amerikanische Kultur der romantischen Wahl im 19. Jahrhundert war individualistisch, doch unterscheiden sich Form und Bedeutung dieses Individualismus erheblich von dem unsrigen. Dieser Unterschied läßt sich meines Erachtens genauer fassen, wenn wir betrachten, wie die Individuen ihre jeweilige Wahl tatsächlich treffen. Bislang habe ich die sozialen Mechanismen beschrieben, die Männer und Frauen dazu nötigten, zueinander zu finden, ohne vorher lange zu feilschen, ohne einen förmlichen und regelgeleiteten Prozeß der Selbstprüfung zu durchlaufen, ohne über die Vorstellung einer großen Auswahl an potentiellen Partnern in einem offenen Markt zu verfügen, jedoch auf der Grundlage von Bewertungskriterien, in denen sich die Standards der Gemeinschaft widerspiegelten. Was sich tiefgreifend verändert hat – wie ich im verbleibenden Teil dieses und in den folgenden Kapiteln zeigen werde –, sind eben die Bedingungen, unter denen eine Wahl getroffen wird, das heißt *sowohl die Ökologie als auch die Architektur der romantischen Wahl.*

Ich möchte eine kühne These aufstellen: Die Transfor-

---

51 Lawrence Stone, *The Family, Sex and Marriage in England, 1500-1800*, New York 1977.

mation, der die romantische Wahl unterworfen war, ist mit dem Prozeß verwandt, den Karl Polanyi für die wirtschaftlichen Verhältnisse beschrieben und als »große Transformation« bezeichnet hat.[52] Mit der »großen Transformation« der ökonomischen Verhältnisse ist jener Prozeß gemeint, durch den der kapitalistische Markt die Wirtschaftstätigkeit aus der Gesellschaft und ihren moralischen/normativen Rahmenbedingungen herauslöste, die Wirtschaft auf selbstregulierende Märkte umstellte und schließlich die Gesellschaft der Wirtschaft unterordnete. Was wir als »Triumph« der romantischen Liebe in den Beziehungen zwischen den Geschlechtern bezeichnen, bestand vor allem darin, daß die individuelle Liebeswahl aus dem moralischen und sozialen Gewebe der Gruppe herausgelöst wurde und selbstregulierende Kontaktmärkte entstanden. Die modernen Kriterien zur Beurteilung eines Liebesobjekts sind von öffentlich geteilten moralischen Rahmenbedingungen entbunden. Diese Freisetzung war die Folge eines inhaltlichen Wandels der Kriterien der Partnerwahl – die zugleich physischer/sexueller und emotionaler/psychologischer wurden – sowie eines Wandels im Prozeß der Partnerwahl selbst – der subjektiver und individualisierter wurde.

Die »große Transformation« der Liebe ist durch eine Reihe von Faktoren gekennzeichnet. Dies sind erstens die normative Deregulierung der Bewertungsmodi potentieller Partner, das heißt ihre Herauslösung aus den Bezugssystemen von Gruppe und Gemeinschaft sowie der Einfluß der Massenmedien auf die Definition von Kriterien für Attraktivität und Wert; zweitens eine zunehmende Tendenz, seinen sexuellen und romantischen Partner gleichzeitig in psychologischen und sexuellen Kategorien zu sehen, wobei erstere schlußendlich letzteren untergeordnet werden; sowie drit-

---

52 Karl Polanyi, *The Great Transformation. Politische und ökonomische Ursprünge von Gesellschaften und Wirtschaftssystemen* [1944], übers. von H. Jelinek, Frankfurt/M. [3]1995.

tens die Entstehung sexueller Felder, also der Umstand, daß die Sexualität als solche eine immer wichtigere Rolle in der Konkurrenz der Akteure auf dem Heiratsmarkt spielt.

Die Sexualisierung und Psychologisierung der romantischen Wahl

Der »Charakter« brachte eine Innerlichkeit zum Ausdruck, die eine Welt öffentlicher Werte in Szene setzte. In diesem Sinne war die charakterliche Beurteilung eines Menschen zwar ein individueller Vorgang, aber auch ein öffentlicher, gemeinsamer, der von der Zustimmung konkreter anderer abhing.

Die Individualisierung der Kriterien für die Partnerwahl und ihre Entflechtung aus dem moralischen Gewebe der Gruppe lassen sich am Siegeszug zweier neuer Kriterien veranschaulichen: »emotionale Intimität und psychologische Vereinbarkeit« auf der einen Seite, »erotische Ausstrahlung« auf der anderen. Der Begriff der »emotionalen Intimität« unterscheidet sich von der charakterbasierten Liebe, insofern er darauf abzielt, zwei einzigartige, hochgradig ausdifferenzierte und komplexe psychologische Persönlichkeiten miteinander vereinbar zu machen. »Sex-Appeal«, »sexuelle Attraktivität« oder »Sexyness« spiegeln eine kulturelle Betonung der Sexualität und physischen Anziehungskraft als solcher wider, abgelöst von der Welt moralischer Werte.

Die Geschichte ist voll von Beispielen für die Macht der erotischen Anziehung und die Wichtigkeit der Schönheit dafür, sich zu verlieben. Doch ist die Kategorie der »Sexyness«, die unsere modernen Modi der gegenseitigen Beurteilung so grundlegend prägt, auch eine neue Weise, potentielle Liebes-/Sexualpartner zu bewerten. Als kulturelle Kategorie unterscheidet sich »Sexyness« von Schönheit. Im 19. Jahrhundert galten Frauen aus der Mittelklasse als attraktiv aufgrund ihrer *Schönheit* und nicht aufgrund ihres Sex-Appeals. Schönheit verstand man als eine körperliche und geistige Eigenschaft.[53] (Deshalb konnte Robert Browning sich in die behinderte Elizabeth Barett verlieben, gerade weil er ihr Äußeres ihrer inneren Schönheit unterordnen konnte. In seiner Beschreibung seiner Liebe zu ihr schien ihre Behinderung kein besonderes Problem darzustellen.)[54] Die sexuelle Attraktivität *als solche* stellt ein neues Bewertungskriterium dar,[55] das gleichermaßen von der Schönheit wie vom moralischen Charakter abgelöst ist, oder vielmehr, bei dem Charakter und psychologische Beschaffenheit letzten Endes der Sexyness untergeordnet werden. In der »Sexyness« kommt die Tatsache zum Ausdruck, daß die Geschlechtsidentität von Männern und vor allem von Frauen in der Moderne in eine sexuelle Identität verwandelt worden ist, sprich in eine Reihe bewußt gehandhabter körperlicher, sprachlicher und kleidungsbezogener Kodes, die darauf ausgerichtet sind, sexuelles Begehren auszulösen. Die Sexyness wiederum wurde zu einem autonomen und ausschlaggebenden Kriterium der Partnerwahl. Dieser Wandel war die Folge einer Verbindung des Konsumismus mit der zunehmenden normativen Legitimation der Sexualität durch die kulturellen Weltanschauungen von Psychologie und Feminismus.

Zweifellos war die Konsumkultur – neben der Forderung nach einer Befreiung der Sexualität durch Feminismus und Boheme – die bedeutendste kulturelle Macht, die zur Sexua-

---

53 So schreibt Kierkegaard in *Entweder – Oder*: »Obgleich diese [romantische] Liebe sich wesentlich auf das Sinnliche gründet, ist sie doch edel durch das Bewußtsein der Ewigkeit, das sie in sich aufnimmt [...]«. Sören Kierkegaard, *Entweder – Oder. Teil I und II* [1843], übers. von H. Fauteck, München [10]2009, S. 544.

54 Vgl. Julia Markus, *Dared and Done. The Marriage of Elizabeth Barrett and Robert Browning*, New York 1995.

55 Vgl. Platons *Symposion* für eine frühe Erörterung der Rolle der Schönheit in der Liebe. Diese Diskussion bezog sich jedoch vor allem auf die Schönheit von Jünglingen, und dies nicht als Kriterium für eine Ehe.

lisierung der Frauen und schließlich der Männer beitrug. Mit Blick auf die 1920er Jahre argumentieren d'Emilio und Freedman:

> Der amerikanische Kapitalismus war nicht länger auf eine hartnäckig asketische Arbeitsethik angewiesen, um das Kapital zur Schaffung einer industriellen Infrastruktur zu akkumulieren. Was die Unternehmensführer vielmehr brauchten, waren Konsumenten [...]. Eine Ethik, die zum Erwerb von Konsumartikeln ermunterte, begünstigte auch eine wachsende Akzeptanz von Vergnügen, Wunscherfüllung und persönlicher Zufriedenheit, eine Perspektive, die sich leicht auf den Bereich des Sexuellen übertragen läßt.[56]

Die Konsumkultur machte das Begehren zum Zentrum der Subjektivität, während sich die Sexualität in eine Art allgemeine Metapher des Begehrens verwandelte.

Die Geschichte der Kosmetik illustriert diesen Prozeß. Die Schönheitsvorstellungen des 19. Jahrhunderts unterschieden klar zwischen der – wandelbaren und außengesteuerten – Mode und Kosmetik sowie dem, was man »moralische Schönheit« nannte und was »zeitlose« und »innere« Qualitäten aufwies.[57] Somit nahmen die Schönheitsvorstellungen des 19. Jahrhunderts nicht ausdrücklich auf Geschlecht oder Sexualität Bezug. Ganz im Gegenteil war Schönheit nur in dem Maß relevant, in dem sie Charakter zum Ausdruck brachte. Die viktorianische Moral betrachtete Kosmetik mit Argwohn, weil ihr diese als ein illegitimer Ersatz für die »wirkliche« innere moralische Schönheit erschien. Zu Beginn des 20. Jahrhunderts überschwemmten Parfüms, Schminke, Puder, Kosmetika und Cremes die entstehenden Verbrauchermärkte, und im Bemühen, den Absatz dieser Produkte zu fördern, befreite die Werbeindustrie die Schön-

---

56 John D'Emilio u. Estelle Freedman, *Intimate Matters. A History of Sexuality in America*, New York 1988, S. 291.

57 Kathy Peiss, »On Beauty ... and the History of Business«, in: Philip Scranton (Hg.), *Beauty Business. Commerce, Gender, and Culture in Modern America*, New York 2001, S. 7-23, hier: S. 20.

heit vom Charakter. »Aus der viktorianischen Unterwelt befreit, stolzierten geschminkte Frauen durch die imaginären Welten der Werbeindustrie. Sie wurden beim Schwimmen, Sonnenbaden, Tanzen und Autofahren gezeigt – und boten Bilder von gesunder, sportlicher und lebenslustiger Weiblichkeit.«[58]

Angetrieben von einem neuen Unternehmensmodell mit einem Management, das neue Methoden zur Verpackung, Vermarktung und Verteilung von Gütern ersann, bewarb die Kosmetikindustrie den Körper als ästhetische Oberfläche, die mit einem moralischen Verständnis von Personalität nichts mehr zu tun hatte. In eine Zielscheibe der Industrie verwandelt, wurde der Körper ästhetisiert, ein Prozeß, der sich dadurch beschleunigte und verallgemeinerte, daß die Kosmetikbranche quer durch alle sozialen Schichten mit der Mode- und der Filmindustrie zusammenarbeitete.[59] Die Kosmetik- und die Modeindustrie wurden durch die Unterstützung, die sie von den Kulturindustrien der Film-, Model- und Werbebranche erfuhren, nur noch mächtiger und größer.[60] Filmstudios, Frauenzeitschriften, Werbefachleute und Plakatwerbung machten die neuen Möglichkeiten, den Körper zu propagieren und zu erotisieren sowie das Gesicht zu betonen, populär, kodifizierten sie und weiteten sie immer stärker aus. Frauen wurden durch das Ideal der sexualisierten Schönheit als triebhafte und sexu-

58 Kathy Peiss, *Hope in a Jar. The Making of America's Beauty Culture*, New York 1998, S. 142.

59 So warb etwa der amerikanische Kosmetikhersteller Max Factor mit Filmstars. »Alle Werbekampagnen [für Max Factor] stellten Leinwandstars in den Vordergrund; ihre Empfehlungen schienen mit den großen Studios abgesprochen zu sein, die von ihnen verlangten, sich positiv über Max Factor zu äußern.« Ebd., S. 126.

60 »[F]ilmstudios trafen Absprachen mit Bekleidungsherstellern, um neue Modestile hervorzuheben. Wenn den Kinogängerinnen ein Kleid besonders auffiel – wie das, das Joan Crawford in *Der letzte Schritt* (*Letty Lynton*, 1932) trug –, wurde es schnell zu erschwinglichen Preisen massengefertigt und in die Kaufhäuser gebracht.« Peiss, »On Beauty«, S. 13.

elle Akteurinnen in die Konsumkultur integriert, ein Ideal, das verschiedene Branchen gemeinsam aggressiv bewarben: Mode, Film, Werbung, Musik und Kosmetik – all diese Wirtschaftssektoren bemühten sich um und konstruierten ein auf Erotik basierendes Selbst. Der neue Schönheitskult in Frauenzeitschriften und Filmen »verband Make-up explizit mit Sex-Appeal«,[61] indem er Kosmetik, Weiblichkeit, Konsum und Erotik nahtlos miteinander verschmolz.[62] Mit anderen Worten: Eine ganze Phalanx von Industriezweigen trug dazu bei, die Sexualisierung von Frauen und, später, von Männern, voranzutreiben und zu legitimieren. Der Körper wurde nunmehr als sinnlicher Körper verstanden, der aktiv auf sinnliche Befriedigung, Vergnügen und Sexualität aus ist. Eine solche Suche nach sinnlicher Befriedigung ging in die Sexualisierung des Körpers über: Der Körper konnte und sollte Sexualität und Erotik evozieren, in anderen hervorbringen und ausdrücken. Die Konstruktion erotisierter Körper war somit eine der eindrucksvollsten Leistungen der Konsumkultur des frühen 20. Jahrhunderts.

Die beiden Signifikanten Jugend und Schönheit verwandelten sich in Signifikanten von Erotik und Sexualität. Die Kommerzialisierung des Körpers schloß seine intensive Erotisierung, aber auch seine enge Nachbarschaft zur romantischen Liebe ein. Schönheit, Erotik und Liebe wurden umstandslos miteinander assoziiert: Nicht nur »disqualifizierte Schminke anständige Frauen nicht länger für eine Romanze oder die Ehe«,[63] sondern sie schien geradezu direkt zu ihnen hinzuführen. »[K]osmetika spielten eine prominente Rolle in alltäglichen Szenen von Liebe und Zurückweisung, Triumph und Demütigung.«[64] Tatsächlich bestand ein nicht be-

---

61 Peiss, *Hope in a Jar*, S. 249.
62 Ebd., S. 114.
63 Ebd., S. 142.
64 Ebd.

sonders subtiler Grund für die Kultivierung der Schönheit in der Hoffnung, die wahre Liebe zu finden. »Der eigentliche Zweck« der (weiblichen) Schönheit bestand darin, »einen Ehemann zu ergattern«.[65] Sie stellte Frauen geringerer Herkunft eine Möglichkeit in Aussicht, durch eine aufwärtsmobile Heirat gesellschaftlich aufzusteigen. Schönheit und eine bestimmte Art femininen Auftretens, die das Sexuelle betonte, waren aufs engste mit dem Bild der Romanze verbunden: Romanze wie Schönheit galten Werbeleuten, Studiobesitzern und Kosmetikherstellern als sicherer Verkaufserfolg. Die Romanze setzte die Geschlechtertrennung in Szene und verlangte, daß Männer und Frauen die entsprechenden Unterschiede unablässig ausagierten; doch ebenso versprach sie, diese Unterschiede in einem Utopia geschlechtsloser Intimität abzuschaffen.

Auch Männer unterlagen diesem Prozeß der Sexualisierung des Körpers. Obwohl sie langsamer in die Konsumkultur integriert wurden, kann man erste Keime einer auf Konsumismus, Hedonismus und Sexualität beruhenden männlichen Identität bereits im 19. Jahrhundert finden.[66]

Am anrüchigeren Ende der Skala befanden sich Bordelle, Tierkämpfe und andere unerlaubte Vergnügungen. Bedeutsam waren aber auch eine ganze Reihe von Geschäftszweigen, die sich auf die männlichen Konsumwünsche ausrichteten. Tatsächlich [...] bildete sich eine ausgedehnte ›Junggesellensubkultur‹ um das Geflecht von Speiselokalen, Herrenfriseuren, Tabakläden, Schneidern, Bars, Theatern und einer Vielzahl weiterer kommerzieller Unternehmen, die durch die Kundschaft begüterter junger Lebemänner florierten.[67]

65 Lois Banner, *American Beauty*, New York 1983, S. 264.
66 Tom Pendergast, *Creating the Modern Man. American Magazines and Consumer Culture, 1900-1950*, Columbia 2000; Bill Osgerby, »A Pedigree of the Consuming Male. Masculinity, Consumption, and the American ›Leisure Class‹«, in: Bethan Benwell (Hg.), *Masculinity and Men's Lifestyle Magazines*, Oxford 2003, S. 57-86, hier: S. 61 f.
67 Ebd., S. 62.

Doch erst in den 1950er Jahren trat eine ausgewachsene
Konsumkultur auf den Plan, die den männlichen Körper im
Visier hatte. Das beste Symbol dieser Konsumkultur war das
1953 gegründete Magazin *Playboy*. Der *Playboy* war ein
Zeichen für die Entstehung einer »›Playboy-Ethik‹, für die
an erster Stelle die persönliche Befriedung in einer glitzern-
den, endlosen Welt von Konsum, Freizeit und wollüstigem
Schwelgen stand«.[68] Dabei setzte die Kommerzialisierung
des männlichen Körpers zunächst nicht auf Schönheit und
Kosmetik, sondern auf den Sport, und sie bediente unmittelbar die männlichen sexuellen Phantasien. Indem sie auf ein
sexuelles Modell von Männlichkeit hinarbeitete, förderte
sie bei den Männern das gleiche Bewußtsein erotischer Verführungskraft – mit einem interessanten Unterschied: Das
Thema Liebe und Romanze spielte hier bei weitem keine so
große Rolle wie bei den Frauen.

Die Fotografie standardisierte die neuen männlichen und
weiblichen Kanons erotischer Verführungskraft[69] und verschärfte zugleich bei beiden Geschlechtern das Bewußtsein
des eigenen Äußeren. Fotos und Filme verbreiteten und nor-
mierten die Ideale von Schönheit und Erotik, die somit zunehmend die körperliche Selbst- und Fremdwahrnehmung
der Menschen steuerten. Seit Mitte des 19. Jahrhunderts
spielte die Fotografie eine wichtige Rolle dabei, homogene
Schönheitsstandards zu definieren, die neue Normen und
Kodes sexueller Attraktivität allgemein verfügbar machten
und somit zum Wandel der Kriterien für die Partnerwahl
beitrugen.

Die dezidierte Betonung des Körpers in der US-amerikanischen Kultur und die penetrante Kommerzialisierung
von Sex und Sexualität machte die »sexuelle Attraktivität«
zu einer eigenen kulturellen Kategorie, die von der Moral
schlechthin getrennt war. Unerbittlich trieben die Kulturin-

68 Ebd., S. 77.
69 Peiss, *Hope in a Jar*, S. 126.

dustrien den Schönheits- und später den Fitneßkult sowie die Definition von Männlichkeit und Weiblichkeit über erotische und sexuelle Eigenschaften voran. In der Folge verwandelten sich sexuelle Attraktivität und Sexyness zu positiven kulturellen Kategorien eigenen Rechts, wodurch die sexuelle Begehrlichkeit zu einem der zentralen Kriterien in der Partnerwahl und der Selbstgestaltung der eigenen Persönlichkeit wurde. Die Kommerzialisierung von Sex und Sexualität – ihr Vordringen in das Innerste der kapitalistischen Maschinerie selbst – verwandelte die Sexualität in ein Merkmal und eine Erfahrung, die zunehmend von Fortpflanzung, Ehe, langfristigen Bindungen und selbst dem Gefühlsleben abgesondert war.

Die Konsumkultur löste die gewaltige Aufgabe, die traditionellen sexuellen Normen und Verbote über den Haufen zu werfen sowie Körper und Beziehungen zu sexualisieren, mit beträchtlichem Erfolg. Dies gelang ihr, weil sie sich auf die Autorität und Legitimität von Experten aus den Reihen der Psychoanalyse und der Psychologie stützen konnte. Tatsächlich wiesen Psychoanalyse und Psychologie der Sexualität in ihrer Neudefinition des Selbst zwei grundlegende Rollen zu. Erstens rückten sie die (kindliche) Sexualität ins Zentrum der psychischen Geschichte des Individuums und verwandelten die Sexualität in dieser Hinsicht in ein Wesensmerkmal der Person, ihre seelische Essenz sozusagen. Zweitens aber entwickelte sich die Sexualität rasch auch zum Zeichen und Schauplatz eines »gesunden« Selbst. Eine ausufernde Industrie von klinischen Psychologen und Beratern behauptete, ein gutes Sexualleben sei unabdingbar für das Wohlergehen. So geriet die Sexualität mitten ins Zentrum des Projekts, ein gutes Leben mit einem gesunden Selbst zu führen, wo sie dem positiven Begriff der »sexuellen Erfahrung« den Weg bereitete. Indem sie die Sexualität ins Zentrum des Subjekts rückte, das heißt, dem Selbst seine private und einzigartige Wahrheit in Form seines Geschlechts und seiner Sexualität aufbürdete, und indem sie das gute Selbst auf einer gesunden Sexualität beruhen ließ, verortete die Psychologie Geschlecht und Sexualität an beiden Enden der narrativen Zeitschiene, die die Geschichte eines Selbst ausmacht: Die Vergangenheit und die Zukunft eines Menschen drehten sich nun um Geschlecht und Sexualität. Nicht nur erzählte das Selbst sich seine eigene Geschichte als eine sexuelle, sondern es verwandelte die Sexualität selbst, als Praxis und als Ideal, in das Telos dieser Erzählung.

Diese Botschaft der Psychologie verstärkte sich signifikant durch die von der neuen oder zweiten Frauenbewegung herbeigeführte kulturelle und sexuelle Revolution. Was die neue Frauenbewegung in der Tat so einflußreich machte, war ihre Neukonzeptualisierung der Sexualität als eines politischen Akts. Lustvolle Sexualität und beiderseitige Lust verwandelten sich in moralische Akte der Behauptung von Autonomie und Gleichheit. Die sexuelle Lust entwickelte sich zu einem Weg, auf dem Frauen ihre volle Gleichheit mit den Männern als freie und gleiche Subjekte bekräftigen konnten,[70] womit die Sexualität zur Quelle einer positiven und sogar moralischen Bestätigung des Selbst wurde. Obwohl sie sich nicht unmittelbar an der Frauenbewegung ausrichtete, trug auch die Schwulenbewegung zur Naturalisierung der Gleichsetzung von Sexualität und politischen Rechten bei, bei der Sex in einen engen Zusammenhang mit den zentralen Werten demokratischer Gemeinwesen wie Wahlfreiheit, Selbstbestimmung und Autonomie gebracht wurde. Ihre Subsumierung unter die politischen Rechte machte die Sexualität zu einer sowohl naturalisierten als auch normativen Dimension des Selbst, die nun jedoch von jenem Bündel an Regeln befreit war, das sie zuvor unter die moralischen Definitionen von Weiblichkeit und

70 Jane F. Gerhard, *Desiring Revolution. Second-Wave Feminism and the Rewriting of American Sexual Thought, 1920 to 1982*, New York 2001.

Männlichkeit subsumiert hatte. Zusammengenommen verhalfen diese kulturellen Einflüsse Geschlecht, Sexualität und sexueller Begehrlichkeit nicht nur zu Legitimität, sondern verwandelten sie in ein entscheidendes Kriterium der Partnerwahl, dem sie letztlich ein autonomes Eigengewicht einräumten. Sich zu jemandem »sexuell hingezogen« zu fühlen, sollte nun zur notwendigen Bedingung einer romantischen Partnerschaft werden.

Greifbar wurden diese verschiedenen Prozesse und Transformationen der Bedeutung von Sexualität im Entstehen der Kategorien »sexy« und »Sexyness« als neue Formen, sich selbst und andere zu bewerten, insbesondere im Bereich romantischer Beziehungen. Als kulturelle Kategorien bildeten sich Sex-Appeal und Sexyness infolge jenes Prozesses heraus, in dem die Konsumkultur Schönheit von Charakter und Moral trennte und die Sexualität nach und nach in einen autonomen Signifikanten für die Persönlichkeit verwandelte. Wie das *Oxford English Dictionary* belegt, hatte das Wort »sexy« bis weit in die 1920er Jahre hinein einen negativen Beiklang. Auf Personen angewandt, verzeichnet das Wörterbuch erst um die 1950er Jahre die moderne Bedeutung von »sexy« als einem positiven Adjektiv, das keine Verbindung zu Schönheit und Moral unterhält. So schreibt William Camp 1957 in seinem Buch *Prospects of Love*: »Es muß etwas an ihr sein, das herausschreit, daß sie was fürs Bett ist. Ein Mädchen muß nicht hübsch sein, um sexy zu sein.«[71] Im Zuge ihrer kulturellen Ausbreitung nahm die Sexyness eine Bedeutung an, die sich auf mehr als das bloße Aussehen bezog; sie bezeichnete einen »unbeschreiblichen« Wesenszug der Person, der das Physische umfaßt, aber über es hinausgeht. Um es mit Sophia Loren zu sagen: »Sexyness ist eine Eigenschaft, die von innen kommt. Es ist etwas, was in einem ist oder nicht, und es hat wirklich wenig mit Brü-

---

71 William Camp, *Prospects of Love*, London u. New York 1957.

sten oder Hüften oder einem Schmollmund zu tun.«[72] Hier verwandelt sich Sexyness in ein allgemeines Merkmal, um eine attraktive Persönlichkeit zu bezeichnen. Wesentlich aber: Es wird zum entscheidenden Merkmal für die Partnerwahl. Nehmen wir zum Beispiel Alan, einen 52jährigen Vertriebsleiter in der Pharmaindustrie, der für eine große Gruppe von Menschen spricht, wenn er ausführt:

ALAN: Eine Grundvoraussetzung für mich ist das Aussehen; nicht nur ihr Gesicht, sondern auch ihre Taille, sie muß eine schlanke Taille haben, schöne, volle Brüste, flacher Bauch, ähm, und lange Beine. Aber wissen Sie, wichtiger noch als ihr Aussehen ist vielleicht, daß sie sexy ist.

INTERVIEWERIN: Wie meinen Sie das?

ALAN: Na ja, man muß spüren, daß sie scharf ist, daß sie Sex mag, daß sie einem gerne sexuellen Genuß bereitet und auch selbst gerne genießt.

INTERVIEWERIN: Gibt es viele Frauen, die dieser Beschreibung entsprechen?

ALAN: Ähm ... Na ja, nicht sehr viele natürlich, aber ja, einige, ich denke schon, kein Zweifel, aber man muß die finden, die einen wirklich reizt. Das ist nicht so leicht in Worte zu fassen, obwohl man es weiß, wenn man es sieht. Sexyness ist sehr wichtig, aber sie ist schwer zu definieren. Man weiß es einfach, wenn man es sieht.

Offensichtlich liegt das Augenmerk dieses Mannes darauf, konventionelle Merkmale sexueller Attraktivität sowie Hinweise und Signale dafür auszumachen, daß ein Körper sexualisiert ist. Er veranschaulicht die herausragende Bedeutung der Sexyness für die Partnerwahl und zugleich die Art und Weise, wie Akteure kunstvolle Kriterien entwickeln, um die Sexyness anderer Menschen zu erfassen.

»Die physische Attraktivität des Partners erwies sich als bedeutendster Prädiktor dafür, ob er gemocht wurde, während Faktoren wie akademische Leistungen, Intelligenz und verschiedene Persönlichkeitsmaße keine Entsprechung

---

72 ⟨http://www.brainyquote.com/quotes/authors/s/sophia_loren.html⟩, letzter Zugriff 13. 3. 2011.

zu dem Grad aufwiesen, in dem dieser gemocht wurde.«[73] Ein Indiz für die wachsende Bedeutung der physischen Attraktivität für die Partnerwahl ist die Tatsache, daß jüngsten Forschungen zur Partnerwahl zufolge *sowohl für Männer als auch für Frauen* die physische Attraktivität von großer Wichtigkeit ist,[74] was bedeutet, daß die Frauen diesbezüglich zu den Männern aufschließen. In ihrer großangelegten Längsschnittuntersuchung von Trends in den Partnerwahlkriterien haben Buss und seine Mitarbeiter äußerst überzeugende Belege dafür gefunden, daß die sexuelle Attraktivität als Kriterium für die Partnerwahl über einen Zeitraum von fünfzig Jahren in den Vereinigten Staaten kontinuierlich an Bedeutung gewonnen hat, für Männer wie für Frauen.[75] Mit anderen Worten: Die Wichtigkeit der physischen Attraktivität hat mit der Ausbreitung der Medien-, Kosmetik- und Modeindustrien eindeutig zugenommen.[76]

73 Jeffrey Nevid, »Sex Differences in Factors of Romantic Attraction«, in: *Sex Roles*, Jg. 11, Nr. 5/6 (1984), S. 401-411, hier: S. 401. Vgl. auch Ayala M. Pines, »A Prospective Study of Personality and Gender Differences in Romantic Attraction«, in: *Personality and Individual Differences*, Jg. 25, Nr. 1 (1998), S. 147-157; sowie Alan Feingold, »Gender Differences in Effects of Physical Attractiveness on Romantic Attraction. A Comparison Across Five Research Paradigms«, in: *Journal of Personality and Social Psychology*, Jg. 59, Nr. 5 (1990), S. 981-993.

74 Paul Eastwick u. Eli Finkel, »Sex Differences in Mate Preferences Revisited. Do People Know What They Initially Desire in a Romantic Partner?«, in: *Journal of Personality and Social Psychology*, Jg. 94, Nr. 2 (2008), S. 245-264; Norman P. Li u. Douglas T. Kenrick, »Sex Similarities and Differences in Preferences for Short-Term Mates. What, Whether, and Why«, in: *Journal of Personality and Social Psychology*, Jg. 90, Nr. 3 (2006), S. 468-489.

75 David M. Buss, Todd K. Shackelford, Lee A. Kirkpatrick u. Randy J. Larsen, »A Half Century of Mate Preferences. The Cultural Evolution of Values«, in: *Journal of Marriage and the Family*, Jg. 63, Nr. 2 (2001), S. 491-503.

76 Wenn folglich ein erheblicher Teil der zeitgenössischen psychologischen Forschung übereinstimmend zu dem Befund kommt, daß die sexuelle Attraktivität ein wichtiger Faktor in der Partnerwahl ist, dann deshalb, weil sie, wie so häufig, Geschichte mit Natur verwechselt und erstere in Gestalt letzterer naturalisiert.

Zahlreiche Forscher haben in den Veränderungen, die sich seit dem Ersten, vor allem aber seit dem Zweiten Weltkrieg in der Sexualität abspielten, die Herausbildung einer Form von »Entspannungssex« (*recreational sex*)[77] gesehen, also einer entfremdeten, kommerzialisierten und narzißtischen Form von Sexualität. Dagegen halte ich die Interpretation für gewinnbringender, daß sich die Sexualität wie die Schönheit zu einem »diffusen Statusmerkmal«[78] entwickelt hat, das heißt zu einem Merkmal, das Status verleiht. Man kann über die vielfältigen Konsequenzen des Umstands spekulieren, daß »Sexyness« ein so bedeutender, ja ausschlaggebender Faktor bei der Partnerwahl geworden ist. Die Verflechtung von Schönheit und moralischem Charakter bedeutete, daß zwei potentielle Partner mit größerer

77 Das Zusammenwirken der drei kulturellen Mächte Konsumkultur, Psychologie und Politisierung der Sexualität brachte den von Soziologen so genannten »Entspannungssex« (*recreational sex*) hervor. »Grob definiert, bezieht sich der Begriff des Entspannungssex auf ein genußorientiertes Repertoire von Praktiken und Einstellungen, die dem Sexualleben in der Spätmoderne eine neue Gestalt verleihen. [...] Statt starrer sexueller Identitäten, Gemeinschaften oder sexualpolitischer Vorstellungen, wie sie für den ›fortpflanzungsorientierten Sex‹ (*procreational sex*) bezeichnend sind, stehen bei dieser ›plastischen Sexualität‹ [...] fließendere sexuelle Vorlieben oder ›Ströme des Begehrens‹ im Mittelpunkt – der Wunsch, neue Beziehungen mit unterschiedlichen Arten von Personen einzugehen und mit alternativen Selbst- und Fremdverhältnissen zu experimentieren [...]. Mit anderen Worten findet eine nichtlineare Ersetzung von fortpflanzungsorientierten Sexualmodellen durch entspannungsorientierte statt.« Dana Kaplan, »Theories of Sexual and Erotic Power« (unveröffentlichtes Manuskript), S. 3 f. Vgl. auch dies., »Sexual Liberation and the Creative Class in Israel«, in: Steven Seidman, Nancy Fisher u. Chet Meeks (Hg.), *Introducing the New Sexuality Studies* (Second Edition), Abington u. New York 2011, S. 357-363.
78 Murray Webster und James E. Driskell sprechen in ihrem Aufsatz »Beauty as Status«, in: *American Journal of Sociology*, Jg. 89, Nr. 1 (1983), S. 140-165, von der *Schönheit* als Statusmerkmal, und ich schlage vor, dieses Konzept auf die Sexyness auszudehnen und um die Beobachtungen zu ergänzen, die Hans Zetterberg in seinem Aufsatz »The Secret Ranking«, in: *Journal of Marriage and the Family*, Jg. 28, Nr. 2 (1966), S. 134-142, angestellt hat.

Wahrscheinlichkeit derselben Klasse angehörten (nachdem »Moral« in der Zurschaustellung klassenbasierter Verhaltensweisen und eines klassenbasierten Sinns für Schicklichkeit bestand).[79] Weil die Medien-Mode-Kosmetik-Industrien die Sexyness darauf ausrichteten, ein breites Spektrum von Frauen anzusprechen, ist sie relativ unabhängig von Moralkodizes und damit von der Klassenzugehörigkeit. Angelina Jolie oder Julia Roberts verkörpern klassenlose Kodes der Sexyness, Kodes mithin, die im Prinzip jeder Frau zugänglich sind und von ihr nachgeahmt werden können. Eine erste offensichtliche Implikation besteht somit darin, daß Sexyness die traditionellen Muster der Homogamie potentiell untergräbt. Weil sich Schönheit und Sexyness nicht unbedingt mit der sozialen Schichtung decken und faktisch für weniger wohlhabende und gebildete Frauen eine alternative Zugangsmöglichkeit zu mächtigen Männern eröffnen, bringt die Legitimation der Sexyness eine Vervielfältigung der Heiratsmöglichkeiten mit sich: einen Weg, die traditionelle einkommensorientierte Ranghierarchie zu unterlaufen. »In den untersten Klassen der Gesellschaft könnte diese [erotische] Hierarchie auffälliger sein als anderswo, einfach weil die Armen, Entmachteten und Ungebildeten in jeder anderen Hinsicht die letzten Plätze einnehmen und sich somit womöglich stärker an den Belohnungen orientieren, die eine erotische Rangordnung bietet.«[80] Dies impliziert letztlich, daß sich der Heiratsmarkt mit einer sexuellen sozialen Arena – einer Arena, in der Sex um seiner selbst willen praktiziert wird – ins Gehege kommt, überschneidet und manchmal sogar von dieser ersetzt wird. Es impliziert auch, daß wesentlich mehr Kandidaten in Konkurrenz zueinander

79 Eine umfassende Analyse von Moralität und Klasse findet sich bei Michèle Lamont, *Money, Morals, and Manners. The Culture of the French and American Upper-Middle Class*, Chicago u. London 1992; vgl. auch Nicola Beisel, *Imperiled Innocents. Anthony Comstock and Family Reproduction in Victorian America*, Princeton 1998.

80 Zetterberg, »The Secret Ranking«, S. 136.

treten: die Wohlhabenden, die Gebildeten und die sexuell
Attraktiven.

Zweitens bringt die Vervielfältigung der Auswahlkriterien auch die Möglichkeit zahlreicher zusätzlicher Widersprüche bei der Partnerwahl mit sich. Ist nämlich die Homogamie der stärkste soziologische Sogfaktor für eine Heirat – mit einem Partner von vergleichbarem Bildungsniveau
und sozioökonomischem Status –, dann führt die Sexyness
eine Dimension ein, die potentiell mit der »normalen« Logik der gesellschaftlichen Reproduktion in Konflikt geraten
kann und dies oft auch tut.[81] Während sich natürlich auch
in der Vergangenheit Menschen zu heterogamen Partnern
hingezogen fühlten, waren sie darin doch weitaus weniger
legitimiert. Dies bedeutet auch, daß der Versuch, gleichermaßen legitime Kriterien zu kombinieren, die sich nicht unbedingt überschneiden, die Partnersuche komplexer macht
und die Wählenden dazu zwingt, einen Weg zwischen un-
vereinbaren Eigenschaften zu finden (und manchmal auch
zwischen ihnen zu entscheiden). Soziologisch gesprochen,
wird die moderne, auf dem *Habitus* – oder dem im Laufe
der Sozialisation erworbenen Bündel körperlicher, sprachlicher und kultureller Dispositionen – basierende Partnerwahl komplexer und vielleicht weniger natürlich: Sie muß
nun unterschiedliche Bewertungsraster verinnerlichen, von
denen einige einen Sogfaktor in Richtung der Reproduktion der sozialen Klasse darstellen, andere hingegen einen
Sogfaktor in Richtung einer Medienkultur und ihrer Bilder, zu denen eine stattliche Reihe klassenloser Erzeugnisse
zählt.

Ein dritter und vielleicht der offensichtlichste Effekt multipler Entscheidungskriterien besteht darin, daß sie die Sexualität aus ihrem ehelichen Rahmen lösten und als Selbstzweck legitimierten. Offensichtlich wird diese Entkopplung

---

81 Davon handeln D. H. Lawrences *Lady Chatterleys Liebhaber* und
Tennessee Williams *Endstation Sehnsucht*.

im Aufkommen einer Kategorie wie jener der »sexuellen Erfahrung«, der zufolge ein vom Gefühlsleben abgetrenntes und autonomes Sexualleben zunehmend um seiner selbst willen angestrebt und erfahren wird. Eine derartige Entkopplung impliziert eine wesentlich größere Distanz zwischen emotionalen Absichten und sexuellen Handlungen, zwischen gegenwärtigen Gefühlen und dem moralischen Gebot, diese in künftige Verpflichtungen zu übersetzen. Mehr noch: Die Kategorie der »Sexyness« deutet auf eine Entkopplung von Sex und Gefühlen, insofern die meisten Gefühle in einem moralischen Rahmen entstehen und organisiert sind, während sich Sexyness als nicht moralisch kodifizierte Verhaltenskategorie darbietet. Dies gilt für Männer eher als für Frauen, wie sich an der Tatsache ablesen läßt, daß 72 Prozent aller Besucher pornographischer Websites Männer sind und kostenpflichtige pornographische Angebote zu über 95 Prozent von Männern erworben werden. Es besteht zweifellos ein allgemeiner Trend zur Entkopplung von Gefühlen und Sex, auch wenn dieser kulturelle Trend Männer stärker betrifft als Frauen, die nach wie vor dazu neigen, beides zu verbinden. Die Vorherrschaft einer entemotionalisierten Sexualität impliziert die Möglichkeit wesentlich größerer Schwierigkeiten bei der Interpretation der tatsächlichen Gefühle und Absichten aller Beteiligten.

Eine vierte Konsequenz der Vervielfältigung von Auswahlkriterien hat mit der Tatsache zu tun, daß Sexyness den Vorgang des Sichverliebens zu etwas restlos Subjektivem werden läßt, nachdem die sexuelle Verlockung oder Chemie bekanntermaßen nicht auf objektive Kriterien zurechenbar ist (und dies, obwohl die Schönheitskriterien standardisiert wurden). Waren die Kriterien für die Partnerwahl in Austens Welt bekannt, geteilt und objektiviert, so sind sie nunmehr subjektiviert. Im großen und ganzen können sich die Individuen nur auf sich selbst verlassen, um herauszufinden, ob sie jemanden lieben oder nicht und ob sie jemanden heiraten sollten oder nicht – mit der möglichen Folge, daß die Wahl eines Partners zum Resultat einer individuellen Entscheidungsfindung wird, die einen komplexen Prozeß emotionaler und kognitiver Bewertungen durchlaufen muß.

Eine fünfte Konsequenz besteht darin, daß Sexyness die Anziehungskraft zunehmend zu einer ikonischen und visuellen Frage macht[82] und somit in Widerspruch zu den rational und sprachlich formulierbaren Kriterien gerät, die den Prozeß der Partnerwahl inzwischen ebenso bestimmen. Sich zu jemandem hingezogen zu fühlen, wird von Gründen abhängig, die sich nicht kognitiv, bewußt oder rational rechtfertigen lassen. Attraktivität beruht auf der raschen Beurteilung Fremder in kurzen Interaktionen und führt zu raschen Formen der Paarbildung – dem berühmten »One-Night-Stand« oder, in jüngster Zeit, dem »Abschleppen« (*hooking up*). »Sexyness« als Bewertungsmodus steht somit für das Aufkommen einer sexuellen Erfahrung, die um ihrer selbst willen gesammelt und ohne Bezug auf familiäre oder langfristige Paradigmen gelebt wird.

Eine letzte, mit der vorherigen zusammenhängende Konsequenz multipler Entscheidungskriterien ist die, daß Sexyness durch die weite Verbreitung und Standardisierung der Bilder von Schönheit und Sex-Appeal eine zunehmende Uniformierung des physischen Aussehens und Erscheinungsbilds nach sich zieht. Die Sexualisierung der romantischen Begegnung unterlag einer Standardisierung, bei der bestimmte körperliche Merkmale und Gesichtszüge als begehrenswert typisiert wurden. In diesem Prozeß nehmen die Models, mit denen die Mode- und Kulturindustrien aufwarten, eine besondere Rolle ein. Die Standardisierung von Schönheit und Sexyness hat ihrerseits zur Folge, daß sich

---

82 Jeffrey C. Alexander, »Iconic Consciousness. The Material Feeling of Meaning«, in: *Environment and Planning D: Society and Space*, Jg. 26, Nr. 5 (2008), S. 782-794.

eine Hierarchie sexueller Attraktivität herausbildet. Weil die Kriterien der Sexyness kodifiziert sind, können sie dazu dienen, potentielle Partner zu bewerten und einzustufen, so daß man manche Menschen auf einer Skala der »sexuellen Attraktivität« höher ansiedelt als andere. Folglich geht die Subjektivierung der Wahlkriterien, die das Selbst zur einzigen gültigen Urteilsquelle macht, Hand in Hand mit der Standardisierung eines sexuell attraktiven Aussehens sowie der Fähigkeit, dieses einzuordnen.

Diese Veränderungen schaffen die Bedingungen für und bilden den Hintergrund von *Heiratsmärkten*, wie die Ökonomen dies nennen. Gemeint sind damit Begegnungen, die der individuellen Wahl und dem individuellen Geschmack zu unterliegen scheinen und in deren Rahmen die Individuen die an einem anderen erwünschten Eigenschaften frei auszusuchen und auszutauschen scheinen – wobei dies üblicherweise Attraktivität bei Frauen und Status bei Männern ist. Für den Wirtschaftswissenschaftler Gary Becker, der dem Konzept des Heiratsmarkts den Weg bahnte, folgt dieser, wie andere Bereiche des ökonomischen Handelns auch, der Präferenztheorie, insofern die Heirat eine freiwillige Veranstaltung ist. Weil Männer und Frauen auf der Suche nach einem Partner konkurrieren, kann die Heirat darüber hinaus als Markt bezeichnet werden,[83] auf dem die Person mit dem größten Angebot an gesuchten Eigenschaften anderen überlegen ist. Beckers Begriff bringt die allgemein übliche Ansicht, daß eine Ehe das Resultat einer freien Wahl mit vielfältigen Entscheidungskriterien ist, treffend zum Ausdruck. Dennoch unterlaufen ihm einige gravierende Fehler: Er betrachtet Entscheidungen als Resultat von Präferenzen und diese als äquivalent, differenziert also nicht zwischen der Wahl eines Partners durch die Eltern oder durch die potentiellen Partner selbst.

83 Gary S. Becker, »A Theory of Marriage. Part I«, in: *The Journal of Political Economy*, Jg. 81, Nr. 4 (1973), S. 813-846, hier: S. 814.

Aus soziologischer Perspektive unterscheiden sich beide Varianten jedoch insofern erheblich, als die *individuelle Wahl*, die ich für mich selbst treffe, eine kompliziertere Operation sein dürfte, da ich wahrscheinlich verschiedenen Nutzenerwägungen gerecht werden möchte, das heißt mannigfaltige Präferenzen habe, die womöglich nicht unter einen Hut zu bringen sind. Auch läßt Becker außer acht, daß sich Heiratsmärkte – und die Bedingungen der Partnersuche und Partnerwahl – erheblich unterscheiden, je nachdem, ob und gegebenenfalls welchen Regelungen die Ehe unterliegt, also dem zufolge, was ich weiter oben als Ökologie der Wahl bezeichnet habe. Ökonomen gehen davon aus, daß Präferenzen Wahlentscheidungen veranlassen, und fragen nicht nach den Bedingungen, unter denen sich Präferenzen bilden. Vor allem aber: Ökonomen übersehen den Umstand, daß Heiratsmärkte nicht natürlich oder universell sind, sondern die Folge eines historischen Prozesses der Deregulierung romantischer Begegnungen, und das heißt im vorliegenden Zusammenhang: eines historischen Prozesses der Entkopplung romantischer Begegnungen von traditionellen moralischen Rahmenbedingungen, die den Prozeß der Partnerwahl einst regelten. Die »große Transformation« der romantischen Begegnung ist somit jene Entwicklung, aufgrund der keine offizielle soziale Grenze mehr den Zugang zu potentiellen Partnern steuert und der Prozeß der Begegnung mit anderen einem intensiven Wettbewerb unterliegt. Was Ökonomen als die natürliche Kategorie »Heiratsmarkt« verstehen, ist de facto einer historischen Genese geschuldet, die mit dem Verschwinden formaler Endogamieregeln, der Individualisierung romantischer Wahlentscheidungen und der Verallgemeinerung der Konkurrenzsituation zusammenhängt. Die Bedingungen für einen Heiratsmarkt entstehen erst mit der Moderne und sind für sie spezifisch. In dieser Hinsicht wäre es angemessener, von »sexuellen Feldern« als von Heiratsmärkten zu sprechen, setzt doch die Begrifflichkeit des Felds voraus, daß die Akteure nicht über die gleichen Ressourcen verfügen, wenn sie an einem gegebenen sozialen Ort miteinander konkurrieren.

Heiratsmärkte und sexuelle Felder

Die Erotisierung romantischer Beziehungen war untrennbar mit dem Verschwinden formaler Mechanismen der Endogamie sowie der Deregulierung romantischer Liebesbeziehungen unter dem Vorzeichen der Individualisierung verbunden. Mit Individualisierung meine ich, daß Individuen statt Familien zu den Trägern persönlicher, physischer, emotionaler und sexueller Eigenschaften werden, die ihre Besonderheit und Einzigartigkeit ausmachen sollen, und daß Individuen den Prozeß des Bewertens und Auswählens selbst in die Hand nehmen. Das somit als einzigartig und individualisiert konstituierte Selbst verbindet sich mit einer anderen einzigartigen Person, die im Besitz einzigartiger Eigenschaften zu sein scheint. Die Partnerwahl definiert sich nun über die Dynamik des Geschmacks, wird mithin zum Resultat der Vereinbarkeit zweier hochgradig ausdifferenzierter Individualitäten, von denen jede in freier und zwangloser Weise nach bestimmten Eigenschaften sucht. Indem sie subjektiver wird, bringt die Partnersuche die Individuen in eine Situation des offenen Wettbewerbs mit anderen. Dies hat zur Folge, daß die Begegnung mit potentiellen Partnern in einem und durch einen offenen Markt strukturiert wird, in dem Menschen je nach ihrem »Geschmack« andere kennenlernen und mit ihnen zusammenkommen, wobei sie zugleich mit anderen um die Fähigkeit konkurrieren, Zugang zu den begehrtesten Kandidaten zu erlangen. Damit wandeln sich die Bedingungen des Austauschs zwischen Männern und Frauen: In Austens Welt tauschen Männer und Frauen vergleichbare Attribute in Form von Wohlstand, Status, Bildung und der allgemeinen Annehmlichkeit ihrer Persönlichkeit aus. Romantische Wahlentscheidungen spiegeln und reproduzieren hier zumeist die soziale Schichtung sowie die mit einer Klasse verbundene Moral. In der Moderne kann der Austausch prinzipiell nichtsymmetrisch werden. Männer und Frauen, heißt das, können unterschiedliche Attribute »austauschen«: Schönheit oder Sexyness gegen sozioökonomische Macht zum Beispiel.

Soziologisch betrachtet zeichnet sich ein Heiratsmarkt durch eine Reihe von Eigenschaften aus. Erstens war die vormoderne Partnersuche (mehr oder weniger) horizontal, das heißt, sie spielte sich innerhalb der eigenen Gruppe ab. In der Moderne dagegen, in der ethnische Zugehörigkeit, sozioökonomischer Status und Religion keine formalen Hindernisse für die Partnerwahl mehr sind, findet der Wettbewerb sowohl horizontal als auch vertikal statt – innerhalb, oft und nicht unüblicherweise aber auch außerhalb der eigenen Gruppe, womit er im Prinzip jedem offensteht. Die Konkurrenz um einen Partner wird verallgemeinert. Wenn soziale Klassen und Gruppen keine formalen und formalisierten Mechanismen der Partnerwahl mehr bieten, steht die Suche (und der Wettbewerb) jedermann offen. Damit vergrößert sich das Angebot möglicher Partner enorm, und jeder konkurriert mit allen anderen um die begehrenswertesten Partner in einem gegebenen sozialen Feld, wobei die Begehrtheit gleichermaßen in individualisierter (»ich weiß nicht, was mich an ihr so anzieht«) und in standardisierter Form (»er hat alles, was eine Frau sich wünschen kann: Aussehen, Status, Intelligenz«) begründet wird.

Zweitens wird die Begegnung mit einem anderen zu einer Sache des persönlichen Geschmacks (der sozioökonomische Faktoren ebenso umfaßt wie weniger leicht auf eine Formel zu bringende à la »Charme« und »Sexyness«). Die Kriterien für die Wahl des passenden Partners, die von physischer Attraktivität und sexuellen Vorlieben bis zu Persönlichkeit und sozialem Status reichen, werden subjektiviert. Weil dies so ist, können sie nun, einer privatisierten Dynamik des individuellen Geschmacks folgend, »getauscht« werden. Das heißt, Eigenschaften wie Sexyness oder Attraktivität können gegen ökonomischen Status »getauscht« werden, eben weil sich der Heiratsmarkt scheinbar für die privaten Wahlentscheidungen und Präferenzen öffnet. Der Austausch von Aktivposten ist somit die Folge eines historischen Wandels der Heiratsmärkte.

Weil es keine formalen Mechanismen der Paarbildung mehr gibt, internalisieren drittens die Individuen die ökonomischen Dispositionen, die ihnen dabei helfen, eine Wahl zu treffen; diese Wahlentscheidungen müssen zugleich ökonomisch und emotional, rational und irrational sein. Der romantische Habitus zeichnet sich mithin dadurch aus, daß er zugleich ökonomisch und emotional agiert. Manchmal wird dieser Habitus zu Entscheidungen führen, in denen das ökonomische Kalkül harmonisch mit der Gefühlsdimension versöhnt wird (wie es etwa bei Brad Pitt und Angelina Jolie der Fall zu sein scheint), manchmal unterliegt er aber auch inneren Spannungen, etwa wenn es gilt, sich zwischen einer »sozial passenden« und einer »erotisch attraktiven« Person zu entscheiden. Gerade weil er eine Vielzahl von Dispositionen in sich einschließt, ist der sexuell-romantische Habitus sehr kompliziert geworden.

Viertens bedeutet die Tatsache, daß die Wahl eines Partners in der Moderne subjektiver geworden ist, zugleich, daß sie auf Qualitäten beruht, die (mutmaßlich) dem Selbst inhärent sind und sein »Wesen« widerspiegeln: Physische Attraktivität und Persönlichkeit werden zu Indizien des inneren Werts einer Person. Wenn die vormoderne Ehe aufgrund der objektiven Stellung und daher des objektiven Werts einer Person zustande kam, so verhält es sich nunmehr praktisch genau umgekehrt: Weil Heiratsmärkte kompetitiv sind, weil in ihnen eine Vielzahl von Attributen getauscht werden können, weil es auf den eigenen Wert zurückverweist, wie gut man in diesem Markt abschneidet, ist die eigene Position in einem Heiratsmarkt immer auch eine Möglichkeit, den eigenen allgemeinen sozialen Wert zu ermitteln – je nachdem, wie man sich auf dem sexuellen Markt schlägt, das heißt je nach Anzahl der Partner und/oder deren Wunsch, sich an einen zu binden. Erfolg an der Partnerbörse trägt einem nicht nur Beliebtheit, sondern, grundlegender, gesellschaftlichen Wert ein (vgl. Kapitel 3 für eine Analyse dieses Prozesses). Erotische Attraktivität und sexuelle Leistung stehen für neue Wege, in Heiratsmärkten gesellschaftlichen Wert zu verleihen, der auf diese Weise eng mit der Sexualität verknüpft wird.

Kurz gesagt, wenn der soziale Stand das wichtigste Kriterium für die Partnersuche ist, dann ist die Konkurrenz unter Männern und Frauen auf die Angehörigen derselben Klasse beschränkt. In der Moderne jedoch wird die Konkurrenz erheblich stärker, weil es keine formalen Mechanismen der Paarbildung qua gesellschaftlichem Status mehr gibt, weil die Kriterien für die Partnerwahl zugleich vielgestaltig und verfeinert, vor allem aber, weil sie in die private Dynamik des Geschmacks integriert werden. Die Moderne steht insofern im Zeichen einer bedeutenden Transformation der Kriterien der Partnerwahl, als sie die Kriterien für physische und charakterliche Attraktivität deutlich zentraler, kleinteiliger und vor allem subjektiver macht. Folglich besteht eine Affinität zwischen der Individualisierung der Partnerwahl, der »Deregulierung« der Heiratsmärkte und der Tatsache, daß diese beiden Prozesse den Suchvorgang nun marktförmig strukturieren, indem jeder frei Eigenschaften seines Selbst tauscht und dieses Selbst als Anlagerung sozialer, psychologischer und sexueller Eigenschaften verstanden wird.

Feministische Wissenschaftlerinnen haben die verheerenden Aspekte der Sexualisierung von Frauen scharf (und zu

Recht) kritisiert.[84] Sie haben darauf aufmerksam gemacht, wie die Frauen dadurch sowohl den Männern als auch der enormen ökonomischen Maschine der Schönheitsindustrie unterworfen werden. Die durchdringende Kommerzialisierung des sexualisierten Körpers hat viele zu der Behauptung veranlaßt, wir lebten in einer »pornofizierten« Kultur, in der die Grenze zwischen öffentlichem und privatem, kommerzialisiertem und emotionalem Sex gefallen sei.[85] Doch berührt diese Kritik nicht die kompliziertere Frage, wie Schönheit, sexuelle Attraktivität und Sexualität mit der Klassenstruktur zusammenspielen und eine neue Art der sozialen Schichtung bedingen können. Insbesondere entgeht der feministischen Kritik womöglich, daß Schönheit und Sexualität traditionelle Statushierarchien unterhöhlen und neuen gesellschaftlichen Gruppen (den Jungen und Schönen) die Möglichkeit eröffnen, mit Gruppen zu konkurrieren, die über mehr soziales und ökonomisches Kapital verfügen. Die Sexualisierung der Identität von Männern und Frauen verändert somit die Zutrittsbedingungen zu Heiratsmärkten wesentlich, da Schönheit und sexuelle Attraktivität mit ihrer nur schwachen Korrelation zur Klassenzugehörigkeit den Zutritt von Akteuren ermöglichen, die zuvor von den Heiratsmärkten der Mittelklasse und oberen Mittelklasse ausgeschlossen waren. Ich bestreite nicht, daß der Körper nach klassenbasierten Kodes gepflegt wird, doch sind Schönheit und Sexyness autonomere Klassendimensionen als etwa sprachliche und kulturelle Kodes. Sie bewirken folglich, daß

84 Naomi Wolf, *Der Mythos Schönheit*, übers. von C. Holfelder-von der Tann, Reinbek bei Hamburg 1991.

85 Feona Attwood, *Mainstreaming Sex. The Sexualization of Western Culture*, London u. New York 2009; Ann C. Hall u. Mardia J. Bishop (Hg.), *Pop-Porn. Pornography in American Culture*, Westport 2007; Brian McNair, *Striptease Culture. Sex, Media and the Democratization of Desire*, London 2002; Pamela Paul, *Pornified. How Pornography Is Transforming Our Lives, Our Relationships, and Our Families*, New York 2005; Catherine M. Roach, *Stripping, Sex, and Popular Culture*, Oxford 2007.

der Paarbildungsprozeß zumindest potentiell wesentlich weniger eng an die Klassenstruktur geknüpft ist.

Die Deregulierung des Paarbildungsprozesses und die Aufwertung der Sexyness lassen etwas entstehen, was wir in Anlehnung an Bourdieu als sexuelle Felder bezeichnen können. Damit sind soziale Arenen gemeint, in denen das sexuelle Begehren autonom und die sexuelle Konkurrenz allgemein geworden sind, in denen sich der Sex-Appeal in ein autonomes Kriterium der Partnerwahl und die sexuelle Attraktivität in ein unabhängiges Kriterium verwandelt haben, anhand deren sich Menschen klassifizieren und hierarchisieren lassen. Sexuelle Attraktivität – sei es in Verbindung mit anderen Attributen oder für sich allein – wird zu einer autonomen Dimension der Paarbildung. Ausgelöst wird sie durch den traditionellen Klassenhabitus – der dafür sorgt, daß wir die Menschen attraktiv finden, mit denen wir zusammenkommen können –, doch weil Sex zunehmend als autonome gesellschaftliche Sphäre organisiert ist, kann die sexuelle Attraktivität den Klassenhabitus auch untergraben und andere Formen der Bewertung erfordern (man denke an König Edward VIII., der abdankte, um die geschiedene Bürgerliche Wallis Simpson heiraten zu können).

Dieser historische Prozeß steht im Mittelpunkt der von dem Soziologen Hans Zetterberg so genannten »erotischen Rangordnung« beziehungsweise der Wahrscheinlichkeit, daß eine Person bei anderen eine »emotionale Überwältigung« hervorzurufen vermag.[86] Zetterberg zufolge unterscheiden sich Menschen nicht nur in ihrem Potential, diese Überwältigung auszulösen, sondern sie bekommen darüber hinaus insgeheim nach ihm einen Rang zugewiesen. Angesichts des Jahres, in dem er seinen Aufsatz schrieb – 1966 –, überrascht es vielleicht nicht, daß er glaubte, diese Rangordnung müsse geheim sein. Vierzig Jahre später ist die ge-

---

86 Zetterberg, »The Secret Ranking«, S. 135.

heime Rangordnung ziemlich öffentlich geworden, so daß wir sexuelle Attraktivität heute als diffuses Statusmerkmal bezeichnen können.[87] Es ist dieser grundlegende historische Prozeß, der einige Soziologen dazu geführt hat, vom Entstehen »erotischer« oder »sexueller« Felder zu sprechen.

Das Autonomwerden des sexuellen Verlangens erzeugt einen »sozialen Raum«, der darauf ausgerichtet ist, planmäßig sexuelle und romantische Begegnungen an eigens dafür gedachten Orten zu ermöglichen, ob dies Bars, Nachtclubs, Saunen, Internet-Sexdienste, Internet-Kontaktbörsen, Kontaktanzeigen oder Partnervermittlungen sind. Diese Orte sind dafür entworfen, romantische/sexuelle Begegnungen zu arrangieren, und nach der Logik von Konsumentengeschmäckern und Nischenbedürfnissen stratifiziert (von den Kontaktanzeigen in der *New York Review of Books* bis zu einem SM-Club im Zentrum Manhattans und so weiter).[88]

Wenn sexuelle Begegnungen mittlerweile als Feld organisiert sind, dann bedeutet dies gemäß der Feldanalyse, daß einige Akteure erfolgreicher als andere darin sind, zu definieren, wer ein attraktiver/begehrenswerter Partner ist. Es bedeutet auch, daß relativ wenige Beteiligte das Spiel kontrollieren und an der Spitze der sexuellen Pyramide stehen. Vor allem aber meine ich, daß die Entstehung sexueller Felder neue Formen der männlichen Vorherrschaft über Frauen nach sich gezogen haben dürfte. In der vormodernen Wirtschaft tauschten Männer und Frauen oftmals vergleichbare ökonomische Güter. Beide Geschlechter standen unter dem normativen Zwang, zu heiraten (sofern dem nicht Kirchenämter oder Keuschheitsgelübde entgegenstanden). In dieser Hinsicht waren Männer und Frauen einander emotional gleichgestellt. In kapitalistischen Wirtschaften hingegen

---

87 Webster u. Driskell, »Beauty as Status«.
88 Adam Green, »The Social Organization of Desire. The Sexual Fields Approach«, in: *Sociological Theory*, Jg. 26, Nr. 1 (2008), S. 25-50.

kontrollieren Männer den Großteil des Eigentums und der
Kapitalflüsse, was Ehe und Liebe entscheidend für das soziale und ökonomische Überleben von Frauen macht. Wie
ich in den folgenden beiden Kapiteln argumentieren werde,
hat die Deregulierung der Heiratsmärkte in diesem Sinne
den Männern zu neuen Formen der Kontrolle des sexuellen
Feldes verholfen.

Bedingt durch den Niedergang formaler Mechanismen
zur Gewährleistung der Endogamie, die Transformation
und Individualisierung der Sexualpraktiken sowie die grelle
Aufwertung von Sex und Schönheit seitens der Medien hat
das 20. Jahrhundert die Ausbildung eines neuen, auf sexuellen Feldern zirkulierenden Kapitals erlebt, das wir als »erotisches Kapital« bezeichnen können. In der Definition von
Green: »Erotisches Kapital läßt sich als die Qualität und
Quantität von Attributen eines Individuums fassen, die bei
einem anderen eine erotische Reaktion auslösen.«[89] Meines
Erachtens tritt das erotische Kapital freilich in zwei Formen
oder auf zwei Wegen in Erscheinung, die den unterschiedlichen Strategien der Geschlechter zur Kapitalakkumulation
entsprechen.

In seiner einfachsten und maskulinsten Form manifestiert
sich erotisches Kapital in der Zahl der akkumulierten sexuellen Erlebnisse. So sagt etwa Charles, ein 67jähriger fran-
zösischer Journalist in Paris: »Als ich so zwischen dreißig
und vierzig war, war es mir sehr wichtig, viele Geliebte zu
haben. Wissen Sie, das war fast ein Fall von Quantität gleich
Qualität. Wenn ich viele Geliebte hatte, dann fühlte ich mich
als ein qualitativ anderer, erfolgreicherer Typ Mann.« Und
Josh Kilmer-Purcell schreibt in seiner autobiographischen
Schilderung darüber, wie er ein aktives schwules Sexualle-

---

89 Green, »Social Organization of Desire«, S. 29; vgl. auch John Levi
Martin u. Matt George, »Theories of Sexual Stratification. Toward an Ana-
lytics of the Sexual Field and a Theory of Sexual Capital«, in: *Sociological
Theory*, Jg. 24, Nr. 2 (2006), S. 107-132.

ben entwickelte: »Ich wußte, daß ich viel öfter Sex haben sollte. Als schwuler Mann sollte die Welt meine lüsterne Spielwiese sein. Was machte ich falsch? Wie würde ich ein guter Schwuler werden? [...] Weshalb ich, Punkt Mitternacht am 28. August 1994, meinem fünfundzwanzigsten Geburtstag, beschloß, so viele Unbekannte zu ficken, wie ich Jahre zählte.«[90]

Der schwule Mann fühlt sich mit seiner geringen sexuellen Erfahrung unzulänglich und beschließt, die Zahlen zu erhöhen, die dann zu einer Quelle des Stolzes werden – was eine Möglichkeit ist, dem Selbst sozialen Wert zuwachsen zu lassen. Diese kumulative – oder serielle – Sexualstrategie kann auch von Frauen übernommen werden, kulturell und historisch jedoch nur als Nachahmung männlichen Verhaltens. Die Autorin Greta Christina schildert ihre sexuelle Erfahrung wie folgt: »Als ich begann, mit anderen Sex zu haben, pflegte ich sie gerne zu zählen. Ich wollte den Überblick behalten, wie viele es gewesen waren. Es war die Quelle einer gewissen Form von Stolz, oder jedenfalls Identität, zu wissen, mit wie vielen Menschen in meinem Leben ich Sex gehabt hatte.«[91]

Charles, Kilmer-Purcell und Greta Christina betrachten eine große sexuelle Erfahrung, gemessen an der Zahl der Partner, als Quelle ihres Selbstwertgefühls. Sie agieren als sexuelle Kapitalisten. In ihren Äußerungen wird erotisches Kapital durch den Stolz zur Schau gestellt, den sie auf die hohe Zahl ihrer sexuellen Eroberungen haben. Das heißt: Das sexuelle Verlangen ist in eine Dynamik der ostentativen Zurschaustellung eines Selbstwertgefühls eingebunden, das sich einem sexuellen Übermaß verdankt und den Besitz von

90 Josh Kilmer-Purcell, »Twenty-Five to One Odds«, in: Michael Taekkens (Hg.), *Love Is a Four-Letter Word. True Stories of Breakups, Bad Relationships, and Broken Hearts*, New York 2009, S. 106-119.

91 Greta Christina, »Are We Having Sex Now or What?« [1992], in: Alan Soble u. Nicholas Power (Hg.), *The Philosophy of Sex. Contemporary Readings*, Lanham ⁵2007, S. 23-29, hier: S. 24.

sexuellem/erotischem Kapital signalisiert, also die Gabe, bei anderen ein Gefühl der Überwältigung auszulösen.

Das erotische Kapital verfügt noch über eine weitere Bedeutung, die man zur weiblich-exklusiven Sexualstrategie in Beziehung setzen könnte. Einige Soziologen haben in diesem Zusammenhang von der Bildung eines erotischen Kapitals gesprochen, das, wie andere Kapitalformen, auf anderen Feldern konvertierbar ist, beispielsweise in eine anspruchsvollere Berufstätigkeit und höhere Abschlüsse. Wie Dana Kaplan mit den Worten eines auf diesem Gebiet tätigen Forschers argumentiert: »Eine sexorientierte Person zu sein, kann eine ganze Reihe anderer akkumulierter Fertigkeiten andeuten, die unmittelbar auf dem Arbeitsmarkt zu verkaufen sind [...], wie etwa Raffinesse, Flexibilität, Kreativität, die Fähigkeit zur Selbstdarstellung und ein Händchen für Werbung.«[92]

Zweifellos ist der Bereich, in dem das erotische Kapital über die greifbarsten Ergebnisse und Vorteile verfügt, der der Partnerwahl. Wie Catherine Hakim ausführt, heirateten die an der High School als besonders attraktiv geltenden Mädchen mit größerer Wahrscheinlichkeit, sie heirateten mit größerer Wahrscheinlichkeit jung und, was vielleicht noch überraschender ist, sie verfügten auch über ein höheres Haushaltseinkommen (gemessen 15 Jahre nach der Anfangsmessung). Hakim legt abenteuerlicherweise nahe, daß Frauen ihr erotisches Kapital für einen sozialen Aufstieg ausschöpfen können, statt dies über den Arbeitsmarkt zu versuchen (oder ergänzend dazu). Es ist nicht ganz klar – so hofft man jedenfalls –, ob Hakim die »Ausschöpfung« des eigenen erotischen Kapitals für einen ebenso empfehlenswerten Weg zum sozialen Aufstieg hält wie den über den Arbeitsmarkt. Der Punkt, den zu machen sie mir jedoch hilft, ist folgender: Sie hält sexuelle Märkte insofern für ein

---

92 Dana Kaplan, »*Sex, Shame and Excitation. The Self in Emotional Capitalism*«, unveröffentlichtes Manuskript, S. 2.

Äquivalent zu Arbeitsmärkten, als sie es Frauen ermöglichen, ihren Status auf Heiratsmärkten zu verbessern. Diese wiederum erlauben es Frauen in modernen Gesellschaften, gesellschaftlichen Status und Wohlstand zu erlangen.[93] Somit wäre im 21. Jahrhundert das erotische Kapital einer Frau Teil ihres ökonomischen Kapitals.

Es sind diese Transformationen, die den Aufstieg eines neuen kulturellen Motivs erklären, das Ende der 1990er Jahre über unsere Fernsehbildschirme zu rauschen begann, nämlich das der *Suche* nach einem Partner in einem unsichtbaren, aber gewaltigen Markt konkurrierender Akteure. Dieses Motiv ist es, das weltweit erfolgreiche Fernsehserien wie *Sex and the City* und die Reality-Datingshow *Der Bachelor* strukturiert. Tatsächlich inszenieren und führen beide Sendungen die in diesem Kapitel erörterten Themen vor: die Sexualisierung romantischer Beziehungen, die Individualisierung der Partnersuche, das allgemein gewordene Konkurrenzdenken im Paarbildungsprozeß, die zunehmende Komplexität der Suche, die Verwandlung der Sexualität in Kapital durch sexuelle Erfahrung und Erfolge – mit dem Ergebnis, daß die *Suche* und die *Wahl* eines Partners zu einem intrinsischen Abschnitt des Lebenszyklus geworden ist, der über seine eigenen soziologisch komplexen Formen, Regeln und Strategien verfügt. Ein Gutteil der Selbsthilfeliteratur und der Fernsehserien spielt sich somit vor dem Hintergrund ab, daß die romantische *Suche* objektiv zu einem hochkomplexen soziologischen Unterfangen geworden ist – mit seinem eigenen autonomen ökonomischen Feld, seinen eigenen sozialen Akteuren und sozialen Regeln. Mehr noch: Die Suche ist nunmehr soziologisch gespalten zwischen der

93 Catherine Hakim, *Work-Lifestyle Choices in the 21st Century. Preference Theory*, Oxford 2000, S. 160-163; vgl. auch Robert Erikson u. John H. Goldthorpe, *The Constant Flux. A Study of Class Mobility in Industrial Societies*, Oxford 1993, S. 231-277; Claude Thélot, *Tel père, tel fils? Position sociale et origine familiale*, Paris 1982.

Tatsache, daß Sexualität, Begehren und Liebe eng mit der sozialen Schichtung verknüpft sind – sie entstehen aus einer Klasse heraus, sie verleihen Status und müssen letztlich mit der bildungsmäßigen Homogamie konform gehen –, und der Tatsache, daß die Wahl eines Partners auf einer Art klassenloser Erfahrung gemeinsamen Genusses und gemeinsamer Sexualität beruhen kann, ja beruhen muß.

Schluß

Historiker, die die Entwicklung von der vormodernen zur modernen Form der Partnerwahl nachzeichnen, betonen oft den Übergang zum affektiven Individualismus. Zwar ist eine solche Charakterisierung nicht falsch, doch verdeckt sie einen wesentlich bedeutenderen Prozeß, nämlich daß sich die Modalitäten der Wahl verändert haben: Das Verhältnis zwischen Gefühl und Rationalität selbst sowie die Art und Weise, wie die Konkurrenz zwischen den Anwärtern organisiert ist, hat sich gewandelt. Die Partnerwahl findet nunmehr in einem hochgradig wettbewerbsorientierten Markt statt, in dem romantische und sexuelle Erfolge eine Folge früherer Formen der sozialen Schichtung sind und ihrerseits von neuem stratifizierende Effekte zeitigen. Eine solche romantische Stratifizierung setzt sich aus verschiedenen Komponenten zusammen, von denen eine die Art und Weise betrifft, wie die soziale Schichtung prägend auf das erotische Verlangen zurückwirkt, das heißt, wie der soziale Status das erotische Verlangen speist und formt, insofern die Libido ein Mechanismus der gesellschaftlichen Reproduktion ist (etwa, wenn eine Frau den mächtigsten Mann im Raum »sexy« findet). Die eigene Begehrtheit und der eigene sozioökonomische Status sind miteinander verflochten. Andere Aspekte haben mit dem Umstand zu tun, daß die sexuelle Attraktivität an sich eine unabhängige Dimension erotischer Wertigkeit darstellt und zu einem Schichtungskriterium eigenen Rechts wird, das mit der sozialen Schichtung in Konflikt geraten kann, aber nicht muß. Die physische Attraktivität wird zu einem unabhängigen Kriterium in der Partnerwahl und kann somit anderen diesbezüglichen Kriterien entgegenwirken oder sie ergänzen.

Der Triumph der Liebe und der sexuellen Freiheit stand im Zeichen des Eindringens der Ökonomie in die Maschine des Begehrens. Eine der wichtigsten Transformationen der sexuellen Beziehungen in der Moderne besteht in der engen Verflechtung des Begehrens mit der Ökonomie und der Frage des Werts, einschließlich des Selbstwerts einer Person. Noch in ihrer Auslöschung ist es die Ökonomie, die nunmehr das Begehren unterwandert. Damit meine ich, daß der allgemein gewordene sexuelle Wettbewerb die Struktur des Willens und des Begehrens selbst verändert und das Begehren die Eigenschaften des ökonomischen Austauschs annimmt, also durch die Gesetze von Angebot und Nachfrage, Knappheit und Überangebot geregelt wird. Wie die ökonomische Maschinerie den menschlichen Willen verwandelt und strukturiert, wird im folgenden Kapitel deutlicher werden.

2.

Die Angst, sich zu binden, und die neue Architektur der romantischen Wahl

(mit Mattan Shachak)

> Ein Thier heranzüchten, das versprechen darf – ist das nicht gerade jene paradoxe Aufgabe selbst, welche sich die Natur in Hinsicht auf den Menschen gestellt hat? Ist es nicht das eigentliche Problem vom Menschen?
>
> – *Friedrich Nietzsche*

> »Frauen werden immer unglücklicher«, sagte ich zu meinem Freund Carl.
> »Woher willst du das wissen?«, witzelte er trocken. »Wann hätten sie denn einmal nicht gejammert?«
> »Warum sind wir heute trauriger?«, beharrte ich.
> »Weil ihr euch alles zu Herzen nehmt«, sagte er mit falschem Spott. »Ihr habt nämlich Gefühle.«
> »Ach, die Schiene.«
>
> – *Maureen Dowd**

Freiheit war das wesentliche Markenzeichen der Moderne, die Parole unterdrückter Gruppen, der Ruhm der Demokratien, die Schande autoritärer Regime und der Stolz kapitalistischer Märkte. Freiheit war und bleibt die große Errungenschaft moderner politischer Institutionen.

Nichtsdestotrotz sollte man bei der Beurteilung politischer Gemeinwesen am Gradmesser der Freiheit zwei bedeutende Schwierigkeiten nicht aus dem Auge verlieren: Zum einen stellen konkurrierende und inkommensurable Güter

---

* Die Mottos stammen aus Friedrich Nietzsche, *Zur Genealogie der Moral*, in: *Sämtliche Werke*, hg. von Giorgio Colli u. Mazzino Montinari, Bd. 5, München 1980, S. 291; sowie Maureen Dowd, »Blue is the New Black«, in: *The New York Times*, 19. September 2009, ⟨http://www.nytimes.com/2009/09/20/opinion/20dowd.html⟩, letzter Zugriff 28. 2. 2011.

(wie Solidarität) die Vorstellung in Frage, Freiheit sollte das ultimative Ziel unserer Praktiken sein.[1] Zum anderen kann und wird der Gebrauch der Freiheit auch zu verschiedenen Formen von Verzweiflung führen, wie sie etwa eine ontologische Verunsicherung oder das Gefühl der Sinnlosigkeit darstellen.[2] Obwohl dieses Buch in seiner Befürwortung der Freiheit entschieden modern ist, zielt es darauf, ihre Konsequenzen zu hinterfragen, weil, wie in der folgenden Analyse deutlich werden wird, die sexuelle und die emotionale Freiheit ihre eigenen Formen von Leid nach sich ziehen.

»Freiheit« könnte sich jedoch als ein zu umfassender Begriff erweisen, insofern mit ihm in verschiedenen institutionellen Kontexten unterschiedliche Bedeutungen und Effekte einhergehen. Mit der Freiheit des kapitalistischen Marktes gehen Bedeutungen wie »Eigennutz« und »fairer Wettbewerb« einher; im Bereich der zwischenmenschlichen Beziehungen hebt Freiheit auf expressiven Individualismus ab; in der Sphäre des Konsums besteht sie im Recht auszuwählen; und die von den Bürgerrechten postulierte Freiheit beruht auf einem Begriff von Würde, den die anderen Sphären außer acht lassen. Die Praxis der Freiheit ist in verschiedenen Sphären mit unterschiedlichen praktischen und moralischen Konsequenzen institutionalisiert worden.

Obwohl die sexuelle Freiheit historisch als ein politisches Recht formuliert wurde, sind Freiheit in der politischen

---

1 Michael J. Sandel, »The Procedural Republic and the Unencumbered Self«, in: *Political Theory*, Jg. 12, Nr. 1 (1984), S. 81-96; Charles Taylor, *Quellen des Selbst. Die Entstehung der neuzeitlichen Identität*, übers. von J. Schulte, Frankfurt/M. 1994; Michael Walzer, *Sphären der Gerechtigkeit. Ein Plädoyer für Pluralität und Gleichheit* [1983], übers. von H. Herkommer, Frankfurt/M. u. New York 2006.

2 Anthony Giddens, *Modernity and Self-Identity. Self and Society in the Late Modern Age*, Stanford 1991; Bryan S. Turner u. Chris Rojek, *Society and Culture. Principles of Scarcity and Solidarity*, London 2001; Max Weber, »Die protestantische Ethik und der Geist des Kapitalismus« [1904/1905], in: ders., *Gesammelte Aufsätze zur Religionssoziologie I*, Stuttgart ⁹1988, S. 17-205.

und in der sexuellen Sphäre mithin zweierlei Dinge.[3] Zur politischen Freiheit verhilft ein großer und ausgeklügelter Rechtsapparat, der die relative Planmäßigkeit und Berechenbarkeit ihrer Ausübung gewährleistet. In den zwischenmenschlichen und sexuellen Beziehungen jedoch wird die »Freiheit« nicht durch einen institutionellen Apparat eingeschränkt. Abgesehen von rechtlichen Beschränkungen, die mit der Frage der »Einwilligung« zu tun haben (Volljährigkeit, einvernehmlicher Geschlechtsverkehr und so weiter), ist die sexuelle Freiheit auf geradem Weg in Richtung wachsender Emanzipation von gesetzlichen und moralischen Verboten fortgeschritten, wobei das Ziel in ihrer Befreiung von Tabus bestand. Zunehmend werden in der Sphäre der sexuellen Beziehungen auf Überschreitung angelegte und antiinstitutionelle Formen von Individualität ausgelebt, wodurch diese Sphäre – vielleicht mehr noch als die der Politik – zum Schauplatz der Ausübung reiner Individualität, Wahlfreiheit und Expressivität wird. Die »Pornofizierung« der Kultur vollzieht sich vor dem Hintergrund der kommerzialisierten, von den Fesseln ihrer moralischen Regulierung befreiten Emanzipation sexueller Wünsche und Phantasien.[4] Die Moral der modernen Sexualität besteht nunmehr darin, die gegenseitige Freiheit, Symmetrie und Autonomie zu bekräftigen, statt so etwas wie sexuelle Ehre oder Nor-

---

3 Drucilla Cornell, *At the Heart of Freedom. Feminism, Sex, and Equality*, Princeton 1998.

4 Wie Pascal Bruckner in Erinnerung ruft, umfaßt Freiheit im sexuellen und emotionalen Bereich ein ganzes Spektrum unterschiedlicher und in komplexer Weise aufeinander bezogener Bedeutungen: die Freiheit von äußerer Autorität (der Eltern, der Gemeinschaft oder der Männer), die Offenheit und Zugänglichkeit für mannigfaltige Lebens- und Sexualmodelle oder die Möglichkeit, seine Phantasien und Gelüste so weit wie möglich auszuleben. Vgl. Pascal Bruckner, *Le Paradoxe Amoureux*, Paris 2009. Pepper Schwartz veranschaulicht die Praxis solcher Sexualbeziehungen zwischen den von ihr sogenannten »Peer-Partnern«. Vgl. Pepper Schwartz, *Peer-Partner: Das ideale Paar. Was Gleichheit im Zusammenleben wirklich bedeutet*, übers. von M. Klostermann, Hamburg 1996.

men der Monogamie zu respektieren. Im Bereich der sexuellen Beziehungen zeigt sich Freiheit am offensichtlichsten im Bedeutungswandel von Ehe und Sexualität. Im frühen 20. Jahrhundert war die Ehe für die meisten Menschen eine Verpflichtung auf Lebenszeit. Statistisch gesehen waren die Scheidungsraten in den Vereinigten Staaten bis in die 1960er Jahre hinein niedrig, um sich dann in einem Zeitraum von zwanzig Jahren mehr als zu verdoppeln.[5] Sie sind nach wie vor hoch. Untersuchungen haben gezeigt, daß sich die Einstellung zur Scheidung im Laufe der 1960er Jahre fundamental geändert hat.[6] 1981 stellte Daniel Yankelovich einen bedeutenden Wandel im normativen Gewebe von Ehe und heterosexuellen Beziehungen fest.[7] In einer Längsschnittuntersuchung verglich er Antworten, die in den 1950er Jahren, mit solchen, die in den 1980er Jahren gegeben wurden: In den 1950er Jahren antworteten junge ledige und verheiratete Frauen auf die Frage, warum sie Ehe und Familie wertschätzten, in der festen Überzeugung, daß die Ehe sowohl notwendig als auch unausweichlich war und jemanden gleichermaßen zu einem Mitglied der Gesellschaft machte, wie sie ihm ein Gefühl von Normalität vermittelte. Rund 25 Jahre später, in den späten 1970er Jahren, hatten sich die Einstellungen gewandelt: Für junge Frauen war die Ehe zu einer von mehreren Optionen geworden. Sogenannte abweichende Verhaltensweisen wie das Singledasein, Homosexua-

5 David T. Ellwood u. Christopher Jencks, »The Spread of Single-Parent Families in the United States since 1960«, in: Daniel P. Moynihan, Lee Rainwater u. Timothy Smeeding (Hg.), *The Future of the Family*, New York 2006, S. 25-64.

6 Arland Thornton, »Changing Attitudes toward Family Issues in the United States«, in: *Journal of Marriage and the Family*, Jg. 51, Nr. 4 (1989), S. 873-893.

7 Daniel Yankelovich, *New Rules. Searching for Self-Fulfillment in a World Turned Upside Down*, New York 1981, nach: Robert N. Bellah, Richard Madsen, William M. Sullivan, Ann Swidler u. Steven M. Tipton, *Gewohnheiten des Herzens. Individualismus und Gemeinsinn in der amerikanischen Gesellschaft*, übers. von I. Peikert, Köln 1987, S. 119-122.

lität oder außereheliche Schwangerschaften waren deutlich
entstigmatisiert worden.[8] Es gab mehr Lebensgemeinschaften ohne Trauschein,[9] die in höchstens der Hälfte aller Fälle
in eine Ehe mündeten.[10] Seit Ende der 1970er Jahre sind Ehe
und stabile Beziehungen optional geworden und werden oft
nur nach einer erschöpfenden, kostenintensiven Suche einschließlich Beratung und/oder Therapie eingegangen.[11] In
einer wegweisenden, in den 1980er Jahren durchgeführten
Untersuchung fand Ann Swidler heraus, daß die Strukturen
der kulturellen und emotionalen Verbindlichkeit vor und
in der Ehe in diesem Jahrzehnt erheblichen Veränderungen
unterlagen.[12] Verhütungsmethoden und der Wandel moralischer Standards verschärften und normalisierten die Trennung zwischen Ehe und Sex, die in einer radikal neuen Einstellung zu vorehelichem Sex nach den 1960er Jahren zum
Ausdruck kam.[13] Diese Veränderungen waren die greifbaren
Folgen einer gewachsenen Freiheit in den Intimbeziehungen.
Die Bejahung der Freiheit im Bereich der Sexualität war eine
der signifikantesten soziologischen Transformationen des
20. Jahrhunderts. Im vorliegenden Kapitel versuche ich zu
zeigen, daß diese Freiheit zu einem Wandel der emotionalen
Transaktionen innerhalb heterosexueller Paarbeziehungen

---

8 Ebd.

9 Die Anzahl solcher Lebensgemeinschaften nahm in den USA von
1,1 Millionen im Jahr 1977 auf 4,9 Millionen im Jahr 1997 zu. Nicht-
eheliche Lebensgemeinschaften machten 1977 1,5 Prozent aller Hausge-
meinschaften aus, 1997 waren es 4,8 Prozent. Vgl. Lynne M. Casper u.
Philip N. Cohen, »How Does POSSLQ Measure up? Historical Estimates
of Cohabitation«, in: *Demography*, Jg. 37, Nr. 2 (2000), S. 237-245.

10 Robert Schoen u. Robin M. Weinick, »Partner Choice in Marriages
and Cohabitations«, in: *Journal of Marriage and the Family*, Jg. 55, Nr. 2
(1993), S. 408-414.

11 Bellah u.a., *Gewohnheiten des Herzens*, S. 118f.

12 Ebd., Kap. 4 stützt sich im wesentlichen auf Ann Swidlers Forschungen zu Liebe und Ehe.

13 David Harding u. Christopher Jencks, »Changing Attitudes Toward
Premarital Sex. Cohort, Period, and Aging Effects«, in: *Public Opinion
Quarterly*, Jg. 67, Nr. 2 (2003), S. 211-226.

geführt hat, wie er sich am auffälligsten in dem allgemein als »Bindungsangst« bekannten Phänomen zeigt.[14]

Wie in Kapitel 1 ausgeführt, wird Freiheit immer in einem sozialen Kontext ausgeübt, und es ist dieser Kontext, den wir untersuchen müssen, um die Aporien zu verstehen, die die Freiheit im Bereich der Intimbeziehungen hervorgerufen hat. Sexuelle und romantische Freiheit ist keine abstrakte Praxis, sondern eine, die im Rahmen eines umkämpften, aber immer noch mächtigen Patriarchats institutionalisiert wurde und in diesen Rahmen eingebettet ist. Dieser Kontext ist es, der neue Formen des Leidens in der Form neuer Ungleichheiten erzeugt hat, die aus den unterschiedlichen Weisen resultieren, wie Männer und Frauen ihre sexuelle Freiheit auf wettbewerbsorientierten sexuellen Feldern emotional erfahren und unter Kontrolle zu behalten versuchen. Wie der Bereich des Marktes bringt auch die sexuelle Freiheit eine kulturelle Neukodifizierung von Geschlechterungleichheiten mit sich, die unsichtbar geworden sind, weil das romantische Leben der Logik des unternehmerischen Lebens gehorcht, der zufolge jeder Partner seinen Freiheiten Priorität einräumt und seine Nöte einem mangelhaften *Selbst* zuschreibt. Doch wie ich zeigen möchte, gleicht die sexuelle Freiheit der wirtschaftlichen Freiheit darin, daß sie implizit Ungleichheiten erzeugt und sogar legitimiert.

14 Die Diskussion um die Bedeutung und die Konsequenzen dieses Wandels läuft seit den 1980er Jahren. So argumentieren Bellah u.a. in *Gewohnheiten des Herzens*, daß der Gebrauch therapeutischer Sprache und das Ideal der Selbstverwirklichung die Verbindlichkeit untergräbt. Francesca M. Cancian kritisiert die Autoren dafür, das Modell individueller Unabhängigkeit zu sehr zu betonen und das Modell wechselseitiger Abhängigkeit zu vernachlässigen; für sie bleibt die Verbindlichkeit ein zentrales Merkmal der Ehe. Im vorliegenden Kapitel untersuche ich die Frage der Verbindlichkeit in zeitgenössischen Liebesbeziehungen und Ehen jedoch aus einer anderen Perspektive – indem ich danach frage, wie und aus welchen Gründen sich ihre Struktur verändert hat. Vgl. Francesca M. Cancian, *Love in America. Gender and Self-Development*, Cambridge u. New York 1987.

Von der weiblichen Zurückhaltung
zur männlichen Distanziertheit

Nach heutigen Standards engte das Liebeswerben im 18. und 19. Jahrhundert den sexuellen Verhaltensspielraum von Frauen ein – wie auch den von Männern, wenngleich in geringerem Maß. Frauen aus der Mittel- und oberen Mittelklasse mußten ihre romantischen Gefühle und sexuellen Sehnsüchte in der Regel zurückhaltender zum Ausdruck bringen als Männer. Für diese weibliche Zurückhaltung gab es im wesentlichen zwei Gründe: Zum einen hatte sich die Frau sexuell reserviert zu zeigen, zum anderen reagierte sie im Frühstadium des Freiens eher, als daß sie agierte, das heißt, sie akzeptierte die männliche Werbung oder wies sie zurück. Diese Reserviertheit war die Folge eines Wandels im Bild der weiblichen Sexualität, der sich im 18. Jahrhundert abgespielt hatte. In den christlichen Jahrhunderten wurde Männern und Frauen zwar gleichermaßen sexuelle Abstinenz auferlegt, doch schrieb man Frauen die stärkeren sexuellen Gelüste zu: »Wenn überhaupt, galten Evas Töchter [im Vergleich zu den Männern] als anfälliger für ein Übermaß an Leidenschaft, weil man ihre rationale Selbstkontrolle für schwächer hielt.«[15] Im Laufe des 18. Jahrhunderts kam die Überzeugung auf, daß Frauen sexuellen Versuchungen *von Natur aus* widerstehen konnten, wie dies etwa Samuel Richardsons Roman *Pamela* veranschaulicht:[16] Er erzählt die Geschichte eines jungen Dienstmädchens, dem sein Herr aggressiv, fast bis zur Vergewaltigung nachstellt. Wiederholt widersteht sie seinen Belästigungen, beginnt jedoch, zarte

15 Nancy F. Cott, »Passionlessness. An Interpretation of Victorian Sexual Ideology, 1790-1850«, in: *Signs. Journal of Women in Culture and Society*, Jg. 4, Nr. 2 (1978), S. 219-236, hier: S. 222.
16 Samuel Richardson, *Pamela, or Virtue Rewarded* [1740], Harmondsworth 1985.

Gefühle für ihn zu entwickeln, bis er letztlich ihren tugend-
haften Widerstand gegen seine Übergriffe respektiert und sie
um ihre Hand bittet,[17] ein Angebot, das sie mit Freuden annimmt. Dieser Roman gab ein neues Verständnis der weiblichen Natur und der Spaltung männlicher und weiblicher
Geschlechteridentitäten anhand der Praxis sexueller Enthaltsamkeit zu erkennen: Enthaltsamkeit wurde zu einem
Zeichen und einer Erprobung der Tugendhaftigkeit einer
Frau und verhalf ihr somit zu Ansehen auf dem Heiratsmarkt. Die weibliche Enthaltsamkeit erlaubte es den Männern, ihre Männlichkeit auszustellen, indem sie das begehrten, was die Frauen zu verweigern hatten, und zu guter Letzt
deren Widerstand überwanden.

Diese Gleichsetzung weiblicher Enthaltsamkeit mit Tugend verbreitete sich in der amerikanischen Kultur mit dem
Bild und Ideal einer Enthaltsamkeit, die dazu diente, die
Frauen durch die Zuschreibung eines überlegenen moralischen Status zu erhöhen: »Indem sie die sexuelle Selbstkontrolle zur höchsten menschlichen Tugend erhoben, machten
die bürgerlichen Moralisten die weibliche Keuschheit zum
Archetyp der menschlichen Moral.«[18] Nancy Cott zufolge
wurden die Frauen um ihre Sexualität gebracht, als der Kle-
rus sie in den höchsten moralischen Rang erhob. Diese neue
Ideologie war insofern hilfreich für die Frauen, als sexuelle Enthaltsamkeit und Reinheit der Preis für »moralische
Gleichheit«, für »Macht und Selbstachtung« waren.[19] Wie
Cott zeigt, hatten die Männer im 19. Jahrhundert die sexu-

---

17 Montesquieus *Persische Briefe* nahmen das Thema des tugendhaf-
ten Widerstands vorweg, indem sie uns wissen ließen, daß Roxanne Usbeks
bevorzugte Frau wurde, weil sie seinen Nachstellungen widerstand und
somit ihre Tugend bewies.

18 Ian Watt, »The New Woman. Samuel Richardson's Pamela«, in:
Rose L. Coser (Hg.), *The Family. Its Structure and Functions*, New York
1964, S. 267-289, hier: S. 281 f., zitiert nach Cott, »Passionlessness«,
S. 223.

19 Cott, »Passionlessness«, S. 228.

elle Freiheit der Frauen ausgenutzt, und die Enthaltsamkeit, die ihnen auferlegt wurde, verhalf ihnen zu mehr Macht und einem Zuwachs an Gleichheit: »Der Glaube, Frauen gingen fleischliche Beweggründe ab, war der Grundpfeiler der Argumentation zugunsten ihrer moralischen Überlegenheit, die im 19. Jahrhundert dazu genutzt wurde, ihren Status zu verbessern und ihre Möglichkeiten zu erweitern.«[20] Sexuelle und emotionale Zurückhaltung waren Teil einer allgemeinen Ökonomie der Schicklichkeit und Selbstkontrolle, die wiederum den moralischen und gesellschaftlichen Status der Frauen erhöhte.

Die sexuelle Reserviertheit gab Frauen einen Grund, einen Verehrer zurückzuweisen, erlaubte ihnen aber nicht, ihrerseits einem solchen nachzustellen,[21] was bedeutete, daß die Männer beim Liebeswerben aktiver sein mußten und sich stärker exponierten. Ellen Rothman zufolge war es für eine Frau zu riskant, ihre Gefühle zu offenbaren, bevor man ihr einen Antrag gemacht hatte. Mit den Worten der bereits im 1. Kapitel zitierten Eliza Southgate, einer Frau aus dem 19. Jahrhundert, hält Rothman fest: »[K]eine Frau wiegt sich in dem Glauben, sie könnte irgend jemanden lieben, bevor sie nicht eine Zuneigung zu sich selbst ausgemacht hat.«[22] Für eine Frau war es zwingend, betont die Historikerin, zu vermeiden, daß sie ihre Gefühle als erste preisgibt: »[E]ine Frau, die bereit war, sich der Zurückweisung durch einen Liebhaber auszusetzen, war eine Seltenheit.«[23] Also warteten die Frauen auf Anhaltspunkte für die Absichten und Zuneigung eines Mannes. Die Zuneigung des Mannes, seine Fähigkeit, seine Liebe zu zeigen und unter Beweis zu stellen, waren für die Entscheidung zur Heirat von größter

---

20 Ebd., S. 233.
21 Ellen K. Rothman, *Hands and Hearts. A History of Courtship in America*, New York 1984, S. 32.
22 Ebd., S. 34.
23 Ebd.

Bedeutung: »Wenn ein Mann einen Heiratsantrag machte, war Liebe sein wichtigster Pluspunkt; wenn eine Frau auf ihn einging, war Liebe ihr erster Gedanke.«[24] Rothman stellt auch fest, daß der Mann sich nicht sicher sein konnte, ob sein Antrag angenommen werden würde oder nicht: »Männer beklagten sich häufiger als Frauen darüber, daß ihre Briefe zu langsam oder zu oberflächlich beantwortet wurden.«[25] Als diejenigen, die eine Heirat initiierten, waren Männer bei diesem Vorgang die Verletzlicheren: Sie mußten ihre Inbrunst und die Stärke ihres Gefühls unter Beweis stellen, zugleich aber eine gewisse Selbstkontrolle walten lassen, um im Falle einer Zurückweisung nicht zu ungeschützt zu sein.[26] Während die Frauen in den meisten Bereichen des gesellschaftlichen Daseins weitgehend rechtlos waren, scheinen sie eine starke Position im Prozeß des Liebeswerbens innegehabt zu haben – zumindest auf der Ebene emotionaler Macht, wenn man darunter das Vermögen versteht, sich hinsichtlich der eigenen Gefühle bedeckt zu halten und den Mann dazu zu zwingen, die seinigen zu offenbaren, um daraufhin über eine Reaktion zu entscheiden.

Rothman macht ebenfalls deutlich, daß der Mann selten schwankte, sobald er einmal eine Entscheidung getroffen hatte: »In der Verfolgung seines Ziels gab er sich kaum ambivalent. Frauen hingegen waren unentschlossen und zauderten noch auf den letzten Stufen zum Altar.«[27] Die Autorin skizziert das Grundmuster der Liebeswerbung in den frühen Jahren der amerikanischen Republik wie folgt:

[E]in junger Mann, der darauf erpicht ist, jedes Hindernis zu überwinden; eine junge Frau, die bis zuletzt die Entscheidung scheute. Weil die Männer davon ausgingen, daß eine Heirat ihren Alltag bereichern

24 Ebd., S. 35.
25 Ebd., S. 11.
26 Ebd., S. 33.
27 Ebd., S. 70.

und nicht einschränken würde, sahen sie der Hochzeit ungeduldiger entgegen als die Frauen. [...] Er durfte jedoch mit dem Widerstand und Hinauszögern seiner Verlobten rechnen.[28]

Die Welt, die hier beschrieben wird, ist eine, in der es für einen Mann üblicher war, sein Herz zu offenbaren, die Intensität seiner Gefühle zu verkünden und zu versuchen, die Frau »herumzukriegen«, mit anderen Worten, eine Welt, in der die Frage einer Bindung kein Problem für den Mann darstellte, weil seine gesellschaftliche Existenz davon abhing, verheiratet zu sein. Die Geschichte Theodore Sedgwicks (Sohn des Föderalisten Theodore Sedgwick) und seines Werbens um Susan Ridley veranschaulicht beispielhaft die von Männern geforderte Standhaftigkeit. Theodore Sedgwick junior machte 1805 besagter Susan Ridley einen Antrag, doch deren Stiefvater widersetzte sich der Verbindung, woraufhin Sedgwick seinen Antrag zurückzog. Im Jahr darauf knüpfte er von neuem eine Verbindung mit Ridley an, wurde aber nichtsdestotrotz von seinen Brüdern für seine Unentschlossenheit gescholten: »Es wird gemunkelt, du hast nicht den *Mumm*, dir ein Mädel zu schnappen.«[29] Entschiedenheit und Zielstrebigkeit waren männliche Qualitäten, die in vielen Bereichen geschätzt wurden, besonders aber auf dem Feld der Ehe, wie auch Nathaniel Hawthornes Werben um Sophia Peabody belegt. Keine vier Monate, nachdem er sie kennengelernt hatte, und vor jeder Bekundung einer Heiratsabsicht schrieb Hawthorne Peabody in einem Brief:

[M]eine Seele verzehrt sich nach der Freundin, die Gott ihr gegeben hat – deren Seele Er mit meiner Seele vermählt hat. Oh meine Herzliebste, wie läßt mich dieser Gedanke erschauern! Wir *sind* vermählt! Ich habe es vor langem schon empfunden; und manchmal, wenn ich nach einem Worte suchte, zärtlicher als alle, hatte ich es auf den Lippen,

28 Ebd., S. 71.
29 Timothy Kenslea, *The Sedgwicks in Love. Courtship, Engagement, and Marriage in the Early Republic*, Boston 2006, S. 49.

Dich – »Gemahlin« zu nennen! [...] Oft, wenn ich Dich in Armen hielt, habe ich mich Dir im Geiste hingegeben und Dich als meinen Anteil an der Liebe und dem Glück des Menschen empfangen, und habe gebetet, Er möge den Bund weihen und segnen ...[30]

Zumindest im Bürgertum und dem niederen Adel waren das Tempo und die Intensität der Gefühle sowie das Verlangen, sich zu binden, ebensosehr Sache der Männer wie der Frauen (mitunter vielleicht sogar eher eine Sache der Männer als der Frauen). Männlichkeit definierte sich im Bürgertum des 19. Jahrhunderts über das Vermögen, starke Gefühle zu empfinden und zum Ausdruck zu bringen, Versprechen zu machen und zu halten sowie sich zielstrebig und entschlossen an jemanden zu binden. Wie in Kapitel 1 ausgeführt, galten Standhaftigkeit, Verbindlichkeit und Zuverlässigkeit als Zeichen eines männlichen Charakters. Karen Lystra, ebenfalls eine Expertin für die Praktiken der Partnersuche im 19. Jahrhundert, bestätigt: »Männern aus dem Bürgertum und Großbürgertum wurde ein Spektrum an Ausdrucksformen zugestanden, das dem der Frauen gleichkam, wenn es auch keine exakte Kopie darstellte.«[31] Gewiß waren solche gefühlsbezogenen Definitionen von Männlichkeit die kombinierte Folge des viktorianischen Moralkodex und des ökonomischen Charakters der Transaktion, bedeutete eine Ehe doch »stets die Übertragung einer erheblichen Menge beweglichen oder unbeweglichen Vermögens von der Familie der Braut auf die des Bräutigams, wofür im Gegenzug ein erheblicher Anteil am künftigen Jahreseinkommen verbindlich zugesichert wurde«.[32] Die Mitgift wirkte als ein Mittel, die Bindung eines Mannes an eine Frau zu stärken, und verankerte die zwischenmenschliche Bindung des neuen

30 LouAnn Gaeddert, *A New England Love Story. Nathaniel Hawthorne and Sophia Peabody*, New York 1980, S. 81.

31 Karen Lystra, *Searching the Heart. Women, Men and Romantic Love in Nineteenth-Century America*, New York 1989, S. 21.

32 Lawrence Stone, *Broken Lives. Separation And Divorce in England, 1660-1857*, Oxford u. New York 1993, S. 88.

Paars in dem umfassenderen System familiärer, ökonomischer und gesellschaftlicher Verpflichtungen. Sie stärkte die Familienbande zwischen Eltern und Töchtern ebenso wie die affektiven und interessebedingten Beziehungen innerhalb der Verwandtschaft.[33] Mit einem Wort: Die männliche Bindung war in eine moralische und ökonomische Ökologie eingebettet, die auf der Mitgift basierte. Dies heißt nicht, daß Männer diese Bindung an eine Frau nicht auch schnöde mißachteten und schwangere Frauen oder Ehefrauen im Stich ließen,[34] sehr wohl aber, daß ein solches Verhalten unter Männern aus den besitzenden Klassen zumindest in den protestantischen Ländern Westeuropas und in den Vereinigten Staaten[35] als abweichend und unehrenhaft galt. Als beispielsweise Sören Kierkegaard 1841 seine Verlobung mit Regine Olsen auflöste, zog er sich sowohl von ihrer Seite als auch von der ihrer Familie Wut und Verachtung angesichts dieses als schändlich empfundenen Aktes zu.[36]

Dieses Verständnis von Männlichkeit unterscheidet sich erheblich von dem Bild, das am Anfang unseres Jahrhunderts von Männern und ihrer Bindung an Frauen vorherrscht. Christian Carter ist das Internet-Pseudonym des Verfassers einer Reihe von E-Books über Beziehungen sowie eines wöchentlichen E-Mail-Newsletters, den ich für über ein Jahr subskribiert hatte. In einem Text, mit dem er für sein Buch *From Casual to Committed* (»Von unverbindlichen Treffen zur festen Beziehung«) wirbt, wendet sich Carter offensichtlich an eine weibliche Leserschaft. Er schreibt:

33 Stanley Chojnacki, »Dowries and Kinsmen in Early Renaissance Venice«, in: *Journal of Interdisciplinary History*, Jg. 5, Nr. 4 (1975), S. 571-600.

34 Stone, *Broken Lives*.

35 Im England des 19. Jahrhunderts waren zumeist Frauen für den Bruch eines Eheversprechens verantwortlich. Vgl. ebd.

36 Alastair Hannay, *Kierkegaard. A Biography*, Cambridge u. New York 2001, S. 158f.

Sie lernen einen Mann kennen, der »anders« zu sein scheint.

Und ich meine nicht einfach nur einen »weiteren« Mann ... Ich spreche von einem Mann, mit dem es etwas ERNSTES werden könnte.

Er ist nicht nur witzig, charmant, intelligent und erfolgreich ... sondern auch noch *normal*.

Es kommt noch besser: Man sagt nur Gutes über ihn.

Je näher Sie ihn kennenlernen, desto mehr spüren Sie, daß Sie WIRK-LICH einen Draht zu ihm haben ... und ihm scheint es genauso zu gehen. Und als Sie schließlich zusammenkommen ... *liegt ein Zauber in der Luft* ...

Intuitiv »wissen« Sie, daß Sie beide einen ganz speziellen Draht zueinander haben und daß daraus etwas *wirklich* Besonderes werden könnte.

So verbringen Sie immer mehr Zeit zusammen, und ihre »Verabredungen« gehen allmählich nahtlos ineinander über. Und Sie können gar nicht gegen das Gefühl an, daß Sie Ihre Zeit mit jemandem verbringen, den Sie seit Jahren kennen, dem Sie seit Jahren nahe sind ...

Beide können Sie Ihre Hände nicht voneinander lassen, wenn Sie im selben Zimmer sind ... und Sie werden sogar auf der Straße darauf angesprochen, was für ein *perfektes* Paar Sie doch zu sein scheinen ...

Das Leben ist wunderbar ... und obwohl Sie wissen, daß es ein bißchen früh ist, stellt sich das Gefühl ein, dies könnte »es« tatsächlich sein ...

Alles ist da: Spaß, Leidenschaft, Romantik. Phantastische Gespräche, Lachen, Insiderwitze ...

Es fühlt sich alles so »richtig« an, daß es Sie nicht überraschen würde, wenn Sie beide den Rest ihres Liebeslebens zusammen verbringen könnten und dabei immer genauso tief verbunden und verliebt blieben.

Obwohl Sie wissen, daß es ein bißchen früh ist, in »diese Richtung« zu denken ... entschließen Sie sich, daß Sie definitiv für eine verbindliche Beziehung mit ihm bereit sind ... Sie wollen ihn und keinen andern. Und Sie wollen, daß er *nur* mit IHNEN zusammen ist.

Doch in Wirklichkeit wissen Sie nicht *genau*, wie Sie ihm Ihre Gefühle mitteilen sollen oder herausfinden können, ob er *wirklich* genauso fühlt wie Sie.

Obwohl: Nach allem, was er Ihnen erzählt und mit Ihnen gemacht hat, und nach all der Zeit, die Sie schon zusammen verbracht haben, sind Sie sich ziemlich sicher, daß er dasselbe für Sie empfindet.

Sie beschließen, »die Füße stillzuhalten« und abzuwarten, wohin das führt ...

Doch während die Tage ins Land ziehen, stellen Sie fest, daß Sie hoffen, er würde Ihnen etwas Bestimmtes sagen ... und sich den Moment ausmalen, an dem er sich endlich öffnet, Ihnen seine wahren Gefühle mitteilt und Sie fragt, ob Sie »ihm gehören« wollen ...

Doch bevor Sie sich versehen ... sind Wochen vergangen ... *und nichts* ...

Schnell sind es einige Monate ... und Sie fragen sich langsam, was hier eigentlich *läuft* ...

Klar ... es ist immer noch schön ... aber wohin führt das ganze?

So langsam mehren sich die unbeantworteten Fragen ...

Was wird das hier eigentlich mit uns beiden?

Fühlt er es auch?

Warum hat er mich nicht gefragt, ob ich seine Freundin sein will?

Trifft er sich noch mit anderen?

Ist das alles nur ein Spiel für ihn?

Vielleicht ist ihm das mit uns nicht so wichtig wie mir?

WAS ZUM TEUFEL IST HIER EIGENTLICH LOS?

Sie waren die ganze Zeit geduldig, aber jetzt treibt es Sie in den Wahnsinn ... *Sie brauchen Klarheit.*

Sie beschließen, es anzusprechen, so beiläufig wie nur möglich ...

Aber als Sie es tun, scheint er es einfach nicht zu »kapieren«.

Vielleicht macht er ein paar oberflächliche Bemerkungen wie: »Was meinst du? Wir kennen uns doch erst seit ein paar Monaten!« oder »Alles ist großartig so, wie es jetzt ist!«

Oder schlimmer noch ... Er weicht dem Gespräch völlig aus, bleibt verschlossen und tut so, als seien SIE es, die schwierig ist.

Dann ... im Lauf der nächsten Tage, wird er zunehmend distanzierter ... es ist definitiv nicht mehr so wie früher.

Er ruft nicht mehr so oft an ... die Gespräche wirken »gezwungen« und unbeholfen ...

Und eines Tages ... ist alles vorbei ... und das »Undenkbare« passiert ... er ist weg. Eben noch der Traummann, dann auf einmal weg. Und alles, was Ihnen bleibt, ist ein eiskaltes, leeres Gefühl in der Magengegend.[37]

Dieser Werbeprosa gelingt es, einige der »Urmotive« einzufangen, die die realen und imaginären Landschaften der Beziehungen zwischen Männern und Frauen in der Spätmo-

---

37 ⟨http://www.lipstickalley.com/f41/how-go-casual-committed-138565/⟩ letzter Zugriff 27. 2. 2011.

derne strukturieren: daß stabile Intimbeziehungen zumal
für Frauen schwer auf die Beine zu stellen sind, weil die
Männer emotional ausweichen und regelmäßig den Versuchen der Frauen widerstehen, sich langfristig zu binden. Daß
das Verlangen der Frau, sich an einen Mann zu binden, so
selbstverständlich ist wie der Widerstand des Mannes dagegen. Daß eine Zurschaustellung von Fürsorge und Liebe den
Mann bei weitem nicht verlockt, sondern eher »das Weite
suchen« läßt; nur ausnahmsweise sind »normale« Männer
bereit, sich in einer Beziehung zu binden. Die offensichtliche
Implikation dieser Vignette sowie ihre Marketingstrategie
bestehen darin, daß Frauen auf psychologischen Rat angewiesen sind, um Männer mit Bindungsangst zu erkennen,
ihnen aus dem Weg zu gehen und zögerliche Männer dazu
zu bringen, sich auf eine Beziehung einlassen zu wollen. Im
Zusammenhang des vorliegenden Kapitels ist der interes-
santeste Aspekt des Textes der, daß er »Bindungen« als ein
Problem der Männer voraussetzt, und zwar ein weitverbrei-
tetes. In den Vereinigten Staaten hat Bindungsangst – besonders unter Männern – das Ausmaß einer moralischen Panik angenommen und ist zum Thema einer schier endlosen
Folge von Fernsehserien, Filmen und Selbsthilferatgebern
geworden. So verbreitet ist die Wahrnehmung, Bindungen
seien ein Problem für die Männer, daß eine Website sich an
folgender Definition versucht: »Gegenwärtig hat das Wort
›Bindung‹ (ebenso das Wort L_I_E_B_E, ein Wort, das bekanntlich manche Männer auf sich selbst dementierende
Weise gebrauchen, um zum Ausdruck zu bringen, daß sie
beispielsweise Sex haben wollten) absolut keine Bedeutung
für die männliche Spezies.«[38]

Wenn wir uns die Daten anschauen, können wir umfangreiche, wenn auch indirekte Hinweise auf Veränderungen in
der Bindungsbereitschaft von Männern und Frauen finden.

38 ⟨http://www.urbandictionary.com/define.php?term=Committment⟩,
letzter Zugriff 27. 2. 2011.

Seit Anfang der 1980er Jahre zählt eine Zunahme des Durchschnittsalters bei der Heirat (27 Jahre für Männer und 25 Jahre für Frauen)[39] zu den wesentlichen Veränderungen der Ehe in den Vereinigten Staaten; das heißt, die Menschen zögern die Entscheidung zur Eheschließung hinaus.[40] Auch der Anteil von Männern und Frauen, die unverheiratet bleiben, ist gestiegen. Tatsächlich hat die Zahl der Einpersonenhaushalte vor allem in den USA, aber auch in Europa seit den 1970er Jahren erheblich zugenommen.[41] Die Gründe hierfür sind das spätere Heiratsalter sowie die stark gestiegenen Scheidungsraten. So ist auch die durchschnittliche Dauer einer Ehe zurückgegangen: Von den Männern, die zwischen 1955 und 1959 heirateten, blieben 76 Prozent für mindestens zwanzig Jahre mit derselben Frau verheiratet, während von den Männern, die zwischen 1975 und 1979 heirateten, lediglich 58 Prozent für dieselbe Zeitspanne verheiratet blieben. Auch der Prozentsatz von Männern, deren Ehen nur 5, 10 oder 15 Jahre hielten, ging in diesem Zeitraum zurück. Zudem nahm die Zahl zweiter Ehen ab.[42] Und ein »normales« Zusammenleben ist zu einem Spezialfall der Kategorie LAT (*living apart together* = getrenntes Zusammen-

39 U.S. Census Bureau Report, *Number, Timing and Duration of Marriages and Divorces: 2001,* Februar 2005.

40 Robert Schoen u. Vladimir Canudas-Romo, »Timing Effects on First Marriage. Twentieth-Century Experience in England and Wales and the USA«, in: *Population Studies,* Jg. 59, Nr. 2 (2005), S. 135-146.

41 Der Anteil der Einpersonenhaushalte stieg von 17 Prozent im Jahr 1970 um 9 Prozent auf 26 Prozent im Jahr 2007. Zusammen mit anderen nichtfamiliären Haushalten beziffert man diese Kategorie auf ein Drittel aller Haushalte in den Staaten. Vgl. U.S. Census Bureau Report, *America's Families and Living Arrangements: 2007,* September 2009.

42 Nach dem U.S. Census Bureau Report, *Number, Timing and Duration of Marriages and Divorces: 2001,* waren 15 Prozent der zwischen 1935 und 1939 geborenen Männer und Frauen mit 40 Jahren zweimal oder öfter verheiratet. Dieser Anteil stieg für die zwischen 1945 und 1949 geborene erste Babyboom-Kohorte auf 22 Prozent. In den folgenden zehn Jahren blieb der Anteil bei den Frauen im wesentlichen unverändert, fiel bei den zwischen 1955 und 1959 geborenen Männern jedoch auf 17 Prozent.

leben)[43] geworden, wobei diese Kategorie sich auf neue Muster sozialer Intimbeziehungen zwischen Paaren bezieht, die nicht zusammenwohnen, weil sie aus verschiedenen Gründen nicht bereit oder in der Lage sind, sich auf ein gemeinsames Domizil festzulegen. Und schließlich deutet die Popularität und sogar relative Legitimität nichtmonogamer Verhaltensweisen wie des »Abschleppens« (*hooking up*) oder der Polyamorie als einer einvernehmlichen, ethischen oder verantwortlichen Form der Nichtmonogamie darauf hin, daß die Exklusivität – ein traditionelles Bindungsmerkmal – in Frage gestellt und durch zwanglosere Formen der Bindung oder ziellose Verhaltensweisen abgelöst wird. Wenn auch lückenhaft zeigen die Daten, daß sich die traditionellen Bindungsmuster tiefgreifend gewandelt haben, insofern die Ehe im Vergleich zu früher weniger bereitwillig als Lebensoption gewählt wird und Beziehungen unter dem Vorzeichen größerer Flexibilität, eines kurzfristigen Vertragsdenkens und erweiterter Möglichkeiten des Ausstiegs aus einem Vertrag zustande kommen.[44] Zweifellos besteht ein Zusammenhang zwischen dem Niedergang der Verbindlichkeit und der gewachsenen individuellen Freiheit, Beziehungen einzugehen und zu beenden. Obwohl jedoch Bindungsangst Männer wie Frauen betrifft, scheint es sich historisch wie kulturell um ein männliches Privileg zu handeln.[45]

43 Charles Strohm, Judith Seltzer, Susan Cochran u. Wickie Mays, »Living Apart Together. Relationships in the United States«, in: *Demographic Research*, Jg. 21, Nr. 7 (2009), S. 177-214.

44 Cherlin begreift diese Entwicklung als einen Wandel von einem kameradschaftlichen Modell der Ehe zu einem individualisierten. Vgl. Andrew J. Cherlin, »The Deinstitutionalization of American Marriage«, in: *Journal of Marriage and Family*, Jg. 66, Nr. 4 (2004), S. 848-861.

45 Am verbreitetsten ist Bindungsangst unter Männern der oberen Mittelschicht, die die sozialen, kulturellen und ökonomischen Ressourcen kontrollieren, sowie unter gebildeten und wirtschaftlich unabhängigen Frauen aus der Mittelschicht, die sich am heterosexuellen Familienmodell ausrichten. Die Analyse dieses Kapitels ist somit für Männer und Frauen, die nicht in diese Kategorien gehören, weniger maßgeblich.

Wie nun können wir dies erklären? Wenn wir die Vorstellung einer *männlichen* Bindungsangst für bare Münze nehmen, so scheint sie einer Reihe von Befunden aus der Literatur zu widersprechen. So hat die Forschung beispielsweise gezeigt, daß Männer stärker von der Ehe profitieren als Frauen.[46] Angesichts der Tatsache, daß in den meisten Ehen die Frau dem Mann zu dienen scheint, überrascht dies kaum.[47] Zudem dienen Frauen nicht nur ihren Ehemännern, sie unterstützen sie auch bei der Pflege ihrer verwandtschaftlichen Beziehungen (*kin-keeping*), das heißt, sie halten die Beziehung der Männer zu ihren Kindern und anderen Familienmitgliedern aufrecht. Zu guter Letzt stellt die Ehe für Männer einen Anreiz dar, mehr zu verdienen und auf ihre Gesundheit zu achten.[48] Angesichts dieser Vorteile der Ehe sollten Männer eigentlich heiratswilliger sein als Frauen. Und tatsächlich stellen Kaufman und Goldscheider in einer Untersuchung der Vorstellungen von Männern und Frauen über die Ehe fest, daß 37 Prozent der Männer der Meinung waren, ein Mann könne ein erfülltes und zufriedenstellendes Leben führen, ohne verheiratet zu sein, während der entsprechende Wert für Frauen bei 59 Prozent lag. Anders gesagt: Zumindest auf der Ebene der Vorstellungen sehen Männer die Ehe mit größerer Wahrscheinlichkeit als eine attraktive Option (und das Junggesellendasein als deutlich weniger attraktiv).[49] Frauen hingegen nehmen ein Junggesellinnendasein als attraktiv und erfüllend wahr.

Noch verwunderlicher ist, daß die mutmaßlich größere Bereitschaft der Frauen, sich zu binden, der ökonomischen Theorie und soziologischen Erkenntnissen widerspricht, die

46 Jessie Bernard, *The Future of Marriage*, New Haven 1982.

47 Sarah F. Berk, *The Gender Factory. The Apportionment of Work in American Households*, New York 1985.

48 Steven L. Nock, *Marriage in Men's Lives*, New York 1998.

49 Gayle Kaufman u. Frances Goldscheider, »Do Men ›Need‹ A Spouse More Than Women? Perceptions of the Importance of Marriage for Men and Women«, in: *Sociological Quarterly*, Jg. 48, Nr. 1 (2007), S. 29-46.

das Gegenteil vorhersagen würden. Eine der vorherrschenden Erklärungen für die sinkenden Zahlen von Eheschließungen stammt von dem Ökonomen Gary Becker, in dessen Augen die Ehe auf einem Abgleich gegenseitiger Vorteile basiert und höhere Beschäftigungsraten bei Frauen die Ehe für diese weniger erstrebenswert machen sollten – was ihren zahlenmäßigen Rückgang erklärt.[50] Dieser Auffassung zufolge werden Frauen »wählerischer« und damit leichter in der Lage sein, ihnen inadäquat erscheinende Angebote von Männern zurückzuweisen, weil sie hoffen, etwas Besseres zu finden. Mit anderen Worten: Ein stabiler Heiratsmarkt hängt damit zusammen, daß Frauen in bezug auf ihr ökonomisches Überleben stärker auf die Ehe angewiesen sind. Somit wären nach dieser Ansicht Frauen und nicht Männer für die sinkenden Ehezahlen verantwortlich, und sie sollten folglich auch diejenigen sein, die ein Verhaltensmuster der Bindungsangst an den Tag legen.[51] Doch obwohl es zweifellos zutrifft, daß die verbesserten wirtschaftlichen Möglichkeiten von Frauen für die sinkende Zahl der Ehen verantwortlich sind, schrecken Frauen wesentlich weniger vor einer Bindung zurück. Die Männer hingegen sind zögerlicher und ambivalenter gegenüber Bindungen und langfristigen stabilen Beziehungen, selbst wenn sie ein positives Bild von der Ehe haben.

Es gibt einige populäre Erklärungen für diese Lage der Dinge. Am augenfälligsten ist die populärkulturelle Überzeugung, daß Männer psychische Mängel haben und ihnen – aus psychologischen oder evolutionären Gründen –

50 Gary S. Becker, *A Treatise on the Family*, Cambridge (Mass.) 1981. Kritisch zu dieser Theorie Valerie K. Oppenheimer, »Women's Rising Employment and the Future of the Family in Industrial Societies«, in: *Population and Development Review*, Jg. 20, Nr. 2 (1994), S. 293-342.

51 Umgekehrt sagt die Theorie voraus, daß eine Einkommensverbesserung auf seiten der Männer sich deutlich auf Ehe und Scheidung auswirken, nämlich Heiraten beschleunigen und die allgemeine Geltung der Ehe stärken sollte.

die grundlegenden Fähigkeiten für eine monogame Verbundenheit abgehen. Ihre psychologische, biologische und evolutionäre Verfassung mache die Männer anfällig für sexuelle Vielfalt, weil Männlichkeit promiskuitiv sei und die Evolution danach verlange, daß Männer ihr Sperma weiträumig verteilen, statt sich um ihren Nachwuchs zu kümmern.[52] Aufgrund ihres tautologischen Charakters können Soziologen mit solchen Erklärungen nichts anfangen, begründen sie doch einen gegebenen Zustand mit dem schlichten Postulat, die Notwendigkeit habe ihn in die Gene oder die Evolution eingeschrieben. Ein anderer Erklärungsansatz für den geschilderten Sachverhalt geht davon aus, daß die Männer verwirrt sind, weil die neue Macht der Frauen ihre traditionelle Rolle herausfordert. Dieser Lesart zufolge verweigern sich die Männer festen Bindungen, weil sie Angst vor Frauen und deren wachsender Macht haben, die sie in ihrer Identität bedroht. Eher psychoanalytisch angelegte Ansätze vertreten die Auffassung, Bindungsangst resultiere daraus, daß die männliche Geschlechtsidentität gegen die weibliche angelegt sei: »Die männliche Identität geht aus der Verleugnung des Weiblichen hervor, nicht aus der unmittelbaren Affirmation des Männlichen, weshalb die männliche Geschlechtsidentität prekär und fragil ist.«[53] Für diese Betrachtungsweise, die vom psychodynamischen Modell einer männlichen Psyche lebt, welche zur Loslösung von der Mutter gezwungen ist, formt sich die männliche Psyche im Widerstand gegen die weibliche sowie gegen die Notwendigkeit von Abhängigkeit und Gemeinsamkeit; dies schmälere das Vermögen des Mannes, eine langfristige Bin-

---

52 Für wissenschaftliche Erklärungen dieser Art vgl. David M. Buss u. David P. Schmitt, »Sexual Strategies Theory. An Evolutionary Perspective on Human Mating«, in: *Psychological Review*, Jg. 100, Nr. 2 (1993), S. 204-232; Donald Symons, *The Evolution of Human Sexuality*, New York 1979; Robert Trivers, *Social Evolution*, Menlo Park 1985.

53 Michael S. Kimmel, *The Gender of Desire. Essays on Male Sexuality*, Albany 2005, S. 32.

dung zu schmieden oder zu ersehnen. Vom 18. bis Mitte des 19. Jahrhunderts war die Empfindsamkeit ebensosehr eine Domäne der Männer wie der Frauen; nach der Jahrhundertmitte wurde sie im wesentlichen zu einem weiblichen Privileg.[54] Die Frauen übernahmen die Verantwortung dafür, fürsorglich zu sein sowie Gefühle zu empfinden und auszudrücken, die auf die Knüpfung und Pflege enger Beziehungen abzielen. Nancy Chodorows einschlägige und brillante Argumentation besagt, daß die unterschiedliche emotionale Konstitution von Männern und Frauen der Struktur der amerikanischen Kleinfamilie entspringt, in der die Frauen dafür zuständig sind, sich um die Kinder zu kümmern. Dies habe zur Folge, daß Mädchen ohne Identitätsbruch mit ihren Müttern aufwachsen und ihr ganzes Erwachsenenleben lang danach streben, Verschmelzungsbeziehungen (*fusional relationships*) mit anderen zu reproduzieren, während Jungen ein ausgeprägtes Bewußtsein der Getrenntheit entwickkeln und nach Autonomie streben. Jungen lernen sich zu separieren; Mädchen lernen, Bindungen einzugehen.[55] Gemäß einer politischeren Variante dieses Erklärungsansatzes agieren Männer und Frauen in ihren Intimbeziehungen die Ungleichheit aus, die ihre gesellschaftlichen Beziehungen insgesamt charakterisieren. So argumentiert Shulamith Firestone, daß Männer unter Einsatz verschiedener Strategien die Kontrolle über ihre Beziehungen zu behalten versuchen, Strategien, zu denen es etwa gehört, sich nicht binden zu wollen und unvorhersehbare Verhaltensweisen an den Tag zu legen (Frauen die Stirn zu bieten, sich vage

54 Anne Vincent-Buffault, *History of Tears. Sensibility and Sentimentality in France*, New York 1991; Cancian, *Love in America*; Eva Illouz, *Der Konsum der Romantik. Liebe und die kulturellen Widersprüche des Kapitalismus* [1997], übers. von A. Wirthenson, Frankfurt/M. 2003.

55 Nancy Chodorow, *Das Erbe der Mütter. Psychoanalyse und Soziologie der Geschlechter* [1979], übers. von G. Mühlen-Achs, München 1985; dies., »Oedipal Asymmetries and Heterosexual Knots«, in: *Social Problems*, Jg. 23, Nr. 4 (1976), S. 454-468.

im Hinblick auf künftige Verabredungen zu geben, der Arbeit Priorität einzuräumen und so weiter). Sie schreibt: »Die (männliche) Kultur ist parasitär, denn sie bezieht ihre Kraft aus der emotionalen Stärke der Frauen, ohne dafür etwas zu geben.«[56] Dieser Auffassung zufolge sind Jungen/ Männer also »emotionale Parasiten«, die Liebe annehmen, aber nicht selbst hervorbringen oder erwidern können, um Frauen die Art emotionaler Versorgung zu bieten, die sie brauchen. Verfolgt man diesen Gedankengang weiter, dann läßt sich Bindungsangst als ein Aspekt der »Zwangshete-rosexualität« verstehen, also einer der wichtigsten institu-tionalisierten Beschreibungen der systematischen Erniedri-gung, Ablehnung und Nichtbeachtung von Frauen.[57]

Diese Erklärungen bieten entscheidende Ansätze, um die Liebe im Kontext asymmetrischer Machtverhältnisse zu verorten. Ein Manko ist ihnen jedoch allen gemeinsam: Sie pathologisieren das männliche Verhalten und bejahen, ja feiern gleichzeitig die weibliche Psyche und das (mutmaß-lich weibliche) Modell der Intimität. Soziologen sollten Er-klärungen mißtrauen, die Verhaltensweisen *a priori* patho-logisieren. Insbesondere psychologische Erklärungen sind suspekt, weil sie sich implizit auf ein Modell der gesunden Psyche stützen, in dem vorausgesetzt wird, daß Intimität der »normale« und »gesunde« Zustand ist, den wir anstreben sollten. Damit leugnet dieses Modell die empirische und normative Möglichkeit, daß Individuen oder Gruppen In-timität verweigern können, ohne einen psychischen Defekt haben zu müssen. Anders gesagt: Obwohl ich die gegenwär-tige Verfassung der Heterosexualität als Feministin repres-siv finde, möchte ich sie auf eine Weise analysieren, die nicht

56 Shulamith Firestone, *Frauenbefreiung und sexuelle Revolution* [1970], übers. von G. Strempel-Frohner, Frankfurt/M. 1987, S. 141.

57 Adrienne Rich, »Zwangsheterosexualität und lesbische Existenz« [1980], in: Audre Lorde u. Adrienne Rich, *Macht und Sinnlichkeit. Ausge-wählte Texte*, hg. von Dagmar Schultz, übers. von R. Stendhal u. a., 3., erw. Aufl., Berlin 1991, S. 138-168.

von vornherein voraussetzt, daß der weibliche Umgang mit zwischenmenschlichen Beziehungen die Norm ist, der Maßstab, an dem männliches Verhalten gemessen werden sollte. Eine solche Voraussetzung könnte eine Frage verschleiern, die für die Kultursoziologin viel interessanter ist, nämlich: Welche gesellschaftlichen Umstände drücken und agieren Männer aus, wenn sie sich Bindungen verweigern? »Intimität« als normativen Maßstab anzulegen, hindert uns daran zu fragen, ob das (männliche) Verhalten eine strategische und rationale Antwort auf die neuen gesellschaftlichen Umstände ist, genauer gesagt, auf die neue Ökologie der geschlechtlichen Begegnung und die Architektur der romantischen Wahl. Wenn wir die von Feministinnen und Soziologinnen geteilte Ansicht ernstnehmen, daß die Psyche formbar und Intimität eher eine Institution als ein Maßstab für eine reife Psyche ist, dann sollten wir das Zögern der Männer vor Bindungen nicht mit Hilfe eines psychodynamischen Modells zu erklären versuchen.

Diese Bemerkungen sind von Bruno Latour inspiriert, dessen Arbeit von der Überzeugung getragen ist, daß der Soziologe/Anthropologe bei der Untersuchung einer wissenschaftlichen Kontroverse alle beteiligten Seiten symmetrisch behandeln sollte.[58] Als Latour die Kontroverse um die Keimtheorie im Frankreich des späten 19. Jahrhunderts nachzeichnete, blendete er das Wissen aus, daß Pasteur den Streit »gewonnen« hatte.[59] Das Prinzip der Symmetrie hilft uns dabei, jene Fallstricke zu vermeiden, die entstehen, wenn man eine Position gegenüber einer anderen romantisiert oder ihr die Schuld zuweist. Statt das Verhalten von Männern zu pathologisieren, sollten wir uns fragen,

58 Bruno Latour, *Wir sind noch nie modern gewesen* [1991], übers. von G. Roßler, Frankfurt/M. 1998.
59 Bruno Latour, *Die Hoffnung der Pandora. Untersuchungen zur Wirklichkeit der Wissenschaft*, übers. von G. Roßler, Frankfurt/M. 2000, Kap. 5.

welche gesellschaftlichen Verhältnisse die männliche »Bindungsangst« oder Bindungslosigkeit möglich und sogar wünschenswert machen und welche kulturellen Rahmenbedingungen ein solches Verhalten sinnvoll, legitim und angenehm werden lassen. Um die emotionalen Mechanismen von Wahl und Bindung zu veranschaulichen, müssen wir das männliche Zögern vor einer Bindung *und* die weibliche Bindungsbereitschaft als zwei symmetrische Phänomene behandeln, die beide gleichermaßen rätselhaft und erklärungsbedürftig sind. Die Soziologie interessiert sich in erster Linie für die gesellschaftlichen Rahmenbedingungen, die manche Modelle des Selbst naheliegender machen als andere, sowie für die Art von Dilemmata, auf die diese kulturellen Modelle womöglich strategisch reagieren. Worin bestehen diese Rahmenbedingungen?

Wenn das Problem der Bindung weder von einer negativen Wahrnehmung der Ehe noch von dem Umstand herrührt, daß Männer wählerischer sind als Frauen, läßt es sich mit einiger Plausibilität darauf zurückführen, wie Männer und Frauen ihre Entscheidungen, eine Beziehung einzugehen, anlegen und im Auge behalten, das heißt darauf, wie Freiheit institutionalisiert ist. Eine Bindung stellt eine Reaktion auf eine Struktur von Möglichkeiten dar, die ihrerseits den Prozeß des Sichbindens beeinflußt, also seine Geschwindigkeit, seine Intensität und sein Vermögen, sich selbst in die Zukunft zu projizieren. Die Frage läßt sich somit wie folgt umformulieren: Auf welche Struktur von Möglichkeiten ist »Bindungsangst« eine Reaktion? Wenn, wie ich behaupte, eine Bindung eine strategische Antwort auf Möglichkeiten ist, dann scheint die These plausibel, daß die emotionale Organisation der Bindungsangst von den Transformationen der Ökologie und der Architektur der Wahl geprägt ist – also von jenen gesellschaftlichen Rahmenbedingungen und kognitiven Einstellungen, vermittels deren Menschen Entscheidungen treffen und sich an andere binden.

Männlichkeit und der Niedergang der Verbindlichkeit

Der Historiker John Tosh behauptet, daß Männlichkeit in westlichen Gesellschaften »in drei Arenen stattfindet: zu Hause, am Arbeitsplatz und in reinen Männergesellschaften«.[60] Autorität im Haushalt, die Fähigkeit, auf nichtservile, unabhängige Weise ein Einkommen zu erwirtschaften, und die Fähigkeit, bedeutungsvolle Formen von Verbundenheit in Männern vorbehaltenen freiwilligen Assoziationen, Kneipen und Clubs zu entwickeln, sind die drei traditionellen Säulen der Männlichkeit. Kapitalismus und demokratische Gemeinwesen stehen für einen überaus wichtigen Wandel in dieser dreigleisigen Männlichkeitsstruktur: Im Laufe des 20. Jahrhunderts hat die feministische Bewegung mit ihren Folgen für die Sphären von Politik, Wirtschaft und Geschlecht die männliche Autorität im Haushalt durchgängig und wirkungsvoll in Frage gestellt und untergraben. Zudem hat der Aufstieg bürokratischer Organisationen und der Angestelltentätigkeit zu einer Einschränkung der männlichen Unabhängigkeit geführt, insofern nun die meisten Männer unter der Aufsicht anderer Männer und/ oder Frauen arbeiten und die meisten rein männlichen Orte homosozialer Geselligkeit (mit der auffälligen Ausnahme des Sports) verschwunden sind, nachdem heterosoziale Freizeitgestaltung in den meisten Vergnügungsstätten zur Norm wurde. Wenn es sich also, wie John Tosh vorschlägt, bei Männlichkeit um »einen sozialen Status [handelt], der in spezifischen sozialen Kontexten demonstriert wird«,[61] dann sind mit dem Anbruch der Moderne unübersehbar manche konstitutiven Elemente dieses Status und dieser Kontexte weit zurückgedrängt worden.

60 John Tosh, *Manliness and Masculinities in Nineteenth-Century Britain. Essays on Gender, Family and Empire*, Harlow 2005, S. 35.
61 Ebd.

Die männliche Unabhängigkeit, Autorität im Haushalt und gegenseitige Solidarität wurden allesamt geschwächt, wobei sich die traditionelle Männlichkeit sogar in ein entgegengesetztes Statussymbol verwandelt hat und nunmehr kulturell als Arbeiterklassen-Männlichkeit kodifiziert ist. Genau dieser Kontext ist es, in dem sich die Sexualität zu einem der wichtigsten *Statusmerkmale* für Männlichkeit entwickelte. Wie in Kapitel 1 ausgeführt, verleiht die Sexualität *Status*. Sex-Appeal und Sexualität haben sich zu Attributen der Geschlechtsidentität entwickelt und kennzeichnen das, was in dieser Identität die Form von Status annimmt.[62]

In gewissem Maß hat man Sexualität immer mit Männlichkeit assoziiert, doch ist in vielen Gesellschaften männliche soziale Macht eine Voraussetzung dafür, Zugang zu Frauen zu erlangen. Männer behaupten ihre soziale Macht über Frauen und über andere Männer, indem sie zahlreiche Frauen sexuell dominieren. Das heißt: Wenn die Sexualität ein Kampffeld ist, dann sind in traditionellen Gesellschaften die mächtigen Männer eindeutig jene, die dieses Feld beherrschen, weil sich männliche Macht üblicherweise in einen leichteren sexuellen Zugang zu einer größeren Auswahl an Frauen übersetzt. Wie Francis Fukuyama sagt: »Der Lebensstil des Playboys wurde nicht erst von Hugh Hefner in den fünfziger Jahren erfunden; vielmehr haben mächtige, reiche und gutsituierte Männer diesen Lebensstil [d. h. außerehelichen Gelegenheitssex] während der gesamten Geschichte genossen.«[63] Mit anderen Worten: Die Sexualität

62 In diesem Zusammenhang möchte ich klarstellen, daß ich, wenn ich von Sexualität als männlichem Status spreche, nicht einen Prozeß sozialer Distinktion meine, der an die Stelle traditioneller männlicher Distinktionsmechanismen getreten wäre. Vielmehr behaupte ich die Existenz zweier paralleler Prozesse, die zusammengenommen eine Matrix erzeugen: die Schwächung traditioneller männlicher Statussymbole auf der einen Seite und die neue Zentralstellung der Sexualität als Status auf der anderen.

63 Francis Fukuyama, *Der große Aufbruch. Wie unsere Gesellschaft eine neue Ordnung erfindet*, übers. von K. Dürr u. U. Schäfer, Wien 2000, S. 166.

war und ist ein Spiegelbild des sozioökonomischen Status, mit dem sie direkt gekoppelt ist. Diese vielfachen Beziehungen gingen oft mit der Verpflichtung einher, die beteiligten Frauen in unterschiedlicher Form zu unterstützen, entweder indem der Mann sie letztlich heiratete oder indem er ihnen zu ökonomischen Vorteilen verhalf.

Im 1. Kapitel hatten wir den Impuls der Konsumkultur und der klinischen Psychologie für jenen Prozeß erörtert, der im 20. Jahrhundert die Sphäre des Sexuellen von moralischer Regulierung und formaler Klassenendogamie befreite und sexuelle Felder entstehen ließ. Die Folgen dieses Prozesses waren signifikant: Männer müssen heute nicht mehr mächtig und dominant sein, um sexuellen Zugang zu Frauen zu erlangen. Die sexuelle Erreichbarkeit von Frauen ist mittlerweile relativ unabhängig von der sozioökonomischen Macht des Mannes. Männer mit den unterschiedlichsten sozioökonomischen Hintergründen können Sex mit vielen verschiedenen Frauen haben, ohne dafür bezahlen zu müssen, ohne sich eine moralische Mißbilligung von ihresgleichen zuzuziehen und ohne zur Heirat gezwungen zu werden.[64] »Die Veränderungen, die seit den fünfziger Jahren stattfanden, bestanden darin, daß es jetzt auch vielen recht gewöhnlichen Männern möglich wurde, ihre Traumgespinste von einem hedonistischen Leben und sexueller Polygamie tatsächlich auszuleben, die früher nur einer winzigen Gruppe von Männern an der obersten Spitze der Gesellschaft vorbehalten waren.«[65] Weil die serielle oder kumulative Sexualität auch weiterhin mit der Macht starker Männer auf dem Feld der Sexualität assoziiert blieb, funktionierte sie als ein Statusmerkmal.

---

64 Aus ebendiesem Grund ist auch die historische Figur Casanovas so modern, gerade weil er, obwohl ohne eigenes Vermögen, in der Lage war, sexuellen Zugang zu einer großen Zahl von Frauen verschiedener sozioökonomischer Ebenen zu erlangen.

65 Fukuyama, *Der große Aufbruch*, S. 166.

Drei mögliche Gründe ließen sic
die Sexualität so eng mit dem männli
ist. Soweit Sexualität mit dem sozioökö
mächtiger Männer verbunden wurde, bewa
soziation von Macht und Status noch, als die
menhang bereits schwächer geworden war. Eine se
xualität ist für Männer aus allen Schichten attraktiv, w
im Falle eines beschränkten Zugangs zu Frauen den Stat
eines Mannes symbolisiert – seinen Sieg über andere Männer. Das Konkurrenzdenken, die Bestätigung und der Status
der Männer wurden durch das Reich der Sexualität kanalisiert. Für Männer bildete die Sexualität ein Statusmerkmal, das ihre Fähigkeit signalisierte, mit anderen Männern
in der Konkurrenz um die Aufmerksamkeit des weiblichen
Geschlechts bestehen zu können: »Frauen verhelfen heterosexuellen Männern zu sexueller Bestätigung, und darum
konkurrieren Männer gegeneinander.«[66] Auch übertrugen
die Männer die Kontrolle, die sie zuvor im Haushalt innegehabt hatten, auf Geschlechtlichkeit und Sexualität, was letztere in jene Sphäre verwandelte, in der sie ihre Autorität und
Autonomie ausleben und zum Ausdruck bringen konnten.
Distanziertheit in der Sexualität signalisierte und gestaltete
schließlich die grundsätzlichere Figur der Autonomie und
damit der Männlichkeit. Emotionale Distanziertheit ließe
sich als Metapher für eine männliche Autonomie verstehen,
die mit der Trennung von Sex und Ehe nur noch realisierba-
rer wurde. Und schließlich konkurrierten und fraternisier-
ten Männer durch Sex mit anderen Männern, indem sie die
Körper der Frauen in Objekte männlicher Solidarität verwandelten.[67] Kurz gesagt: Die sexuelle Befreiung machte die
Sexualität für Männer, deren Status in den drei Arenen der

66 Mike Donaldson, »What Is Hegemonic Masculinity?«, in: *Theory and Society*, Jg. 22, Nr. 5 (1993), S. 643-657, hier: S. 645.
67 Shere Hite, *Hite-Report. Das sexuelle Erleben des Mannes* [1981], übers. von G. Aschenbrenner u. U. von Sobbe, Bindlach 1991, S. 464 ff.

...nlichen Geselligkeit un-
...hauplatz der Ausübung
...chkeit: Sie verwandelte
...x für Männer eine Mög-
...gen und Beziehungen zu
...n resultierte der Nieder-
...er den Haushalt und der
...splatz in einer *hypertro-*
...tät zu einer hypertrophen
...e drei Aspekte von Männ-
...varen: Autorität, Autono-

Die zentrale Rolle der Sexualität in dieser Neudefinition
von Männlichkeit wurde durch die im Laufe des 20. Jahrhunderts erfolgte nachhaltige Sexualisierung von Frauen
wie Männern erheblich erleichtert und beschleunigt – also
durch den Umstand, daß sexuelle Beziehungen nicht länger
in einem moralischen Rahmen reguliert wurden und daß sexuelle Attraktivität – Sexyness – zu einem expliziten, vom
moralischen Verhalten des Selbst abgelösten Merkmal der
Geschlechtsidentität geworden war.[68] Wenn sich die Sexualität, wie in Kapitel 1 nahegelegt, in ein Kampffeld verwandelt hat, können wir den Grund hierfür nun genauer ange-
ben: Die Sexualität ermöglicht Männern den Erwerb und
die Behauptung eines sozialen Status – sie ist eine Arena, in
der Männer miteinander um die Behauptung ihres sexuellen
Status konkurrieren.

Man könnte die Hypothese aufstellen, daß Sex und
Sexualität im Anschluß an die 1960er Jahre vielleicht deshalb zum wichtigsten Schauplatz für die Ausübung weib-

68 Feona Attwood, *Mainstreaming Sex. The Sexualization of Western
Culture*, London u. New York 2009; Ann C. Hall u. Mardia J. Bishop
(Hg.), *Pop-Porn. Pornography in American Culture*, Westport 2007; Brian
McNair, *Striptease Culture. Sex, Media and the Democratization of Desire*,
London 2002.

licher Freiheit wurden, weil die serielle Sexualität eng mit männlicher Macht assoziiert war. Auch wenn die Bedingungen sexueller Begegnungen sowohl für Männer als auch für Frauen nachhaltig sexualisiert wurden, und auch wenn die Sexualität sowohl für Männer als auch für Frauen zu einem Statussymbol wurde, nahm ihre Sexualisierung doch nicht denselben Verlauf. Die Anthropologin Evelyn Blackwood weist darauf hin, daß »Männer und Frauen im Verhältnis zur Sexualität unterschiedlich positioniert sind«; »unterschiedlich« bezieht sich hier auf »Unterschiede in der Fähigkeit, Handlungen zu kontrollieren oder zu benennen, ein Recht auf gewisse Praktiken zu beanspruchen, manche Praktiken als erlaubt und andere als verboten zu etikettieren«.[69] Und der Soziologe Randall Collins spricht von »einem System der Schichtenbildung durch Sex«.[70]

Die Dynamik der weiblichen Exklusivität

Zweifellos ist die größere Bindungsbereitschaft von Frauen eine direkte Folge ihrer an Exklusivität orientierten Paarungsstrategie, wie wir dies nennen könnten. Ein von Susan Brownmiller angeführter Grund für diese Strategie besteht darin, daß die weibliche Ausschließlichkeitsorientierung Bestandteil eines Vertrags zwischen Männern und Frauen ist, demzufolge der Mann die Frau im Austausch gegen ihre Treue und Abhängigkeit davor bewahrt, vergewaltigt zu werden.[71] Hier wird die Ausschließlichkeitsstrategie der

69 Evelyn Blackwood, »The Specter of the Patriarchal Man«, in: *American Ethnologist*, Jg. 32, Nr. 1 (2005), S. 42-45, hier: S. 44.

70 Randall Collins, »A Conflict Theory of Sexual Stratification«, in: *Social Problems*, Jg. 19, Nr. 1 (1971), S. 3-21, hier: S. 3.

71 Susan Brownmiller, *Gegen unseren Willen. Vergewaltigung und Männerherrschaft*, übers. von I. Carroux, Frankfurt/M. 1978; vgl. auch Chodorow, »Oedipal Asymmetries«; dies., *Das Erbe der Mütter;* Rich, »Zwangsheterosexualität und lesbische Existenz«.

Frau als Folge ihrer Abhängigkeit, der Ungleichheit der Geschlechter und der Machtverhältnisse verstanden. Alice Rossi hingegen geht davon aus, daß Frauen über eine angeborene doppelte geschlechtliche Ausrichtung verfügen – »sexuell auf die Männer und reproduktiv auf ihre Kinder«,[72] was ihre Ausschließlichkeitsstrategie erklären würde.

Ich möchte hingegen argumentieren, daß Frauen, die eine sexuelle Ausschließlichkeitsstrategie verfolgen, tatsächlich stärker durch eine Reproduktionsausrichtung als durch eine natürliche Ausrichtung auf Männer motiviert sind. Eine auf Ausschließlichkeit setzende Sexualität findet sich mithin häufiger bei Frauen, die eine Mutterschaft im institutionellen Rahmen eines monogamen Familienlebens anstreben. Diese Frauen ordnen ihre Partnersuche der Konstruktion und Wahrnehmung ihrer reproduktiven Rolle unter.[73] Im traditionellen Patriarchat stehen Männer nicht weniger als Frauen unter dem normativen und kulturellen Erwartungsdruck, Kinder zu bekommen, um einem Haushalt vorstehen und Namen tradieren zu können. Die patriarchalische Männlichkeit braucht die Familie, um sich zu behaupten. In Gesellschaften, in denen das Patriarchat angefochten ist, stehen Männer normativ unter einem wesentlich geringeren Fortpflanzungsdruck, weil in diesen Gesellschaften der wichtigste kulturelle Imperativ, der die Männlichkeit prägt, der der psychologischen Autonomie und des wirtschaft-

---

72 Alice Rossi, »Children and Work in the Lives of Women« (Vortrag an der Universität von Arizona, Tucson, Februar 1976), zitiert nach Rich, »Zwangsheterosexualität und lesbische Existenz«, S. 138.

73 Rosanna Hertz beschreibt eine weitere Strategie zum Umgang mit diesem Problem, bei der gebildete und ökonomisch unabhängige Frauen der Mittelschicht Mutterschaft und Ehe (oder jede andere Beziehungsform) voneinander trennen und sich dafür entscheiden, »auf eigene Faust« Mütter zu werden. Dies ist eine weitere mögliche Reaktion auf dieselbe Ökologie der Wahl und ihre Einschränkungen für Frauen. Vgl. Rosanna Hertz, *Single by Chance, Mothers by Choice. How Women Are Choosing Parenthood Without Marriage and Creating the New American Family*, Oxford 2008.

lichen Erfolgs ist. Somit fällt hier den Frauen die soziologische Rolle zu, Kinder zu kriegen *und* Kinder kriegen zu wollen. In diesem Prozeß haben sich die Ökologie und die Architektur der Wahl, in deren Rahmen Frauen agieren, erheblich verändert. Insbesondere trägt nun die biologische Uhr bedeutend dazu bei, die kulturellen *Wahrnehmungen* zu prägen, die Frauen von ihren Körpern und ihren Paarungsstrategien haben. Frauen, die sich für Kinder und eine Ehe (oder ein heterosexuelles Familienleben) als den Rahmen entscheiden, in dem diese Kinder aufwachsen sollen, sind durch die Wahrnehmung ihres Körpers als einer in der und durch die Zeit organisierten biologischen Einheit eingeschränkt. Für diese Wahrnehmung sind vor allem zwei Faktoren verantwortlich. Umfangreiche empirische Daten legen nahe, daß der Eintritt in den Arbeitsmarkt und eine höhere Bildung Frauen dazu veranlassen, Ehe und Schwangerschaft aufzuschieben (während weniger gebildete Frauen die Ehe, nicht aber die Schwangerschaft aufschieben).[74] Weil heutige Frauen sich später auf den Heiratsmarkt begeben als ihre Ahninnen im 20. Jahrhundert und weil heterosexuelle Frauen sich noch immer in überwältigender Mehrheit für eine Mutterschaft entscheiden, agieren sie unter einem wesentlich größeren Zeitdruck als Frauen vor den 1960er Jahren. Heidegger parodierend könnte man sagen, daß die moderne Mittelschichtfrau auf dem Heiratsmarkt die Zeit nicht zum Tode hin, sondern zu ihrer »Fruchtbarkeit« hin denkt. Im Reich der Liebe wird Endlichkeit für Frauen durch den Schwangerschaftshorizont markiert. So schreibt etwa die Sexkolumnistin des britischen *Independent*, Catherine Townsend:

Jetzt, mit Anfang dreißig, bin ich bereit, meine wilden Schlafzimmereskapaden auf einen (Glückspilz von) Mann zu beschränken, und überzeugt, daß meine sexuellen Entdeckungsreisen mich zu einem we-

74 Ellwood u. Jencks, »The Spread of Single-Parent Families«.

sentlich besseren Partner machen werden, innerhalb wie außerhalb des Schlafzimmers. Ich bin gefestigter, selbstsicherer und glücklicher als je zuvor. Nur Rendezvous mit Männern sind schwieriger geworden, weil mehr auf dem Spiel steht. Ich bin immer noch unentschieden, was Kinder betrifft, aber die Realität der biologischen Uhr bedeutet, daß ich weniger Zeit für die falsche Person zu verschwenden habe, falls ich mich doch dafür entscheide, Kinder kriegen zu wollen.[75]

Der zweite Grund für eine verschärfte Zeitwahrnehmung hat mit dem Umstand zu tun, daß die Schönheitsindustrie und die ständige Verfügbarkeit von Daten über das »schmale« Zeitfenster der Frau massiv dazu dienen, den weiblichen Körper (stärker als den männlichen) als eine über die Zeit definierte und somit vom Verfall bedrohte Einheit zu konstruieren. Die Vorherrschaft der »Sexyness« und immer strikterer Schönheitskriterien haben die subjektive Bedeutung von Jugendlichkeit und folglich das Bewußtsein des Alterns besonders unter Frauen gesteigert. Bis zum 19. Jahrhundert konnte eine »ältere« Frau (eine Frau in ihren späten Zwanzigern) aufgrund ihres angehäuften Grund- oder Geldbesitzes begehrenswert sein. Die modernen Kriterien der Sexyness jedoch, die mit Jugend und Aussehen zusammenhängen, machen Frauen den Prozeß des Alterns extrem bewußt und betonen damit die Organisation von Weiblichkeit innerhalb der kulturellen Kategorie der Zeit. (Im vormodernen Europa war in einem Viertel aller Ehen der Mann jünger als die Frau.) Die zeitgenössische Situation benachteiligt die Frauen strukturell: Wenn Frauen unter dem normativen Druck des Kinderkriegens (wie es zumeist im Rahmen heterosexueller Partnerschaften der Fall ist) sowie unter dem Einfluß der Wahrnehmung stehen, daß die Biologie ihnen Schranken setzt, dann findet für sie die Partnerwahl in einem begrenzten Zeitrahmen statt. Mit dieser

75 Catherine Townsend, »The Seven Ages of Love«, 26. September 2008, ⟨http://sleeping-around.blogspot.com/2008/09/even-during-my-he-donistic-teenage-years.html⟩, letzter Zugriff 26. 9. 2008.

Zeitwahrnehmung zumal von Frauen in ihren Dreißigern und Vierzigern pflegt der Eindruck schwindender Optionen einherzugehen, was wiederum eine größere Bereitschaft nach sich ziehen könnte, sich früher und schneller an einen Mann zu binden. Wie sagt Bridget Jones, die Anfang dreißigjährige Heldin von Helen Fieldings Roman *Bridget Jones' Diary (Schokolade zum Frühstück)*?

Wenn Frauen von den Zwanzigern in die Dreißiger übergehen [...], verlagert sich insgeheim das Machtgleichgewicht. Selbst die coolsten Frauen verlieren die Nerven und haben mit den ersten Anfällen von Lebensangst zu kämpfen: zum Beispiel einsam und allein zu sterben und drei Wochen später gefunden zu werden, angenagt vom eigenen Schäferhund.[76]

Jüngere Forschungen zeigen: Mit nachlassender Fruchtbarkeit denken Frauen mehr an Sex, sie haben häufiger sexuelle Phantasien, die zudem heftiger sind, sie sind eher bereit zum Geschlechtsverkehr und berichten über häufigeren Geschlechtsverkehr als Frauen anderer Altersgruppen,[77] was einen Zusammenhang zwischen der sexuellen Suche und der Wahrnehmung eines sich schließenden Fensters nahelegt.

Ein Internet-Forum mag als Beispiel dafür dienen, wie Männer sich selbst in einem Markt agieren sehen, in dem ungleiche emotionale Verfügbarkeit von unterschiedlichen Zeitwahrnehmungen verursacht wird:

Wenn sie deutlich älter ist und Kinder hat, kannst du sicher sein, daß ihre erwachsenen Kinder schon viel zu alt sind, um sich wegen dir einen Kopf zu machen. Wenn die Frau dir fünf Jahre voraus ist, dann achte auf ein tickendes Geräusch in ihrem Kopf wie in der Erzählung »Das verräterische Herz«. Wenn sie dreißig ist und auch nur eine ge-

76 Helen Fielding, *Schokolade zum Frühstück*, übers. von A. Böckler, München 1997, S. 29.
77 Judith Easton, Jaime Confer, Cari Goetz u. David Buss, »Reproduction Expediting. Sexual Motivations, Fantasies, and the Ticking Biological Clock«, in: *Personality and Individual Differences*, Jg. 49, Nr. 5 (2010), S. 516-520.

wisse Zeit in dich investiert hat, dann werden die Ultimaten heimlich
geladen wie Torpedos in einem U-Boot. Bereite dich auf Gegenmaß-
nahmen vor. Der Kinderwunsch wird dem Heiratsultimatum auf dem
Fuß folgen. Er wird aber eher wie ein päpstliches Dekret an die Ka-
tholiken ausfallen. Wenn du eine ältere Frau als Liebschaft halten und
sicher sein kannst, daß ihre Kinder alle schon im College sind, dann
lehn dich zurück und genieße. Andernfalls mach Schluß, solange du
noch kannst.[78]

Diese Aufforderung, die Fallstricke von Ehe, Anhänglichkeit
und Verantwortung für Kinder zu vermeiden, wird durch
die selbstverständliche Annahme ermöglicht, daß Frauen
stärker an Ehe und Bindung interessiert sind als Männer,
weil ihrem Zeitrahmen engere Grenzen gesetzt sind als dem
männlichen.[79]

Die biologische Zeit – als kulturell ins Auge springende,
die Wahlmöglichkeiten eines Individuums bedingende
Wahrnehmungskategorie – ist eine grundlegende Dimension der Ökologie und Architektur der Wahl für Frauen. Sie
ist der kognitive und emotionale Mechanismus, vermittels
dessen sie Entscheidungen treffen und somit mit einer geringeren Verhandlungsmacht vorliebnehmen müssen als Männer, die die zeitliche Dimension viel leichter ausblenden als
Frauen und folglich über eine größere kognitive Zeitspanne
verfügen, innerhalb der sie sich entscheiden können.

Ein zweiter Aspekt der Art und Weise, wie eine neue Ökologie und Architektur der Wahl bei Frauen der Mittelschicht
und oberen Mittelschicht das Gefühl schwindender Optionen prägt, ist die Demographie. Historisch waren Frauen
während der ersten zwei Jahrhunderte des Kapitalismus
doppelt ausgegrenzt: durch schlechtbezahlte Jobs sowie

78 ⟨http://seductiontutor.blogspot.com/2006/09/4-women-to-avoid.html⟩
letzter Zugriff 27. 2. 2011.

79 Dies bezieht sich natürlich auf die Bindung in einer Beziehung *mit*
Kindern, nicht nur auf einen romantischen Partner oder eine romantische
Beziehung.

als geschlechtliche und vergeschlechtlichte Akteure.[80] Dies machte die Ehe zu einem entscheidenden Schauplatz für ihr wirtschaftliches und gesellschaftliches Überleben und ihren Status. Der Weg zur Ehe war die Verbundenheit mit einem Mann – Liebe –, was die Sexualität zu einem wesentlichen Faktor der ökonomischen und sozialen Existenz von Frauen machte und sie dazu veranlaßte, übermäßig in die Ehe als emotionale Sphäre zu investieren. Historisch also war die Ehe ausschlaggebend für den gesellschaftlichen Status von Frauen – und eine exklusive Beziehung der bevorzugte weibliche Status. Auch ist die weibliche Paarungsstrategie im großen und ganzen homogam oder hypergam, das heißt, sie besteht darin, einen Mann mit vergleichbarem oder höherem Bildungs- (und somit sozioökonomischen) Status auszuwählen.[81] Seit 1980 ist das Bildungsniveau der Männer langsamer gestiegen als das der Frauen,[82] und angesichts der Tatsache, daß die Erwerbskraft der Männer im Vergleich zu der der Frauen im Durchschnitt abgenommen hat, ist die Zahl gebildeter Männer, die gleich viel oder mehr verdienen als Frauen, zurückgegangen.[83] Dies bedeutet auch, daß ein

80 Catharine A. MacKinnon, *Sexual Harassment of Working Women. A Case of Sex Discrimination*, New Haven 1979.

81 Wie Schoen u. Weinick, »Partner Choice in Marriages«, jedoch zeigen, besteht bei eheähnlichen Lebensgemeinschaften eine leichte Tendenz zu männlicher Hypergamie, was die Überzeugung stützt, daß für das Zusammenleben die Bildung der Frau genauso wichtig ist wie die des Mannes.

82 Katharin Peter u. Laura Horn, *Gender Differences in Participation and Completion of Undergraduate Education and How They Have Changed Over Time* (NCES 2005–169), U.S. Department of Education, National Center for Education Statistics, Washington, D.C. 2005; Andrew Sum u.a., *The Growing Gender Gaps in College Enrolment and Degree Attainment in the U.S. and Their Potential Economic and Social Consequences*, Boston 2003.

83 Lewis und Oppenheimer zeigen, daß Frauen in weniger vorteilhaften Heiratsmärkten mit größerer Wahrscheinlichkeit Männer heiraten, die im Verhältnis zu ihnen weniger gebildet sind, und die Wahrscheinlichkeit, daß sie dies tun, nimmt mit dem Alter stärker zu als bei Frauen in vorteilhafteren Heiratsmärkten. Vgl. Susan K. Lewis u. Valerie K. Oppenheimer, »Educational Assortative Mating across Marriage Markets. Non-Hispanic

größerer Anteil von gebildeten Frauen aus der Mittelschicht und oberen Mittelschicht um dieselben gebildeten und wohlhabenden Männer konkurriert, was zu einem Engpaß an gebildeten Männer führt.[84] Obwohl eine größere Zahl von Frauen um dieselben gebildeten Männer konkurriert,[85] führt die Vorherrschaft des Ageismus – der Altersdiskriminierung – dazu, daß die Auswahl an männlichen Partnern größer ist als die Auswahl an Frauen, und zwar aufgrund der Norm, daß Frauen in Beziehungen jünger sein können (und sogar sollen) als Männer. Kontraintuitiv ist zwischen den 1970er und den 1990er Jahren die Wahrscheinlichkeit *gestiegen*, daß Männer jüngere Frauen heiraten, während die Wahrscheinlichkeit, daß Frauen jüngere Männer heiraten, *gesunken* ist.[86] Wenn Männer jüngere, weniger wohl-

Whites in the United States«, in: *Demography*, Jg. 37, Nr. 1 (2000), S. 29-40; Oppenheimer, »Women's Rising Employment«.

84 Wie Gould und Paserman nachweisen, senkt eine höhere Einkommensungleichheit bei den männlichen Bewohnern einer Stadt die Heiratsrate von Frauen und läßt sie länger nach ihren ersten und zweiten Ehemännern suchen. Vgl. Eric D. Gould u. M. Daniele Paserman, »Waiting for Mr. Right. Rising Inequality and Declining Marriage Rates«, in: *Journal of Urban Economics*, Jg. 53, Nr. 2 (2003), S. 257-281.

85 Dies erklärt vermutlich auch, warum es seit 1980 eine Zunahme solcher Ehen gegeben hat, in denen die Frauen gebildeter sind als die Männer, ein Trend gegen die traditionell umgekehrte Praxis. Vgl. Zhenchao Qian, »Changes in Assortative Mating. The Impact of Age and Education, 1970-1990«, in: *Demography*, Jg. 35, Nr. 3 (1998), S. 279-292. Wie Qian beobachtet, zeichnen sich die Paarungsstrategien von Frauen durch eine Altersdifferenzierung aus: Frauen, die in jüngeren Jahren eine Verbindung eingehen, neigen dazu, in der Bildungsfrage dem traditionellen Muster der Hypergamie zu folgen, während Frauen, die erst in späteren Jahren (jenseits der dreißig) eine Verbindung eingehen, dazu neigen, es ihren männlichen Gegenübern in der Bildung von zueinander passenden Paaren gleich zu tun (S. 291).

86 Qian, »Changes in Assortative Mating«, S. 283, stellt auch fest, daß bei Verbindungen, in denen die Männer älter sind als ihre Partnerinnen, die Wahrscheinlichkeit einer eheähnlichen Lebensgemeinschaft geringer ist als die einer Ehe, während bei Partnerschaften, in denen die Frau die ältere ist, eine eheähnliche Lebensgemeinschaft im Jahr 1990 doppelt so wahrscheinlich war wie eine Ehe.

habende, weniger gebildete Partnerinnen wählen können, bedeutet dies schlicht, daß das Angebot, aus dem sie aussuchen können, deutlich größer ist. In der Summe ergeben diese Fakten eine Diskrepanz in der Größe der Pools, aus denen Männer und Frauen wählen können, mit dem Resultat, daß gebildete Frauen eine geringere Auswahl an Männern haben.[87]

Dies wiederum legt nahe, daß Bindungsangst mit den grundlegenden Transformationen in der Ökologie der Wahl zusammenhängt, die es den Männern erlauben, die Bedingungen des sexuellen Tauschs zu diktieren. Der leichtere sexuelle Zugang zu einer größeren Zahl von Frauen, die Verlegung auf eine serielle Sexualität zur Untermauerung des eigenen Status, die unterschiedlich große Auswahl an potentiellen Partnern, aus denen Männer und Frauen aufgrund ihrer abweichenden homogamen Strategien wählen können, sowie die für Männer und Frauen unterschiedlichen kognitiven Zwänge, die mit der Kategorie der Zeit einhergehen, machen es insgesamt plausibel, daß Männer aus einem wesentlich größeren Angebot auswählen können als Frauen und daß Männer ihre Entscheidungen heute unter Bedingungen einer wesentlich ergiebigeren Auswahl treffen können, als sie Frauen zur Verfügung steht.

Im folgenden möchte ich dem Zusammenhang zwischen der objektiven und der subjektiven Größe der zur Verfügung stehenden Auswahl an möglichen Partnern und der Bindungsangst detaillierter nachgehen. Zu diesem Zweck werde ich eine Analyse der in Kapitel 1 eingeführten Architektur der Wahl vornehmen, also der Frage, welche Vorstellungen man sich von der Wahl selbst macht.

---

87 Lewis u. Oppenheimer, »Educational Assortative Mating«, S. 36.

Hedonistische Bindungsangst

Kulturell betrachtet gibt es zwei Weisen, Bindungsangst zu erfahren: die *hedonistische*, bei der man eine Bindung hinauszögert, indem man einer lustorientierten Anhäufung von Beziehungen frönt, und die *willenlose* (abulische), bei der die Fähigkeit, sich binden zu wollen, selbst auf dem Spiel steht, also die Fähigkeit, sich eine Beziehung zu wünschen. Eine andere Beschreibung dieser Unterscheidung wäre: Die eine Kategorie umfaßt Menschen, die eine Reihe von Beziehungen haben und unfähig sind, sich an einen einzigen Partner zu binden,[88] während in die andere Kategorie jene gehören, die nicht in der Lage sind, sich überhaupt eine Beziehung zu wünschen. Die erste könnte man durch ein überfließendes Verlangen charakterisieren, die zweite durch ein unzureichendes. Die erste ist durch die Schwierigkeit bestimmt, sich aus einem Übermaß an Möglichkeiten für ein Liebesobjekt zu entscheiden, die zweite durch das Problem, überhaupt niemanden zu wollen.

Ein Beispiel für die Konsequenzen, die sich allein aus einem Übermaß an sexuellen Wahlmöglichkeiten ergeben, bietet der preisgekrönte Essay eines Studentenwettbewerbs der *New York Times* zum Thema »Moderne Liebe«: Die Autorin, Marguerite Fields, sagt hier über einen ihrer Freunde: »Steven erklärte mir, das sei keine Frage von Treue [seiner Freundin gegenüber], sondern von Erwartungen. Man könne von ihm nicht erwarten, daß er nicht mit anderen ins Bett will, also könne er auch nicht erwarten, daß sie anders darüber denke. Sie sind beide jung und leben in New York,

---

88 Diese Kategorie schließt die beiden Möglichkeiten ein, daß jemand aktuell keine Beziehung hat oder in einer Beziehung ist. Während beide Fälle auf eine Desintegration der Bindungsfähigkeit hindeuten, kann der zweite situationsabhängig eine kurzfristige und implizite Bindung an eine undefinierte Beziehung oder eine spezifische und explizite Bindung umfassen, deren »Ernsthaftigkeit« sich am Grad der Verbindlichkeit bemißt.

und wie jedermann in New York weiß, besteht jederzeit die Möglichkeit, irgendwo irgend jemanden kennenzulernen.«[89] In diesem Zitat verdankt sich die Schwierigkeit, sich für ein Liebesobjekt zu entscheiden, eindeutig dem Überangebot und dem permanenten Bewußtsein der Möglichkeiten.

Ein 36jähriger Angestellter in einem Hochtechnologieunternehmen hat zahlreiche Beziehungen gehabt, die von One-Night-Stands bis zu aufeinanderfolgenden längerfristigen Beziehungen inklusive Zusammenleben mit einer Dauer zwischen einigen Monaten und einigen Jahren reichten. Er gibt an, ausgiebig das Internet zu nutzen, um eine Partnerin zu finden.

INTERVIEWERIN: Gibt es Dinge im Profil einer Frau, die Sie »abschrecken«, die eine ansonsten gutaussehende Frau disqualifizieren würden?
SIMON: Die Wahrheit ist, wenn jemand schreibt, daß er eine ernsthafte Beziehung sucht, dann ist das abschreckend. Ich halte diese Frauen für dumm. Weil man weiß, daß man sie leicht manipulieren kann. Eine Frau, die etwas »Ernsthaftes« sucht, hat man im Grunde in der Tasche. Und das ist nicht so interessant.
INTERVIEWERIN: Begegnen Ihnen viele Frauen dieser Art?
SIMON: Ja. Jede Menge.

Vor dem historischen Hintergrund der Beziehungen zwischen Männern und Frauen im 18. und 19. Jahrhundert ist dies eine außerordentliche Antwort. In jener Epoche und auch in der ersten Hälfte des 20. Jahrhunderts war »Ernsthaftigkeit« eine Voraussetzung für die Ehe. Die sexuelle »Ernsthaftigkeit« der Frau (das heißt die Fähigkeit, einem Mann zu widerstehen) war ein Weg, ihre Reputation auf dem Heiratsmarkt zu etablieren und somit gleichermaßen ihre Heirats*absicht* als auch ihre Heirats*fähigkeit* zu signalisieren. In der Gegenwart beobachten wir hinge-

---

89 Marguerite Fields, »Want to Be My Boyfriend? Please Define«, in: *The New York Times*, 4. Mai 2008, ⟨http://www.nytimes.com/2008/05/04/fashion/04love.html⟩, letzter Zugriff 20. 4. 2011.

gen eine Umkehrung dieser Ausgangslage: Die Frau, die es
»ernst meint« und die damit ihr apriorisches Interesse an
einer stabilen und verbindlichen Beziehung signalisiert, ist
»uninteressant«, ja sogar »dumm«. Simons Antwort spiegelt seine Wahrnehmung wider, daß bindungswillige Frauen
eine Form von Abhängigkeit an den Tag legen, insofern ein
solcher apriorischer Wunsch sie zu einer leichten Beute für
männliche Gefühlsmanipulationen macht. Anders gesagt:
Wenn wir seine Antwort akzeptieren, dann ist der Mann,
sobald eine Frau bindungswillig ist, in der Lage, sie ziel-
sicher zu beeinflussen, gerade weil sie das Bedürfnis hat,
sich zu binden. Man könnte dies als Ausdruck männlicher
Macht über Frauen interpretieren, doch würde man damit
die Abneigung des Mannes gegen eine *übermäßige Macht*
über die Frau außer acht lassen. Es ist dieses Übermaß an
Macht, das verhindert, daß Simon sich verliebt. Dies deckt
sich auf merkwürdige Weise mit der Behauptung Shulamith Firestones (und anderer), daß »Liebe im Grunde genommen [...] nur durch die *ungleichen Machtverhältnisse*
so kompliziert, korrupt oder gestört wurde«.[90] Firestones
Auffassung zufolge können sich Männer verlieben, wenn es
ihnen gelingt, den Umstand auszublenden und zu vergessen,
daß Frauen einer »unterlegenen Klasse« angehören. Hier ist
es die »Ernsthaftigkeit«, die diese Frau als Angehörige einer
»unterlegenen Klasse« ausweist. »Ernsthaftigkeit« verhindert, daß dieser Mann sich angezogen fühlt oder verliebt,
weil sie seine Fähigkeit blockiert, der Frau einen Wert zu
verleihen, da es einer »ernsthaften Frau« gerade an Wert
mangelt; sie verlangt von dem Mann nicht, daß er seinen
sexuellen Status praktisch erprobt und unter Beweis stellt.
In diesem Sinne mangelt es ihr an Wert, weil sie zu dominieren keinen Sieg im Wettbewerb mit anderen Männern
auf dem sexuellen Feld bedeuten würde. Das heißt, wenn

90 Firestone, *Frauenbefreiung und sexuelle Revolution*, S. 144.

die Sexualität ein Kampffeld ist, dann kann ein Mann nur Status und Prestige erlangen, wenn er vor sich selbst und anderen einen Sieg über andere Männer davonzutragen vermag. Eine »ernsthafte Frau« stellt keinen Sieg über andere Männer dar und erfordert nicht die performative Ausübung und Zurschaustellung von Männlichkeit. Andere Beispiele aus Internetforen machen diesen Punkt deutlich:

Ich glaube, Vertreter beider Geschlechter fühlen sich oft von Leuten angezogen, die sich *nicht* von ihnen angezogen fühlen. Jemand, der einen selbst nicht will, ist unwiderstehlich. Wenn ich weiß, daß ein Mädchen auf mich steht, dann törnt mich das oft total ab. – Tom, 26, New York.

Ich bin liebeshungrig. Es braucht nicht viel, daß ich ihr verfalle – außer ihrer unsterblichen Liebe zu mir. – Yash, 25, District of Columbia.[91]

Diese Männer verhalten sich wie in einem Markt, in dem ein Angebot an Liebe, das größer ist als die Nachfrage nach ihr, von vornherein ein Ungleichgewicht erzeugt, das diese Männer zwingt, sich irgendwie zu distanzieren.

Daniel ist 50 Jahre alt; er ist an einer israelischen Universität tätig, hat aber lange in den Vereinigten Staaten gelebt. In vielen politischen Fragen radikal links eingestellt, bezeichnet er sich selbst als Feministen. Er ist wohlhabend, beruflich außerordentlich erfolgreich, geschieden und hat zwei Kinder. Wie er selbst einräumt, hatte er eine gute Ehe mit einer Frau, mit der er sich immer noch sehr verbunden fühlt. Kurz nach seinem 40. Geburtstag jedoch verspürte er den Drang, Frau und Kinder zu verlassen, als er sich in eine andere Frau verliebte, die er anschließend für eine weitere Frau verließ, die er ebenfalls verließ.

Meine erste Frage an ihn war:

---

91 ⟨http://www.ivillage.com/men-confess-what-makes-them-fall-love-0/ 4-a-283713⟩, letzter Zugriff 27. 2. 2011.

INTERVIEWERIN: Welche Rolle spielt die Liebe – womit ich die romantische Liebe meine – in Ihrem Leben?

DANIEL: Mein ganzes Leben dreht sich um die Liebe. Mein ganzes Leben dreht sich um die Liebe. Punkt. Sie ist der absolute Mittelpunkt meines Lebens. Alles andere in meinem Leben dreht sich um dieses Thema. In den letzten paar Jahren habe ich sogar immer besser verstanden, daß es hinter meiner Arbeit immer eine Muse, eine Frau gab. Es vergeht kaum eine Sekunde am Tag, in der ich nicht über die Liebe nachdenke. Ich bin ein hoffnungsloser Romantiker ... Ich bin immer mit dem Thema Liebe beschäftigt.

Was er jedoch unter »romantisch« versteht, unterscheidet sich ziemlich von dem, was viele Frauen darunter verstehen würden. Ich fragte ihn also:

INTERVIEWERIN: Wie meinen Sie das, Sie seien immer mit der Liebe beschäftigt?

DANIEL: Ich meine, daß ich immer an eine Frau denke, natürlich nicht immer an dieselbe. Wenn ich an eine Frau denke, dann denke ich an sie als *die* Frau meines Lebens, ganz gleich, ob diese Beziehung real oder eingebildet ist. Ich habe sehr ausgeprägte Phantasien.

INTERVIEWERIN: Sie sprechen von mehreren Frauen.

DANIEL: Ja, weil ich Frauen mag. Aber meine Gedanken konzentrieren sich zum jeweiligen Zeitpunkt immer auf eine einzige Frau. Vor einigen Monaten ging ich mit einer Frau aus; wir waren im Kino; wir fuhren in ihrem Wagen zurück und unterhielten uns, und dann nennt sie mich »Danish«, sie hatte einen Kosenamen aus meinem Namen gemacht. In diesem Moment fühlte ich mich, als würde sie mich vergewaltigen. Körperlich. Ich empfand eine Art Verletzung meines Seins. Ich hatte ein körperliches Gefühl von Abscheu und Abstoßung. Ich fühlte mich, als sei man in mich eingedrungen. Ich wußte sofort, daß es mit dieser Frau gar keinen Sinn hat. Ich will – ich wollte die Liebe dieser Frau nicht.

INTERVIEWERIN: Haben Sie sich von dieser Frau getrennt?

DANIEL: Am Tag danach. Ich sagte ihr gleich, daß ich es nicht ausstehen könnte, so genannt zu werden. Ich sagte ihr, daß ich nicht mit ihr zusammensein könnte.

Dieser Mann beschreibt zunächst eine Reihe lebensluststeigernder Erfahrungen, in denen Liebe eine zentrale Rolle spielt. Er sieht sich selbst nicht als unfähig, sich zu binden oder zu lieben. Im Gegenteil, er ist in überwältigendem Ausmaß der Erfahrung und der Empfindung der »Liebe« verpflichtet und behauptet, wie eine Blume zu »verwelken«, wenn er ohne Liebe lebt. Aber die Liebe und das mit ihr verbundene Hochgefühl verdanken sich keiner standhaften Bindung an eine Person, sondern dem, was in der Konsumforschung als »Abwechslungsbedürfnis« (*variety drive*)[92] bezeichnet wird: Sie ist eine Folge der Auswahl in einem Markt der Möglichkeiten und der emotionalen Erregung, sich auf eine neue Beziehung einzulassen. Dieser Mann befindet sich wie Simon in einem Markt, in dem es eine riesige sexuelle Auswahl in dem ökonomischen Sinn gibt, daß ihm zahllose Optionen offenstehen. Meine Hypothese ist, daß beide Männer ein Bedürfnis nach Distanz zum Ausdruck bringen: Der eine kann die apriorische Bindungsbereitschaft einer Frau nicht ertragen, beim anderen ist es die Bekundung von Nähe über Grenzen hinaus, die nur ihm bekannt sind. Hierbei handelt es sich nicht um eine Furcht vor Intimität, wie es die populäre oder sogar eine nicht so populäre Psychologie gerne hätten.[93] Beide Männer unternehmen den strategischen Versuch, eine gewisse Distanz zu ihren jeweiligen Frauen herzustellen, indem sie eine emotionale Grenze ziehen, die sie davor schützt, daß Frauen sich mit sehr viel größerer Wahrscheinlichkeit auf eine Beziehung festlegen wollen, daß sie es früher wollen und daß sie es in Form der Ausschließlichkeit wollen. Die Frauen zeigen sich sexuell und emotional leichter verfügbar als die Männer, was

92 Edmund W. J. Faison, »The Neglected Variety Drive. A Useful Concept for Consumer Behavior«, in: *Journal of Customer Research*, Jg. 4, Nr. 3 (1977), S. 172-175.

93 Robert W. Firestone u. Joyce Catlett, *Fear Of Intimacy*, Washington, D.C. 1999.

wiederum dazu führt, daß die Männer – von gleichem oder überlegenem sozioökonomischen Status – die emotionalen Konditionen der Begegnung leichter kontrollieren können. Ökonomisch gesprochen: In einem Markt, der aufgrund der Kontrolle, die sie über die ökonomischen Ressourcen haben, im wesentlichen von den Männern beherrscht wird, gibt eine Frau, die großzügig Sex anbietet und ihr apriorisches Verlangen, sich zu binden, signalisiert, zu viel her. Die Gefühlswelt der Frauen wird von Männern über ein emotionales Verhältnis zwischen Angebot und Nachfrage, Überfluß und Knappheit dominiert: Ein im Überfluß vorhandenes Gut erzeugt ein Übermaß an Auswahlmöglichkeiten, was das Problem mit sich bringt, zwischen diesen zu hierarchisieren, Präferenzen zu bilden und Wert beizumessen. Ein Übermaß macht es schwierig, Wert beizumessen. Knappheit hingegen ermöglicht eine rasche Wertzuschreibung. Das Übermaß ist es, das Daniel die Erfahrung der Vielfalt verschafft, das es ihm erlaubt, eine ansonsten perfekte Ehe aufzugeben und seine Phantasien auf eine größere Anzahl von Frauen zu richten. Das Problem besteht jedoch darin, daß die verschiedenen Objekte seiner Begierde aufgrund ihrer Zugänglichkeit und Zahl an Wert verlieren, weil Wert an der Fähigkeit hängt, zu ordnen und zu hierarchisieren, was schwieriger wird, wenn es zu viele verfügbare Optionen gibt und diese sich nicht wesentlich voneinander unterscheiden. Knappheit ist gerade der soziale Prozeß, durch den bewirkt wird, daß ein Gegenstand oder eine Person Wert erlangt: »Knappheit bedeutet, daß Menschen mehr wollen, als zur Verfügung steht.«[94] Umgekehrt bedeutet dies auch, daß bei einem die Nachfrage übertreffenden Angebot an Objekten das Verlangen nach diesen abnimmt.

Die obigen Zitate zeichnen sich durch die stillschweigende Gleichsetzung aus, die diese Männer zwischen Ver-

94 Robert Schenk unter ⟨http://ingrimayne.com/econ/Introduction/ScarcityNChoice.html⟩, letzter Zugriff 27. 2. 2011.

langen und Distanz mache...
turelle Mixtur aus erotisch...
Distanzierung, die sie an de...
darstellt, um einen Komp...
Knappheit zu finden. Auf ...
überzeichnen, können wir...
und Frauen bestand das ...
jeweiligen Wert, wie er m...
det war, zueinander pass...
der hinsichtlich familiär...
und so weiter vergleichba. ...

muß sich das subjektive Begehren angesichts ein...
ßes an Auswahlmöglichkeiten mit dem ökonomischen und
emotionalen Problem, sich auf ein werthaltiges Objekt zu
fixieren, sowie mit dem subjektiven Problem herumschla-
gen, einen solchen Wert zu schaffen und zu kontrollieren,
wodurch der Knappheit eine wichtige Rolle in der Konstitution des Begehrens eingeräumt wird. Das Begehren wird
insoweit ökonomisch, sprich: es trägt Spuren der ökonomischen Frage nach dem Wert und der quasiökonomischen
Mechanismen, mit denen Wert geschaffen wird. Die Natur
des romantischen Begehrens ist somit in dem Sinne ökonomisch geworden, daß das Begehren enger an die Dynamik
der Knappheit als einer Weise der Wertbeimessung gekoppelt ist. Betrachten wir ein weiteres Beispiel. Das folgende
Interview führte ich mit einem 55jährigen hochgebilde-
ten Mann, der geschieden ist und ein Kind hat. Im Laufe
des Gesprächs erzählte er von seinen diversen Beziehungen.

INTERVIEWERIN: Kamen Sie in Ihren früheren Beziehungen an einen
Punkt, an dem Sie sich trennen wollten?
STEVEN: Ja. Immer. [...] Das zieht sich wie ein roter Faden durch
mein Leben. Die meiste Zeit wollte ich allein sein.
INTERVIEWERIN: Warum waren Sie dann mit Frauen zusammen?
STEVEN: Zum Teil aus Konformismus.

nn ich Sie recht verstehe, sagen Sie, daß Sie
aber immer nur »bis auf weiteres«.

u, schön gesagt. Bis jetzt hatte ich das Gefühl, ich
rtnerin haben, aber nur zeitweise, in engen Grenzen,
Woche und ein bißchen am Telefon und das war's. Das
, mehr brauche ich nicht, und ich brauche deshalb keine
schaft. Eine Partnerschaft ist eine Bürde. Es gibt Massen von
n, mit denen ich ausgehen könnte, aber ich habe nicht die Zeit
zu. Dieses ist interessant und jenes und jenes auch, und ich kann
nicht alles machen. Warum soll ich mich da jetzt mit einer Partnerschaft belasten.

INTERVIEWERIN: Glauben Sie, daß das auch für Frauen gilt?

STEVEN: Nein. Ausgehend von dem zumindest, was sie sagen, nein.
Sagen wir so viel, ich spreche jetzt über die Frauen, mit denen ich zusammen war, es war nie symmetrisch. Sie wollten immer mehr. Warum
sie immer mehr wollten, weiß ich nicht.

INTERVIEWERIN: Mehr von was?

STEVEN: Mehr Verabredungen mit mir, mehr Kontakt, mehr Gespräche; ich höre sie die ganze Zeit sagen, daß sie nicht mit einem schlafen,
um mit einem zu schlafen, sie tun es aus Liebe und alldem. Ich weiß
nicht, so sagen sie halt, aber es stimmt, daß die Frauen im Gespräch, in
der Praxis mehr von dem wollten, was ich bieten konnte, und das ist
wirklich, das ist immer der Grund, warum es zu Ende ging, die Tatsache, daß ich ihnen nicht mehr geben konnte.

INTERVIEWERIN: Damit ging es immer zu Ende?

STEVEN: Ja, immer.

INTERVIEWERIN: Gab es irgendwann einmal eine Ausnahme davon?

STEVEN: Ja. Da war dieses eine Mal, als diese sehr berühmte Journa-
listin mich anrief; wir trafen uns und sie fickte mich, so, wie normalerweise Männer Frauen ficken; was heißt, sie holte sich ihr Vergnügen,
wo sie konnte, und ging dann, rief mich nicht an und reagierte auch
nicht auf meinen Anruf. Ich war geschockt. So etwas war mir noch nie
passiert. So verhält sich normalerweise ein Mann gegenüber Frauen,
aber nicht umgekehrt.

INTERVIEWERIN: Lassen Sie uns noch einmal auf das zurückkom-
men, was Sie vorher sagten, daß Frauen mehr von der Beziehung wollten als Sie. Sie sagen zum Beispiel, daß die Frauen mit Ihnen zusammenleben wollten, Sie das aber nicht wollten?

STEVEN: Sagen wir so, ich konnte einfach nicht. Alle meine Beziehungen, vielleicht irre ich mich in bezug auf eine, aber alle meine Beziehun-

gen sind damit auseinandergegangen. Ich glaube, ich habe sie immer mit mir Schluß machen lassen. Jedenfalls ist das die Geschichte, die ich mir selbst erzähle. Ich glaube, das stimmt schon, ich weiß nicht, ob ich sie mit mir Schluß machen ließ, aber es ging immer zu Ende, weil ich nicht mehr geben konnte ... Sie wollten mit mir zusammenziehen, Bankkonten, ihr Bett, ihre Bücher mit mir teilen, aber ich konnte das nicht.

INTERVIEWERIN: Also können Sie sagen, daß diese Frauen Sie mehr begehrten als Sie sie.

STEVEN: Absolut; sie wollten immer mehr, als ich ihnen geben konnte.

INTERVIEWERIN: Gefällt es Ihnen, daß Sie mehr begehrt wurden, als Sie selbst begehrten?

STEVEN: Ja und nein. Weil man ja mit all diesen Forderungen erst mal zurechtkommen muß. Aber es stimmt, daß es einem ein Gefühl der Macht verleiht. Derjenige, der mehr begehrt wird, hat mehr Macht.

INTERVIEWERIN: Ist das der Grund, warum Sie nicht so viel von ihnen wollten? Um Macht zu haben?

STEVEN: Vielleicht. Aber ich weiß nicht, ob das sehr bewußt oder beabsichtigt war.

Dieser Austausch bringt einige der bereits erörterten Aspekte zur Sprache. Die Geschichte, die dieser Mann erzählt, ist eine der seriellen Beziehungen und des Übermaßes im doppelten Sinne: Es gab Frauen im Übermaß, die ihm ihre Zuneigung und Liebe im Übermaß schenkten, als Überangebot sozusagen, also in einer Form, die seine Nachfrage überstieg. Wie er ja selbst sagt, »wollten« die Frauen immer mehr von ihm, als er zu geben bereit war, und in seiner Selbstwahrnehmung mußte er permanent mit der weiblichen Überversorgung mit Zuneigung und Bedürftigkeit zurechtkommen. Das Begehren ist hier in ein ökonomisches Verständnis von Gefühlen eingebettet, demzufolge die Überversorgung mit Gefühlen deren Wert schmälert, während Knappheit Wert erzeugt. Wichtig in diesem Zusammenhang ist, daß die sexuelle Freiheit ein Übermaß hervorbringt, durch das dann das Problem aufgeworfen wird, wie man dem Objekt der Begierde einen Wert beimißt – und nur ein wertvolles Objekt zu erobern, stellt im Wettbewerb mit anderen Männern einen Sieg dar. Die Vermeidungsstrategien all dieser Männer sind kein Zeichen pathologischer Psychen, sondern ein strategischer Versuch, in einem Markt, in dem sie aufgrund einer Überversorgung mit der sexuellen und emotionalen Verfügbarkeit von Frauen und aufgrund ihrer eigenen Kontrolle des sexuellen Felds keinen Wert zuweisen können, *Knappheit zu erzeugen* – und somit Wert. *Schokolade zum Frühstück*, das Tagebuch der Bridget Jones, illustriert das unerschöpfliche Angebot an Klischees im Zusammenhang mit der zeitgenössischen Welt der Partnersuche:

> Männer, so behauptet [Tom], sehen sich selbst stets auf einer Art Sex-Leiter, auf der sämtliche Frauen entweder über oder unter ihnen stehen. Wenn die Frau »darunter« steht (d. h. bereit, mit ihm zu schlafen bzw. sehr scharf auf ihn ist), dann möchte er, frei nach Groucho Marx, nicht zu ihrem Club gehören. [...] Kann offiziell bestätigen, daß der Weg zum Herzen eines Mannes heutzutage nicht über Schönheit, Essen, Sex oder ein anziehendes Wesen führt, sondern einzig und allein über die Fähigkeit, nicht besonders interessiert an ihm zu wirken.[95]

In ihren Überlegungen zur Konsumkultur vertreten Russell Belk und Kollegen die These, daß unsere Begehrlichkeit durch die »Knappheit oder Unzugänglichkeit verschiedener möglicher Objekte der Begierde« geformt wird.[96] Mit Bezug auf Georg Simmel argumentieren sie, daß »wir am inbrünstigsten jene Objekte begehren, die uns in Bann schlagen und an die wir nicht so leicht herankommen können. Die Ferne der Objekte oder der Widerstand, den sie unserem Streben leisten, steigert unsere Begierde.«[97] Zwar mag die menschliche Begierde zu einem gewissen Teil universell durch dieses Prinzip der Knappheit strukturiert sein, doch wird die Knappheit gerade dann zum hervorstechenden

---

95 Fielding, *Schokolade zum Frühstück*, S. 85 f.
96 Russell Belk, Güliz Ger u. Søren Askegaard, »The Fire of Desire. A Multisited Inquiry into Consumer Passion«, in: *Journal of Consumer Research*, Jg. 30, Nr. 3 (2003), S. 326-351, hier: S. 330.
97 Ebd.

Merkmal des Begehrens, wenn sich ein Übermaß mit dem Problem der Wertzuweisung überlagert und das Begehren durch Konkurrenz strukturiert ist. Nehmen wir das Beispiel Geralds, eines 46jährigen Schriftstellers, Journalisten und Lyrikers. Er erzählte mir von der stürmischen Beziehung mit einer Frau, die mehrere parallele Sexaffären hatte, von denen er durchweg wußte:

GERALD: Es verletzte mich sehr, daß sie all diese Sexaffären hatte, aber zugleich machte es sie begehrenswerter, weil ich mich ihr gegenüber die ganze Zeit beweisen mußte, weil nichts selbstverständlich war, und auch weil ich glauben wollte, nein, ich glaubte es wirklich, daß ich derjenige war, den sie am liebsten hatte, dem sie sich am stärksten verbunden fühlte.
INTERVIEWERIN: Hatten Sie also das Gefühl, mit den anderen Männern, mit denen sie sich traf, im Wettbewerb zu stehen?
GERALD: Absolut; die ganze Zeit; das war nicht einfach, aber zugleich aufregender, es war dadurch schwieriger, sie zu bekommen, dadurch auf gewisse Weise auch mehr wert, weil ich das Gefühl hatte, daß sie mir nie ganz gehörte.

Oder nehmen wir Ronald, einen Kurator und Künstler, der mir erzählte, daß er Polyamorie praktiziert und parallel viele Liebesbeziehungen mit Frauen unterhält.

INTERVIEWERIN: Glauben Sie, daß es eine Frau gibt, die Sie dazu hätte bewegen können, doch lieber monogam zu leben? Ich frage, weil Sie gerade sagten, daß Sie sich diesbezüglich nicht sicher wären.
RONALD: Das ist eine echt schwierige Frage. Ich glaube, wenn ich eine Frau kennenlernen würde, die so ist wie ich, die nicht nur eine Beziehung haben wollte, die Männer anhäuft, wie ich Frauen anhäufe, dann, hm, glaube ich, würde sie mich zur Genüge faszinieren, um nur mit ihr zusammensein zu wollen.

Diese Darstellungen werfen ein Licht darauf, warum der 1995 veröffentlichte, nach Kräften verrufene und verspottete Leitfaden *The Rules* einen so durchschlagenden Erfolg hatte und mit über zwei Millionen verkauften Exemplaren so etwas wie ein kulturelles Phänomen wurde. Was der Leitfaden zu lehren behauptet, ist eben die Kunst, in einer strukturellen Situation, in der die Männer die heterosexuelle Begegnung kontrollieren, Grenzen zu ziehen und aufrechtzuerhalten. Der Ratgeber lehrt und predigt, daß Frauen nunmehr Expertinnen darin werden müssen, Abstand zu schaffen, um Knappheit und damit Wert zu erzeugen. Er enthält Regeln wie die folgenden:

02: Eröffne nicht das Gespräch mit einem Mann (und fordere ihn nicht zum Tanz auf).
03: Fixiere die Männer nicht mit deinen Blicken und rede nicht zuviel.
05: Rufe ihn nicht an & rufe nur selten zurück.
06: Beende Telefongespräche und Verabredungen immer als erste.
07: Gehe nach Mittwoch keine Verabredung mehr für den Samstagabend ein.
12: Treffe dich nicht mehr mit ihm, wenn er dir nicht an deinem Geburtstag oder am Valentinstag ein romantisches Geschenk kauft.
15: Laß dich nicht überstürzt darauf ein, Sex mit ihm zu haben, & andere Regeln für Intimität.[98]

Vor dem Hintergrund einer feministischen Politik der Gleichheit und der Würde sind diese Regeln so dümmlich wie erniedrigend. Der Erfolg des Buches verdient jedoch unsere Aufmerksamkeit. Er läßt sich damit erklären, daß diese Regeln kulturelle Strategien darstellen, um Knappheit zu erzeugen und damit den emotionalen Wert von Frauen in einem Markt zu steigern, in dem Männer die Emotionalität von Frauen durch deren Bindungsbereitschaft kontrollieren. Zwar ist *The Rules* ein fehlgeleiteter Versuch, das strukturelle emotionale Ungleichgewicht zwischen Männern und Frauen zu beheben, doch trifft es bezogen auf dieses Ungleichgewicht in heterosexuellen Beziehungen ins Schwarze.

Ein Übermaß ist somit ein ökonomischer und emotionaler Effekt von sexuellen Feldern, die durch Hierarchie und Wettbewerb strukturiert sind und die Natur des Begeh-

---

98 Ellen Fein u. Sherrie Schneider, *The Rules. Time-Tested Secrets for Capturing the Heart of Mr. Right*, New York 1995, S. XVII f.

rens verändern, indem sie Begehren durch das Prinzip der Knappheit auslösen, welches wiederum den Wert und die Position einer Person im sexuellen Feld widerspiegeln soll. Folglich affiziert das sexuelle Übermaß das Begehren und das Begehren, zu begehren. Dies tritt sogar noch deutlicher in der zweiten Kategorie von Bindungsangst zutage. Unter diese Kategorie fallen Männer (und in geringerem Maß, aber realiter auch Frauen), die sich nicht dazu bringen können, sich auf ein romantisches Objekt fixieren zu *wollen*.[99]

Willenlose Bindungsangst

Abulie oder Willenlosigkeit kann als ein fortgeschrittenes Stadium jener Kultur des Übermaßes beschrieben werden, in der sich die Fähigkeit, zu wollen und zu begehren, auflöst. Hier sind einige Beispiele aus dem Internet.

Lieber Jeff,
ich bin seit anderthalb Jahren mit diesem Mädchen zusammen. Aber vor kurzem sind mir *Zweifel gekommen*, und wie es aussieht, werde ich diese Gedanken einfach nicht mehr los. Ich komme aus einem kaputten Elternhaus, und mir scheint, daß ich vielleicht einfach zu viele Probleme mit mir herumschleppe, die mich letztlich eingeholt haben. Mein Problem ist, daß ich Zweifel und Angst habe und manchmal glaube, daß ich nicht mehr weiterkann, aber wenn ich mit ihr zusammen bin, dann bin ich fröhlicher und denke nicht so sehr an diese Dinge. Durch all dies hindurch fühle ich noch immer, daß sie mir wichtig ist, und egal, in welcher Stimmung ich gerade bin, ob in guter oder schlechter, weiß ich, daß sie mir noch immer wichtig ist und daß ich sie noch immer liebe.
Ich sehe sie auch in Zukunft an meiner Seite, aber im Augenblick machen es mir diese wiederkehrenden Gedanken schwer, positiv zu bleiben. Wenn dir das schon mal untergekommen ist oder du irgendeinen

---

99 Für eine Beschreibung der transgressiven Suche nach sexuellem Vergnügen und einer Erneuerung des Begehrens innerhalb von »Peer-Partnerschaften« vgl. Schwartz, *Peer-Partner*, Kap. 3.

Rat hast, der mir helfen würde, denn ich möchte mich wirklich nicht
von ihr trennen.

Jeffs Antwort
Ich sage den Leuten in dieser »Frage und Antwort«-Sektion nur sehr
selten, was sie tun sollen, aber in diesem Fall kann ich einfach nicht
anders. BLEIB MIT DIESER FRAU ZUSAMMEN! Warum sage ich das?
Weil deine Gründe, aus der Beziehung ausbrechen zu wollen, alle mit
Ängsten und Problemen aus der Vergangenheit zu tun haben. [...]
Jeder, der sich auf eine langfristige monogame Beziehung – oder Verlobung oder Ehe – einläßt, fragt sich zwangsläufig, ob dies wirklich
die beste Person ist, der er je begegnen wird, oder nicht. *Es ist nur natürlich, sich zu fragen, ob jemand, den man irgendwann kennenlernen
könnte, besser sein wird als der jetzige Partner.*[100]

Das Folgende ist ein Austausch in einem Internetforum für Ratsuchende:

Bis vor kurzem habe ich immer ein relativ bescheidenes Selbstwertgefühl gehabt und würde mich eher als jemanden beschreiben, der wie
ein Außenseiter von draußen hineinschaute, im Glauben, daß die Leute
mich nicht wirklich bemerkten. Das raubt einem das selbst Wertgefühl
[sic!] bis an den Punkt, daß man sich unattraktiv findet. Ich brauche
wohl kaum zu erwähnen, daß ich seit geraumer Zeit Single bin, was
dazu führt, daß man sich einsam fühlt und ganz von dem Gedanken in
Beschlag genommen ist, jemanden kennenzulernen, weil man glaubt,
das würde alle Probleme lösen. Aber ich will mich an diesem Punkt
wirklich nicht in zu vielen Theorien verzetteln. Was ich vor allem
glaube, ist, daß man entweder mit jemandem zusammen ist oder nicht
(im Sinne einer Beziehung), weil ich anscheinend das ganze »Mittel-
ding« nicht begreifen kann. Ich führe das nicht darauf zurück, daß ich
mich Hals über Kopf in etwas hineinstürzen würde oder hohe Erwartungen an die Ehe oder sonst etwas hätte (meine familiäre Prägung
in Sachen Ehe ist eher heikel!). Es ist eher so, daß ich anscheinend
glaube, daß es – wie unsicher der Weg auch ist, auf den man sich zusammen begibt – immer noch eine Art von Verbindung gibt, die man
durchtrennen muß, wenn man seinen Weg wieder alleine weiter gehen

---

100 ⟨http://dating.about.com/od/datingresources/a/SecondThought_2.
htm⟩, letzter Zugriff 15. 2. 2006 (meine Hervorhebung).

will, sozusagen. *Mich jedenfalls läßt die Vorstellung erstarren, diesen ›Schnitt‹ einzuleiten, was wahrscheinlich die Wurzel meiner Ängste ist. Ich bin starr vor Angst, ich könnte jemandes Gefühle verletzen, und in dem Moment, wo man sich in irgendeine Form von Beziehung begibt, hat man jemandes Gefühle zu berücksichtigen, und ich finde diese Verantwortung völlig überwältigend.*

Hier Auszüge aus zwei der Reaktionen auf diesen Beitrag:

Antwort 1: [...] Vielleicht mußt du versuchen, für dich zu lernen, daß *du den Leuten nicht das Blaue vom Himmel versprechen mußt*, damit sie dich mit Gelassenheit betrachten. Und daß es, wenn die Dinge nicht nach Plan laufen (was sie selten tun), nicht bedeutet, daß du ein Versager oder ein schlechter Mensch bist. Wie verhältst du dich in Situationen, wo man dich um etwas bittet? Fällt es dir schwer, nein zu sagen? [...]
Was die Verbindlichkeit angeht, so glaube ich, daß *auch sie davon herrührt, zu viel zu versprechen* und es aus den falschen Gründen zu tun und sich darüber zu sorgen, daß die neue Person es durchschaut. Vielleicht mußt du einfach lernen, dir von Anfang so viel Druck [sic!] zu machen. Viel Glück.

Antwort 2: Mir wird gerade klar, daß ich ebenfalls Bindungsangst habe. Mir wird klar, daß dieses Muster sich durch fast alle meine Beziehungen zieht. Mir wird klar, daß vieles davon von der Ehe und Scheidung meiner Eltern kommt und daß ich dauerhafte Beziehungen automatisch mit unvermeidlichem Schmerz und Leid assoziiere.
Ich liebe alles an dem Mann, mit dem ich zusammen bin, aber, wie andere über mich gesagt haben, ich fühle mich *leer, emotionslos und ungenügend, wenn ich an ihn und meine Gefühle für ihn denke.*
Es heißt immer, der erste Schritt ist, sich das Problem einzugestehen und darüber zu sprechen, aber was dann?!? So langsam hat die Angst mein Leben im Griff. Ich hatte eine so extreme Panikattacke, daß ich tatsächlich ohnmächtig wurde. Ich habe große Angst davor, daß sich das wiederholt. Ich habe noch nie gehört, daß jemand von einer Panikattacke wirklich ohnmächtig wird (von Tony von den Sopranos mal abgesehen, heh). Ich brauche wirklich, wirklich Hilfe, jeder Hinweis ist willkommen.[101]

---

101 ⟨http://www.uncommonforum.com/viewtopic.php?t=15806⟩, letzter Zugriff 27. 2. 2011 (meine Hervorhebungen).

Diese Forumsbeiträge kreisen um drei Schlüsselthemen. Das erste besteht in der Schwierigkeit, Gefühle und somit eine Präferenz für ein Liebesobjekt zu entwickeln, sowie in der Schwierigkeit, sich für eine Person zu entscheiden – ein Problem, daß ich als die Schwierigkeit beschreibe, einem Objekt Wert beizumessen. Jedoch drücken diese Berichte, an denen nichts hedonistisch ist, ein geringeres Selbstgefühl aus, ein Selbst, das an sich zweifelt und über keine offensichtlichen inneren Ressourcen verfügt, um tatsächlich das zu begehren, was es wünscht. Das dritte Thema wiederum hat mit der Schwierigkeit zu tun, sich sein zukünftiges Selbst vorzustellen, also mit dem repressiven Charakter von Versprechungen. Wir sehen hier eine zutiefst mit sich selbst im Streit liegende Form von Identität am Werk, bei der die Akteure wünschen, sie könnten etwas wollen, das zu begehren sie sich nicht durchringen können, oder bei der sie das Bedauern über etwas vorwegnehmen, das sie gewollt haben. Die Bindungsangst manifestiert sich somit als ein *Mangel* in der Struktur des Willens und als Unfähigkeit, die Gefühle mit dem Willen, sich zu binden, in Einklang zu bringen. Während in den weiter oben angeführten Berichten die Gefühle präsent waren und aus einem Kreislauf von Aufregung und Neuheit bestanden, scheint hier das Gefühl selbst gestört zu sein. Die Furcht und Angst, die diese Männer (und Frauen) durchmachen, entspringen der Lücke, die zwischen dem kulturellen Ideal einer dauerhaften festen Beziehung und den ungenügenden Ressourcen, um dieses Ideal zu verwirklichen, klafft. Die Frage ist also, wie der Mechanismus zu verstehen ist, der die für eine Bindung erforderlichen kulturellen Ressourcen mindert. Zwar haben sich manche Philosophen durchaus um ein Verständnis des Faktums bemüht, daß wir Dinge begehren, von denen wir wissen, daß sie uns schaden. Hier aber besteht das Problem darin, daß jemand sich nicht dazu durchringen kann, etwas zu wollen, das gut für ihn sein wird (das Problem ist eines der *akrasia*). In mancherlei Hinsicht ist es die Struktur von Liebe und Begehren in ihrem Verhältnis zum Kern des Selbst, die in Frage steht. Harry Frankfurt ist der Meinung, daß Liebe und Fürsorge intrinsisch bindungsorientiert sind. Die Bindungsorientierung ist eine Komponente oder Dimension des Willens; sie ist eine kognitive, moralische und affektive Struktur, die es Menschen ermöglicht, sich an eine Zukunft zu binden und auf die Möglichkeit zu verzichten, ihre Auswahlmöglichkeiten zu maximieren. Die Liebe ist bindend, denn:

> Die für die Liebe charakteristische Notwendigkeit beschränkt die Bewegungen des Willens [...] nicht durch ein mächtiges, den Willen besiegendes und unterdrückendes Anschwellen von Leidenschaft oder Drang. Im Gegenteil, *die Nötigung kommt aus der Mitte unseres eigenen Willens*. Wir werden durch unseren eigenen Willen und nicht durch eine externe oder fremde Kraft genötigt.[102]

Es ist gerade diese Art von Willen, die in den zitierten Berichten betroffen und desorganisiert ist. Dies bringt mich zum letzten Schritt meines Arguments, daß Bindungsangst nichts anderes ist als ein mit dem Problem der Wahl zusammenhängendes kulturelles Verhalten. Der Begriff des Willens, den Harry Frankfurt in Anschlag bringt, ist nur soweit brauchbar, wie er mit den gesellschaftlichen Institutionen und Mechanismen der Wahl in Einklang steht. Verändern sich diese, dann verändert sich auch das »innere« Vermögen des Willens als einer nötigenden Kraft. In Kapitel 1 habe ich die Mechanismen, die die Struktur des Willens prägen und beschränken, als Ökologie und Architektur der Wahl beschrieben. Im folgenden Abschnitt stelle ich die kulturellen Repertoires und Techniken vor, die in der romantischen Entscheidungsfindung zum Einsatz kommen und ihrerseits eine neue Architektur der romantischen Wahl ausmachen.

---

102 Harry G. Frankfurt, *Gründe der Liebe*, übers. von M. Hartmann, Frankfurt/M. 2005, S. 51 (meine Hervorhebung).

Die neue Architektur der
romantischen Wahl oder die Desorganisation
des Willens

In vormodernen Heiratsmärkten war die Wahl durch die
enge Interaktion des Selbst mit dem familiären Umfeld und
dem Arbeitsumfeld geprägt und – vielleicht deshalb – bindend. Moderne Heiratsmärkte hingegen funktionieren über
scheinbar zwanglose, freie und uneingeschränkte Begegnungen zwischen Menschen, die von ihrem Vermögen, zu wählen, nicht nur Gebrauch machen, sondern von denen auch
unentwegt erwartet wird, daß sie es tun. Doch umfaßt dieses
Vermögen, das bei weitem nicht auf reiner Emotionalität
beruht, in Wirklichkeit einen komplexen affektiven und kognitiven Apparat, um potentielle Partner zu bewerten, sich
über die eigenen Gefühle diesen gegenüber klarzuwerden
und die eigene Fähigkeit, diese Gefühle aufrechtzuerhalten, einzuschätzen. Die moderne Intimität und Paarbildung
sind keine reinen Willensakte, sondern auch die Folge von
Entscheidungen, die auf komplexen Bündeln von Bewertungen beruhen.[103] Zweifellos könnte man behaupten, daß
eine so beschriebene Wahl nichts spezifisch Modernes hat,
weil man diese Beschreibung auch auf die englischen Klein-
bauern des 16. Jahrhunderts anwenden könnte. Dem Historiker Alan MacFarlane zufolge waren im 16. Jahrhundert
Bauern und Gesinde in den zehn Jahren zwischen Pubertät
und Heirat »unentwegt mit Angeboten und Einladungen
konfrontiert und befragten unentwegt ihre Gefühle. Ange-
fangen mit leichten Flirts, hatten viele eine Reihe von Affä-

---

103 Der Wahl eines Partners können unterschiedliche und mitunter
widersprüchliche Bündel von Kriterien für dasselbe Objekt der Bewertung
zugrunde liegen. So kann ein potentieller Partner beispielsweise anhand
der Kriterien Attraktivität, Konsumgewohnheiten, Charakter, emotionale
oder psychologische Übereinstimmung sowie anhand seines Status bewertet werden.

ren, bevor sie sich schließlich für einen bestimmten Partner entschieden.«[104]

Und doch unterscheidet sich die moderne Wahl erheblich, insofern sie durch drei Elemente charakterisiert ist, die ihre spezifische Modernität ausmachen: Sie wird zwischen einer großen Zahl von realen und eingebildeten – oder realen *und* eingebildeten – Optionen getroffen; sie ist das Ergebnis eines Prozesses der introspektiven Selbstprüfung, in dem Bedürfnisse, Gefühle und Lebensstilpräferenzen abgewogen werden; und sie geht aus einem individualisierten Willen und Gefühlsleben hervor, die von dem reinen Willen und Gefühlsleben eines anderen in Anspruch genommen werden und auf sie reagieren – ein Prozeß, der im Prinzip auf beiden Seiten einer konstanten Erneuerung bedarf. Das heißt, weil eine Liebeswahl nie völlig bindend ist, muß sie durch fortlaufend hervorgebrachte Empfindungen erneuert werden. Die moderne romantische Wahl wird von dem Problem geplagt, sich zwischen der kognitiven Überwachung der freiwilligen Entscheidung und der unfreiwilligen Dynamik spontaner Empfindungen einen Weg bahnen zu müssen. Gerade weil sie sich durch eine Deregulierung der Entscheidungsmechanismen auszeichnen, bringen Heiratsmärkte Formen der Wahl hervor, die denen in Konsumentenmärkten zunehmend ähnlich sind. Die Verbraucherwahl ist die kulturspezifische Kategorie einer Wahl, die über eine Kombination aus rationaler Überlegung, Kultivierung des Geschmacks und dem Wunsch nach einer Maximierung von Nutzen und Wohlbefinden ausgeübt wird. Es ist diese neue Architektur der Wahl, die im Zusammenspiel mit der (in diesem und im 1. Kapitel beschriebenen) Ökologie der Wahl Entscheidungen und Bindungen blockiert. Im nächsten Schritt untersuche ich die einzelnen Komponenten dieser neuen Architektur der romantischen Wahl, die Männer

104 Alan MacFarlane, *Marriage and Love in England. Modes of Reproduction, 1300-1840*, Oxford 1986, S. 296.

und – in deutlich geringerem Maß, aber definitiv auch – Frauen betrifft.

Wie bereits erwähnt, ist die schiere Zunahme und Überfülle realer und imaginierter Sexualpartner eine Hauptursache für den Wandel in der Ökologie der Wahl. Dieser Wandel vollzog sich infolge des Zusammenbruchs religiöser, ethnischer, rassischer und klassenbezogener Endogamieregeln und erlaubt nunmehr im Prinzip jedem den Zutritt zum Heiratsmarkt.[105] Verschärft wird diese Transformation aufgrund der außergewöhnlichen Vermehrung der Zahl möglicher Partner durch das Internet, eine technologische und kulturelle Form, die einen legitimen Zugang zu einer riesigen Zahl sexueller und romantischer Partner eröffnet hat. Dieses Übermaß an – realen und eingebildeten – Wahlmöglichkeiten löst bedeutende kognitive Veränderungen in der Bildung romantischer Gefühle und dem Prozeß der Festlegung auf ein Liebesobjekt aus. Tatsächlich deuten Untersuchungen über die Auswirkungen eines Übermaßes an Wahlmöglichkeiten auf den Prozeß der Entscheidungsfindung fraglos darauf hin, daß eine wachsende Zahl von Optionen die Fähigkeit, sich an ein einziges Objekt oder eine einzige Beziehung zu binden, eher blockiert als aktiviert. Eine der Transformationen, die sowohl mit dem Übermaß an sexuellen Wahlmöglichkeiten als auch mit der Freiheit der Wahl einherging, bestand darin, daß die Individuen sich unentwegt selbst befragen müssen, um sich über ihre Vorlieben klarzuwerden, ihre Optionen zu prüfen und Gewißheit über ihre Empfindungen zu erlangen. Dies erfordert eine rationale Form der Introspektion, ergänzt um ein essentialistisches (authentisches) Regime der emotionalen Entscheidungsfindung, bei dem die Entscheidung, mit jemandem zusammenzukommen, auf der Grundlage emotionaler Selbstkenntnis sowie der Fähigkeit, Gefühle in die Zukunft zu projizieren,

---

105 Oder natürlich zu jeder anderen Form von Paarbeziehung.

getroffen werden muß. Das Finden des bestmöglichen Partners besteht dann darin, sich für die Person zu entscheiden, die dem essentialisierten Selbst entspricht, also dem Bündel an Präferenzen und Bedürfnissen, die das Selbst definieren. Entscheidend für diese Konzeption der Wahl ist die Vorstellung, daß wir auf dem Wege der Introspektion mit ihrem hyperkognitiven Prozeß der Entscheidungsfindung zu einer rationalen Einschätzung unserer Vereinbarkeit mit einer anderen Person sowie unserer wechselseitigen Eigenschaften kommen können und müssen. Die Selbstbeobachtung soll also zu gefühlsmäßiger Klarheit führen. In diesem Sinne ist sie ein zentrales Element der Partnerwahl, weil sie impliziert, daß Männer wie Frauen sich Klarheit über die Stärke und Tiefe ihrer Gefühle verschaffen und sich die Zukunft ihrer Beziehung sowie die Wahrscheinlichkeit ihres Gelingens oder Scheiterns vergegenwärtigen müssen. Meine These ist, daß die starke kulturelle Betonung der Introspektion durch die psychologische Populärkultur einen kulturellen Großversuch darstellt, Techniken der Entscheidungsfindung zu entwickeln. Doch gibt es eine Reihe von Gründen, warum wir Zweifel an der Fähigkeit, solche Entscheidungen zu treffen, haben können und sollten:

(1) Die Kognitionspsychologie bietet zahlreiche Belege dafür, daß Menschen über eingebaute kognitive Verzerrungen verfügen, die sie daran hindern, adäquat zu evaluieren, durch Selbstbeobachtung herauszufinden und zu wissen, was sie wollen. Ebenso hindern diese Verzerrungen sie daran, ihre künftigen Gefühle vorherzusagen. In unabhängigen Forschungsarbeiten haben (neben anderen) die Kognitionspsychologen Timothy Wilson und Daniel Gilbert nachgewiesen, daß Menschen schlecht für »affektive Vorhersagen«[106] (Gilbert) – also für die Fähigkeit, zu wissen, wie wir fühlen werden – gerüstet sind, weil kognitive Ver-

106 Timothy D. Wilson u. Daniel T. Gilbert, »Affective Forecasting«, in: *Advances in Experimental Social Psychology*, Jg. 35 (2003), S. 345-411.

zerrungen etwa durch Einfühlung (*empathy bias*) oder die Überschätzung der eigenen emotionalen Reaktion auf zukünftige negative Ereignisse (*impact bias*) zu systematischen Denkfehlern führen.

Nehmen wir das Beispiel Eugenes. Der 54jährige geschiedene Mann war zwei Jahre lang mit der 38jährigen Suzanna liiert.

EUGENE: Es war eine schwierige Zeit, obwohl ich sie sehr liebe.
INTERVIEWERIN: Können Sie mir sagen, was schwierig war?
EUGENE: Nun, sie wünscht sich Kinder, eine Familie. Und mein Gefühl sagt mir, daß ich ihr das nicht geben kann. Ich hatte das schon, ich kenne das. Ich habe lange gezögert, ich habe endlos darüber nachgedacht, ich habe gründlich in mich hineingehorcht, solange ich konnte, und das Erstaunliche ist, daß ich so oder so einfach keine Klarheit darüber bekam, was ich tun wollte. Ich liebe sie sehr, aber ich will keine neue Familie, und am Ende, weil ich mich nicht entscheiden konnte, weil ich einfach nicht entscheiden konnte, was ich wollte, haben wir uns getrennt. Ich habe mich von ihr getrennt. Vielleicht hätte sie noch eine Weile so weitermachen können, aber ich hatte das Gefühl, daß ich nicht das Recht habe, sie zurückzuhalten, sie braucht eine Familie mit einem anderen. Bis heute aber weiß ich nicht, ob ich das Richtige getan habe, bis heute weiß ich nicht, was ich wirklich wollte.

Dieser Mann kann sich nicht entscheiden, obwohl er einen langen Prozeß der Introspektion durchlief, der gleichermaßen seinen Willen paralysiert und seine rationale Fähigkeit, Situationen zu bewerten, mobilisiert hat. Wir dürfen uns an die von Timothy Wilson zitierten Zeilen des Dichters Theodor Roethke erinnern: »Selbstbetrachtung ist ein Fluch / Durch den die alte Wirrnis weiterwuchs [*self-contemplation is a curse / That makes an old confusion worse*].«[107] Eugene wartet auf eine Selbstoffenbarung seiner Gefühle, die er auf dem Weg einer rationalen Selbstbeobachtung nicht herbeiführen kann, weil das Selbst keine »harte«, feststehende, erkennbare Instanz mit klaren Rändern und

107 Timothy Wilson, »Don't Think Twice, It's All Right«, in: *International Herald Tribune*, 30. Dezember 2005, S. 6.

einem gegebenen Inhalt ist. Das soziale Selbst ist vielmehr eine pragmatische Instanz, die unentwegt von den Umständen und den Handlungen anderer geprägt wird. Wenn wir uns selbst beobachten, versuchen wir feststehende Bedürfnisse oder Wünsche zu entdecken, doch bilden sich diese Bedürfnisse und Wünsche in Wirklichkeit in Reaktion auf Situationen aus. Aus diesem Grund beeinträchtigt Introspektion das Vermögen, starke und ungefilterte Gefühle zu empfinden, die durch nichtrationale kognitive Schaltungen ausgelöst werden.

(2) Im Bereich der romantischen Wahl und der Verbraucherwahl bringt eine größere Zahl verfügbarer Optionen oft einen umfassenden Prozeß der Informationssammlung mit sich, um zwischen verschiedenen Optionen zu entscheiden. Man kann dies als eine Form des Denkens verstehen, die unter dem Namen »Rationalität« bekannt ist und mit Männlichkeit assoziiert werden könnte. Jedoch machen solche kognitiven und rationalen Techniken der Informationssammlung den Entscheidungsprozeß bei weitem nicht einfacher, sondern verkomplizieren ihn vielmehr. Der Grund ist die von Kognitionspsychologen sogenannte »Informationsüberflutung«. Der Kognitionspsychologe Gary Klein hat gezeigt, daß ein Übermaß an Optionen Menschen dazu bewegt, Vergleiche anzustellen, die die Fähigkeit zu schnellen, intuitiven Entscheidungen schwächen. Auf Intuition beruhende Entscheidungen fallen schneller, kommen ohne Gefühle nicht zustande und machen von dem im Laufe der Zeit angesammelten impliziten Wissen Gebrauch; auch beinhalten sie eine gewisse Risikobereitschaft.[108] Optionen abzuwägen und zu vergleichen hingegen heißt, ein Objekt, eine Person oder eine Situation in einzelne Bestandteile zu zerlegen und dann zu versuchen, diese Attribute durch ei-

108 Gary Klein, *Natürliche Entscheidungsprozesse. Über die »Quellen der Macht«, die unsere Entscheidungen lenken*, übers. von Th. Kierdorf in Zus. mit H. Höhr, Paderborn 2003.

nen Prozeß, der als begründeter Vergleich zwischen – realen oder eingebildeten – Optionen bekannt ist, zu bewerten und abzuwägen. Diese Form der Evaluation stützt sich nicht auf ganzheitliche Urteile, sondern auf Informationen, die analytisch immer weiter zergliedert werden. Damit wird das zu bewertende Objekt auf gesonderte und eigenständige Komponenten heruntergebrochen. Dies geschieht in einem Prozeß, der die intuitive Bewertung – hier verstanden als nicht auf eine Formel zu bringende oder propositional ausdrückbare Form der Entscheidungsfindung – trübt und die Befähigung zu starken emotionalen Bindungen verkümmern läßt. Die Intuition ist aber notwendig, um zu Bewertungen und Entscheidungen zu kommen, die rational nicht zu haben sind, weil die formale Abwägung von Optionen nichts zu der Stärke oder Intensität der Gefühle des betroffenen Individuums beiträgt. »Gründe zu geben« und ein Objekt in seine Bestandteile zu zerlegen, schmälert die emotionale Kraft von Entscheidungen. Dies erlaubt uns eine Spekulation über das Vermögen der Bindung selbst. Im Prozeß der Entscheidungsfindung Gründe abzuleiten, kann dazu führen, daß man den Bezug zu der Fähigkeit verliert, sich im Handeln nach Gefühlen und Intuitionen zu richten, und zwar weil man in der Introspektion einen Stimulus in verschiedene Attribute zerlegt: »[E]s gibt Belege dafür, daß die Bewertung eines Stimulus in mehreren unterschiedlichen Dimensionen die *Menschen dazu veranlaßt, ihre Bewertungen zu mäßigen.*«[109]

109 Timothy D. Wilson u. Jonathan W. Schooler, »Thinking Too Much. Introspection Can Reduce the Quality of Preferences and Decisions«, in: *Journal of Personality and Social Psychology*, Jg. 60, Nr. 2 (1991), S. 181-192, hier: S. 182 (meine Hervorhebung). In ähnlicher Weise zeigen Ofir und Simonson, daß die Erwartung, eine Dienstleistung oder ein Produkt zu bewerten, zu ungünstigeren Qualitäts- und Zufriedenheitsurteilen führt und die Bereitschaft der Kunden schmälert, die bewerteten Dienstleistungen zu erwerben oder zu empfehlen. Diese negative Voreingenommenheit durch erwartete Bewertungen läßt sich ebenso bei einer faktisch hohen wie bei einer faktisch niedrigen Qualität beobachten, und sie bleibt sogar bestehen, wenn den Kunden explizit gesagt wird, daß sie gleichermaßen die posi-

(3) Anknüpfend an diese Einsichten stoßen wir auf das überaus interessante Forschungsergebnis, daß die rationale Bewertung eines gegebenen Objekts (beziehungsweise einer Person) dazu tendiert, dessen (beziehungsweise deren) positive Würdigung zu mäßigen und abzuschwächen. Anders gesagt: Der Akt, die Attribute von Personen oder Objekten zu erkennen, schmälert ihre emotionale Anziehungskraft. Wilson und Schooler beschreiben Experimente, die zeigen, wie Geschmack und Werturteile, die beide auf nichtkognitiven geistigen Operationen beruhen, durch verbale introspektive Bewertungen (bei denen man seine Bewertungskriterien für sich ausformuliert) beeinflußt werden. Darüber hinaus sind die Autoren der Meinung, daß diese introspektiven verbalen Bewertungen die positive Gesamteinschätzung eines Stimulus verschlechtern. Dafür könnten zwei Prozesse verantwortlich sein, von denen der eine mit der wechselseitigen Behinderung von verbalen und nonverbalen Bewertungsmodi zu tun hat. Wenn erstere an die Stelle letzterer treten, pflegt dies die nonverbale Fähigkeit des »Mögens« oder »nicht Mögens« zu schwächen; so findet man etwa leichter zu einem Geschmackserlebnis beim Essen oder zu einer visuellen Einschätzung, wenn sie *nicht* verbalisiert werden. Der zweite Prozeß, der hier am Werk ist, besteht darin, daß die Möglichkeit des Vergleichs zwischen vielen Optionen dazu tendiert, unsere Gefühle gegenüber einer bestimmten Option abzuschwächen.[110] Für Wilson und Schoo-

tiven wie die negativen Aspekte berücksichtigen sollen. Diese Ergebnisse stimmen mit dem überein, was die Autoren als »Negativitätsverstärkungsthese« bezeichnen und was darauf hinweist, daß Käufer, solange sie nicht mit sehr geringen Erwartungen an ihre Bewertungsaufgabe herangehen, dazu neigen, sich in ihrem Konsum vor allem auf die negativen Aspekte der Produkt-/Dienstleistungsqualität zu konzentrieren. Vgl. Chezy Ofir u. Itamar Simonson, »In Search of Negative Customer Feedback. The Effect of Expecting to Evaluate on Satisfaction Evaluations«, in: *Journal of Marketing Research*, Jg. 38, Nr. 2 (2001), S. 170-182.

110 In ähnlicher Weise behauptet Ravi Dhar, daß eine größere Neigung besteht, sich für die Option »keine Entscheidung« zu entscheiden (also für

ler ist es der Prozeß des Anführens von Gründen, also des Verbalisierens der Gründe für eine bestimmte Wahl, der der Fähigkeit, eine intuitive Entscheidung zu treffen, abträglich sein kann. In diesem Sinne kann eine hochgradig verbalisierte Kultur der Wahl die Fähigkeit, sich *ohne Grund* emotional verbunden zu fühlen und aufgrund seiner Intuition festzulegen, erheblich beeinträchtigen. Es ist die kulturelle Praxis der Intuition, die in diesem Fall untergraben wird.

Diese Befunde ließen sich mit anderen Befunden in der Soziologie der Ehe in Verbindung bringen. Obwohl die Raten vorehelicher Lebensgemeinschaften dramatisch gestiegen sind, halten 40 Prozent dieser Beziehungen weniger als fünf Jahre und der Großteil nur für zwei Jahre. 55 Prozent der eheähnlichen Lebensgemeinschaften münden in eine Ehe, doch enden diese Ehen mit größerer Wahrscheinlichkeit als andere mit einer Scheidung.[111] Sowohl für Männer als auch für Frauen ist ein Zusammenleben oft durch den Wunsch motiviert, die Entscheidung über eine Heirat oder eine langfristige Bindung zu treffen. Die reflexiven Grundlagen für diese Entscheidung zu schaffen, kann jedoch unvereinbar mit einer Bindung sein – oder jedenfalls nicht notwendig mit ihr zusammenhängen –, insofern eine Bindung

die Option, keine der angebotenen Alternativen auszuwählen), wenn das Auswahlsortiment verschiedene attraktive Alternativen bietet, aber keine, die sich umstandslos als die beste identifizieren läßt. Vgl. Ravi Dhar, »Consumer Preference for a No-Choice Option«, in: *The Journal of Consumer Research*, Jg. 24, Nr. 2 (1997), S. 215-231. Andere Untersuchungen legen nahe, daß Verbraucher jegliche Entscheidung vermeiden, wenn sie mit zu vielen oder zu wenigen Optionen konfrontiert sind. Vgl. Dmitri Kuksov u. Miguel Villas-Boas, »When More Alternatives Lead to Less Choice«, in: *Marketing Science*, Jg. 29, Nr. 3 (2010), S. 507-524.

111 Vgl. Larry Bumpass u. Hsien-Hen Lu, »Trends in Cohabitation and Implications for Children's Family Contexts in the United States«, in: *Population Studies. A Journal of Demography*, Jg. 54, Nr. 1 (2000), S. 29-41. Bumpass und Lu zufolge stieg der Anteil von Ehen, denen eine eheähnliche Lebensgemeinschaft vorausging, von 10 Prozent unter den zwischen 1965 und 1974 geschlossenen Ehen auf über 50 Prozent unter den zwischen 1990 und 1994 geschlossenen.

aus einer anderen kognitiven und emotionalen Struktur erwächst als der, die von der introspektiven Selbsterkenntnis gefördert wird. Es existieren einige Untersuchungen, die zeigen, daß ein Zusammenleben vor der Verlobung/Hochzeit dazu neigt, die Bindung der Männer an ihre Partnerinnen asymmetrisch zu schwächen[112] – verbunden mit einem geringeren Wert an ehelicher Zufriedenheit – und das Risiko einer Scheidung zu erhöhen.[113]

(4) Der bedeutsamste Effekt eines Übermaßes an Auswahlmöglichkeiten besteht darin, daß die größere Zahl an Optionen zu einer Umstellung von der Suche nach befriedigenden Lösungen (*satisficing*) auf eine Maximierungsstrategie (*maximizing*) führt, um mich auf Herbert Simons Unterscheidung zu beziehen.[114] »Satisficer« geben sich mit der ersten greifbaren Option, die »gut genug« ist, zufrieden, Maximierer suchen die bestmögliche Option. Verschiedene Experimente haben erbracht, daß eine größere Angebotsfülle die Entscheidung aus diesem Grund nicht leichter, sondern schwieriger macht. Barry Schwartz hat gezeigt, daß einer der zentralen Mechanismen einer »maximierenden« Geisteshaltung in vorweggenommener Reue (*anticipation of regret*) sowie im Gefühl wachsender »Opportunitätskosten« besteht, wie die Ökonomen dies nennen. Eine größere Auswahl ruft Apathie hervor, weil der Wunsch, die eigenen

112 Galena Kline, Scott M. Stanley u. Howard J. Markman, »Pre-Engagement Cohabitation and Gender Asymmetry in Marital Commitment«, in: *Journal of Family Psychology*, Jg. 20, Nr. 4 (2006), S. 553-560; Galena Kline u.a., »Timing Is Everything. Pre-Engagement Cohabitation and Increased Risk for Poor Marital Outcomes«, in: *Journal of Family Psychology*, Jg. 18, Nr. 2 (2004), S. 311-318.

113 William Axinn u. Arland Thornton, »The Relationship Between Cohabitation and Divorce. Selectivity or Causal Influence?«, in: *Demography*, Jg. 29, Nr. 3 (1992), S. 357-374; Robert Schoen, »First Unions and the Stability of First Marriages«, in: *Journal of Marriage and Family*, Jg. 54, Nr. 2 (1992), S. 281-284.

114 Herbert Simon, »Bounded Rationality in Social Science. Today and Tomorrow«, in: *Mind & Society*, Jg. 1, Nr. 1 (2000), S. 25-39.

Optionen zu maximieren, sowie die vorweggenommene
Reue über entgangene Möglichkeiten die Willensenergie
und die Fähigkeit, auszuwählen, beeinträchtigen.[115]

Philippe, ein 48jähriger Mathematiker, der seit 25 Jahren
in New York City lebt, bietet ein Beispiel:

INTERVIEWERIN: Was waren die wichtigen Liebesgeschichten in Ihrem Leben?
PHILIPPE: Nun, das hängt davon ab, was Sie darunter verstehen. Ich
könnte sagen, die fünf Frauen, mit denen ich zusammengelebt habe,
aber ich könnte auch sagen, keine, weil es mit jeder von ihnen immer
dasselbe Problem gab, daß ich es nie geschafft habe, das Gefühl zu
haben: sie war *die* eine, die einzig Wahre, verstehen Sie?
INTERVIEWERIN: Nein, wie meinen Sie das?
PHILIPPE: Nun, mit einer Frau habe ich beispielsweise zwei Jahre
zusammengelebt, wir hatten eine tolle Beziehung, interessante Diskussionen, wir haben gelacht und gemeinsame Reisen unternommen, wir
haben zusammen gekocht, es war sehr angenehm. Aber als sie damit
anfing, daß sie Kinder wollte, mußte ich mich fragen, was ich wirklich
für sie empfand, und ich konnte einfach diese Art von Wow!-Gefühl
nicht in mir finden, die Art von Gefühl, von der ich denke, daß man sie
haben muß, um eine solche Entscheidung zu treffen.
INTERVIEWERIN: Wie meinen Sie das?
PHILIPPE: Na so, ich muß spüren, das ist die Frau meines Lebens.
Ich muß mit ihr zusammensein, sonst ginge es mir miserabel, sie ist
die umwerfendste Frau, die ich haben könnte, und das habe ich einfach nicht empfunden. Ich habe immer das Gefühl gehabt, wenn es
die nicht ist, dann wird es eine andere sein (*lacht*), vielleicht täusche
ich mich, aber ich glaube, daß es jede Menge schöner, kluger Frauen
da draußen gibt, die mich wollen. Aber die traurige Seite an alldem ist
vielleicht, daß ich andererseits nicht glaube, es gibt da draußen diese
umwerfende, unvergleichliche Frau, die mir den Kopf verdrehen wird.

Die Bemerkungen dieses Mannes zeigen, daß eine Vielzahl
von Optionen sein Vermögen, starke Gefühle für eine Frau
zu empfinden, beeinträchtigt hat. In einem Markt mit einer
guten Auswahl ist es schwierig, die eine Lösung zu finden,

115 Barry Schwartz, *Anleitung zur Unzufriedenheit. Warum weniger
glücklicher macht*, übers. von H. Kober, Berlin 2004, S. 151.

die alle anderen aussticht, weil das Vermögen, in seiner Entscheidung durch starke Gefühle beeinflußt zu werden, von dem Eindruck lebt, nur über begrenzte Optionen zu verfügen oder den besten Handel ausfindig gemacht zu haben.

Ein weiteres Beispiel dafür, wie sich die wahrgenommenen Auswahlmöglichkeiten, deren reale Zunahme sowie das sich daraus ergebende Verlangen, bei der Suche nach einem Lebenspartner die eigenen Gewinne zu maximieren, auswirken, liegt uns in Form eines soziologisch hochinformativen Essays vor. In diesem Text, den sie für die wöchentliche »Modern Love«-Kolumne der *New York Times* verfaßte, erzählt Diana Spechler die Erlebnisse eines ihrer Studenten (und Liebhabers) bei der Partnersuche mit Hilfe einer TV-Kuppelshow. »[D]ie Besetzungsleitung hatte damit begonnen, die beantworteten Fragebögen meines Studenten zu analysieren, Hunderte Bewerbungen von Frauen zu durchsieben und ihm Bilder potentieller Partnerinnen zu mailen.«[116] Obwohl der Mann eine sehr befriedigende Beziehung mit der Erzählerin hat, macht er bei dem Programm mit und sichtet Hunderte Profile von Frauen, die er auf der Grundlage ihres Aussehens (einige sind »nicht attraktiv genug«) und ihrer psychologischen Vereinbarkeit filtert. Diese Fernsehshow spiegelt die zeitgenössische Situation der Wahl wider, die darauf beruht, bereits vor der ersten realen Begegnung mit einer Person über Informationen über diese zu verfügen. Am Ende wurde der Mann von dem Kuppelprogramm ausgeschlossen, weil er zu »wählerisch« sei – eine Eigenschaft, die durch die Umstände der Wahl gerade verstärkt wird. Wählerisch zu sein, eine Haltung, von der das ganze Feld der romantischen Wahl heimgesucht zu werden scheint, ist keine psychologische Eigenschaft, sondern eine

---

116 Diana Spechler, »Competing in My Own Reality Show«, in: *The New York Times*, 11. Juni 2010, ⟨http://www.nytimes.com/2010/06/13/fashion/13love.html?emc=tnt&tntemail1=y⟩, letzter Zugriff 27. 2. 2011.

Folge der Ökologie und Architektur der Wahl. Sie ist, mit anderen Worten, grundsätzlich durch das Verlangen motiviert, die eigenen Wahlmöglichkeiten noch unter Bedingungen zu optimieren, wo die Breite der Auswahl schon kaum mehr zu beherrschen ist.

Eine Bindung hat instrumentelle und affektive Aspekte.[117] Die Wählenden auf Heiratsmärkten versuchen offensichtlich, die rationalen und emotionalen Dimensionen der Entscheidungsfindung zu kombinieren. Der Forschungsstand besagt jedoch, daß die affektive Dimension einer Bindung letzten Endes die stärkste ist, weil eine Bindung keine rationale Wahl sein kann. Der Prozeß, in dem die Architektur der romantischen Wahl mit einer immer größeren Zahl potentieller Partner konfrontiert ist, schmälert die Fähigkeit, eine starke affektive Bindung einzugehen, weil er kognitive Prozesse mobilisiert, die mit der Emotionalität und Intuition in Konflikt geraten und diese untergraben.

(5) Die oben beschriebenen Merkmale der Wahl bilden die kognitiven und soziologischen Bedingungen, die den psychologischen Zustand der *Ambivalenz* auslösen. Während Mehrdeutigkeit eine kognitive Eigenschaft bezeichnet (nämlich die Ungewißheit, ob ein Objekt dieses oder jenes ist), bezieht sich Ambivalenz auf Gefühle. Für Freud bildete die Ambivalenz, eine Mischung aus Liebe und Haß, eine universale Eigenschaft der menschlichen Psyche. Der Philosoph David Pugmire definiert Ambivalenz allgemeiner als die gleichzeitige Existenz zweier sich widersprechender Affekte gegenüber ein und demselben Objekt.[118] Meines Erachtens jedoch ist die moderne zeitgenössische romantische Ambivalenz noch einmal etwas anderes: Die moderne Ambivalenz ist eine der gedämpften Gefühle. Sie als »coole Am-

117 Edward J. Lawler, Shane R. Thye u. Jeongkoo Yoon, *Social Commitments in a Depersonalized World*, New York 2009.

118 David Pugmire, *Sound Sentiments. Integrity in the Emotions*, Oxford u. New York 2005.

bivalenz« zu bezeichnen, könnte diesen Zustand vielleicht besser beschreiben, insofern dieser Ausdruck eine der zentralen oben behandelten emotionalen Schattierungen impliziert, nämlich die Willenlosigkeit. Die moderne Ambivalenz tritt in einer Reihe von Formen auf: sei es, daß man nicht weiß, was man für jemanden empfindet (ist es die wahre Liebe? Möchte ich wirklich mein Leben mit ihm teilen?); sei es, daß man widersprüchliche Gefühle hat (den Wunsch, neue Beziehungen zu erproben, während man die gegenwärtige beibehält); sei es, daß man etwas sagt, ohne die Gefühle zu haben, die mit den Worten einhergehen sollten (ich bin gerne mit dir zusammen, aber ich bringe es nicht fertig, mich ganz an dich zu binden). Ambivalenz ist eine Wesenseigenschaft der Psyche und zugleich eine Eigenschaft der Institutionen, die die Rahmenbedingungen unseres Lebens festlegen. Oft sind es institutionelle Regelungen, die dafür verantwortlich sind, daß Menschen gegensätzliche Güter wollen: Liebe und Autonomie oder Fürsorge und Selbständigkeit, wie es in den unterschiedlichen Institutionen der Familie und des Marktes zum Ausdruck kommt. Auch vermittelt die Kultur kein klares Bewußtsein einer Hierarchie zwischen rivalisierenden Gütern. Wie Andrew Weigert sagt: »Wenn die begrifflichen Etiketten, mit deren Hilfe wir emotionale Grunderfahrungen interpretieren, sich widersprechen, sind abgestumpfte Gefühle die Folge. Keines prägt die Erfahrung entscheidend.«[119] Ambivalenz wirkt sich direkt auf die Gefühle aus: »Ohne ein entschiedenes Gefühl dafür, wer wir sind, werden unsere Handlungen zögerlich, holprig und unvollständig.«[120] Robert Merton, von dem eine der ersten soziologischen Analysen der Ambivalenz stammt, vertrat die These, sie sei eine Folge widersprüchlicher normativer Erwartungen innerhalb einer Rolle, ohne daß solche

---

119 Andrew J. Weigert, *Mixed Emotions. Certain Steps Toward Understanding Ambivalence*, Albany 1991, S. 34.
120 Ebd.

Widersprüche die Rolle zwingend schwächen müßten. Für
Merton konnte die Ambivalenz im Gegenteil sogar funktional für die Gesellschaftsordnung sein. Ich meine, daß Ambivalenz in einer Situation funktional ist, in der es ein Übermaß an Auswahlmöglichkeiten, aber keinen begrenzenden
Zeitrahmen gibt. Zwar mag die Ambivalenz kein Problem
sein, doch schloß Merton, daß »die Unentschiedenheit, die
aus ihr folgen und das Handeln hemmen kann, eines ist.
Problematisch ist die Willenlosigkeit, obwohl es die Ambivalenz ist, die peinigt.«[121] Weil das Begehren sich nicht auf
ein einzelnes Objekt fixieren und nicht begehren kann, wonach es sich eigentlich sehnt, entzweit es sich mit sich selbst.

Das Halten von Versprechen und die Architektur der modernen Wahl

Die soeben beschriebenen Charakteristika erklären, warum
Bindungen und das Halten von Versprechen zu problema-
tischen Aspekten der Persönlichkeit geworden sind. Damit
soll nicht gesagt sein, daß diese Aspekte in früheren Zeiten
unproblematisch gewesen wären, und auch nicht, daß sie
alle Bereiche des sozialen Lebens betreffen. Das Halten von
Versprechen etwa läßt sich als eine der großen institutionellen und psychologischen Errungenschaften der Moderne
begreifen, insbesondere im Bereich wirtschaftlicher Transaktionen. Ich möchte jedoch die These vertreten, daß die
Natur des romantischen Willens sich verändert hat und
daß das bezeichnendste Merkmal dieser Veränderung in
der Entkopplung der emotionalen/sexuellen Erfahrung von
Bindungen mit ihrem verpflichtenden Charakter besteht.
»Der charakteristische Punkt der Verpflichtung«, schreibt
der Ökonom Amartya Sen, »besteht darin, daß er einen

---

121 Zitiert nach ebd., S. 22.

Keil zwischen persönliche Wahl und persönliches Wohl treibt«.[122] Mit anderen Worten: Die Verpflichtung, sich zu binden, bedeutet, eine Wahl zu treffen, mit der man auf die Möglichkeit verzichtet, sein künftiges Wohl um jeden Preis zu steigern. Eine Bindung impliziert eine spezifische Fähigkeit, das Selbst in die Zukunft zu projizieren, die Fähigkeit, den Prozeß des Suchens und Entscheidens zu beenden, indem man sich der Möglichkeit besserer Chancen begibt. Zu einer Bindung kommt es, wenn eine aktuelle Wahlmöglichkeit als bestmögliche erscheint und/oder wenn man sich für eine Wahlmöglichkeit entscheidet, die »gut genug« ist, und auf die Möglichkeit einer besseren verzichtet. In gewisser Hinsicht sind Verbindlichkeit und Liebe eng miteinander verflochten – zumindest subjektiv. Der Philosoph Jean-Luc Marion formuliert es so: »[Z]u sagen: ›ich liebe dich für einen Moment, vorläufig‹ heißt ›ich liebe dich überhaupt nicht‹ und ist nicht mehr als ein performativer Selbstwiderspruch.«[123] Zu lieben, sagt Marion, heißt, immer lieben zu wollen. Dies wirft die Frage auf: Wann und warum ist eine Wahl nicht mehr mit jener emotionalen Kraft verbunden, die einen an die Zukunft bindet?

Bindungen sind auf die Zukunft ausgerichtet, jedoch auf eine Zukunft, in der man, wie man annimmt, dieselbe Person sein wird, die man jetzt ist, und dasselbe wollen wird, was man jetzt will. Dies ist die Zeitstruktur von Versprechen:

Verbale Versprechen sind diesbezüglich nicht weniger instabil als andere Äußerungen; tatsächlich sind sie es in noch höherem Maß, weil Versprechen zusätzlich durch eine zeitliche Disjunktion charakterisiert sind. Der lokutionäre Moment des Versprechens findet in der Gegenwart statt, seine illokutionäre Kraft jedoch ist der Zukunft zugewandt

122 Amartya K. Sen, »Rationale Trottel. Eine Kritik der behavioristischen Grundlagen der Wirtschaftstheorie« [1977], übers. von A. F. Middelhoek, in: Stefan Gosepath (Hg.), *Motive, Gründe, Zwecke. Theorien praktischer Rationalität*, Frankfurt/M. 1999, S. 76-102, hier: S. 88.

123 Jean-Luc Marion, *Le phénomène érotique. Six méditations*, Paris 2003, S. 174.

und prospektiv. [...] [J]edes Versprechen setzt ein Datum voraus, an dem das Versprechen gemacht wurde und ohne das es keine Gültigkeit hätte.[124]

Folglich ist »die Gegenwart des Versprechens [...] im Hinblick auf seine Einhaltung immer eine Vergangenheit«.[125] Genau diese scheinbare zeitliche Disjunktion ist in der kulturellen Struktur des Selbst in der Moderne fragwürdig geworden. Und zwar, weil das von der psychologischen Kultur geprägte Narrativ des Selbst die performativen und rituellen Weisen, Gefühle zu organisieren, beseitigt oder zumindest ausgehöhlt hat.

Ein Ritual läßt sich wie folgt definieren:

Die Darstellung des dem Ritual eigenen »Als ob«-Universums, der Konjunktiv, erfordert weder einen vorgängigen Akt des Verstehens noch eine Auflösung begrifflicher Mehrdeutigkeiten. Die Durchführung schiebt das Problem des Verstehens schlicht und elegant beiseite, um die Existenz einer Ordnung zu ermöglichen, die kein Verstehen voraussetzt. Auf diese Weise gleicht sie Kategorien von Entscheidungen, die wir treffen müssen, um irgendeine konkrete Maßnahme ergreifen zu können, und bei denen wir akzeptieren, daß wir wahrscheinlich soviel Einsicht haben, wie wir eben haben können, und handeln müssen, obwohl unsere Einsicht (zwangsläufig) unvollständig ist. Dies gilt für einen ärztlichen Eingriff, eine Kapitalanlage, ein Ehegelöbnis, eine Kriegserklärung oder den Bau einer Autobahn – für praktisch alle Formen menschlicher Bemühungen.[126]

Mit anderen Worten: Es besteht ein Gegensatz zwischen einer ritualisierten Wahl und einer Wahl, die in einem Regime der Authentizität, Introspektion und emotionalen Ontologie gründet. In der ersten Variante gilt eine Bindung als performative Leistung, die durch einen Willensakt und eine Reihe zur gesellschaftlichen Konvention gewordener Ritu-

124 Randall Craig, *Promising Language. Betrothal in Victorian Law and Fiction*, Albany 2000, S. 6.
125 Ebd.
126 Adam B. Seligman, Robert P. Weller, Michael J. Puett u. Bennett Simon, *Ritual and Its Consequences. An Essay on the Limits of Sincerity*, Oxford u. New York 2008, S, 115.

ale vollbracht wird, in der zweiten als das Resultat einer auf »echten« Gefühlen gegründeten Selbstprüfung. Das Halten von Versprechen wird in diesem zweiten Fall zu einer Last für das Selbst, weil Entscheidungen in einem Regime der Authentizität das »tiefe, grundlegende« Wesen des Selbst widerspiegeln und der Dynamik der Selbstverwirklichung gehorchen müssen. Weil die Selbstverwirklichung sich in einer Bewegung von Selbstentwicklung und Veränderung entfalten muß, fällt es schwer, sich das künftige Selbst auszumalen. Eine Selbstverwirklichung setzt in diesem Sinne die Diskontinuität des Selbst voraus: Morgen könnte ich jemand sein, der ich heute nicht bin. Das kulturelle Ideal der Selbstverwirklichung erfordert, daß die eigenen Optionen für immer offengehalten werden. Das Ideal der Selbstverwirklichung bringt eine grundsätzlich instabile Kontrolle des eigenen Selbst mit sich, bei der Entwicklung und Wachstum bedeuten, daß das Selbst von morgen ein anderes ist als das von heute. Dem Ideal der Selbstverwirklichung zufolge weiß man nicht, was man morgen wollen könnte, weil man definitionsgemäß nicht weiß, welche multiplen und wertvolleren Identitäten man haben wird. Wie Bellah u.a. es formulieren: »Die Liebe, die uns zusammenhalten muß, ist in den Wechselfällen unserer Subjektivität verwurzelt.«[127] Das Ideal der Selbstverwirklichung ist eine überaus mächtige Institution und kulturelle Antriebskraft, die Menschen dazu bringt, unbefriedigende Beschäftigungen und lieblose Ehen aufzugeben, Meditationsseminare zu besuchen, lange und teure Urlaubsreisen zu unternehmen, Psychologen zu konsultieren und so weiter. Dieses Ideal postuliert das Selbst grundsätzlich als ein jederzeit bewegliches Ziel, als etwas, das seiner Entdeckung und Vollbringung harrt.[128] Über seine Entscheidung gegen Ehe und Familienleben schreibt ein al-

---

127 Bellah u.a., *Gewohnheiten des Herzens*, S. 119.
128 Zygmunt Bauman, *Leben als Konsum*, übers. von R. Barth, Hamburg 2009.

leinstehender Mann in einer Kolumne der *New York Times*: »Eine der größten Herausforderungen in diesem Leben ist es, sich das Leben vor Augen zu halten, das man nicht geführt hat, den Weg, den man nicht gegangen ist, das Potential, das man nicht genutzt hat.«[129] Das Ideal der Selbstverwirklichung zerstört und bestreitet die Idee des Selbst und des Willens als etwas Konstantes, Festes, das gerade *aufgrund* seiner Konstanz und Festigkeit rühmenswert wäre. Sich selbst zu verwirklichen heißt, sich auf keine wie auch immer geartete fixierte Identität zu verpflichten und sich vor allem nicht an ein einziges Projekt des Selbst zu binden. Mit anderen Worten: Das Ideal der Selbstverwirklichung beeinträchtigt unmittelbar die Fähigkeit und das Verlangen, das Selbst auf eine kontinuierliche gerade Linie zu projizieren.[130]

Vielleicht klingt dieses Ethos in Jacques Derridas Worten nach, wenn er schreibt:

Ein Versprechen ist immer übermäßig. Ohne dieses wesentliche Übermaß würde es auf eine Beschreibung oder eine Erkenntnis der Zukunft hinauslaufen. Sein Akt hätte die Struktur einer Feststellung (*constat*) und nicht die eines Performativums. [...] Genau in die Struktur des *Aktes* des Versprechens schreibt das Übermaß eine Art heillose Verwirrung oder Perversion ein. [...] Von daher das *Unglaubliche* und das Komische eines jeden Versprechens, und die pathetische Erklärung mit Gesetz, Vertrag, Eid und deklarierter Zusicherung von Treue.[131]

Ich verstehe Derridas Kommentar über das Halten von Versprechen in gewisser Weise als symptomatisch für den tiefgreifenden Wandel der Struktur von Bindungen in der Moderne, einen Wandel, der eng mit der modernen Ökolo-

129 Tim Kreider, »The Referendum«, in: *The New York Times*, 17. September 2009, 〈http://happydays.blogs.nytimes.com/2009/09/17/the-referendum/?scp=3-b&sq=Light+Years&st=nyt〉, letzter Zugriff 27. 2. 2011.

130 Die zeitliche und ontologische Zellteilung des Selbst strukturiert eine Verpflichtung als eine situationsbezogene, differenzierte und vorübergehende Handlung.

131 Jacques Derrida, *Mémoires. Für Paul de Man*, übers. von H.-D. Gondek, Wien 1988, S. 125 f.

gie und Architektur der Partnerwahl verflochten ist. Zeigte sich in Jane Austens Welt die Moral eines Charakters an seinen Versprechen, so sind Versprechen in den oben zitierten Zeugnissen überwältigend repressiv. Versprechen sind zu einer Bürde für das Selbst geworden. Während Versprechen zu halten die Zukunft in der Gegenwart und die Gegenwart in der Zukunft arretiert, ist die Zukunft heute offen und radikal ungewiß. Das wichtigste Merkmal der modernen Intimität, dessen demokratiefördernden Charakter Anthony Giddens rühmt,[132] besteht darin, daß sie jederzeit beendet werden kann, sollte sie nicht mehr mit Gefühl, Geschmack und Wollen in Einklang stehen.[133] Erst in diesem kulturellen Kontext können Versprechen »komisch« werden. Bindungen werden in einem Rahmen eingegangen, in dem die Wahl die überragende organisierende Metapher des Selbst ist. Zumindest in romantischen Zusammenhängen werden Versprechen komisch, wenn Beziehungen auf der permanenten Ausübung der Wahlfreiheit beruhen und die Wahl sich auf ein essentialistisches Gefühlsregime stützt, also auf die Überzeugung, daß Beziehungen in aufrichtigen Gefühlen gründen und von diesen Gefühlen, die der Beziehung vorauszugehen und sie fortwährend zu konstituieren haben, getragen werden müssen. Gefühle gelten als spontane, unfreiwillige, nicht vom Willen beherrschte Zustände, was es in der Tat komisch macht, ein Versprechen zu geben.

Bedingt durch diese Veränderung in den Strukturen des Willens und der Bindung sind neue Beziehungsformen wie

132 Anthony Giddens, *Wandel der Intimität. Sexualität, Liebe und Erotik in modernen Gesellschaften*, übers. von H. Pelzer, Frankfurt/M. 1993.

133 In diesem utilitaristischen Modell der Liebe – als einer kurzfristigen Beziehung – wird Liebe, wie Bellah u. a. in *Gewohnheiten des Herzens* schreiben, »dann nichts weiter als ein Austausch ohne bindende Regeln, abgesehen von der Verpflichtung zur vollständigen und offenen Kommunikation. Eine Beziehung sollte, solange sie andauert, jedem Partner geben, was er braucht, und wenn die Beziehung endet, haben beide zumindest einen angemessenen Gegenwert für ihre Investition erhalten.« (S. 138)

das »Abschleppen« (*hooking up*) oder die BTP (*Boyfriendy Type Person*, ein männliches Wesen mit Beziehungspotential) entstanden. Sie institutionalisieren die Ambivalenzen und Schwierigkeiten, die damit verbunden sind, eine Wahl zu treffen:

BTP: Abkürzung für Boyfriendy Type Person. Die BTP ist noch nicht wirklich dein Freund, mit dem du zusammen bist, bedeutet dir aber mehr als ein Techtelmechtel. Der Ausdruck wird in jenem Zwischenstadium verwendet, bevor man den »offiziellen« Freund-Freundin-Status erreicht. Die BTP ist jemand, den jetzt schon als festen Freund zu bezeichnen sich nicht richtig anfühlen würde, mit dem man sich jedoch schon ziemlich häufig getroffen hat, mit dem man am Telefon gehangen hat, mit dem man sich gefühlsmäßig gegenseitig stark verbunden fühlt, ohne bislang den entscheidenden Schritt in eine Paarbeziehung gemacht zu haben. Man muß nicht unbedingt miteinander schlafen und kann sich auch mit anderen treffen (ohne dies als »fremdgehen« zu empfinden), obwohl man sich vielleicht ein bißchen schuldig deswegen fühlt beziehungsweise stinksauer ist, wenn man herausfindet, daß er es tut, weil es mit der Beziehung langsam ernst wird. Dieser Ausdruck wird häufig von Menschen mit Bindungsangst gebraucht. Das weibliche Pendant ist die GTP.[134]

Wie witzig auch immer sie gemeint sind, künden solche Bezeichnungen von einem tiefgreifenden Wandel in den Strukturen der Verbundenheit zwischen Männern und Frauen, einem Wandel, bei dem der Wille und die Bindungsfähigkeit im Innersten umgestaltet wurden, als sie auf eine Situation der Wahl trafen, in der das Selbst mit einer Fülle von Möglichkeiten konfrontiert ist und sich nicht auf eine kontinuierliche Linie zu projizieren vermag, die die Gegenwart mit der Zukunft verbindet.

Um das kulturell Spezifische dieser modernen Bindungsangst zu erfassen, können wir sie mit Kierkegaards Entscheidung vergleichen, seine Verlobung mit Regine Olsen aufzulösen. Es gibt eine unabgeschlossene Debatte über seine

---

134 ⟨http://www.urbandictionary.com/define.php?term=commitment phobe⟩, letzter Zugriff 27. 2. 2011.

Motivation für diesen Schritt, den manche seiner tiefreligiösen Ader, andere wiederum seiner chronischen Melancholie und Depression oder seiner Sorge, Regine nicht glücklich machen zu können, zuschreiben. Kierkegaard scheint sich einer kompromißlosen Ethik religiöser Authentizität verpflichtet gefühlt zu haben: Er fürchtete, seine Ehe würde auf einer Lüge gründen, weil er viele Aspekte seines Innenlebens nicht mit seiner Frau würde teilen können.[135] Das Motiv der Wahl – ob sie die beste Wahl war, die er treffen konnte, ob sie die Richtige war, ob es »zu früh war, sich häuslich niederzulassen« – spielt in seiner Entscheidung keine Rolle. In Kierkegaards Fall war die Auflösung des Verlöbnisses ein Weg, die Stärke und nicht die Schwäche seines Willens unter Beweis zu stellen. Dieses Beispiel veranschaulicht, daß der kulturelle Gehalt von »Bindungsangst« insofern unterschiedlich ausfallen kann, als er das Motiv der »Wahl« nicht unbedingt einschließen muß.

Sexuelles Übermaß und emotionale Ungleichheiten

Zwar haben Männer wie Frauen die Freiheit zum grundlegendsten Wert und der grundlegendsten institutionellen Praxis ihrer Subjektivität in den modernen Intimbeziehungen erkoren, doch schlugen sie dabei unterschiedliche Wege ein, die zu unterschiedlichen Formen dieses Status führten. Auch beeinflußt die neue Ökologie und Architektur der sexuellen Wahl das Gleichgewicht zwischen beiden Geschlechtern. Zahlreiche Studien stimmen darin überein, daß Männer häufiger Gelegenheitssex haben als Frauen und folglich ihre Einstellung zu diesem positiver ist.[136] Einige Untersuchun-

---

135 Vgl. Hannay, *Kierkegaard*, S. 155.
136 Pamela Regan u. Carla Dreyer, »Lust? Love? Status? Young Adults' Motives for Engaging in Casual Sex«, in: *Journal of Psychology and Human Sexuality*, Jg. 11, Nr. 1 (1999), S. 1-23; Mary B. Oliver u. Janet

gen kommen zu dem Schluß, daß Männer stärker auf die körperliche Attraktivität achten als Frauen.[137] Und manche zeigen, daß Frauen emotional stärker beteiligt sein müssen als Männer, um Sex zu haben.[138] Männer sind wesentlich stärker durch Sex motiviert »als Frauen, die dazu neigen, Intimität, Liebe und Zuneigung höher zu bewerten«.[139]

Diese Forschungsergebnisse werden für gewöhnlich als Hinweise auf eine biologische Triebdifferenz zwischen Männern und Frauen interpretiert. Mir scheint jedoch, daß Evolutionsbiologen hier nach der »Natur« schielen, um irgendeine Form von Rechtfertigung der gegenwärtigen Gesellschaftsorganisation zu finden. Wenn meine Analyse in diesem Kapitel zutrifft, dann kanalisieren Männer und Frauen Sexualität unterschiedlich, weil sie unterschiedliche Strategien verfolgen, um Statusgewinne zu erzielen: Für Männer ist die Sexualität zur wichtigsten Arena geworden, in der sie ihren Männlichkeitsstatus (Autorität, Autonomie und Solidarität unter Männern) ausüben können; für Frauen bleibt die Sexualität überwiegend Fortpflanzung und Ehe unter-

S. Hyde, »Gender Differences in Sexuality. A Meta-Analysis«, in: *Psychological Bulletin*, Nr. 114 (1993), S. 29-51.

137 Raymond Fisman, Sheena S. Iyengar, Emir Kamenica u. Itamar Simonson, »Gender Differences in Mate Selection. Evidence from a Speed Dating Experiment«, in: *Quarterly Journal of Economics*, Jg. 121, Nr. 2 (2006), S. 673-697; Pamela C. Regan u. a., »Partner Preferences. What Characteristics Do Men and Women Desire in Their Short-Term Sexual and Long-Term Romantic Partners?«, in: *Journal of Psychology & Human Sexuality*, Jg. 12, Nr. 3 (2000), S. 1-21; Stephanie Stewart, Heather Stinnett u. Lawrence B. Rosenfeld, »Sex Differences in Desired Characteristics of Short-Term and Long-Term Relationship Partners«, in: *Journal of Social and Personal Relationships*, Jg. 17, Nr. 6 (2000), S. 843-853. Historisch gesehen messen Männer und Frauen der körperlichen Attraktivität erst seit der zweiten Hälfte des 20. Jahrhunderts größeres Gewicht bei. Vgl. dazu oben, S. 84-94.

138 Lisa Cubbins u. Koray Tanfer, »The Influence of Gender on Sex. A Study of Men's and Women's Self-Reported High-Risk Sex Behavior«, in: *Archives of Sexual Behavior*, Jg. 29, Nr. 3 (2000), S. 229-255.

139 Collins, »A Conflict Theory of Sexual Stratification«, S. 7; Watson Burgess u. Paul Wallin, *Engagement and Marriage*, Chicago 1953.

geordnet. Männliche wie weibliche Sexualität verhelfen zu einem entscheidenden Anschluß an soziale Macht, doch folgen beide Geschlechter dabei unterschiedlichen Strategien. Vor dem Hintergrund einer ausgehöhlten und umkämpften, aber immer noch bestehenden patriarchalen Familien- und Wirtschaftsorganisation spaltet eine deregulierte Sexualität die Wege zur sexuellen Begegnung in serielle Sexualität und emotionale Exklusivität auf. Diese beiden Sexualstrategien sind nicht einfach nur »unterschiedlich«; sie verhelfen jener Gruppe Männer, die (aufgrund ihrer Berufe, wirtschaftlichen Macht, sexuellen Kompetenz und so weiter) das sexuelle Feld dominiert, zu einem erheblichen Vorteil: Denn in einem Umfeld deregulierter Sexualität verhilft Serialität zu einem größeren strategischen Vorteil und zu mehr Macht im Bereich der Gefühle als die Ausschließlichkeitsstrategie.

Die sexuelle Exklusivität der Frauen schließt emotionale Verbundenheit ein. Ihr Wunsch nach Ausschließlichkeit macht es wahrscheinlicher, daß Frauen ihre Gefühle früher und intensiver empfinden und ausdrücken. Weil Frauen ihre sexuelle Wahl nicht losgelöst von dem Umstand treffen, daß ihr sozioökonomischer Status im Fall einer Mutterschaft unmittelbarer von einem einzigen Mann abhängt, sind Frauen mit größerer Wahrscheinlichkeit sexuell und emotional exklusiv ausgerichtet.[140]

Auf der anderen Seite geht die serielle Sexualität aus einer Reihe von Gründen mit emotionaler Distanziertheit einher: Wenn Sexualität seriell gelebt wird, ist Distanziertheit die anpassungsfähigere Einstellung (eine serielle gefühlsmäßige Verbundenheit wäre sehr aufwendig); die aufeinanderfolgende oder parallele Ansammlung von Sexualpartnern neigt aufgrund der Entblößung vor einer großen Zahl von Partnern dazu, die Gefühle für jeden einzelnen unter ihnen

---

140 Für eine andere Strategie, bei der Mittelschichtfrauen Ehe (oder jede andere dyadische Beziehungsform) und Mutterschaft voneinander trennen, vgl. Hertz, *Single by Chance, Mothers by Choice*.

abzuschwächen; und schließlich ist Distanziertheit anderen Männern gegenüber eine ostentative Zurschaustellung von Sexualkapital. Anders gesagt: Serielle Sexualität – als Index von Männlichkeit als Status – geht mit emotionaler Distanziertheit einher, die eine wichtige Rolle in der Bindungsangst spielt, in der sich wiederum die Ökologie und Architektur der Wahl auf seiten der Männer ebenso ausdrückt wie die Kontrolle der heterosexuellen Begegnung, zu der sie ihnen verhilft. Auf mehr als eine Weise also schließt eine serielle Sexualität emotionale *Distanziertheit* ein.

Ein beredtes Beispiel findet sich in dem bereits zitierten Text von Marguerite Fields: »Manchmal sind sie mir gar nicht sympathisch, oder sie machen mir Angst, und ganz oft langweilen sie mich einfach nur. Doch meine Furcht oder Antipathie oder Langeweile scheint nie den tieferen Wunsch abzuschwächen, daß ein Mann wirklich lange bleibt oder wenigstens behauptet, es zu wollen.«[141] Dieser Gewinnertext des »Modern Love«-Essaywettbewerbs der *New York Times* veranschaulicht eindrucksvoll die Asymmetrie zwischen Männern und Frauen und macht sie genau an dem Punkt fest, daß Frauen sich zu binden wünschen und darüber hinaus wünschen, daß der Mann sich an sie bindet.

Diese Besonderheiten der Sexualstrategien von Männern und Frauen schaffen die Bedingungen für etwas, das ich als *emotionale Ungleichheit* bezeichnen möchte: Die serielle Sexualität verhilft Männern zu dem strukturellen Vorteil, sich gefühlsmäßig bedeckt halten zu können, insofern sie weniger bereitwillig sind, sich in einer einzigen Beziehung zu binden, als die Frauen, von denen ihnen, was den Zeitrahmen und die demographischen Merkmale betrifft, eine größere Auswahl zur Verfügung steht. Sehen wir uns ein Beispiel für emotionale Ungleichheit an. Eine Nutzerin einer Interkolumne rät einer anderen Frau:

141 Fields, »Want to Be My Boyfriend?«, ⟨http://www.nytimes.com/2008/05/04/fashion/04love.html?pagewanted=2⟩.

Ich glaube, Sie zögern zu Recht, einen »Bindungsängstlichen« zu einer Bindung zu drängen. Mein Mann hatte panische Angst vor einer Bindung, wollte sich trennen oder mich verlassen, wann immer eine neue Ebene der Verbindlichkeit anstand (als ich eine festere Beziehung wollte; als ich wollte, daß wir zusammenziehen; als ich wollte, daß wir heiraten; und sogar noch nach der Heirat, als ich ein Kind wollte). Schließlich gewöhnte er sich zwar nach der Geburt unseres Sohnes an die Bindung, doch nach einer Weile begann ich, Probleme zu kriegen – weil in unserer Beziehung immer ich die Initiative gehabt hatte, zweifelte ich schließlich daran, daß er mich liebte. Das ist eine Problematik, die er in einer Therapie klären muß – wenn er es wirklich will, was nicht sicher ist. Ich bin jetzt in einer Therapie, um meiner eigenen Problematik auf die Spur zu kommen. Und es kann sehr viel Leid bedeuten (in meinem Fall verschlimmert durch Selbstzweifel), wenn man versucht, eine verbindliche Beziehung mit einem solchen Mann aufzubauen. Das jedenfalls ist meine Erfahrung. (Unglücklich gebunden)[142]

Die Schilderung dieser Frau und ihr Pseudonym »Unglücklich gebunden« beschreiben ein emotionales Ungleichgewicht und eine emotionale Ungleichheit zwischen Mann und Frau sowie die Versuche der Verfasserin, selbige mittels einer Therapie anzugehen. Diese emotionalen Ungleichheiten sind durch den Kontext einer Deregulierung heterosexueller Beziehungen geprägt, durch den Umstand, daß sich die Bedingungen der Wahl für Männer und Frauen geändert haben, und durch den Umstand, daß die Akteure mit der größeren Auswahl eine stärkere Position im sexuellen Feld innehaben, ob nun aufgrund ihrer sexuellen Attraktivität, Jugend, Bildung, Einkommensverhältnisse oder jeder beliebigen Kombination dieser Faktoren.

Die Bedingungen des Tauschs zwischen Männern und Frauen werden durch ihre emotionalen Positionen in der romantischen Transaktion mitbestimmt. Während Männlichkeit im 19. Jahrhundert durch emotionale Standhaftigkeit und die nahezu ostentative Zurschaustellung der Fä-

142 ⟨http://parents.berkeley.edu/advice/family/committment.html⟩, letzter Zugriff 27. 2. 2011.

higkeit des Mannes, Versprechen zu geben und zu halten, zum Ausdruck gebracht wurde, äußert sich die moderne Männlichkeit eher in einer emotionalen Verweigerung als darin, Gefühle unter Beweis zu stellen. Umgekehrt waren Frauen im 19. Jahrhundert häufig emotional reservierter als Männer, während sie im 20. Jahrhundert häufig emotional expressiver sind. Rebecca, eine ausbildende Psychologin, erzählte mir: »Das Hauptproblem, das ich in den vergangenen zwanzig Jahren meiner Beratung und in der Beratung der Psychologen, die ich ausbilde, erlebt habe, besteht darin, daß Frauen mehr Liebe wollen, mehr Gefühle, mehr Sex, mehr Verbindlichkeit, und Männer all dem ausweichen. Männer wollen sogar weniger Sex, womit ich meine, sie wollen eine weniger fordernde Form von Sex.«

Pierre Bourdieu hat den Begriff »symbolische Herrschaft« geprägt, um den Prozeß zu bezeichnen, der manche Gruppen in die Lage versetzt, Wert und Wirklichkeit zu definieren. Daran anknüpfend möchte ich den Ausdruck »emotionale Herrschaft« ins Spiel bringen. Emotionale Herrschaft wird dann ausgeübt, wenn eine Seite eher fähig ist, die emotionale Interaktion zu kontrollieren, weil sie distanzierter ist sowie über ein größeres Potential verfügt, selbst auszuwählen und die Wahl der anderen Seite zu beschränken. Die Herausbildung marktwirtschaftlicher Bedingungen für die Paarbildung verschleiert die Tatsache, daß gleichzeitig eine neue Form der *emotionalen Herrschaft* von Männern über Frauen entstanden ist, wie sie sich in der Verfügbarkeit von Frauen und dem Zögern der Männer, sich an Frauen zu binden, ausdrückt – Folgen veränderter Bedingungen der Wahl. Wie auf wirtschaftlichem Gebiet werden asymmetrische Verhältnisse, die sich einem Mangel an sozialer Regulierung verdanken, hinter einem Anschein von Spontaneität und Individualität verborgen. Ich möchte daher vorschlagen, daß wir Bindungsangst als ein spezifisches emotionales und relationales Muster beschreiben, das zwei Menschen aneinander bindet, die sonst frei wären, in ihrer jeweiligen Ökologie und Architektur der Wahl von ihrer Wahlfreiheit Gebrauch zu machen.

Zweifellos würden viele dieser Analyse aus dem Grund widersprechen, daß sich seit den 1970er Jahren zunehmend auch die Sexualität von Frauen durch ein serielles Verhalten auszeichnet; die weibliche Sexualität und Emotionalität erscheint dadurch bei weitem nicht so monolithisch, wie ich sie hier dargestellt habe. Manche Frauen haben sich – infolge neuer Gebote, Lust und Gleichheit zu leben – die serielle Sexualität als einen emanzipierten Lebensstil angeeignet. Dies mag so sein, doch möchte ich dagegen einwenden, daß Frauen sich die serielle Sexualität zu eigen gemacht haben, indem sie auf die durch dieses Mittel erlangte männliche Macht reagierten und diese nachahmten. Im Licht der Theorie der symbolischen und emotionalen Herrschaft überrascht dies nicht: Wenn die serielle Sexualität ein Attribut des männlichen Status ist, dann wird sie mit einiger Wahrscheinlichkeit sowohl Nachahmungen (von Machtattributen) als auch strategische Reaktionen hervorrufen (die einzige angemessene Reaktion auf Distanziertheit ist größere Distanziertheit). Für Frauen hat die serielle Sexualität immer neben ihrer Ausschließlichkeitsorientierung bestanden und ist dementsprechend voller Widersprüche. Frauen neigen zu einer gemischten Sexualstrategie, die Serialität und Exklusivität kombiniert. Genauer gesagt: Für Frauen ist Serialität ein Weg, um Exklusivität zu erreichen, kein Ziel an sich. Deshalb entscheiden sie sich sowohl für die serielle als auch für die exklusive Strategie, ordnen aber letztlich die erste der zweiten unter. In ihrem Buch *Unhooked*, das in den USA ein Bestseller war, schreibt Laura Stepp über Studentinnen, die neue sexuelle Gewohnheiten an den Tag legen, etwa die Praxis des »Abschleppens«, und dabei wie folgt vorgehen: »Diese jungen Frauen plauderten über ihre Nummern [Jungen, die sie abgeschleppt haben],

als ob sie Daten in einem Brokerunternehmen zusammen-
trügen. Sie behielten den Überblick mit Terminkalendern,
die in Nachttischen verstaut waren, und tippten Namen in
Excel-Tabellendiagramme, gefolgt von sexuellen Einzelhei-
ten und Leistungsnoten.«[143] Diese Schilderung deckt sich
mit meiner Analyse kumulativer Sexualität als einer Form
von Kapital in Kapitel 1. Wie Stepp erklärt:

> [D]ie jungen Leute haben es praktisch aufgegeben, sich zu einem Ren-
> dezvous zu verabreden, und diese Praxis durch Gruppentreffen und
> sexuelle Verhaltensweisen ersetzt, die ohne Liebe und Verbindlichkeit
> auskommen – und manchmal sogar ohne Sympathie. Beziehungen
> sind durch die flüchtigen sexuellen Begegnungen ersetzt worden, die
> man als »One Night Stands« bezeichnet. Die Liebe [...] wird auf Eis
> gelegt oder für unmöglich gehalten; Sex wird zur Leitwährung der so-
> zialen Interaktion.[144]

Doch wie Stepps Recherche und anekdotische Beispiele
vermuten lassen, ist für Mädchen eine sexuelle Beziehung
eher mit Liebesgefühlen verbunden als für ihre männlichen
Pendants. Stepp legt nahe, daß dies die jungen Frauen in
erhebliche Verwirrung stürzt, insofern sie eine Bindung
wünschen und gleichzeitig ihr Bedürfnis nach einer solchen
zu leugnen versuchen. Das durchgängigste von Stepp beob-
achtete Muster ist das von Mädchen, die ihr Bedürfnis, geliebt zu werden, bekämpfen, und so tun, als seien sie Jungs
gegenüber gleichgültig und distanziert. In einem britischen
Bestseller erzählt die Sexkolumnistin des *Independent*, Catherine Townsend, eine Geschichte mannigfaltiger sexueller
Abenteuer, in der es vordergründig um eine emanzipierte,
polymorphe und sehr aktive Sexualität geht. Townsends
Schilderung ihrer erotischen Aventüren ist jedoch gänzlich
ihrer Suche nach einem einzigen Partner untergeordnet,
den sie auch findet, der aber nicht gewillt ist, sich an sie zu

143 Laura Sessions Stepp, *Unhooked. How Young Women Pursue Sex,
Delay Love and Lose at Both*, New York 2007, S. 10.
144 Ebd., S. 4.

binden. Ihre sexuellen Abenteuer erlebt sie mithin vor dem Hintergrund der Suche nach einem Lebenspartner. Ein anderes Beispiel hierfür ist die Fernsehserie *Sex and the City*, in der Frauen mit einer freien seriellen Sexualität porträtiert werden, die aber, wie viele bemerkt (und kritisiert) haben, ihrer Suche nach einem einzigen Partner untergeordnet ist. Und Marguerite Fields überlegt am Ende ihres Erfahrungsberichts:

> Ich versuchte, über mein Gespräch mit Steven [über dessen Widerstand gegen die Monogamie] nachzudenken, ich versuchte mich daran zu erinnern, daß ich mich aktiv darum bemühte, so etwas wie eine meditative, zenartige Form der Nichtbindung zu praktizieren. Ich versuchte mich daran zu erinnern, daß niemand mein Privatbesitz ist und ich genausowenig jemandes Privatbesitz bin.[145]

Diese Beispiele veranschaulichen, daß die weibliche serielle Sexualität letztlich einer ausschließlichkeitsorientierten Sexualität untersteht. Die Gefühle der Frauen und ihr Bindungswunsch sind ihrer Paarbildungsstrategie oftmals von vornherein eingeschrieben, was es wahrscheinlicher macht, daß sie widersprüchliche Wünsche verspüren, konfuse emotionale Strategien verfolgen und von Männern mit ihrer größeren Fähigkeit, sich durch serielle Sexualität einer Bindung zu entziehen, beherrscht werden.

Schluß

Freiheit ist kein abstrakter Wert, sondern eine institutionalisierte kulturelle Praxis, die Kategorien wie den Willen, die Wahl, das Begehren und die Gefühle prägt. Der Wille wird durch eine Struktur subjektiver und objektiver Zwänge geformt, von denen die Freiheit der Wahl in der Moderne einer der bedeutendsten ist. Die moderne Architektur der Wahl

145 Fields, »Want to Be My Boyfriend?«, ⟨http://www.nytimes.com/2008/05/04/fashion/04love.html?pagewanted=3⟩.

setzt eine große Zahl möglicher Partner für Männer und
Frauen gleichermaßen voraus, ebenso wie die Freiheit, sich
seinen Partner auf der Basis von Wollen und Gefühl unge-
hindert wählen zu können. Aber die Paarbildungsstrategien
und die mit ihnen verbundene Architektur der Wahl gehen
mit unterschiedlichen Strategien einher, sich Bindungen und
Verbindlichkeit zu verweigern und die eigene Distanziertheit unter Kontrolle zu behalten. Gerade weil die sexuelle
Arena eine konkurrenzorientierte geworden ist, in der Status und erotisches Kapital zu erlangen sind, und weil die
Wege zu diesem erotischen Kapital für Männer und Frauen
verschieden sind, wird die Bindungsangst der Männer zu
einem kulturellen Problem. Daß Bindungsangst der Ausdruck einer besonderen kulturspezifischen Architektur der
Wahl ist, läßt sich durch den Vergleich mit einer kulturellen
Phantasie veranschaulichen, in der ebenfalls Verbindlichkeit
verweigert wird: Isadora Wing, die Heldin von Erica Jongs
Roman *Angst vorm Fliegen*, spricht vom »Spontanfick«
(*zipless fuck*), der sehr verschiedene kulturelle Bedeutungen
umfaßt:

Ob Knöpfe am Hosenschlitz (wie die europäischen Männer sie bevor-
zugen) oder Reißverschluß – das spielt keine Rolle. Auch nicht, ob die
Partner umwerfend attraktiv sind. Der schnelle Ablauf des Intermez-
zos hat die komprimierte Dichte eines Traumes und zieht anscheinend
keinerlei Reue oder Schuldgefühl nach sich […] – da überhaupt nicht
gesprochen wird. Die Traumnummer oder der Spontanfick ist von äu-
ßerster Reinheit, da ohne jede Nebenabsicht. Es findet kein Machtkampf statt. Der Mann »nimmt« nicht und die Frau »gibt« nicht. […]
Keiner von beiden versucht, irgend etwas zu »beweisen« noch den anderen in irgendeiner Weise zu übervorteilen. Der Spontanfick ist das
sauberste, was es gibt.[146]

Dieser Phantasie liegt eine andere Architektur der Wahl zugrunde als die im vorliegenden Kapitel beschriebene Bin-

146 Erica Jong, *Angst vorm Fliegen* [1974], übers. von K. Molvig, Berlin 2007, S. 29 f.

dungsangst. Hier werden reine Lust, Souveränität und die Gleichheit beider Seiten in Szene gesetzt. Was diese Phantasieszene so rein macht, ist eben der Umstand, daß sich die Frage der Wahl nicht stellt, daß es keine ambivalenten Gefühle oder Ängste davor gibt, jemanden zu verlassen oder verlassen zu werden. Es handelt sich um eine Form der reinen, von beiden Seiten genossenen Lust, bei der die emotionale Distanziertheit keine schmerzhafte Bedeutung hat – weil sie eigentlich überhaupt keine Bedeutung hat – und von beiden Seiten gleichmäßig geteilt wird. Ein solcher reiner Hedonismus wird durch die Tatsache ermöglicht, daß keine der beteiligten Personen gehalten ist, eine Wahl zu treffen. Diese pure Intensität ist es gerade, die den um das Phänomen der Bindungsangst kreisenden Darstellungen von Männern und Frauen abgeht. Denn sie drehen sich um die Probleme, Ambivalenzen und Ängste, die durch die Wahl und ein Übermaß an Wahlmöglichkeiten, durch die Schwierigkeit, die emotionalen Voraussetzungen für eine Bindung zu schaffen, und durch die emotionale Ungleichheit ausgelöst werden.

Emotionale Ungleichheiten entstehen durch die Transformation des (romantischen) Willens, also der Frage, wie eine Person liebt und sich entscheidet, ihr Leben an das einer anderen Person zu binden – wobei diese Transformation ihrerseits eine Folge des Wandels der Ökologie und der Architektur der Wahl ist. Wie im Fall des Marktes werden die Folgen der Wahlfreiheit insofern um so unsichtbarer gemacht, je stärker die zusammengehörigen Ideale der Autonomie und des Überflusses, jene beiden kulturellen Hauptantriebsfedern der Idee der Freiheit, Lust bereiten. Autonomie, Freiheit und Vernunft sind die übergreifenden, sich wechselseitig ermöglichenden und voraussetzenden Güter der Moderne. Ich möchte jedoch darauf aufmerksam machen, daß es gerade die Bedingungen der Institutionalisierung von Freiheit sind, die – in der Transformation der Ökologie und der

Architektur der Wahl – den Willen als den Kernbegriff des Personseins, auf dem diese Ideale gründen, in Mitleidenschaft gezogen und verändert haben. Man könnte auch die These vertreten, daß sich ein Gutteil der Therapie-, Selbsthilfe- und Coachingkultur als Ansammlung von Kulturtechniken verstehen läßt, mit deren Hilfe in einem schwankungsanfälligen Markt der Möglichkeiten die Wahl überwacht und Entscheidungen getroffen werden sollen. In diesem Prozeß wird Freiheit zur Aporie, führt er doch in seiner vollendeten Form zur Unfähigkeit, von seiner Wahlfreiheit Gebrauch zu machen, wenn nicht gar zum Verschwinden selbst des Wunsches danach. Wenn es eine Geschichte der Freiheit gibt, dann können wir sagen, daß wir vom Kampf um die Freiheit zur Schwierigkeit, zu wählen, und sogar zum Recht, nicht zu wählen, vorangeschritten sind.

3.
Das Verlangen nach Anerkennung: Liebe und die Verletzlichkeit des Selbst

> My worthiness is all my doubt,
> His merit all my fear,
> Contrasting which, my qualities
> Do lowlier appear;
>
> Lest I should insufficient prove
> For his beloved need,
> The chiefest apprehension
> Within my loving creed.
>
> So I, the undivine abode
> Of his elect content,
> Conform my soul as 't were a church
> Unto her sacrament.
>
> — *Emily Dickinson*

> Zwar durch die Macht der Liebe bin ich dein,
> Und ewig diese Banden trag' ich fort;
> Doch durch der Waffen Glück gehörst du mir;
> Bist mir zu Füßen, Treffliche, gesunken,
> Als wir im Kampf uns trafen, nicht ich dir.
> — *Heinrich von Kleist (Achilles zu Penthesilea)* *

In seinen *Meditationen* umreißt Descartes ein Schlüsselereignis der Moderne: Ein Bewußtsein begreift sich selbst als

---

* Die Mottos stammen aus Emily Dickinson, *Poems, 1890-1896*, Gainesville 1967, S. 470 (»Love's Humilty«), sowie Heinrich von Kleist, *Penthesilea* [1808], in: *Sämtliche Werke und Briefe*, hg. von Ilse-Marie Barth, Klaus Müller-Salget, Walter Müller-Seidel u. Hinrich C. Seeba, Bd. 2, Frankfurt/M. 1987, S. 224.
Mein Wert erfüllt mit Zweifeln mich, / Sein Vorzug läßt mich Ängste haben, / Da, nimmt man beides im Vergleich, / Bescheid'ner wirken meine Gaben // Daß ich nicht ungenügend bin / Für seine so geliebte Not, / In meinem Liebesglauben / Der Sorge oberstes Gebot. // Drum ich, das irdische Gefäß / Für seinen auserwählten Geist / Gleich meine Seele einer Kirche an / Daß sie der Gnade voll sich auch erweist.

zweifelndes und versucht in ebendiesem Akt, die Gewißheit dessen zu erlangen, was es weiß. In seiner dritten Meditation schreibt Descartes:

> Ich bin ein denkendes [bewußtes] Ding, d. h. ein solches, das zweifelt, bejaht, verneint, wenig versteht, vieles nicht weiß, [das liebt, haßt,] das will, nicht will, auch Einbildung und Empfindung hat. Denn – wie schon oben bemerkt – wenngleich das, was ich in der Empfindung oder in der Einbildung habe, außer mir vielleicht nichts ist, so bin ich doch dessen gewiß, daß jene Weisen des Bewußtseins, die ich Empfindungen und Einbildungen nenne, insofern als sie nur gewisse Weisen des Bewußtseins sind, in mir vorhanden sind.[1]

Descartes' intellektuelle Artistik liegt in der Behauptung, die Methode, Gewißheit zu erlangen, bestehe darin, zu zweifeln, und das Ich sei die einzige Instanz, die Wissen sowohl zu bezweifeln als auch zu beglaubigen vermöge, nachdem der Zweifel der Weg zur Gewißheit ist.

Viel ist über den Willen zur Kontrolle geschrieben worden, der dem cartesischen Versuch innewohnt, die Gewißheit des Wissens von innerhalb der Mauern des eigenen Bewußtseins zu begründen.[2] Weniger Aufmerksamkeit wurde der Lust zuteil, die das Ich eindeutig daraus bezieht, sich als Objekt der Gewißheit zu konstituieren.[3] Die Erfahrung des Zweifels hat in Descartes' Text einen jubilatorischen Charakter im Lacanschen Sinne jener Lust, die das Kleinkind daraus bezieht, die Kontrolle über den eigenen Körper vorwegzunehmen. Der cartesische Zweifel jubiliert und ist jubilatorisch, weil er die Gewißheit vorwegnimmt.

Der französische Philosoph Jean-Luc Marion schließt an Descartes' Überlegung an und behauptet, daß dessen

1 René Descartes, *Meditationen über die Grundlagen der Philosophie mit sämtlichen Einwänden und Erwiderungen* [1642], übers. von A. Buchenau, Hamburg 1972, S. 27.

2 Charles Taylor, *Quellen des Selbst. Die Entstehung der neuzeitlichen Identität*, übers. von J. Schulte, Frankfurt/M. 1994.

3 Jean-Luc Marion, *Le phénomène érotique. Six méditations*, Paris 2003, S. 27.

Objektmetaphysik – also eine Metaphysik, deren Zweck es ist, Gewißheit über Objekte zu erlangen – nicht dazu verhilft, eine wichtigere Gewißheit zu erlangen, nämlich die des Ich, Selbst oder Ego. Das Ich braucht nicht nur und nicht einmal vorrangig eine epistemische oder ontologische Gewißheit, sondern eine erotische – die vielleicht als einzige auf die Frage antworten kann, was Gewißheit wert ist. Für Marion steht der Liebende im Gegensatz zur »res cogitans«, denn wo letztere nach Gewißheit sucht, sucht ersterer nach einer Zusicherung (oder »Bestätigung«) und ersetzt die Frage »existiere ich?« durch die Frage »werde ich geliebt?«[4]

Marions Umformulierung von Descartes' Versuch, Gewißheit zu erlangen, ist durchaus nicht willkürlich, sondern symptomatisch dafür, daß es heute die ontologische Sicherheit und das Selbstwertgefühl sind, die in der romantischen und erotischen Bindung auf dem Spiel stehen. Zu behaupten, daß sexuelle Begegnungen mittlerweile in sozialen Feldern organisiert sind, heißt ja nichts anderes, als daß sie sozialen Status und ein Selbstwertgefühl zu stiften vermögen. Selbst ein flüchtiger Blick auf die modernen sexuellen und romantischen Verhältnisse macht deutlich, daß Sexualität und Liebe zu wichtigen Bestandteilen des Selbstwertgefühls eines Individuums geworden sind. Wie ich zeigen möchte, ist es unter den Bedingungen der Spätmoderne die erotische Frage, die das Problem der Bestätigung am deutlichsten zum Ausdruck bringt, wobei die Umstellung von der epistemischen auf die erotische Frage mit allen Aporien des Selbst in der Moderne befrachtet ist.

4 Ebd.

Warum Liebe guttut

Vielen Philosophen galt die Liebe als eine Form von Wahnsinn;[5] doch handelt es sich um eine eigentümliche Form von Wahnsinn, die ihre Macht daraus bezieht, das Ich aufzuwerten und mit einem gesteigerten Gefühl seiner eigenen Macht auszustatten. Die romantische Liebe wertet das Selbstbild durch die Vermittlung des Blicks eines anderen auf. Um einen der Klassiker zu diesem Thema zu zitieren, Goethes *Leiden des jungen Werther*: »Mich liebt! – Und wie wert ich mir selbst werde, wie ich – *dir* darf ich's wohl sagen, du hast Sinn für so etwas – wie ich mich selbst anbete, seitdem sie mich liebt!«[6] Wenn man liebt, wird der andere zum Gegenstand unkritischer Beachtung, wie David Hume mit trefflicher Ironie feststellt: »Jemand, der in sinnlicher Begierde entbrannt ist, fühlt wenigstens eine vorübergehende freundschaftliche Gesinnung für den Gegenstand derselben und hält ihn gleichzeitig für schöner als sonst.«[7] Simon Blackburn merkt an: »Liebende sind nicht wirklich blind: Sie sehen durchaus die Cellulitis, die Warzen und das Schielen des anderen, das Merkwürdige ist nur, dass sie sich nicht nur nicht daran stören, sondern es vielleicht sogar bezaubernd finden.«[8] Solche Versöhnlichkeit wohnt der Liebe inne und führt dazu, daß das Liebesobjekt sich selbst (zeitweilig) deutlich mehr schätzt. Auch Freud war von der Tatsache beeindruckt, daß sich das erotische Phänomen durch

---

5 Eines der ersten Beispiele ist Platons *Phaidros*.

6 Johann Wolfgang von Goethe, *Die Leiden des jungen Werther*, in: *Werke. Hamburger Ausgabe*, hg. von Erich Trunz, Bd. 6, München 1988, S. 38.

7 David Hume, *Traktat über die menschliche Natur. Ein Versuch, die Methode der Erfahrung in die Geisteswissenschaft einzuführen* [1739/40], übers. von Th. Lipps, Berlin 2004, S. 402.

8 Simon Blackburn, *Wollust. Die schönste Todsünde*, übers. von M. Wolf, Berlin 2008, S. 87.

eine eigentümliche Art der Wertschätzung auszeichnet: »Im Rahmen dieser Verliebtheit ist uns von Anfang an das Phänomen der Sexualüberschätzung aufgefallen, die Tatsache, daß das geliebte Objekt eine gewisse Freiheit von der Kritik genießt, daß alle seine Eigenschaften höher eingeschätzt werden als die ungeliebter Personen oder als zu einer Zeit, da es nicht geliebt wurde.«[9] Für Nietzsche ist es nicht der Umstand, daß man Gegenstand der unkritischen Aufmerksamkeit eines anderen ist, die das eigene Selbstwertgefühl erhöht, sondern der bloße Akt des Liebens, der die eigene Lebensenergie steigert: »[M]an scheint sich transfigurirt, stärker, reicher, vollkommener, man *ist* vollkommener ... [...] Und nicht nur daß sie das Gefühl der Werthe verschiebt ... Der Liebende ist mehr werth, ist stärker.«[10] Und Simon Blackburn stellt fest, daß

die Liebenden nicht nur den Gegenstand ihres Verlangens, sondern auch sich selbst in ihrer eigenen Einbildung erfinden, etwa so, wie man sagt, dass es Menschen Halt gibt, wenn sie Stützpfeiler anschauen, und dass sie hin und her schaukeln, wenn sie sich vorstellen, auf See zu sein. Die Dichtung beziehungsweise Vorstellung kann Besitz von der eigenen Person ergreifen, und für einen Augenblick zumindest sind wir, was zu sein wir uns einbilden.[11]

Ganz gleich, ob das Hauptgewicht auf die Abwesenheit von Kritik oder die mit dem Akt des Liebens verbundene Lebensenergie gelegt wird, scheint Übereinstimmung zu herrschen, daß verliebt sein heißt, ein Gefühl gewöhnlicher Unsichtbarkeit zu überwinden und ein Gefühl der Einzigartigkeit sowie ein gesteigertes Selbstwertgefühl zu empfinden.

9 Sigmund Freud, »Massenpsychologie und Ich-Analyse« [1921], in: *Studienausgabe*, hg. von Alexander Mitscherlich, Angela Richards u. James Strachey, Bd. 9, Frankfurt/M. 1986, S. 61-134, hier: S. 105.

10 Friedrich Nietzsche, *Nachgelassene Fragmente 1887-1889*, in: *Sämtliche Werke*, hg. von Giorgio Colli u. Mazzino Montinari, Bd. 13, München 1980, S. 299. Vgl. auch Anne Carson, *Eros the Bittersweet. An Essay* [1986], Princeton 1998.

11 Blackburn, *Wollust*, S. 88.

Daß die Liebe zu einer Steigerung des Selbstgefühls führt – indem man unkritisch geliebt wird und liebt –, scheint somit in einer Vielzahl unterschiedlicher soziohistorischer Kontexte zum Kernbestand des Liebesgefühls zu gehören. Dennoch behaupte ich, daß das von der Liebe verliehene Selbstwertgefühl in modernen Beziehungen von besonderer und akuter Bedeutung ist, gerade weil der moderne Individualismus mit der Schwierigkeit zu kämpfen hat, ein Selbstwertgefühl zu begründen – und weil der Zwang, sich von anderen zu unterscheiden und ein Gefühl von Einzigartigkeit auszubilden, mit der Moderne erheblich zugenommen hat. Anders gesagt: Welche subjektive Bestätigung die Liebe in der Vergangenheit auch immer geboten haben mag, spielte diese doch keine *gesellschaftliche* Rolle und stellte keinen Ersatz für eine gesellschaftliche Anerkennung dar (einmal abgesehen von Fällen sozialer Abwärtsmobilität, in denen jemand aus einer höheren Klasse jemanden aus einer niedrigeren Klasse heiratete). Die romantische Anerkennung hatte noch nicht jenen ausgeprägt soziologischen Charakter. Meine These im folgenden wird sein, daß es die Struktur der Anerkennung selbst ist, die sich in modernen romantischen Beziehungen gewandelt hat, und daß diese Anerkennung tiefer reicht und weiter geht als je zuvor.

Von der Anerkennung der Klasse zur Anerkennung des Selbst

1897 erschienen zwei Ratgeber, beide aus der Feder von Mrs. Humphry, zum Thema Liebeswerben: *Manners for Men* und *Manners for Women*. Der Rat dieser Bücher bestand in Orientierungshilfe zu den klassen- und geschlechtsspezifischen Kodes des Liebeswerbens in der Mittelklasse: Männer wurden über ihre Haltung und ihr Benehmen ins Bild gesetzt, also darüber, wie man neben einer Frau auf

dem Bürgersteig geht, ob man eine Frau vor einem Mann
vorstellt, ob man einer unbekannten Dame einen Regen-
schirm anbieten darf, ob man in der Anwesenheit von Damen vom Rauchen absehen sollte, welche Hand (die rechte
oder die linke) man einer Dame reicht, die in eine Kutsche
oder einen Eisenbahnwaggon steigt, und wie man sich aus
der Situation rettet, in einem Restaurant die Rechnung nicht
bezahlen zu können. Frauen wiederum wurden ermahnt,
selbstbeherrscht zu bleiben und ihre Konversation mit (freilich nicht zu lautem) Lachen zu durchsetzen, und bekamen
erklärt, wie man elegant Fahrrad fährt, welche Speisen und
Weine eine Gastgeberin servieren sollte, welche Blumen auf
den Tisch gehören und wann man einen Knicks macht und
wann nicht.

Viele, wenn nicht die meisten der Ratgeber jener Zeit
befaßten sich damit, Geschlecht und Klasse innerhalb der
romantischen Sphäre zu kodifizieren, weil sie in erster Linie
auf die erfolgreiche Partnersuche zielten, die im allgemeinen
von der Fähigkeit abhing, sich die Kodes des kultivierten
Bürgertums anzueignen. Diese Bücher vermittelten Rituale
der Anerkennung vornehmlich in Form von Listen *verhal-
tensbezogener* Ge- und Verbote, deren Zweck darin bestand,
die eigene Klassenzugehörigkeit und Geschlechtsidentität
sowie die des Gegenübers zu bestätigen. Das Selbst einer
anderen Person zu würdigen hieß, Zeichen zu produzieren,
die die eigene Gesellschaftsschicht und Geschlechtsidentität
sowie die des anderen anerkannten und bestätigten. Den
anderen zu beleidigen bedeutete, zu beleidigen, was der Soziologe Luc Boltanski als seine *grandeur* bezeichnet, also
seine relative Wichtigkeit und seinen Rang auf der sozialen
Skala.

Zeitgenössische Selbsthilferatgeber zur Partnersuche handeln von ganz anderen Dingen. Das erste Kapitel von *Dating for Dummies* heißt (übersetzt) »Wer bin ich?« und ist
in Abschnitte mit Titeln wie »Selbstsicher sein« oder »Was

treibt mich eigentlich an?« unterteilt.[12] *Mars sucht Venus, Venus sucht Mars* enthält Kapitel zu den Themen »Dynamik des männlichen und weiblichen Verlangens«, »Männer wollen Anerkennung, Frauen Verehrung« und »Ungewißheit«,[13] während *Frosch oder Prinz?* solche zu Aspekten wie »Lernen Sie sich selbst kennen« und »Die große Bedeutung emotionaler Gesundheit« bringt.[14] In diesen zeitgenössischen Ratgebern hat sich der Schwerpunkt des Rats in Sachen Partnersuche verlagert: Er liegt nicht mehr auf dem (bürgerlichen) Anstand und nicht einmal mehr darauf, wie man sich als soziales Geschlechtswesen geben soll, sondern auf dem Selbst, das aus seinem sozialen Stand herausgelöst und über Innerlichkeit und Gefühle definiert ist. Genauer gesagt: Worum es in diesen modernen Erörterungen des Liebeswerbens für Männer und Frauen gleichermaßen geht, ist ein Verständnis des eigenen Werts als eines, der von anderen durch geeignete Rituale der Anerkennung verliehen wird.

Auf typische Weise lesen wir in *Mars sucht Venus, Venus sucht Mars*:

Die *Selbstsicherheit* des Mannes, die ihn das Risiko einer *Zurückweisung* eingehen läßt, wenn er eine Frau um ihre Nummer bittet, erzeugt in der Frau das *beruhigende* Gefühl, daß sie *begehrenswert* ist. Wenn sie auf seine Bitte eingeht und ihm ihre Nummer gibt, *wächst sein Selbstvertrauen wiederum. Wie sein aktives Interesse ihr das Gefühl gab, ihm etwas zu bedeuten, ließ ihr passives Interesse sein Selbstbewußtsein wachsen.*[15]

Hier sind offensichtlich Grenzen zwischen Klassen und Geschlechtern verschwunden. Statt dessen gilt es nunmehr, sich in geeigneter Weise um sein Selbst zu sorgen, das »essentialisiert« worden ist – es existiert jenseits der sozialen Schicht.

---

12 Joy Browne, *Dating for Dummies*, Hoboken ²2006.

13 John Gray, *Mars sucht Venus, Venus sucht Mars. Wie Sie Ihren Seelengefährten erkennen*, übers. von C. Wilhelm, München 1998.

14 Neil Clark Warren, *Frosch oder Prinz? Wie man den Prinzen findet, ohne viele Frösche zu küssen*, übers. von A. Klos, Asslar 2003.

15 Gray, *Mars sucht Venus*, S. 199 (meine Hervorhebungen).

Das Selbstwertgefühl wohnt jetzt dem Selbst inne. Wie der Verfasser des populären Buchs *Frosch oder Prinz?* ausführt: »Tatsache ist, dass jeder von uns alles dafür tut, um sich gut zu fühlen, und wenn wir uns in der Nähe eines Menschen besonders gut fühlen, werden wir überrascht sein, wie wichtig und attraktiv dieser Mensch für uns wird – und umgekehrt.«[16] Die Rituale der Anerkennung müssen hier das »Wesen« des Selbst würdigen, nicht die Zugehörigkeit zur richtigen Klasse, und »sich gut zu fühlen« ist gleichermaßen zu Grund und Zweck geworden, um sich zu verlieben. Bei einem breiten Spektrum von Psychologen und Psychoanalytikern stößt die Auffassung auf Widerhall, das Selbst müsse gleichsam rückbestätigt werden. Für die Psychoanalytikerin Ethel Spector Person wird dem anderen in der Liebe ein sehr hoher Wert zugeschrieben, während der Wert des Selbst stets fraglich ist und danach verlangt, bestätigt zu werden.[17] Persons Wortwahl und Analyse verweisen auf einen wichtigen Wandel in der Bedeutung der Liebe in der Moderne, wenn sie schreibt:

In der erwiderten Liebe *bestätigen* die Liebenden einander ihre Einzigartigkeit und ihren Wert. In ihr eröffnet sich uns die Chance, daß ein anderer Mensch uns durch und durch kennenlernt, uns akzeptiert, ohne über uns zu urteilen, und uns trotz all unserer Schwächen und Mängel liebt. [...] Nur wenn wir geliebt werden, werden wir von *unseren Unsicherheiten erlöst*, wird uns *unsere Wichtigkeit garantiert*.[18]

Die Begriffe »Bestätigung« und »Unsicherheit« kommen in dem Vokabular, mit dem man sich im 18. oder 19. Jahrhundert die romantische Liebe zurechtlegte, nicht vor. Sie stellen eine neue Terminologie und einen entschieden neuen Weg

16 Warren, *Frosch oder Prinz?*, S. 11.

17 Ethel Spector Person, *Lust auf Liebe. Die Wiederentdeckung des romantischen Gefühls*, übers. von C. Holfelder-von der Tann, Reinbek bei Hamburg 1990.

18 Ebd., S. 72 (meine Hervorhebungen). [Übers. ergänzt, Anm. d. Übers.]

dar, die Liebeserfahrung zu begreifen. Tatsächlich ist der Begriff der Unsicherheit für die zeitgenössischen Liebesvorstellungen (und einen Großteil der zeitgenössischen Ratschläge in Sachen Liebe und Partnersuche) so zentral geworden, daß er uns nötigt, seiner Bedeutung nachzufragen.

Psychologische Beschreibungen wie die zitierte enthalten und behandeln Merkmale unserer sozialen Welt. Was in der üblichen psychologischen Sprache »Unsicherheit« heißt, verweist auf zwei soziologische Tatsachen: erstens, daß unsere Geltung und unser Wert nicht unabhängig von Interaktionen bestehen und nicht von vornherein gesichert sind, sondern beständig neu festgelegt und bekräftigt werden müssen sowie zweitens, daß es unser Abschneiden in einer Beziehung ist, das über diese Geltung entscheiden wird. Unsicher zu sein heißt, daß man keine Gewißheit über die eigene Geltung hat, daß man diese nicht selbst gewährleisten kann und auf andere angewiesen ist, um sie gewährleistet zu bekommen. Eine der grundlegenden Veränderungen in der Moderne betrifft die *Tatsache*, daß die soziale Geltung in sozialen Beziehungen performativ ermittelt wird. Eine andere Formulierung hierfür wäre, daß soziale Interaktionen – beziehungsweise die Art und Weise, wie das Selbst in ihnen abschneidet – ein Hauptvektor sind, um dem Selbst Geltung und Wert zufließen zu lassen, was dazu führt, daß das Selbst entscheidend von anderen und seinen Interaktionen mit ihnen abhängt. Während die romantische Bindung bis Mitte oder Ende des 19. Jahrhunderts auf der Grundlage eines bereits vorhandenen und annähernd objektiv begründeten Bewußtseins der sozialen Geltung aufbaute, ist sie in der Spätmoderne dafür verantwortlich, einen großen Teil dessen hervorzubringen, was wir als Selbstwertgefühl bezeichnen können. Gerade weil also Ehe und romantische Liebesabenteuer fest in gesellschaftlichen und ökonomischen Erwägungen verankert waren, trug die romantische Liebe kaum dazu bei, die Selbstwahrnehmung des eigenen sozialen Orts zu steigern. Und gerade weil die Liebe aus ihren sozialen Rahmenbedingungen herausgelöst wurde, ist die romantische Liebe zum Schauplatz der Aushandlung des Selbstwertgefühls geworden.

Um einschätzen zu können, was so bezeichnend für die gegenwärtige Lage ist, können wir diese kurz mit den Ritualen des Liebeswerbens im 19. Jahrhundert vergleichen. Auch wenn es riskant sein mag, den Inhalt des Gefühlslebens von Menschen früherer Zeiten zu beurteilen, bieten die Rituale des Liebeswerbens im 19. Jahrhundert einige interessante Vergleichspunkte und alternative Denkweisen darüber, wie das Selbst in den entsprechenden Praktiken ausgestaltet war und wie für es Sorge getragen wurde. Ein häufig anzutreffendes Merkmal der Partnerwerbung im 19. Jahrhundert bestand darin, daß Männer sich befleißigten, die Frau zu preisen, um die sie warben, während die Reaktion der Frau nicht selten darin bestand, ihren eigenen Wert herabzusetzen.

Am 9. April 1801 schrieb Frances Sedgwick, nachdem sie einen Heiratsantrag Ebenezer Watsons zunächst abgelehnt, ihre Meinung dann geändert und beschlossen hatte, diesen im Grunde genommen doch für einen passenden Kandidaten zu halten und zu heiraten, an ihren Vater: »Ich wünschte, ich könnte glauben, meine eigenen Verdienste entsprächen nach irgendeinem geeigneten Maß den seinigen. [...] Was mich unbedeutendes Wesen betrifft, so kann ich kaum hoffen, irgendwo für ein kleines Glück zu sorgen, es sei denn durch die unzähligen Male, die ich Sie für all Ihre Güte entlohnen werde.«[19] Auch gegenüber ihren Verehrern drückten Frauen ihr Minderwertigkeitsgefühl offen aus. Frances Sedgwicks Gefühle sind bei weitem kein Einzelfall, sondern durchziehen das ganze 19. Jahrhundert. So schreibt Ellen Rothman in ihrer Untersuchung des Liebeswerbens

19 Timothy Kenslea, *The Sedgwicks in Love. Courtship, Engagement, and Marriage in the Early Republic*, Boston 2006, S. 46.

jener Zeit: »[A]ls das stärker idealisierte Geschlecht fürch-
teten Frauen eher, daß ihre Liebhaber sich ein zu erhabenes
Bild von ihnen machten. Eine Lehrerin auf Long Island bat
ihren Verlobten: ›Obwohl du von mir so viel höher denkst,
als ich bin, möchte ich, daß du mich kennenlernst, so wie ich
bin; schwach, zerbrechlich, impulsiv & launisch‹.«[20]

Nach ihrer Verlobung mit Albert Bledsoe hatte Harriet
Coxe ähnliche Gefühle, die sie allerdings eher für sich be-
hielt. In einem »privaten« Brief schrieb sie: »Die Tiefe und
Inbrunst seiner Zuneigung zu mir sollte meine Eitelkeit
nicht anstacheln, weiß ich doch, daß er mich in jeder Hinsicht völlig überschätzt.« Eine Frau aus New York hoffte,
ihr Verehrer werde diesen Fehler nicht begehen, und schrieb
ihm: »Betrachten Sie mich nicht, als sei ich ohne Fehler,
denn Sie werden zweifellos viele finden. Ich möchte nicht,
daß Sie enttäuscht sein werden, weil sie mich für tadellos
halten.« Persis Sibley glaubte, es sei ihr nicht gelungen, ihren Verlobten davon zu überzeugen, daß sie »nicht ohne
Fehler« war. Sie malte sich die »schwere Prüfung« aus, die
ihr bevorstand, wenn sie nach der Hochzeit »die Schuppen
von *seinen* Augen fallen sehen würde, der mich so blind als
Inbegriff der Vollkommenheit verehrt hat. [...] Einem jeden
ist's abträglich, überschätzt zu werden.«[21] Und Mary Pear-
son »glaubte, sie sei der ihr von Ephraim entgegengebrach-
ten Zuneigung nicht würdig und verdiene sein Lob nicht.
[...] [W]o Ephraim alles sah, ›von dem [seine] Vorstellung
[ihm] je eingeflüstert hatte, es würde zu einer Frau gehören, die [ihn] glücklich machen könnte‹, sah *sie* nur eine
gewöhnliche Frau voller Selbstzweifel und Unsicherheit.«[22]
Ein historisch späteres Beispiel bietet Mark Twain, der im
Rahmen seiner Brautwerbung um Olivia Langdon schrieb:

20 Ellen K. Rothman, *Hands and Hearts. A History of Courtship in
America*, New York 1984, S. 98.
21 Ebd., S. 98 f.
22 Ebd., S. 19.

Fühle Dich jetzt bitte *nicht* verletzt, Livy, wenn ich Dich preise, weiß ich doch, daß ich damit nur die Wahrheit sage. Einen Fehler gestehe ich Dir ja schließlich zu – & er besteht in Deiner *Selbstunterschätzung.* [...] Und doch ist Deine Selbstunterschätzung im Grunde genommen eine Tugend & ein Verdienst, denn sie verdankt sich der Abwesenheit von jeglichem Egoismus, der einer der schwersten Charakterfehler ist.[23]

In England mit seinen zahlreichen kulturellen Affinitäten zu den Vereinigten Staaten finden wir ähnliche Selbstdarstellungen zum Beispiel in der Korrespondenz zwischen Elizabeth Barrett und Robert Browning. Dem modernen Betrachter sticht ins Auge, daß ein nicht unerheblicher Teil ihres Briefwechsels Roberts Anpreisungen von Elizabeths Einzigartigkeit und außergewöhnlichem Charakter sowie Elizabeths Zurückweisung dieser Bekundungen gewidmet ist. In einem Brief vom September 1845 schreibt sie: »Daß *Du* Dir überhaupt etwas aus *mir* machen solltest, ist von der ersten Stunde an bis heute ein Grund aufrichtiger Verwunderung für mich gewesen – und ich kann nicht gegen den Schmerz an, den ich manchmal empfinde, wenn ich denke, daß es besser für Dich gewesen wäre, wenn Du mich nie kennengelernt hättest.«[24] Im Februar 1846, als sein Werben um sie schon recht weit fortgeschritten war, schrieb Elizabeth: »[N]ichts hat mich so demütig gemacht wie Deine Liebe.«[25] Und im März 1846: »... wenn Du nicht damit fortfährst, mich durch Dein starkes Liebesvermögen durchaus vom Boden zu erheben, werde ich die Hoffnungen, die Du in mich gesetzt hast, wohl nicht erfüllen können.«[26] Jede dieser Behauptungen rief strenge Proteste

---

23 Zitiert nach Susan K. Harris, *The Courtship of Olivia Langdon and Mark Twain*, Cambridge 1996, S. 96.

24 Daniel Karlin (Hg.), *Robert Browning and Elizabeth Barrett. The Courtship Correspondence, 1845-1846*, Oxford 1989, S. 124 (meine Hervorhebung).

25 Ebd., S. 218.

26 Ebd., S. 229.

von Robert und eine Intensivierung seiner Liebeserklärungen und Bindungswünsche hervor. In einem anderen Fall wich Jane Clairmont, die für eine kurze Zeit Lord Byrons Geliebte war, von der passiven Rolle ab, die die ihre hätte sein sollen, respektierte aber die Liebesbriefkonventionen, als sie ihm schrieb: »Ich erwarte nicht, daß Du mich liebst, ich bin Deiner Liebe nicht würdig. Ich spüre, daß Du höher stehst, doch sehr zu meiner Überraschung, mehr noch zu meinem Glück hast Du Leidenschaften bekundet, die ich in Deinem Busen nicht mehr lebendig wähnte.«[27]

In diesen Erklärungen inszenieren Frauen ihre Minderwertigkeit, die jedoch keine Minderwertigkeit gegenüber ihren spezifischen Liebhabern ist, sondern eine gegenüber moralischen Charakteridealen. Diese Feststellung wird durch die Beobachtung gestützt, daß auch Männer Selbstzweifel zum Ausdruck bringen, wenn auch nicht so häufig und auf so bezeichnende Weise. Harry Sedgwick, ein Angehöriger der Bostoner Elite, war mit Jane Minot verlobt. Während einer Phase, in der sie für 17 Monate getrennt waren, tauschten sie eine Vielzahl von Briefen aus:

Ein durchgängiges Thema ihres Briefwechsels war Harrys – intellektuelle, seelische und berufliche – (Un-)würdigkeit als Janes Partner. [...] Gegen Ende des Winters machte Harry eine kurze Vertrauenskrise durch: »Ich wünschte, ich könnte einen Blick in die Vorsehung erhaschen«, schrieb er, »nur um eine einzige Sache zu wissen – ob ich Deiner jemals unwürdig werde und Deine Wertschätzung verwirke.«[28]

Aus diesen Formen der Selbstherabsetzung lassen sich gewisse Schüsse ziehen: Sie setzen Akteure voraus, die sich auf »objektive« Weise selbst bewerten können. Was hier vorgeführt wird, ist die Fähigkeit, mit den Augen eines anderen von außen auf sich blicken und sich selbst nach objektiven Kriterien der Würde zur Rechenschaft ziehen zu können,

---

27 Lionel Strachey u. Walter Littlefield (Hg.), *Love Letters of Famous Poets and Novelists*, New York 1909, S. 29.
28 Kenslea, The Sedgwicks in Love, S. 156.

nach Kriterien also, die für Männer und Frauen gleichermaßen gelten und von ihnen geteilt werden. Darüber hinaus ist
es sehr gut möglich, daß hier gleichzeitig zwei Fähigkeiten
in Szene gesetzt werden: die, sich selbst zu kritisieren (und
damit seinen Charakter zu demonstrieren), und die, über
die Enthüllung der eigenen Makel und Fehler Intimität herzustellen. Indem sie ihr Vermögen beweisen, ein charakter-
liches Ideal hochzuhalten und ihr eigenes Selbst im Namen
dieses Ideals zu kritisieren, führen diese Frauen und Männer ein Selbst vor, das keinerlei »emotionale Unterstützung«
oder »Bestätigung« braucht, wie wir das heute nennen
würden. Dies ist ein Selbst, das zu einer Selbsteinschätzung
ohne fremde Hilfe in der Lage ist und das sein Selbstwertgefühl nicht daraus bezieht, »Bestätigung zu finden«, sondern daraus, daß ihm seine Fähigkeit vor Augen steht, sich
an moralischen Standards zu messen und sich verbessern
zu lassen, um diesen Standards gerecht zu werden. Zudem
setzen solche Rituale der Selbstherabwürdigung rituelle Erwiderungen des Gegenübers voraus und laden zu ihnen ein;
sie fungieren nicht als Bitten um »Bestätigung«, sondern als
»Tests« der Belastbarkeit und Bindungsfähigkeit des Mannes. Auch hier geht es nicht um das »Selbst« der Frau oder
ihr Bedürfnis nach Bestätigung, sondern um die Fähigkeit
des Mannes, seine Standfestigkeit an den Tag zu legen und
zu beweisen.

Diese Rituale der Selbstherabsetzung unterscheiden sich
gravierend von der Gefahr, in der zeitgenössische romantische Beziehungen schweben, nämlich daß die Beteiligten aus
ihnen keine Bestätigung beziehen können. Ich möchte dies
anhand einiger Beispiele aus der Populärkultur und meinen
Interviews erläutern. So schrieb Susan Shapiro Memoiren
über die »fünf Männer, die mir das Herz brachen«. Sie läßt
uns ein Gespräch mit ihrem Ehemann Aaron belauschen, in
dem sie von Brad spricht, einem ihrer Verflossenen.

»Brad schrieb in seiner E-Mail: ›Ich liebe deinen Intellekt noch immer‹. Warum sagst du nie so was zu mir? Das war das erste Kompliment seit Jahren, bei dem ich mich gut gefühlt habe.«

»Er liebt es noch immer, deinen Intellekt zu ficken.« Aaron stand auf und brachte seine Tasche in sein Zimmer.

Ich folgte ihm und schob die Drehbücher auf der verblichenen grauen Couch zur Seite, um mich zu setzen. Ich wußte, daß er neben der Spur war, nur hatten wir in dieser Woche kaum miteinander gesprochen. Er ging davon aus, mich unverändert am selben Platz wiederzufinden, als ob er ein Lesezeichen hinterlassen hätte.

»Nie nennst du mich intelligent«, sagte ich.

»Ich mache dir ständig Komplimente.« Er war verdrossen. »Gerade eben habe ich dir gesagt, wie schön du bist.«

Er kapierte es nicht, wie immer mußte ich ihm alles erklären. »Ich bin als einziges Mädchen unter drei Brüdern aufgewachsen, die jeder brillant nannte. Ich war süß oder hübsch oder hinreißend. Das gibt mir nichts. Kennst du mich denn gar nicht?«, flehte ich. »Warum brauche ich zehntausend Bücher und Zeitungsausschnitte überall? Um überzukompensieren. Um jedermann davon zu überzeugen, daß ich intelligent bin, weil es nicht einer mal gesagt hat ... um mich selbst zu überzeugen«, sagte ich. »Ich werde zu dem, was fehlt.«

»Also, das war jetzt intelligent«, sagte Aaron und strich mir über den Kopf. »Du häßliche alte Ziege.«[29]

Die Beschwerde und die Aufforderung dieser Frau sind durch ihr Bedürfnis motiviert, daß ihr Selbst eine Bestätigung erfährt, die so persönlich wie sozial ist. Sie verlangt von ihrem Mann, daß er ihren sozialen Wert bestätigt. Im folgenden Beispiel spricht eine 56jährige Frau über ihre Eheprobleme:

CHRISTINE: Wissen Sie, ich habe einen sehr reizenden Mann; er ist mir treu ergeben und aufopferungsvoll. Aber er hat einfach keine Ahnung von den kleinen Dingen, die einem ein gutes Gefühl vermitteln.
INTERVIEWERIN: Wie zum Beispiel?
CHRISTINE: Naja, kleine Geschenke kaufen, mich überraschen, mir

---

29 Susan Shapiro, *Five Men Who Broke My Heart*, New York 2004, S. 29.

sagen, wie toll ich bin. Obwohl ich weiß, daß er mich liebt, versteht er es nicht, mich toll und besonders fühlen zu lassen.

INTERVIEWERIN: Obwohl er Sie liebt?

CHRISTINE: Ja. (*Pause.*) Wissen Sie, bei der Liebe geht es ganz um das Wie, nicht um das Daß. Obwohl ich weiß, daß er mich liebt. Aber dieses Etwas, das bewirkt, daß man sich besonders und einzigartig fühlt, das hat immer gefehlt.

Im 19. Jahrhundert hätten treue Ergebenheit und Verbundenheit als entscheidende Liebesbeweise gegolten. Hier aber werden sie als ungenügend betrachtet, weil die Liebe einen anhaltenden, unabschließbaren Prozeß der »Bestätigung« einschließen muß, also eine erneute Bestätigung der eigenen Individualität und des eigenen Werts.

Wenn, wie Sartre behauptet, der Liebende *fordert*, geliebt zu werden,[30] dann weil in dieser Forderung vor allem ein Verlangen nach Anerkennung liegt. Die Komplimente, die die soeben zitierten Frauen von ihren Männern hören wollen, weisen nicht auf eine gestörte »narzißtische« Persönlichkeit oder einen »Mangel an Selbstachtung« hin, sondern auf den grundsätzlichen Anspruch, daß romantische Beziehungen soziale Anerkennung bieten. Der soziale Wert einer Person ist nicht mehr die direkte Folge ihres wirtschaftlichen oder gesellschaftlichen Status, sondern muß aus ihrem Selbst geschöpft werden, das als einzigartige, private, persönliche und nichtinstitutionelle Größe definiert ist. Die erotische/romantische Bindung muß zu einem Selbstwertgefühl verhelfen,[31] und der moderne soziale Wert ist vor allem

30 Person, *Lust auf Liebe*, S. 51.

31 Dies steht im Gegensatz zu einem anderen Typ romantischer Interaktion, bei dem der eigene Wert nicht bestätigt zu werden braucht, gerade weil der soziale Wert und die soziale Stellung eines Menschen allen Seiten bekannt und nicht verhandelbar sind. Um mich erneut auf die Welt Janes Austens zu beziehen: Wenn Harriett, Emmas reizende Freundin, Männer zu heiraten anstrebt, die von höherem gesellschaftlichem Stand sind als sie selbst, und, wie wir heute sagen würden, »abgelehnt« wird, dann beeinträchtigen Harrietts Gefühle des Abgelehntwerdens ihr Selbstgefühl nicht, geschweige denn, daß sie es zerstören würden; sie ist vielmehr schlichtweg

performativ, das heißt, er wird im Zuge der und durch die eigenen Interaktionen mit anderen erlangt. Wenn der Lieb-haber, »ehe er mit ihr [der Geliebten] zusammentrifft, [...] sich wegen seines Geruchs, seiner Kleidung, seiner Haare, seiner Pläne für den Abend und *letzten Endes seiner Per-son* überhaupt«[32] sorgt, so deshalb, weil die Liebe in der Moderne entscheidend dafür geworden ist, den Wert einer Person zu konstituieren.

Obgleich seine Theorie nicht als Soziologie der Moderne angelegt ist, hat Erving Goffman große Aufmerksamkeit auf die performative Dimension sozialer Interaktionen verwandt, sprich darauf, wie sie ein Selbstwertgefühl er-zeugen oder eben nicht erzeugen (indem sie »das Gesicht wahren«, jemandem die gebührende Hochachtung zollen und so weiter). Goffman scheint vorauszusetzen, daß ge-lungene Interaktionen ein Selbstwertgefühl hervorrufen sollten und universell auch so strukturiert sind. Daß aber soziale Interaktionen ein Selbstwertgefühl herstellen müs-sen, ist das Ergebnis eines langen Transformationsprozesses der Gesellschaftsstruktur und Geselligkeit in Westeuropa. Seit dem 17. Jahrhundert kodifizierten sowohl der Adel als auch das Bürgertum in Salons, Höfen, Konversationslehren und Benimmbüchern unentwegt neue Verhaltensformen, die darauf abzielten, durch Gesichtsausdruck, Gebaren und Sprache andere in richtiger Art und Weise als Personen an-zuerkennen und ihnen Ehrerbietung entgegenzubringen. Solches Verhalten unterscheidet sich von der Ehrerbietung, die man anderen entgegenbrachte, um speziell ihr Ehrge-fühl zu wahren, weil sich der soziale Wert zunehmend vom a priori zugeschriebenen Status ablöste. Mit anderen Wor-

---

beschämt, weil sie sozial falsch lag, als sie ihre eigene soziale Stellung und die der anderen einschätzte. Ihr Selbst*wert*gefühl ist nicht betroffen, nur ihr Sinn für Angemessenheit. Im Unterschied dazu geht der soziale Wert als solcher in der Moderne Interaktionen nicht voraus, sondern bildet sich in ihnen und durch sie.

32 Person, *Lust auf Liebe*, S. 42 f. (meine Hervorhebung).

ten: Anerkennung als das implizite Gebot, einer anderen Person *unabhängig von ihrem Status* einen *Wert als Person innerhalb* und *mittels* sozialer Interaktionen zuzuschreiben, ist ein integraler Bestandteil der Entstehungsgeschichte der Moderne. Auf theoretischer Ebene hat Axel Honneth die Bedeutung der Anerkennung in zwischenmenschlichen Beziehungen maßgeblich herausgearbeitet und zur Geltung gebracht. (Er verwendet den Terminus »Anerkennung« jedoch in einem breiteren Sinne, als ich es hier tue.) Gemäß seiner Definition ist Anerkennung ein fortlaufender gesellschaftlicher Prozeß, der darin besteht, »Personen in einem positiven Verständnis ihrer selbst« zu bestärken. Weil das »normative Selbstbild eines jeden Menschen [...] auf die Möglichkeit der steten Rückversicherung im Anderen angewiesen ist«,[33] schließt Anerkennung die Bestätigung und Bestärkung der Ansprüche und Positionen des anderen auf kognitiver wie auf emotionaler Ebene ein. Anerkennung ist jener Prozeß, in dem die eigene soziale Geltung und der eigene soziale Wert kontinuierlich im Rahmen und vermittels unserer Beziehungen mit anderen begründet werden. Folglich führe ich die Macht der romantischen Liebe in der Moderne im Unterschied zum Großteil der Forschungsliteratur, die diese Macht mit der Ideologie des Individualismus erklärt,[34] auf die grundlegendere Tatsache zurück, daß die Liebe einen starken Anker für die Anerkennung – die Wahrnehmung

---

33 Axel Honneth, *Kampf um Anerkennung. Zur moralischen Grammatik sozialer Konflikte*, Frankfurt/M. 1992, S. 212.

34 Ulrich Beck u. Elisabeth Beck-Gernsheim, *Das ganz normale Chaos der Liebe*, Frankfurt/M. 1990; Mary Evans, *Love. An Unromantic Discussion*, Cambridge 2003; Anthony Giddens, *Wandel der Intimität. Sexualität, Liebe und Erotik in modernen Gesellschaften*, übers. von H. Pelzer, Frankfurt/M. 1993; Eva Illouz, *Der Konsum der Romantik. Liebe und die kulturellen Widersprüche des Kapitalismus* [1997], übers. von A. Wirthenson, Frankfurt/M. 2003; Lawrence Stone, *The Family, Sex and Marriage in England, 1500-1800*, New York 1977. Im vorliegenden Buch gehe ich diese Frage aus einer anderen Perspektive an, wie auf den folgenden Seiten deutlich werden wird.

und Konstitution von jemandes Wert – bietet, und dies in einer Zeit, in der die soziale Geltung sowohl ungewiß ist als auch permanent ausgehandelt wird. Warum ist das so? Warum kann die Liebe etwas bewirken, wozu andere Empfindungen weniger in der Lage sind? Eine mögliche Erklärung dafür kann ich anbieten.

Einsichten Emile Durkheims und Erving Goffmans verbindend, behauptet Randall Collins, daß soziale Interaktionen als Rituale funktionieren, die emotionale Energien erzeugen; diese wiederum binden Akteure aneinander oder trennen sie voneinander.[35] Die emotionalen Energien werden auf einem Markt ausgetauscht, der auf emotionalen (statt rein kognitiven) Verhandlungen basiert. Das Ziel des sozialen Austauschs besteht darin, emotionale Energien zu maximieren. Die Akkumulation erfolgreicher Interaktionsrituale verschafft emotionale Energien, die sich gewissermaßen in eine Ressource verwandeln, aus der wir Nutzen ziehen, zum Beispiel andere dominieren, und weiteres Sozialkapital bilden können. Gefühle – und speziell emotionale Energie – sind somit die Quelle positiver Ketten von Interaktionsritualen, aus denen sich wiederum in anderen, nicht ausschließlich emotionalen Bereichen Kapital schlagen läßt. Emotionale Energie, die in rein »sozialen« Bereichen (Freunde oder Familie) akkumuliert wurde, kann gewissermaßen als Übertrag in andere Bereiche transferiert werden, etwa den ökonomischen. Was Randall Collins als emotionale Energie bezeichnet, ist somit eigentlich die Folge einer angemessen betriebenen Anerkennung; die in einem Bereich angesammelte Anerkennung wird auf einen anderen Bereich übertragen. Während Collins nicht danach fragt, ob manche Interaktionsrituale wichtiger sind als andere, behaupte ich, daß die Liebe ein zentrales Bindeglied – für manche

35 Randall Collins, *Interaction Ritual Chains*, Princeton 2004; ders., »On the Microfoundations of Macrosociology«, in: *The American Journal of Sociology*, Jg. 86, Nr. 5 (1981), S. 984-1014.

vielleicht *das* zentrale Bindeglied – in der langen Kette der Interaktionsrituale ist. Das heißt, die romantische Liebe nimmt eine Schlüsselstellung in der Anerkennungsordnung ein, durch die in der Moderne einer Person in Ketten von Interaktionsritualen soziale Geltung zuwächst. Der Grund hierfür ist, daß die Liebe die intensivste und totalste Weise ist, emotionale Energie zu erzeugen, eine Folge der durch sie bedingten Aufwertung des Ich. Hierfür im folgenden zwei Beispiele. Talia ist eine 42jährige Wissenschaftlerin mit zwei Kindern; sie arbeitet an einer großen amerikanischen Universität an der Westküste. Nachdem sie mir erzählt hat, wie sie eine außereheliche Affäre mit einen Mann beendete, fügt sie hinzu:

TALIA: Das war schmerzlich, wissen Sie, ich habe mich mit dieser Entscheidung gequält, aber ich habe auch das Gefühl, daß ich aus dieser Geschichte für mich wichtige Dinge mitgenommen habe.
INTERVIEWERIN: Was für Dinge?
TALIA: Er war, beziehungsweise er ist, ein sehr berühmter Akademiker. Alle Welt hat großen Respekt vor ihm. Bevor ich ihn kennenlernte, war ich dieses unsichtbare, unbedeutende Ding, das niemand beachtete. Ich empfand mich immer als die Dümmste im Raum. Aber als er sich für mich entschied, als wir diese Affäre hatten, hatte ich das Gefühl, zu einer ganz besonderen Person geworden zu sein, ich kam mir buchstäblich intelligenter vor, und ich konnte auf Leute zugehen, an die das Wort zu richten ich vorher nie gewagt hätte, ich konnte mich mit ihnen unterhalten und mich als ihresgleichen fühlen. Selbst jetzt, wo es aus ist, glaube ich, etwas sehr Wichtiges über mich gelernt zu haben, denn wenn er mich für etwas Besonderes halten konnte, dann empfand ich mich auch als etwas Besonderes. Ich hatte nicht mehr soviel Angst vor anderen Menschen.
INTERVIEWERIN: Weil er Sie geliebt hat?
TALIA: Ja, weil er mich geliebt hat.
Augenblick, also, ich weiß nicht einmal, ob er mich geliebt hat, manchmal fühlte ich mich geliebt, manchmal war ich mir nicht so sicher, aber ich fühlte mich begehrt, ich bin sicher, er begehrte mich wahnsinnig. Also ja, weil er mich begehrt hat.

In einem 2010 in der *New York Times* erschienenen autobiographischen Essay über die Liebe schildert Laura Fraser das Ende einer Begegnung mit einem Mann in Italien, nachdem ihr Ehemann sie verlassen hatte. »Wir trennten uns am vierten Tag im Bahnhof von Neapel. Ich prägte mir sein Gesicht ein und fühlte mich zugleich beraubt und voller Hoffnung. Ich war mir sicher, daß ich ihn nie wiedersehen würde, aber ich war glücklich darüber, daß er mir das Gefühl zu geben vermocht hatte, *begehrt* zu sein.«[36] Hier triumphiert das Gefühl, begehrenswert zu sein, über das Gefühl des schmerzlichen Verlusts aufgrund ihrer »gescheiterten Ehe«, gerade weil die Liebe im Zentrum der Problematik von Wert und Anerkennung angesiedelt ist.

Liebe und Begehren sind hier Knoten in einer sozialen Kette, in der eine Form emotionaler Energie in eine andere konvertiert werden kann. Weil die Erfahrung der Liebe eine Antwort auf die Frage des Wertes gibt, verfügt die Liebe in der Moderne über die Fähigkeit, *sozialen* Wert zu produzieren und zu stabilisieren. Wie Axel Honneth gezeigt hat, ist die Liebe der paradigmatische Fall für die Stiftung von »Anerkennung«, einem zugleich psychologischen und soziologischen Prozeß.[37] Niemals wirklich nur privat oder nur öffentlich, vergewissert sich das moderne Selbst seines Werts durch Prozesse, die zugleich psychologisch und soziologisch, privat und öffentlich, emotional und rituell sind. Eindeutig also sind es das Selbst, seine Gefühle, seine Innerlichkeit und vor allem die Art und Weise, wie diese von anderen anerkannt (oder nicht anerkannt) werden, die in modernen erotischen/romantischen Beziehungen auf dem Spiel stehen.

36 Laura Fraser, »Our Way of Saying Goodbye«, in: *The New York Times*, 30. Mai 2010, ⟨http://www.nytimes.com/2010/05/30/fashion/30love. html?emc=tnt&tntemail1=y⟩, letzter Zugriff 27. 2. 2011 (meine Hervorhebung).

37 Honneth, *Kampf um Anerkennung*.

Anerkennung und ontologische Unsicherheit
in der Moderne

Und doch ist es die Rolle der Anerkennung selbst, die auch ontologische Unsicherheit hervorruft. Das Bedürfnis nach dem, was Marion »*assurance*« (Zusicherung, Gewißheit)[38] nennt, gewinnt an Heftigkeit und Dringlichkeit, wenn die Voraussetzungen, um Anerkennung zu erlangen, unsicher und schwach sind. Tatsächlich ist die moderne kulturelle Obsession mit der »Selbstachtung« nichts weiter als ein Ausdruck der vom Selbst erfahrenen Schwierigkeit, Anker ontologischer Sicherheit und Anerkennung zu finden.

Der Übergang von der vormodernen zur modernen Partnerwahl ist ein Übergang von öffentlich geteilten Bedeutungen und Ritualen – bei denen Mann und Frau einer gemeinsamen sozialen Welt angehörten – zu privaten Interaktionen, in denen das Selbst eines anderen anhand vielfältiger und flüchtiger Kriterien wie physischer Attraktivität, Gefühlschemie, »Vereinbarkeit« der Geschmäcker und psychologischer Veranlagung beurteilt wird. Die Veränderungen, denen die Liebe in der Moderne unterlag, haben folglich mit den Transformationen eben der Beurteilungsmethoden zu tun, auf die Anerkennung angewiesen ist, das heißt mit ihrer Verfeinerung (ihrer Ausgefeiltheit) und ihrer Individualisierung. Die Klassenzugehörigkeit und sogar der »Charakter« gehörten einer Welt an, in der die Kriterien der Wertzuschreibung bekannt waren, öffentlich angewendet wurden und von jedermann beurteilt werden konnten. Sozialer Stand, Wert und Charakter waren öffentlich – das heißt objektiv – begründet und Allgemeingut. Weil die soziale Geltung jedoch performativ geworden ist, weil also Geltung im Medium individualisierter Geschmäcker ausgehandelt

---

38 Marion, *Le phénomène érotique.*

werden muß, und weil sich die Geltungskriterien individualisiert haben, sieht sich das Selbst neuen Formen von Unsicherheit ausgesetzt. Individualisierung ist eine Quelle der
Unsicherheit, weil die Kriterien zur Beurteilung anderer aufhören objektiv zu sein, also nicht länger der Prüfung durch
verschiedene soziale Akteure mit gemeinsamen sozialen Kodes unterliegen. Statt dessen werden sie zum Resultat einer
privaten und subjektiven Geschmacksdynamik.

So sind etwa »Sex-Appeal« und »Attraktivität« – selbst
wenn sie den Kanons öffentlicher Schönheitsbilder folgen – restlos einer individualisierten und von daher relativ
unberechenbaren Geschmacksdynamik unterworfen. »Attraktivität« als Hauptkriterium für die Partnerwahl macht
die Dynamik der Anerkennung insofern erheblich komplizierter, als sie neue Unsicherheiten schafft, weil eine individualisierte Attraktivität Männern und Frauen kaum eine
Möglichkeit läßt, vorauszusagen, ob sie einen potentiellen
Partner für sich gewinnen und/oder sein Begehren aufrechterhalten werden. Obwohl es kulturelle Modelle und Proto-
typen der Attraktivität gibt, hängt es von einer hochgradig
individualisierten Dynamik der Geschmäcker und der psychologischen Vereinbarkeit ab, ob man als »begehrenswert«
empfunden wird, und ist insofern schwer einzuschätzen. Die
Kriterien für Attraktivität verlieren in dem Maß an Klarheit,
in dem sie verfeinerter (wesentlich spezifischer) und subjektiver werden (von der idiosynkratrischen psychologischen
Veranlagung der Person abhängen, die eine Wahl trifft).

In modernen romantischen Beziehungen ist Anerkennung
so entscheidend wie komplex, weil Geltung performativ bestimmt wird, weil der Anerkennungsprozeß hochgradig individualisiert worden ist und zu einer Vervielfachung und
somit Unberechenbarkeit der Kriterien der Partnerwahl geführt hat. Dies wiederum läßt die Liebe *im selben Moment*
zum Terrain ontologischer Unsicherheit und Ungewißheit
schlechthin werden, in dem sie zum zentralen Schauplatz

für die Erfahrung von (und das Verlangen nach) Anerkennung wird.

So behauptet beispielsweise der bereits in Kapital 2 zitierte Daniel, ein 50jähriger Mann, der ein gerüttelt Maß an Selbstsicherheit ausstrahlt:

DANIEL: Die Liebe ist etwas Großartiges, aber auch anstrengend. Wobei die Schwierigkeit keine des Leidens ist, sondern eine des Zaubers. Ebenfalls schwierig ist, daß es keine Gewißheit gibt. Man ist niemals sicher. Beziehungen sind nicht mit einem Vertrag zu vergleichen. [Schwierig] auf alltäglicher Basis ist es, wenn ich die Zuversicht verliere, die Liebe zu bekommen, die ich brauche.
INTERVIEWERIN: Was kann dieses Gefühl bei Ihnen auslösen?
DANIEL: Wenn ich nicht die richtigen Signale bekomme. Die Signale, die anzeigen, daß ich geliebt werde. Sie hat mir zum Beispiel eine SMS geschickt, in der sie sich Sorgen um mich macht. Das hat mich sehr glücklich gemacht. Dann schickte ich ihr eine SMS und bat sie, mich über ihren Tag auf dem Laufenden zu halten. Sie sagte OK, und dann kriege ich nachts diese E-Mail: »Habe Besuch. Wir sprechen morgen. Schlaf gut.« Und das bringt mich aus dem Gleichgewicht. Ich habe dann jedes einzelne Wort analysiert und zu hinterfragen versucht. [...] So etwas kann mich zum Weinen bringen, es läßt mich nicht kalt.

Obwohl dieser Mann beruflich höchst erfolgreich ist, ist sein Selbstgefühl bedroht, wenn es nicht angemessen von seiner Partnerin anerkannt wird, weil, wie er selbst es darstellt, die Liebe ein ununterbrochener Fluß von Zeichen und Signalen ist, die den Wert des Selbst absichern. Es gilt, das Vermögen, Anerkennung in der Liebe zu produzieren und zu reproduzieren, regelmäßig zu inszenieren. Anerkennung ist mit anderen Worten nicht etwas ein für allemal Gegebenes, sondern eine komplexe symbolische Arbeit, die durch wiederholte Rituale gewährleistet werden muß und die, wenn dies nicht in angemessener Weise geschieht, das Selbst bedrohen und verschlingen kann.

In einem Buch über schüchterne Singles beschreibt die Autorin, eine Psychologin, in psychologischen Begriffen eine Erfahrung, die in Wirklichkeit soziologisch ist:

In meiner Erfahrung als Psychologin in New York City ist die Partnersuche der gemeinsame Nenner, der bei alleinstehenden Männern
und Frauen jeder Altersklasse Schüchternheit auslöst. Auf ihrer Suche
nach jemandem, mit dem sie ihr Leben teilen können, werden viele
meiner Klienten, wie sie mir berichten, von *so intensiven Gefühlen
der Angst, Zurückweisung und Unwürdigkeit geplagt, daß ihnen jede
Entschuldigung recht ist, um zu Hause zu bleiben*. [...] Etwa vor zehn
Jahren begann ich festzustellen, daß ein Klient nach dem anderen be-
richtete, er fühle sich sozial inkompetent, für andere unsichtbar und
voller Furcht – vor allem bei Verabredungen und in sozialen Situationen.[39]

Gerade weil der Wert nicht im voraus bekannt ist und performativ hergestellt, also in und mittels der romantischen
Interaktion verliehen werden muß, lösen diese Interaktionen akute Ängste aus: Was in ihnen auf dem Spiel steht, ist
die Leistung des Selbst und sein Wert. Das Gefühl von Unsichtbarkeit, das diese Patienten empfinden, oder, um einen
gebräuchlicheren Ausdruck zu verwenden, ihre »Angst vor
Zurückweisung« ist somit zuallererst eine Angst vor dem,
was Honneth als »soziale Unsichtbarkeit« bezeichnet, ein
Zustand, in dem man dazu gebracht wird, sich sozial wertlos zu fühlen. Wie Honneth ausführt, kann soziale Unsichtbarkeit durch subtile und verdeckte Formen der Demütigung hervorgerufen werden. Expressive Reaktionen über
Gesichtsausdruck, Blicke und Lächeln bilden die elementaren Mechanismen sozialer Sichtbarkeit und eine elementare Form der sozialen Anerkennung.[40] Es ist diese soziale
Unsichtbarkeit, die das Selbst in romantischen Beziehungen
bedroht, gerade weil mit Zeichen der Bestätigung das Versprechen einer ungeschmälerten sozialen Existenz einhergeht. »Während diesem ersten Stadium [der Partnersuche]

---

39 Bonnie Jacobson m. Sandra J. Gordon, *The Shy Single. A Bold
Guide to Dating for the Less-Than-Bold Dater*, Emmaus 2004, S. 4 f.
(meine Hervorhebung).
40 Axel Honneth, »Unsichtbarkeit. Über die moralische Epistemologie
von ›Anerkennung‹«, in: ders., *Unsichtbarkeit. Stationen einer Theorie der
Intersubjektivität*, Frankfurt/M. 2003, S. 10-27.

sind schüchterne Singles überwältigt [...] von der Angst vor Zurückweisung und dem Gefühl von Unsicherheit. Sie können einfach nicht den ersten Schritt tun – Hallo sagen, Blickkontakt aufnehmen, jemanden auf ein Getränk einladen oder intim werden.«[41] Die weithin diskutierte »Angst vor Zurückweisung« ist folglich also eine soziale Angst, ausgelöst durch den Umstand, daß die soziale Geltung nahezu einzig und allein über die von anderen gewährte Anerkennung begründet wird. Stärker als andere verkörpern schüchterne Singles die Bedrohung, die in der sozialen Definition der eigenen Existenz liegt: »[Eine] schüchterne Person übt wie besessen Selbstkritik für – reale oder vermeintliche – Patzer. Diese Form der Bestrafung schwächt ungewollt das Selbst und schadet der Selbstachtung.«[42] Eine solche Selbstkritik unterscheidet sich substantiell von den oben erörterten Strategien der Selbstherabsetzung im 19. Jahrhundert: Sie stellt keinen Charakter zur Schau, der auf dem (ungefähren) Wissen um den eigenen Wert und das anzustrebende Ideal beruht. Vielmehr drückt sich in ihr etwas aus, das wir als »konzeptuelle Selbstunsicherheit« bezeichnen können, also eine Unsicherheit bezüglich des eigenen Selbstbilds und der Kriterien zum Aufbau eines solchen Selbstbilds. Die konzeptuelle Selbstunsicherheit hängt vor allem mit der Tatsache zusammen, daß die Kriterien für Personalität und Charakterideale unklar geworden sind, aber auch mit der Tatsache, daß soziale Beziehungen von Unsicherheit über den eigenen sozialen Wert heimgesucht werden, wozu die Unsicherheit gehört, anhand welcher Kriterien andere die Bemühung um einen solchen Wert beurteilen werden. Die konzeptuelle Unsicherheit ist das Gegenteil der Selbstherabsetzung, von der oben die Rede war: Diese wurde ausdrücklich formuliert und ritualisiert statt verdeckt ausgeübt; sie bedrohte das Ich-Ideal nicht,

41 Jacobson m. Gordon, *The Shy Single*, S. 15.
42 Ebd., S. 17.

ja, verkörperte es sogar, sie verlangte nach der ritualisierten Beschwichtigung eines anderen und knüpfte somit ein Band, und schließlich setzte sie eine unausgesprochene Bezugnahme auf moralische Ideale voraus, die beiden Seiten bekannt waren.

Die »Angst vor Zurückweisung« ist eine Bedrohung, die ständig über Beziehungen schwebt, weil sie das ganze Gebäude des Selbstwerts bedroht. Auch dafür im folgenden einige Beispiele. In einem Brief an seinen Bruder Theo beschreibt Vincent van Gogh, wie seine Kusine Kee seine Liebe zurückwies: »Ich habe sehr viel Lust zum Leben bekommen, und ich bin sehr froh, daß ich liebe. Mein Leben und meine Liebe sind eins. ›Aber du stehst vor einem *nie, nein, nimmer*‹, wirst Du mir vorhalten. Darauf sage ich: ›Old boy, vor der Hand betrachte ich dieses *nie, nein, nimmer* als einen Eisklumpen, den ich mir aufs Herz lege, damit er da zerschmilzt‹.«[43] Hier wird die Zurückweisung unübersehbar nicht in eine Bedrohung des eigenen Status oder Selbstwertgefühls übersetzt. Sie bietet dem Mann vielmehr eine weitere Gelegenheit, seine Fähigkeit, das Eis der Zurückweisung zum Schmelzen zu bringen, unter Beweis zu stellen. Man vergleiche dies mit der folgenden 40jährigen lesbischen Frau, die in einer noch frischen Beziehung ist und mir im Interview sagte:

Wir hatten ein tolles Wochenende, an dem ich ihren Freundeskreis und ihre Familie kennenlernte, und wir hatten auch tollen Sex, und nach diesem Wochenende sagt sie zu mir, vielleicht solltest du heute abend nur für zwei Stunden kommen, vielleicht sollten wir aber auch bis morgen warten, bis wir uns wiedersehen. Ich war so verärgert und wütend auf sie. Und wissen Sie, jetzt, während ich mit Ihnen spreche, überwältigt mich die Angst. Ich fühle mich wie gelähmt. Wie konnte sie mir das nur antun?

---

43 Vincent van Gogh, *Briefe an seinen Bruder Theo*, Bd. 1, hg. von Fritz Erpel, übers. von E. Schumann, Leipzig ⁶1997, S. 101.

Diese Frau versinkt in akuten Angstgefühlen, weil die Bitte ihrer Liebhaberin, sich »nur« für zwei Stunden zu treffen, auf ein Gefühl »sozialer Auslöschung« hinausläuft. In ihren autobiographischen Erinnerungen schildert die Sexkolumnistin des britischen *Independent*, Catherine Townsend, die Trennung von ihrem Freund. Diese löst bei ihr solche Qualen aus, daß sie an einem Treffen der »Anonymen Sex- und Liebessüchtigen« teilnimmt. Dort stellt sie sich in folgender Weise vor:

Ich heiße Catherine, und ich bin liebessüchtig. [...] Bis heute konnte ich nicht begreifen, warum ich über meine letzte Beziehung nicht hinwegkam. Aber ich glaube, es liegt daran, daß ich gut genug sein wollte, um die Eine für ihn zu sein. Ich glaube, *ich wollte irgendwie unbewußt beweisen, daß ich gut genug wäre, damit mich jemand heiratet.* Also habe ich verzweifelt auf Teufel komm raus an meinem Ex festgehalten.[44]

Unübersehbar leidet die Autorin an ihrem Selbstwertgefühl, das durch die Liebe geschaffen oder ausgelöscht werden kann. So sieht es, um eine Stimme aus der Hochliteratur zu zitieren, auch Jonathan Franzen, wenn er schreibt:

Das große Risiko ist dabei [bei der Liebe] natürlich die Zurückweisung. Dann und wann nicht gemocht zu werden, das halten wir alle aus, gibt es doch einen unendlich großen Pool potentieller Möger. Doch das eigene Ich ganz zu exponieren, nicht nur die gefällige Oberfläche, und dann seine Zurückweisung zu erleben, kann katastrophal schmerzhaft sein. Die Aussicht auf Schmerz ganz allgemein, den Schmerz des Verlusts, der Trennung, des Todes, ist es, was die Versuchung so groß macht, die Liebe zu meiden und im sicheren Reich des Gefallens zu bleiben.[45]

---

44 Catherine Townsend, *Breaking the Rules. Confessions of a Bad Girl*, London 2008, S. 283 (meine Hervorhebung).

45 Jonathan Franzen, »Schmerz bringt Dich nicht um«, übers. v. W. Freund, in: *Die Welt*, 2. Juli 2011, ⟨http://www.welt.de/print/die_welt/vermischtes/article13463367/Schmerz-bringt-Dich-nicht-um.html⟩, letzter Zugriff 2. 7. 2011.

Und in einem Blog auf der Website der Zeitschrift *Glamour* erzählt eine Frau, daß ihr »Herz im Rührmixer« war, nachdem sie sich von ihrem Freund getrennt hatte, und daß sie »Monate (wenn nicht Jahre) brauchte, um ganz über ihn hinwegzukommen«. Ihre Freundinnen halfen ihr dabei, ihre Verzweiflung zu überwinden, indem sie ihr sagten, daß sie *»großartig war*, [sie] mit Bergen von Schokolade fütterten und zusammen mit [ihr] endlos kitschige Filme guckten.«[46] Die Reaktion dieser Freundinnen ist bezeichnend für die weitverbreitete Intuition, daß eine Trennung das elementare Selbstwertgefühl und die Grundlagen der eigenen ontologischen Sicherheit bedroht. Diese Befunde finden Bestätigung durch die Forschungen eines Soziologenduos, die in der »Modern Love«-Kolumne der *New York Times* aufgegriffen werden: »›Für Frauen zählt, ob sie überhaupt in einer Beziehung sind – ganz gleich, wie schrecklich diese ist. Es ist ein bißchen erbärmlich‹, räumt Frau Simon [die Soziologin] ein. ›Obwohl auf diesem Feld so große gesellschaftliche Entwicklungen stattgefunden haben, hängt das Selbstwertgefühl der Frauen immer noch so sehr daran, ob sie einen Freund haben. Das ist bedauernswert.‹«[47]

Mein Vorbehalt gegen die Behauptung, das Selbstwertgefühl der Frauen hänge *immer noch* daran, einen Freund zu haben, besteht darin, daß sich dies nicht so verhält, weil es den Frauen nicht gelungen wäre, sich von unliebsamen Überbleibseln der Vergangenheit zu befreien, sondern gerade weil die Frauen in der Abhängigkeit ihres Selbstwertgefühls von der Liebe modern sind. Die Ratgeberliteratur zu Partnersuche, Sex und Liebe ist deshalb so einträglich, weil die Einsätze bei Partnersuche, Sex und Liebe in bezug auf

---

46 ⟨http://www.glamour.com/sex-love-life/blogs/smitten/2009/02/the-one-thing-not-to-say-to-a.html⟩, letzter Zugriff 27. 2. 2011.

47 Pamela Paul, »A Young Man's Lament: Love Hurts!«, in: *The New York Times*, 22. Juli 2010, ⟨http://www.nytimes.com/2010/07/25/fashion/25Studied.html?_r=1&emc=tnt&tntemail1=y⟩, letzter Zugriff 27. 2. 2011.

ihr Vermögen, soziale Geltung und ein Selbstwertgefühl zu vermitteln, so hoch geworden sind.

Dagegen mag man vielleicht einwenden, daß das Selbst doch wohl immer in romantische Affären verstrickt war, bei denen die Liebe zweifelhaft war und einseitig blieb. Zählen nicht Schmerz und Leid in Sachen Liebe zu den ältesten Motiven der Weltliteratur? Das trifft zweifellos zu, doch ist aus soziologischer Perspektive die Frage entscheidend, *wie* das Selbst verstrickt, gepriesen oder abgewertet wurde. Ich behaupte, daß das moderne Selbst nicht nur auf andere Weise in romantische Beziehungen einbezogen ist, sondern daß sich schon die Erfahrung seelischen Leidens in der Moderne davon unterscheidet, wie dieses in der Vergangenheit erlebt wurde. Zwar ist Schmerz eines der ältesten Motive der Liebe, doch wurde er unter vier verschiedenen und/oder sich überlappenden kulturellen Bezugssystemen erfahren, die unserem modernen Empfinden fremd geworden sind. Diese vier vormodernen kulturellen Bezugssysteme des Liebesleids sind: das aristokratische, das christliche, das der romantischen Bewegung und das medizinische.

In der westeuropäischen Geschichte war die höfische Liebe das vielleicht erste weitverbreitete kulturelle Modell, das Leid ins Zentrum des Liebeserlebens stellte.[48] In der Literatur der provenzalischen Troubadoure läuterten die durch unerwiderte Liebe verursachten Leiden die Seele des Liebenden. Ja, dieses Leiden war geradezu die Quelle der dichterischen Inspiration des Troubadours. Durch platonische Einflüsse vermittelt, war die höfische Liebe äußerst idealistisch und somit in der Lage, Liebe und Liebesleid in eine erhabene Erfahrung zu verwandeln. Mehr noch: Die Liebe und das Leiden an ihr adelten sowohl den Liebhaber als auch die Geliebte; in diesem Schema pflegte die Liebe folglich »die Menschen besser zu machen, vornehmer, fähi-

---

48 Die islamische Kultur schätzte dieses Motiv seit dem 7. Jahrhundert, wie die berühmte Geschichte von Leila und Madschnun veranschaulicht.

ger, ihre menschliche Natur zu verwirklichen«.[49] Ein deutliches Beispiel hierfür bietet die folgende Darstellung:

Ich finde die Qualen der Liebe so ergötzlich, daß ich, obwohl ich weiß, daß sie mich töten wollen, weder wünsche noch wage, ohne *Midons* [seine Dame] zu leben oder mein Glück anderswo zu versuchen, denn sie ist derart, daß es mir Ehre einlegen wird, wenn ich nur einfach als ihr treuer Liebhaber sterbe, und noch hundertmal mehr Ehre, sollte sie mich behalten; darum darf ich nicht zögern, ihr zu dienen.[50]

Das Leid macht das Selbst nicht zunichte, sondern erhöht und verherrlicht es. Unübersehbar ist das Leid hier in eine Rahmenerzählung eingebunden, in der das Selbst als eines von männlicher Tapferkeit, Treue, Stärke und Hingabe an eine Frau figuriert. Somit ist Leid ein Ausdruck aristokratischer Werte.

Das aristokratische Leidensideal war mit christlichen Werten durchsetzt: Es machte Gegenseitigkeit nicht zur Bedingung der Liebe, und es verstand Leiden als eine Läuterung der Seele. Das Christentum gebot über einen narrativen Rahmen, um die Erfahrung des Leidens zu organisieren, und verstand diese sogar als theologisches Zeichen der Erlösung. Als kulturelles Bezugssystem verwandelte das Christentum Leiden in etwas Sinnvolles, eine positive, ja sogar notwendige Erfahrung, eine Erfahrung, die die Seele erhöhte und es einem erlaubte, einen göttlichen Zustand zu erreichen. In dieser kulturellen Matrix untergräbt mithin das Leiden das Selbst nicht: Es trägt vielmehr dazu bei, es zu konstituieren und zu verherrlichen. Mit dem Niedergang des Christentums kam das romantische Leiden als eine weitere Quelle des Selbstwerts im künstlerischen Ausdruck und in der romantischen Bewegung ins Spiel. Wie im Christentum wurde Leid als unvermeidliche, notwendige und hö-

49 Irving Singer, *The Nature of Love, 2: Courtly and Romantic*, Chicago u. London 1984, S. 25.

50 Zitiert nach Anna Clark, *Desire. A History of European Sexuality*, New York u. London 2008, S. 55.

here Dimension der Existenz betrachtet.[51] Lord Byron, einer der repräsentativsten Vertreter dieser Bewegung, pries die Selbstvernichtung und die Vernichtung anderer in der Liebe, eine Überzeugung, die ihm Verse wie den folgenden eingab: »Meine Umarmung war verhängnisvoll ... / Ich liebte und zerstörte sie.«[52] Wie andere Romantiker auch war Byron ein Sinnesmensch, dem Schmerz als Manifestation einer bedeutsameren Existenz galt. »Das große Ziel des Lebens ist Sensation, damit wir fühlen, daß wir existieren, wenn auch unter Qualen.«[53] Ein Mangel an Gegenseitigkeit wurde somit nicht als Vernichtung des Selbst empfunden, weil Anerkennung und Selbstwertgefühl nicht auf der Erfahrung der Liebe beruhten und weil man glaubte, das Selbst drücke seine vitalen Energien in einer Vielfalt von Erfahrungen aus, die vom Lieben bis zum Erleiden von Qualen reichte. Kulturell gerahmt und gestaltet wurde der romantische Ausdruck romantischen Leidens durch die strukturierende Erfahrung der Melancholie. Die Melancholie zeichnet sich dadurch aus, daß sie das Gefühl der Liebe *ästhetisiert* und den Liebenden, wie in der höfischen Liebe, adelt. Die romantische Melancholie war überwiegend männlich und in ein Modell des Selbst integriert, in dem das Leiden den leidenden Mann zu einem Helden machte, der durch seine Leidensfähigkeit die Tiefe seiner Seele bewies. In der Melancholie beeinträchtigte beziehungsweise untergrub das Leiden das Selbstwertgefühl nicht, sondern verhalf einer Form von Feingefühl und Kultiviertheit der Seele zum Ausdruck. Man kann sogar

51 In Frankreich konnten die Brüder Goncourt schreiben: »Nicht Güte oder ungetrübte Schönheit der Dinge erzeugt Leidenschaft, sondern vor allem die Verderbtheit. Man liebt eine Frau leidenschaftlich wegen ihrer Dirnenhaftigkeit, der Bosheit ihres Geistes oder der Pöbelhaftigkeit ihres Kopfes, ihres Herzens oder ihrer Sinne [...]. Was die Leidenschaft im Grunde reizt, ist das *Haut goût* der Wesen und Dinge.« Zitiert nach Mario Praz, *Liebe, Tod und Teufel. Die schwarze Romantik* [1930], übers. von L. Rüdiger, München 1981, S. 64 f.
52 Zitiert nach ebd., S. 88.
53 Zitiert nach ebd., S. 85 f.

noch weitergehen und behaupten, daß es dem an Melancholie Leidenden zu einer Art symbolischem/emotionalem Kapital verhalf. Diese Vorstellungen von Liebe und Leiden waren oft, wenn auch nicht ausschließlich, ein männliches Privileg, was vielleicht auch darauf hindeutet, daß sie die Lebensenergie des Selbst steigerten.

Vor allem in den höheren intellektuellen Sphären war Frauen diese Sensibilität nicht fremd. Margaret Fuller, Zeitgenossin Ralph Waldo Emersons und eine Frau von eindrucksvollem Charakter und Verstand, hatte, was wir als ein unglückliches Liebesleben beschreiben können: Regelmäßig liebte sie Menschen, die ihre leidenschaftlichen Gefühle nicht erwidern wollten oder konnten. Cristina Nehring faßt zusammen, wie Fuller ihren unglücklichen Liebeserlebnissen einen Sinn abgewann:

Fuller glaubte ans Leiden. Sie glaubte an seine läuternde Kraft und an ihre eigene Fähigkeit, diese zu ertragen. Mitunter fragte sie sich, ob ihr Geschlecht sich besonders gut dafür eignete, dem Leiden ins Auge zu schauen. Wie sie betonte, flohen die Männer im Leben Jesu in dessen Stunden der Not regelmäßig, während sich die »Frauen so wenig vom Fuß des Kreuzes fernhalten konnten wie von der Verklärung des Herrn«. Die Frauen, die Christus liebten, wollten nicht »von der dunklen Stunde verbannt sein«. Sie wollten von ihr lernen. Sie wollten tiefer werden durch sie – so wie Fuller durch ihre Tragödien tiefer wurde.[54]

In all diesen Beispielen verbindet sich die aristokratische Ästhetisierung des Leidens mit seiner religiösen Verklärung, um es auf eine Erfahrungsstufe zu heben, auf der sich Bedeutung und sogar Größe für das Selbst ableiten ließen. Die zitierten Beispiele sind mehr als anekdotische Belege. Sie verweisen auf ein kulturelles Muster, demzufolge Liebesleid zu einem Charakterideal umdefiniert und in dieses integriert wurde, statt das Selbstwertgefühl des Selbst zu bedrohen.

54 Cristina Nehring, *A Vindication of Love. Reclaiming Romance for the Twenty-First Century*, New York 2009, S. 232.

Die einzige Tradition, die das Liebesleid nicht idealisierte und zu einem Aspekt des idealen Selbst machte, war der medizinische Diskurs. Im 16. und 17. Jahrhundert verstand man die »Liebeskummer« genannte Krankheit als körperliche Zerrüttung, die zwar die Seele beeinträchtigte, aber nicht an das Selbstwertgefühl rührte. Anfang des 17. Jahrhunderts sah Robert Burton die Opfer der Liebe als »Sklaven, Lastesel auf Zeit, Verrückte, Narren, Schafsköpfe, *atrabilarii*, außer sich und stockblind«.[55] Die Liebesleiden waren eine Folge körperlicher Störungen und lagen damit auf derselben Ebene wie organische Krankheiten. In ähnlicher Weise schrieb Jacques Ferrand, ein im späten 16. Jahrhundert geborener Arzt:

Im Mai 1604, als ich gerade in Agen (wo ich geboren bin) zu praktizieren begann, diagnostizierte ich aufgrund des Vorhandenseins der meisten dieser Symptome Liebeswahn bei einem jungen Gelehrten, einem Mann aus Le Mas d'Agenais. [...] Ich sah vor mir einen jungen Mann, grundlos traurig, der kurz zuvor noch aufgeräumt gewesen war; ich sah sein bleiches, zitronengelbes und mattes Gesicht, seine tief in den Höhlen versunkenen Augen, wobei ich feststellte, daß er sonst in eher guter körperlicher Verfassung war.[56]

Die Erkrankung wurde als eine körperliche verstanden, vielleicht sogar als vorübergehende Erkrankung des Geistes, aber nicht als eine, die das Selbstwertgefühl bedrohte. Im England des 17. Jahrhunderts behandelte und heilte ein Arzt namens Napier allerlei Leiden. Der Historiker Michael MacDonald hat die von Napier hinterlassenen Aufzeichnungen analysiert und beschreibt die Natur einiger dieser Leiden wie folgt:

55 Zitiert nach Michael MacDonald, *Mystical Bedlam. Madness, Anxiety, and Healing in Seventeenth-Century England*, Cambridge 1983, S. 90.

56 Jacques Ferrand, *A Treatise on Lovesickness* [1610], Syracuse 1990, S. 273. Ich danke Michal Altbauer dafür, mich auf diesen Text aufmerksam gemacht zu haben.

Nahezu 40 Prozent der Männer und Frauen, die Napier ihre Ängste und Dilemmata beschrieben, beklagten sich über die Verdrießlichkeiten des Liebeswerbens und des Ehelebens. [...] Leidenschaftliche Anhänglichkeit war unter der Kundschaft des Astrologen stark verbreitet. Beziehungskräche, unerwiderte Liebe und falsches Spiel bildeten den Grund für das Gefühlschaos bei 141 Personen, von denen rund zwei Drittel junge Frauen waren.[57]

Die meisten ehelichen Beschwerden, die der Arzt und Astrologe Napier zu hören bekam, betrafen »ein erschreckendes Unvermögen, finanziell verantwortungsbewußt, grundsätzlich loyal, nüchtern und umgänglich zu sein«.[58] Natürlich besteht auch heute kein Mangel an Männern, die ihre Pflichten gegenüber ihrer Familie vernachlässigen, doch beziehen sich die modernen Beschwerden über Männer eher auf ihre Unfähigkeit, sich um das *Selbst* der Frauen zu kümmern. Zudem wurden die Schmerzen des Liebesleids als körperliche Empfindungen beschrieben und erfahren, nicht als Eindrücke, die auf gestörte Psychen deuteten. Der medizinische Diskurs verherrlichte das Leiden nicht um seiner selbst willen, sondern versuchte es zu beseitigen wie bei einer körperlichen Erkrankung.

Auch das moderne Liebesleiden soll operativ entfernt werden, freilich vor dem Hintergrund radikal anderer Modelle des Selbst: Es soll im Namen eines utilitaristischen und hedonistischen Modells psychischer Gesundheit ausgemerzt werden, eines Modells, in dem das Leiden entweder ein Anzeichen für eine gestörte psychische Entwicklung oder für eine elementare Bedrohung des sozialen Selbstwertgefühls und der Selbstachtung ist. In der zeitgenössischen Kultur zeigt sich ein ausgereifter Charakter folglich an der Fähigkeit, Leiderfahrungen zu überwinden oder, besser noch, ganz zu vermeiden. Romantisches Leiden ist nicht mehr Bestandteil einer psychischen und sozialen Öko-

---

57 MacDonald, *Mystical Bedlam*, S. 88 f.
58 Ebd., S. 100.

nomie der Charakterbildung, sondern bedroht diese vielmehr.

Mehr noch: Was genuin modern ist am romantischen Leiden, ist der Umstand, daß das Liebesobjekt auf komplizierte Weise mit Wert und Geltung des Selbst verschlungen und das Leiden zum Zeichen eines beschädigten Selbst geworden ist. Im Ergebnis untergräbt die Abtrünnigkeit des Liebesobjekts das Selbst. Die ontologische Unsicherheit des Selbst und sein Bedürfnis nach intersubjektiver Anerkennung werden folglich durch den Umstand noch verschärft, daß es keine kulturellen/spirituellen Bezugssysteme mehr gibt, die das Liebesobjekt gleichsam recyceln und für die Charakterbildung in Anschlag bringen.

Anerkennung versus Autonomie

Im Rahmen seiner Erkundung der Paradoxien des Begehrens äußert Alexandre Kojève, Hegels interessantester Kommentator, die Ansicht, das Begehren könne mit der »Entfaltung von Individualität« und der »Universalisierung gegenseitiger Anerkennung«,[59] wie sie in einer egalitären Gesellschaftsordnung zu erlangen wäre, unverzüglich gestillt werden. Kojève dachte an eine Universalisierung der klassenbezogenen Anerkennung, doch läßt sich der Gedanke umstandslos auch auf den Bereich der Geschlechterbeziehungen übertragen. Auf diesem Gebiet hätte man erwartet, daß ein Mehr an Gleichheit zwischen den Geschlechtern auch ein Mehr an Individualität und wechselseitiger Anerkennung mit sich gebracht hätte. Tatsächlich versteht eine bestimmte Interpretationslinie des Hegelschen Kampfs um Anerkennung zunehmende Autonomie als Voraussetzung für zunehmende Anerkennung. Je freier der Sklave wird,

---

59 Zitiert nach Judith Butler, *Subjects of Desire. Hegelian Reflections in Twentieth-Century France*, New York 1987, S. 77.

desto mehr Anerkennung kann er beanspruchen und bekommen.

Möge sich diese Position auch für den Bereich der Politik
aufrechterhalten lassen, so liegen die Dinge im Bereich der
erotischen Verhältnisse wesentlich komplizierter. Denn diese
Auffassung ist blind für die Widersprüche, die das erotische
Begehren mit sich selbst uneins werden lassen. Tatsächlich
ist es meiner Meinung nach sogar gerade die Entfaltung von
Individualität und Autonomie, die das moderne erotische
Begehren zu einer mit Aporien befrachteten Angelegenheit
macht. Judith Butler führt aus:

> Das Begehren scheitert somit an seinen Widersprüchen und wird zu
> einer mit sich selbst entzweiten Leidenschaft. In seinem Bemühen, dek-
> kungsgleich mit der Welt zu werden, ein autonomes Sein, das überall
> in der Welt sich selbst wiederentdeckt, muß das Selbstbewußtsein er-
> fahren, daß in seine eigene Identität als begehrendes Sein die Notwen-
> digkeit eingeschrieben ist, von einem anderen in Anspruch genommen
> zu werden.[60]

Ein solche Inanspruchnahme durch eine andere Person ist
voller Widersprüche, weil »wir uns zwischen einer eksta-
tischen und einer selbstbestimmten Existenz entscheiden
müssen«.[61]

Indem man liebt und sich nach einem anderen sehnt,
geht man stets das Risiko ein, unbeachtet zu bleiben und zu
erfahren, daß die eigene Liebe unerfüllt bleibt. Die Furcht,
sein Begehren vereitelt zu sehen, verwandelt die Erfahrung
der Liebe in eine (potentiell) hochgradig reflexive. Diese
Reflexivität bildet sich dadurch, daß die Anerkennung mit
einem weiteren für das Selbstwertgefühl entscheidenden
Ritual kollidiert und interagiert, nämlich dem Ritual der
Autonomie. Ich behaupte somit, daß die Anerkennung ihre
Grenze an kulturellen Definitionen des Personseins findet,
denen zufolge die Autonomie beider Seiten – desjenigen, der

60 Ebd., S. 49.
61 Ebd.

ein Anerkennungsritual ausübt, und desjenigen, dem dieses
Ritual gilt – gleichzeitig bestätigt werden muß.

In seiner Analyse von Romanzen junger Menschen gibt
Ori Schwarz Beispiele dafür, wann sich die Beteiligten dafür
(oder dagegen) entscheiden, die Person, mit der sie etwas
haben, zu fotografieren:

Eine Frau in ihren späten Zwanzigern, die im Moment keine Beziehung hatte, beschrieb sich als »besessene Dokumentaristin«: »Wann
immer ich beginne, Gefühle [für jemanden] zu entwickeln, erwacht
auch der Wunsch, zu dokumentieren.« Und doch »würde [sie] niemanden fotografieren, solange [sie] noch nicht auf die Beziehung vertrauen
kann, um ihn nicht in Panik zu versetzen«: Sie »möchte ihn nicht in die
Flucht schlagen, Druck auf ihn ausüben, zu verliebt wirken«.[62]

Hier sehen wir eine sehr verbreitete Erfahrung des Liebeslebens skizziert, nämlich das Bedürfnis, den Ausdruck von
Gefühlen (die Anerkennung eines anderen) unter Beobachtung zu behalten, um die eigene Position in einer Beziehung
nicht zu schwächen. Denn Anerkennung vollzieht sich stets
innerhalb einer Dynamik, in der es die eigene Autonomie
zur Schau zu stellen gilt. Autonomie wird durch eine sehr
sorgfältige Überwachung und sogar Verweigerung von Anerkennung erreicht. Romantischen Beziehungen ist das Verlangen nach Anerkennung unverbrüchlich eingeschrieben,
doch um performativ erfolgreich zu sein, muß das Verlangen nach und die performative Gewährung von Anerkennung sorgsam unter Kontrolle gehalten werden, um die Autonomie des Selbst nicht zu gefährden – was gleichermaßen
für die anerkennende wie für die anerkannt werdende Person gilt. Sehen wir uns ein weiteres Beispiel aus Schwarz'
Untersuchung an:

Eine lesbische Großstädterin in ihren späten Zwanzigern, die Fotos
machen wollte, »war ein wenig beunruhigt, daß dies als zu großes

---

62 Ori Schwarz, »Negotiating Romance in Front of the Lens«, in: *Visual Communication*, Jg. 9, Nr. 2 (2010), S. 151-169, hier: S. 157.

Interesse von meiner Seite/ein zu fortgeschrittenes Stadium/zu intim usw., usw. mißverstanden werden könnte. Ich setzte mich [darüber] hinweg und fotografierte, wann ich Lust hatte, aber ich machte sehr stark deutlich, daß es keine versteckten Absichten und keinen Grund zur Beunruhigung gab.«[63]

Hier leitet sich die »Besorgnis« (absurderweise) von der Befürchtung ab, die Frau könnte mehr Liebe und Gefühl zeigen, als ihre Partnerin zu erwidern vermag. Diese Möglichkeit ist so bedrohlich, daß sie sich große Mühe gibt, die potentielle Bedeutung ihres Tuns zu entkräften, um ihren Status in der Beziehung sicherzustellen, der seinerseits durch die Zurschaustellung von Autonomie signalisiert wird. Statt Bestandteil eines unendlichen Prozesses der Reziprozität zu sein, fungiert Anerkennung hier als ein begrenztes Gut, weil sie durch den interaktionellen Imperativ der Autonomie eingeschränkt ist, der in der impliziten Behauptung der eigenen Autonomie und Bestätigung der Autonomie des anderen besteht. Viele der Schwierigkeiten am Anfang einer Beziehung rühren dementsprechend davon her, daß Autonomie und Anerkennung ausgehandelt werden: Wieviel Autonomie und Anerkennung man an den Tag legen sollte, macht den Knackpunkt der emotionalen Verhandlungen in einer noch jungen Beziehung aus.

Die Spannung zwischen Anerkennung und Autonomie wird dadurch verstärkt, daß Anerkennung in den meisten romantischen Beziehungen nicht statisch bleiben kann. Bedingt durch die institutionelle und narrative Verschränkung von Liebe und Ehe ist das narrative Telos des Anerkennungsprozesses eine Bindung, also die Verbindung von Gefühl und Institution.[64] Viele, wenn nicht die meisten ro-

63 Ebd.
64 Robert N. Bellah, Richard Madsen, William M. Sullivan, Ann Swidler u. Steven M. Tipton, *Gewohnheiten des Herzens. Individualismus und Gemeinsinn in der amerikanischen Gesellschaft*, übers. von I. Peikert, Köln 1987.

mantischen Beziehungen müssen entweder auseinandergehen oder »verbindlich« werden. Aufgrund der Struktur der
Autonomie jedoch ist Verbindlichkeit das, was nicht gefor-
dert werden kann. Eine Website zu Beziehungsnöten bietet
uns ein Beispiel:

> Aber ich habe ein bißchen gegoogelt deswegen [er ist immer noch mit
> seinem Profil auf Match.com aktiv, wo sie sich kennengelernt haben],
> und es beunruhigt mich. Er und ich haben noch kein offizielles »Be-
> ziehungsgespräch« gehabt (ehrlich gesagt würde ich lieber abwarten
> und schauen, wie die Dinge von selbst ins Reine kommen), also muß
> ich mich notgedrungen fragen: Trifft er sich mit anderen Frauen? Bin
> ich nur ein Techtelmechtel für ihn? Ich möchte ihn nicht auf dieses
> Thema ansprechen, weil bislang alles so entspannt und ohne Dramen
> lief.[65]

Wenn es als »Drama« und »schwierig sein« betrachtet werden kann, einen Mann nach seiner Treue und Verbindlichkeit zu fragen, dann deshalb, weil die Autonomie das Verlangen nach Anerkennung ausstechen muß. Die Spannung
zwischen Anerkennung und Autonomie erklärt, warum
die Frage, wer den ersten Schritt tut, zu einer ausgesprochen schwierigen geworden ist. »Der ängstliche oder auf
Selbstschutz bedachte Verliebte versucht, die geliebte Person *zuerst* dazu zu bewegen, ihn zu lieben, ehe er es wagt,
sich zu öffnen. Vielleicht treibt ihn eine Angst, die sich üblicherweise Gefühlen der Wertlosigkeit oder Minderwertigkeit verdankt.«[66] Ein Liebender ist verängstigt, weil eine
Spannung zwischen Autonomie und Anerkennung herrscht.
Dafür im folgenden ein weiteres Beispiel, in dem wir die
Gründe enträtseln können, warum das ultimative Verlangen
nach Anerkennung – eine Bindung – im Fall der 38jährigen
Irene, einer PR-Managerin, verweigert wird.

---

65 ⟨http://www.enotalone.com/forum/showthread.php?t=152843⟩,
finneganswake. Letzter Zugriff 27. 2. 2011.

66 Person, *Lust auf Liebe*, S. 53. [Übers. ergänzt, Anm. d. Übers.]

IRENE: Andy bin ich vor fünf Jahren begegnet. Als ich ihn kennenlernte, war ich mit jemand anderem zusammen, mit dem es aber nicht
so gut lief, und Andy schien ganz begierig darauf, mich zu kriegen.
So kamen wir zusammen, und ich kann nicht behaupten, daß ich von
Anfang an verrückt nach ihm gewesen wäre. Aber er machte alles richtig, schrieb Liebesgrüße, unternahm Überraschungsausflüge mit mir,
machte mir kleine Geschenke, bekochte mich. Nach einem Jahr wurde
er zum Vertriebsleiter befördert und aufgefordert, nach Europa zu gehen, nach London. Er bat mich, mitzukommen. Ich dachte darüber
nach und beschloß rasch, ja zu sagen. Mein Vertrag mit meiner Firma
sah eine dreimonatige Kündigungsfrist vor, also konnte ich nicht gleich
mitkommen. Ich traf zwei Monate später ein. Als ich ankam, tatsächlich noch am Tag meiner Ankunft, spürte ich, daß sich seine Leidenschaft abgekühlt hatte. Einfach unerklärlicherweise abgekühlt. Ich
fragte ihn immer wieder, ob etwas passiert war, warum er nicht mehr
so liebevoll war. Aber er wich aus und sagte, er wisse nicht, ob er sich
binden könne. Drei Monate später verließ ich ihn, ging zurück nach
NYC, und war am Boden zerstört.

INTERVIEWERIN: Am Boden zerstört.

IRENE: Aber wissen Sie was? Ich liebte ihn noch immer. Nicht, daß er
sich mir gegenüber schrecklich verhalten hätte. Er war nicht schrecklich. Eher tat es ihm leid. Wissen Sie, was ich meine? Er hörte einfach
auf, mich zu lieben. Und es war ja nicht so, daß er mir versprochen
hätte, mich zu heiraten. Das hatte er nicht. Aber er hörte auf, mich zu
lieben. Was kann man da noch sagen? Liebe mich, weil ich großartig
bin? Natürlich konnte ich das nicht sagen. Das wäre töricht. Und obwohl ich meinen Job für ihn aufgegeben hatte, meine mietpreisgebun-
dene Wohnung für ihn aufgegeben hatte, meine Ersparnisse abgehoben
hatte, im Grunde mein Leben aufgegeben hatte, war ich nicht wütend,
nur verletzt. Deshalb liebte ich ihn noch immer. Vielleicht liebte ihn ein
Teil von mir mehr.

INTERVIEWERIN: Sie haben also Ihr Leben aufgegeben, wie Sie gerade sagten, ohne ein Heiratsversprechen. Fiel Ihnen das leicht?

IRENE: Es ist nicht so, daß mir das nichts ausgemacht hätte. Es hat
mir was ausgemacht. Aber bei mir ist es so, daß ich immer befürchte,
den Eindruck zu erwecken, ich würde Druck machen.

INTERVIEWERIN: Was meinen Sie mit Druck machen?

IRENE: Irgendwie verzweifelt wirken. Ultimaten setzen. Sich so zu
verhalten, als sei es das Allerwichtigste überhaupt, zu heiraten. Einen
Mann unter Druck zu setzen, ist nicht gut für die Beziehung, ist nicht

gut fürs eigene Selbstbild. Also habe ich keinen Druck gemacht. Vielleicht war das aber falsch. Vielleicht hätte ich bestimmter sein und mehr von ihm fordern sollen. Ich hätte ohne Eheversprechen nicht meine Zelte abbrechen dürfen. Aber ich war jung und hatte Angst, den Mann zu verschrecken.

INTERVIEWERIN: Warum ist es nicht gut für Ihr Selbstbild?

IRENE: Hmm ... Wenn man Druck macht, kommt man als bedürftig rüber. Irgendwie nicht selbständig. Man will nicht bedürftig aussehen. Außerdem heißt es ja, daß der Mann Reißaus nimmt, wenn man Druck macht. Weil man bedürftig ist.

INTERVIEWERIN: Also zu einem Mann zu sagen, daß man eine ernsthafte, verbindliche Beziehung will, ist bedürftig?

IRENE: Absolut. Ich würde es lieben, frei heraus zu sagen, »ich liebe dich«, »ich möchte mein Leben mit dir zusammen verbringen«, aber wenn ich das täte, würde ich mich als die unterlegene Seite fühlen. Man möchte cool bleiben.

INTERVIEWERIN: Können Sie sagen, warum?

IRENE: Ich weiß nicht, warum. Ich glaube, Männer – nicht alle, aber viele – sind einfach nicht scharf auf Ehe und Verbindlichkeit. Sie haben das Gefühl, über alle Zeit der Welt zu verfügen, um sich zu entscheiden. Und wenn man sie zu sehr will, dann machen sie den Abgang, das ist einfach eins dieser Dinge, von dem alle Mädels, die ich kenne, überzeugt sind. Man muß langsam an die Sache herangehen, clever, und darf sich nicht aufdrängen.

Aufgrund vieler ihrer Elemente ist diese Geschichte typisch für ein bestimmtes Muster in den Beziehungen zwischen Männern und Frauen: Die Frau wird hier von dem Mann beeinflußt, das heißt *überzeugt*, die Beziehung einzugehen; was sie davon überzeugt, die Beziehung einzugehen, ist kein Geheimnis: Es ist der Umstand, daß diese zu enormer Anerkennung verhilft, was darauf hindeutet, daß Anerkennung der Liebe vorausgehen und sie hervorbringen kann. Dieses Muster ist besonders einschlägig für Frauen, die ihren Wert mit geringerer Wahrscheinlichkeit als Männer über öffentliche Kanäle bestätigt bekommen können; ihr Selbstwertgefühl ist daher besonders mit der romantischen Anerkennung verbunden. Auch wenn diese Frau keinen klaren Wunsch formulierte, wurde die Tatsache, daß sie alles »aufgab«, von ihrem Freund (vermutlich zu Recht) als Wunsch interpretiert, sich mit Haut und Haaren an ihn zu binden. Und schließlich impliziert die Tatsache, daß sie sich nicht dazu durchringen konnte, ausdrücklich auch von ihm einen Akt der Verbindlichkeit einzufordern, daß die Autonomie über das Bedürfnis nach Anerkennung triumphiert.

Man vergleiche dies mit der Situation eines jungen Mädchens der englischen Mittelklasse oder oberen Mittelklasse im 19. Jahrhundert, das einen Partner fand, indem es offiziell »in die Gesellschaft eingeführt« wurde. Das heißt, es wurde ein Ball für sie ausgerichtet, was einer öffentlichen Erklärung ihrer Heiratsfähigkeit und ihres Wunsches, potentielle Lebenspartner kennenzulernen, gleichkam. In dieser kulturellen und gesellschaftlichen Ordnung ist die Erklärung der Verbindlichkeit intrinsisch in die Struktur des Kennenlernens eingebettet: Eine Frau (oder ein Mann) muß die Absicht, sich zu binden, nicht verbergen oder im Zaum halten, weil dies eben die Definition und *raison d'être* des »Eingeführtwerdens« der Debütantin ist. Eine solche Offenheit – der Ausschau nach einem künftigen Gatten – war für das Selbstbild oder die Autonomie der Frau nicht bedrohlich. Wieviel Koketterie auch immer in den tatsächlichen romantischen Interaktionen steckte, ihre Funktion bestand nicht darin, die Absicht, sich zu binden und zu heiraten, einzuklammern, in der Schwebe zu lassen, hinauszuzögern oder zu verbergen. Vielmehr setzte »mangelnde Ernsthaftigkeit« das Ansehen von Männern und Frauen auf dem Heiratsmarkt aufs Spiel und gereichte ihnen emotional zum Nachteil. Moderne romantische Beziehungen hingegen sind in merkwürdigen Paradoxien gefangen, weil sowohl Männer als auch Frauen so tun müssen, *als ob* Verbindlichkeit nicht von vornherein in der Beziehung angelegt wäre. Die Absicht, sich zu binden, wird als krönende Vollendung der

Beziehung verstanden, nicht als ihre Voraussetzung. Folglich wird schon die Frage der Verbindlichkeit von vornherein aus romantischen Beziehungen ausgeblendet, während man diesen zugleich eine kontinuierliche Arbeit der Anerkennung abverlangt. Schließlich legen die zitierten Äußerungen von Irene nahe, daß, anders als im 19. Jahrhundert, in dem das Halten von Versprechen ein zentraler Bestandteil des moralischen Gefüges von Bindung und Verbindlichkeit war, die Aufforderung zu einem Versprechen illegitim geworden ist – und dies trotz des offenkundig hohen persönlichen Preises, den die Frau dafür zu zahlen hat. In ihrem Buch *Girls Gone Mild* beobachtet auch Wendy Shalit,[67] eine konservative Kritikerin der sexuellen Beziehungen, das Zögern der Frauen, Forderungen an die Männer zu stellen, führt dies aber in Übereinstimmung mit dem tonangebenden therapeutischen Ethos auf einen Mangel an Selbstachtung und die Übersexualisierung der Frauen zurück. Wie viele konservative Denker identifiziert Shalit zutreffend ein Feld, das mit Problemen überhäuft ist, deren Ursachen sie jedoch wie viele konservative Denker nicht begreift.

An dieser Stelle kann uns meines Erachtens der Begriff der »Verwirrtheit« weiterhelfen. Verwirrtheit ist ein psychologisches Merkmal, in dessen Ätiologie man jedoch oft auf soziologische Ursachen stößt. Wie ich glaube, wird Verwirrtheit oft durch zwei unvereinbare strukturelle Prinzipien ausgelöst. In Irenes Geschichte behält der Wunsch, ein bestimmtes Selbstbild zu bewahren, die Oberhand über die Verteidigung ihres Eigeninteresses, und zwar deshalb, weil ihr Selbstbild der Interaktion nicht vorausgeht, sondern entscheidend *in* der romantischen Interaktion ausgehandelt und errichtet werden muß. Das Selbstbild hängt von einem Wert ab, der intersubjektiv geschaffen, das heißt in speziellen Interaktionen ausgehandelt werden muß. In diesen In-

---

67 Wendy Shalit, *Girls Gone Mild. Young Women Reclaim Self-Respect and Find It's Not Bad to Be Good*, New York 2007.

teraktionen geht es permanent um die Zurschaustellung der eigenen Autonomie und der eigenen Fähigkeit, die Autonomie des anderen zu respektieren – also *keine* Forderungen aneinander zu stellen. Man beachte, daß »Druck ausüben« als Bedrohung sowohl der Person, auf die Druck ausgeübt wird, *als auch* der Person, die Druck ausübt, verstanden wird. Das kulturelle Motiv, das hier den Wert bestimmt und ausmacht, ist die Autonomie, was erklärt, warum die Bitte um ein Versprechen als Ausüben von »Druck« betrachtet wird (eine Vorstellung, die im viktorianischen England wohl merkwürdig erschienen wäre): Diese Vorstellung ergibt nur vor dem Hintergrund einer Auffassung des Selbst Sinn, für die ein Versprechen eine Einschränkung der Freiheit bedeutet, nämlich der Freiheit, morgen anders zu empfinden als heute. Nachdem eine Einschränkung der eigenen Freiheit als illegitim gilt, wird die Aufforderung zu einer Bindung als Entäußerung der eigenen Freiheit interpretiert. Diese Freiheit wiederum hängt mit der Definition von Beziehungen in rein emotionalen Begriffen zusammen: Wenn eine Beziehung die Folge frei empfundener und frei gewährter Gefühle ist, kann sie nicht aus der moralischen Struktur der Verbindlichkeit hervorgehen. Weil Gefühle als wandelbar angesehen werden, grundsätzlicher aber noch, weil als Quelle von Gefühlen die je einzigartige Subjektivität und der freie Wille gelten, wird es illegitim, zu verlangen, daß man seine Gefühle an die Zukunft bindet – würde dies doch als Bedrohung jener Freiheit wahrgenommen, die der reinen Emotionalität innewohnt. In einer Bindung mit der sie begleitenden Verbindlichkeit besteht folglich das Risiko, daß man jemandem keine andere Wahl läßt, als eine Wahl zu treffen, die nicht auf reinen Gefühlen und reiner Emotionalität beruht und ihn damit wiederum seiner Freiheit beraubt.

Meine These lautet: In dem Maß, in dem die Männer in der Moderne den Diskurs der Autonomie verinnerlicht und mit Nachdruck verfochten haben, wirkt sich Autonomie als symbolische Gewalt aus, die um so naturalisierter und schwieriger zu erkennen ist, als Autonomie im Zentrum des Projekts der Emanzipation der Frauen steht (und stehen muß). In einem meiner Interviews sagte Amanda, eine 25jährige Frau, folgendes:

AMANDA: Ich war zwei Jahre mit Ron zusammen, und in diesen zwei Jahren habe ich nie zu ihm gesagt: »Ich liebe dich.« Und er hat auch nie zu mir gesagt: »Ich liebe dich.«
INTERVIEWERIN: Warum, glauben Sie, war das so?
AMANDA: Ich wollte nicht die erste sein, die es sagt.
INTERVIEWERIN: Warum nicht?
AMANDA: Weil, wenn man das sagt und wenn die andere Person einem selbst gegenüber nicht so empfindet, dann wird man zum schwächeren von beiden; oder sie verübeln es einem; oder sie nutzen es aus; oder sie werden unnahbar deswegen.
INTERVIEWERIN: Glauben Sie, daß er sich das ebenfalls gesagt hat? Daß er es nicht sagen will?
AMANDA: Ich weiß es nicht. Vielleicht. Obwohl, wissen Sie, ich glaube, Männer sind aus mancherlei Gründen freier, es zu sagen. Meinem Gefühl nach wissen sowohl Männer als auch Frauen, daß Männer es zuerst sagen können, die Frau hat diese Freiheit nicht. Eine Frau wird sich nicht von einem Mann zurückziehen, wenn er ihr sagt, daß er sie liebt, während ein Mann ausflippen und glauben wird, sie will den Ring und das weiße Kleid.

Wir können auch ein Beispiel aus *Sex and the City* nehmen, für viele die Bibel in Sachen moderner dysfunktionaler Beziehungen. »Eine Weile sagte keiner mehr etwas, dann Carrie: ›Wie kommt es, daß du nie »ich liebe dich« sagst?‹ ›Weil ich Angst habe‹, antwortete Mr. Big. ›Ich habe Angst, wenn ich »ich liebe dich« sage, daß du dann denkst, wir würden heiraten.‹«[68]
   Eindeutig bestimmen Männer die Spielregeln von Anerkennung und Verbindlichkeit. Die männliche Vorherrschaft

68 Candace Bushnell, *Sex and the City. Am Bett vorbei ist voll daneben*, übers. von A. Hahn, München 1998, S. 245.

hat die Form eines Ideals von Autonomie, dem die Frauen, vermittelt über ihren Kampf um Gleichheit in der Öffentlichkeit, selbst beigepflichtet haben. Wird sie freilich auf die Privatsphäre übertragen, würgt Autonomie das Verlangen der Frauen nach Anerkennung ab. Denn es ist allerdings bezeichnend für symbolische Gewalt, daß man sich einer Definition der Realität nicht zu widersetzen vermag, obwohl einem dies zum Nachteil gereicht. Mein Punkt ist nicht, daß Frauen keine Autonomie wollen. Es geht vielmehr darum, daß sich Frauen in einer spannungsgeladenen Position befinden, weil sie gleichzeitig Ideale der Sorge und Autonomie schultern und, entscheidender noch, weil sie häufig glauben, für ihre Autonomie *und* die des Mannes Sorge tragen zu müssen. So erzählt Shira, eine wortgewandte und attraktive 27jährige Frau mit einem Bachelor in Sozialwissenschaften:

SHIRA: [Wenn wir zusammen waren], pflegte ich beispielsweise zu sagen, daß ich lieber heimginge; und dann pflegte er zu sagen, daß er zu Sammy [einem Freund] gehen wollte; dann fing ich an zu weinen, einfach zu weinen, ich habe mich nie wirklich getraut, ihm zu sagen, was ich von ihm dachte; ich war irgendwie verängstigt; vielleicht hatte ich Angst, ihn zu verlieren; deshalb habe ich nichts gesagt; aber geweint habe ich.
INTERVIEWERIN: Haben Sie oft geweint?
SHIRA: Ich habe sehr oft geweint.
INTERVIEWERIN: Können Sie sagen, warum?
SHIRA: Nun ja, ich glaube, daß ich all diese Jahre einfach zu ängstlich war, ihm zu sagen, was ich wirklich dachte.
INTERVIEWERIN: Können Sie mir ein Beispiel für etwas geben, das Sie sich nicht trauen, ihm zu sagen?
SHIRA: Es kann alles mögliche sein. Am Samstag zum Beispiel wollte ich einfach zu Hause faulenzen und nur mit ihm zusammen sein und zusammen essen, aber er wollte einfach nur raus und seine Freunde sehen.
INTERVIEWERIN: Haben Sie geweint, als er noch da war oder als er weg war?
SHIRA: Als er noch da war.
INTERVIEWERIN: Hat es ihn dazu veranlaßt, dazubleiben?

SHIRA: Nein, leider nicht.

INTERVIEWERIN: Haben Sie noch mehr solcher Beispiele?

SHIRA: Ehrlich gesagt, viel zu viele. Meistens ging es darum, daß ich irgend etwas wollte und die Dinge so liefen, daß mein Wunsch ignoriert oder vereitelt wurde. Zum Beispiel liebte ich es, zu Hause zu bleiben und etwas Schönes zu kochen. Und dann gab ich mir wirklich viel Mühe damit, das Essen anzurichten. Ich erwartete, daß er etwas dazu sagt, daß er es bemerkt, was er aber meistens nicht tat. Und das verletzte mich dann, und ich fing an zu weinen.

Der Kummer, den diese Frau erlebt, verdankt sich dem Umstand, daß sie in einem Widerspruch gefangen ist, den sie nicht benennen kann: Ihre Tränen drücken unmittelbar ihre Abhängigkeit und ihr Bedürfnis nach Anerkennung aus. Und doch kann sie trotz ihrer beschwerlichen Gefühle keine explizite Forderung formulieren, um seine und ihre Autonomie (oder zumindest den Anschein davon) zu bewahren. In diesem Sinne könnte man sagen, daß das Gebot der Autonomie das Gebot der Anerkennung übertrumpft und sogar unverständlich werden läßt. Weitere Beispiele für die Mechanismen, mit denen Autonomie die Gefühle der Frauen unterdrückt, sind mühelos zu finden. So ließe sich etwa Catherine Townsend, die bereits erwähnte Sexkolumnistin des *Independent*, als bemerkenswertes Exemplar einer sexuell emanzipierten Frau bezeichnen. Und doch hört sich das, was sie als »diese höchst weibliche Lage« bezeichnet, wie folgt an: »Also fand ich mich in dieser höchst weiblichen Lage wieder, so zu tun, als sei ich aller Sorgen ledig, während ich mich in Wirklichkeit am liebsten an seinen Hals geworfen und geschrien hätte: ›Bitte liebe mich!‹«[69] Und die Psychologin Lisa Rene Reynolds kommt im Nachdenken über Internet-Kontaktbörsen zu dem Schluß: »Man glaubt, daß niemand auf das eigene Profil reagieren wird, wenn man dort angibt, daß man sich eine Familie und Kinder wünscht,

---

69 Townsend, *Breaking the Rules*, S. 179.

also versucht man erst gar nicht, das zu finden, was man in Wirklichkeit möchte.«[70] Um es noch einmal zu sagen: Mir geht es nicht darum, daß Frauen keinen Drang zu Autonomie verspüren würden oder auf Autonomie verzichten sollten. Im Gegenteil: Ich behaupte, daß Männer dem Gebot der Autonomie konsequenter und für einen längeren Teil ihres Lebens folgen und dadurch das weibliche Begehren nach Verbundenheit emotional dominieren können. Sie tun dies, indem sie die Frauen zwingen, ihre entsprechende Sehnsucht zu verschweigen und die Distanziertheit der Männer sowie ihren Drang nach Autonomie zu imitieren. Frauen, die nicht an einem heterosexuellen Familienleben, Kindern und der Verbindlichkeit eines Mannes interessiert sind, werden Männern mit größerer Wahrscheinlichkeit emotional auf gleicher Augenhöhe begegnen können.

Wenn klare Abläufe und Rituale für das Liebeswerben fehlen, ringt das Selbst, will es den Anspruch auf Autonomie und emotionale Freiheit für sich und sein Gegenüber aufrechterhalten, um die Anerkennung des Gegenübers, ohne in der Position zu sein, diese einfordern zu können. Weil also der Wert des Selbst nicht schon im vorhinein feststeht, wird er intersubjektiv ausgehandelt. Der eigene Wert ist dabei ständig durch die Möglichkeit bedroht, daß man sich nicht hinreichend autonom gibt. Die Spannung zwischen diesen beiden Geboten – die Autonomie aufrechtzuerhalten und Anerkennung zu erlangen – bringt eine ökonomische Auffassung des Selbst und der Psyche mit sich, das heißt eine Auffassung, der zufolge Anerkennung stets durch Autonomie ausbalanciert werden muß und es nicht zu einem Überangebot an Anerkennung kommen darf. In seinem Kampf, den eigenen Wert festzusetzen oder dem anderen Wert zuzuschreiben, stützt sich das Selbst auf ein Modell

70 ⟨http://www.nydailynews.com/lifestyle/2010/02/16/2010-02-16_online_dating_grows_in_popularity_attracting_30_percent_of_web_users_poll.html#ixzz0fmImu6AT⟩, letzter Zugriff 27. 2. 2011.

des Tauschs, in dem Unverfügbarkeit als ökonomisches Anzeichen des Werts fungiert (und umgekehrt), ein Modell, demzufolge »lieben« in »zu sehr lieben« umschlagen kann. Es ist ebendiese ökonomische Logik, die den psychologischen Ratschlägen für Frauen überwiegend zugrunde liegt. So erzählt beispielsweise die Psychologin Robin Norwood in ihrem treffend betitelten Bestseller *Wenn Frauen zu sehr lieben* die Geschichten einiger ihrer Klientinnen/Patientinnen. Eine von ihnen, die sie Jill nennt, lernte einen Mann namens Randy kennen, mit dem sie sich »sofort unheimlich gut verstanden« hat:

»Es war toll. Ich konnte ihn bekochen, und es war ihm anzumerken, wie sehr er es genoß, daß ich mich um ihn kümmerte. [...] Wir kamen unwahrscheinlich gut miteinander aus.« [...] Als sie dann ihren Bericht fortsetzte, wurde deutlich, daß sich Jill schon nach kürzester Zeit ausschließlich auf Randy fixiert hatte.
Kaum war er in seiner Wohnung angekommen, klingelte bereits das Telefon. Jill erzählte ihm, wieviel Sorgen sie sich während der langen Fahrt gemacht hätte und wie sehr es sie nun beruhigen würde zu wissen, daß er gut angekommen sei. Offenbar hatte Randy mit dem Anruf nicht gerechnet – zumindest reagierte er leicht verwirrt –, und so entschuldigte sie sich für die Störung und legte auf. Aber schon bald machte sich ein nagendes Gefühl von Unruhe in ihr breit, von dem Bewußtsein geschürt, daß ihr schon wieder ein Mann weitaus mehr bedeutete als sie ihm.
»Randy hat mir einmal erklärt, ich solle ihn ja nicht unter Druck setzen, oder er würde verschwinden. Ich bekam schreckliche Angst. Alles hing an mir. *Ich sollte ihn lieben und gleichzeitig in Ruhe lassen.* Das konnte ich nicht, und dadurch wurde meine Angst immer größer. Und je panischer ich wurde, desto mehr lief ich ihm hinterher.«[71]

Offensichtlich stellt die Verfasserin Jills Verhalten als pathologisch dar, weil eine gesunde Psyche in der Lage ist, Autonomie und Anerkennung, also, in ökonomische Begriffe

71 Robin Norwood *Wenn Frauen zu sehr lieben. Die heimliche Sucht, gebraucht zu werden* [1985], übers. von S. Hedinger, Reinbek bei Hamburg, ²⁸2010, S. 16 f. (meine Hervorhebung).

übersetzt, Angebot und Nachfrage auszubalancieren – ist
diese Erzählung doch implizit durch eine ökonomische Auffassung von Beziehungen strukturiert. Sie legt fraglos nahe,
daß eine der Funktionen der Ratgeberliteratur genau darin
besteht, der Leserin dabei zu helfen, den in der Dynamik der
Anerkennung enthaltenen Fluß von Angebot und Nachfrage
an Gefühlen zu überwachen. Weil der Wert des Selbst in und
durch Interaktionen ausgehandelt wird und weil Anzeichen
von Autonomie als Anzeichen von Wert fungieren, wird das
Selbst zum Schauplatz eines ökonomischen Kalküls, dem gemäß es seinen Wert selbst herabsetzen kann, indem es einen
anderen gleichsam »zu sehr« anerkennt (»liebt«). Wie in
Kapitel 2 angedeutet, wird Anerkennung im Rahmen einer
ökonomischen Auffassung von Gefühlen organisiert und
durch diese beschränkt, einer Auffassung, der zufolge ein
Überangebot an Anerkennung die Nachfrage nach selbiger
gefährden und drosseln kann. Dieser Imperativ ist es, der einen Gutteil der mit romantischen Beziehungen verbundenen
Unsicherheiten strukturiert. Und es ist dieses ökonomische
Denken in Begriffen von Angebot und Nachfrage, das in der
folgenden autobiographischen Erzählung der geschiedenen
46jährigen Anne zum Ausdruck kommt:

ANNE: Also, was ich an Beziehungen unmöglich finde, sind all diese
Machtspielchen: Rufe ich ihn an, rufe ich ihn nicht an? Lasse ich ihn
wissen, daß ich ihn sehr mag, oder spiele ich die Gleichgültige? Die,
die nicht leicht zu haben ist, oder die Süße und Liebevolle? Das macht
mich wahnsinnig.
INTERVIEWERIN: Das müssen Sie mir erklären. Wie meinen Sie das?
ANNE: Wie ich das meine? Schauen Sie, in den meisten Fällen – ich
meine, ich rede nicht von der großen Liebe, die einem ein- oder zweimal im Leben begegnet – in den meisten Fällen lernt man jemanden
kennen und mag ihn halt irgendwie, aber man weiß nicht, wohin das
führen könnte. Wenn man nun feststellt, daß man ihn so sehr nun auch
wieder nicht mag, ist das prima, weil man dann nicht das Gefühl hat,
in seinen Händen zu sein, man ist nicht ängstlich. Wenn man ihn aber
anfangs mehr mag, als er es tut, dann fangen die Schwierigkeiten an.

Denn wenn man ihn gern hat, muß man aufpassen, was man sagt und wie man es sagt. Wenn man ihm zeigt, daß man ihn zu sehr mag, wird der Mann im Normalfall Reißaus nehmen. Wenn man zu reserviert ist, wird er glauben, man sei gleichgültig.

INTERVIEWERIN: Warum glauben Sie, wird der Mann Reißaus nehmen? Haben Sie das selbst erlebt?

ANNE: O ja.

INTERVIEWERIN: Können Sie mir ein Beispiel geben?

ANNE: Da kann ich Ihnen wohl mehr als eines geben. Einmal hatte ich etwas mit einem Mann, und zunächst war ich hin- und hergerissen, unsicher, ob ich mit ihm zusammensein wollte. In erster Linie, weil ich ihn für einen ziemlich unterkühlten Typen hielt. Nach zwei Wochen sagte ich ihm, daß ich die Verbindung nicht aufrechterhalten wollte. Er bat mich, ihm noch eine Chance zu geben. Dann wurde er warmherziger, und ich begann, ihn richtig gern zu haben. Aber immer, wenn ich über die Zukunft sprechen wollte, zog er sich zurück. Je zwiespältiger er war, desto mehr Druck machte ich. Am Ende wurde er so zwiespältig, daß wir uns trennten.

Und es gab diese Zeit, als ich eine heftige, heiße Affäre mit einem Mann hatte, der fünfzehn Jahre älter war als ich. Der Mann gab sich sehr verliebt. Er rief mich jeden Tag an. Schon weit im voraus wollte er Pläne fürs Wochenende machen. Er schlug alle möglichen Urlaubsreisen vor, die wir zusammen unternehmen sollten. Dann eines Tages, nachdem ich ihn zu erreichen versucht hatte, brauchte er zwei Tage, um zurückzurufen. Ich sagte ihm, daß mich das verletzt habe. Er war verärgert und zeigte mir tatsächlich die kalte Schulter. Er sagte, er verstehe nicht, warum ich so ein Theater mache. Mit einem anderen Mann war ich sechs Monate zusammen, und weil er Musiker war, hatte er oft sein Handy ausgeschaltet. Ich kommentierte das und fragte ihn, ob er es nicht öfter einschalten könne, damit er für mich erreichbar sei. Und er hörte nicht mehr auf, davon zu reden, daß ich seine Freiheit einschränken wolle.

INTERVIEWERIN: Und was haben Sie darauf erwidert? Wissen Sie das noch?

ANNE: Ich sagte etwas wie, in einer Beziehung zu sein, ist eine Einschränkung der Freiheit, und daß man nicht beides zugleich haben könne. Und von diesem Gespräch an ging es bergab.

INTERVIEWERIN: Können Sie sagen, warum?

ANNE: Ich glaube, es ist immer dieselbe Geschichte. Anfangs mögen mich die Männer immer sehr. Dann werde ich aus irgendeinem Grund unsicher. Ich muß wissen, ob sie mich lieben oder wie sehr sie mich lieben. Ich kann über diese Frage einfach nicht hinweggehen. Also stelle ich Fragen, ich stelle Forderungen, vielleicht könnte man sogar sagen, ich fange an, ihnen in den Ohren zu liegen. Ich weiß nicht (*lacht*). Das ist im wesentlichen die Dynamik: Etwas in der Beziehung löst Ängste in mir aus. Ich bringe es zum Ausdruck, ich will beruhigt werden, und der Mann fängt an, sich zurückzuziehen.

INTERVIEWERIN: Haben Sie irgendeine Vorstellung, warum das so ist?

ANNE: Ich glaube, daß es diese Machtspiele gibt, die Männer und Frauen betreiben. Ich habe viel darüber nachgedacht. Ich glaube, die Beziehungen zwischen Männern und Frauen sind wirklich total im Arsch, weil es so scheint, als könnten Männer sich nur dann wirklich für eine Frau interessieren, wenn sie ihnen gegenüber distanziert ist oder sich etwas von ihnen zurückzieht, oder etwas in der Art. Wenn eine Frau Bedürftigkeit, Ängste, den Wunsch nach Nähe zum Ausdruck bringt, dann vergiß es, der Mann wird einfach nicht da sein. Es ist, als ob der Mann sich immer und immer wieder beweisen müßte, daß er sie für sich gewinnen kann.

INTERVIEWERIN: Können Sie sagen, warum oder wann Sie Angst empfinden?

ANNE: Hmm ... Ich denke, daß es tief im Innern von einem Gefühl der Wertlosigkeit kommt und davon, die andere Person zu bitten, daß sie mir zeigt, daß ich etwas wert bin. Irgend etwas in der Beziehung löst das immer aus. Ich merke dann, daß der Mann nicht liebevoll ist, oder nicht liebevoll genug. Dann werde ich ihn bitten, mich zu beruhigen. Meistens tun sie das nicht.

Die gängige psychologische Meinung würde diese Frau zweifellos der »Unsicherheit« bezichtigen und die Ursachen ihrer Angst in einer verpfuschten Kindheit suchen. In der psychologischen Theorie wird Angst entweder als Gedächtnisspur eines traumatischen Ereignisses oder als Signal dafür verstanden, daß die Fundamente des Ich kurz vor dem Zusammenbruch stehen, weil das Ich zwischen den widersprüchlichen Forderungen des Über-Ich und des Es gefangen ist. Freud und den späteren psychologischen Theorien zufolge wird die Angst dadurch neurotisch, daß sie diffus, in der Schwebe ist und kein klares Objekt hat.

Wenn wir jedoch die Rede dieser Frau beim Wort nehmen, dann hat ihre Angst ein höchst eindeutiges und bestimmtes Objekt und einen gänzlich sozialen Charakter: Es verlangt sie nach Anerkennung, sie strampelt sich aber an dem entgegengesetzten Gebot ab, ihre eigene Autonomie und die ihres Freundes zu bewahren, weil andernfalls ihr Status in der Beziehung gefährdet wäre. Während sowohl Anerkennung als auch Autonomie zu essentiellen Merkmalen sozialer Interaktionen geworden sind, ziehen beide die Akteure in entgegengesetzte Richtungen. Demzufolge läßt sich die hier beschriebene Angst als Folge einer Spannung zwischen dem Verlangen nach Anerkennung und der Bedrohung der Autonomie verstehen, die ein solches Verlangen darzustellen scheint; zwischen einer ökonomischen Auffassung des Selbst, der zufolge das Selbst als strategischer Sieger aus einer Interaktion hervorgehen muß, und dem Begehren, sich selbst in Form der Liebe als Agape hinzugeben, ohne daß ein ökonomisches Kalkül den Austausch regulierte. Die Frauen, die »zu sehr lieben«, trifft die grundsätzliche Schuld, das ökonomische Kalkül nicht zu verstehen, das Beziehungen leiten sollte, und das Gebot der Autonomie schlecht zu handhaben. Ich glaube daher, daß diese Spannung – zwischen Anerkennung und Autonomie – für die Entstehung einer neuen Struktur des Selbstzweifels verantwortlich ist.

Von der Eigenliebe zur Selbstbeschuldigung

In Jane Austens *Verstand und Gefühl* begreift Elinor in einem bestimmten Moment, daß Willoughby, der eifrige Verehrer ihrer Schwester Marianne, nicht die Absicht hat, diese zu heiraten. Später findet sie heraus, daß Willoughby zu der Zeit, als Marianne glaubte, er gehöre ihr, mit einer anderen Frau verlobt war.

Dass so etwas wie ein Verlöbnis zwischen Willoughby und Marianne bestanden hatte, daran zweifelte sie nicht, und dass es Willoughby jetzt lästig war, schien ebenso klar. Auch wenn Marianne sich noch in Illusionen wiegte, *sie* konnte dieses Benehmen nicht auf irgendeinen Irrtum oder irgendein Missverständnis zurückführen. Nur ein vollständiger Sinneswandel konnte es erklären. Ihre Empörung wäre noch größer gewesen, hätte sie nicht seine Verlegenheit mit angesehen, die dafür sprach, dass er sich seines unverzeihlichen Benehmens bewusst war, und die sie davon abhielt, ihm die Gewissenlosigkeit zuzutrauen, dass er von Anfang an ohne ehrenwerte Absicht mit der Zuneigung ihrer Schwester gespielt hatte.[72]

Willoughby hat sich einen schweren moralischen Fehler zuschulden kommen lassen. Die Natur dieses Fehlers steht außer Frage: Er hat Marianne zu dem irrigen Glauben veranlaßt, er sei ihr verbunden; obwohl er ihr keine ausdrücklichen Versprechungen machte, verhielt er sich in einer Weise, die bedeuten mußte, daß er dies tun würde. Sowohl sein soziales Umfeld als auch Willoughby selbst *wissen*, daß ein aktives Liebeswerben praktisch gleichbedeutend mit einer Verbindlichkeit ist und daß es eine Verletzung des eigenen Ehrgefühls darstellt, eine einmal eingegangene Verbindlichkeit nicht weiterzuverfolgen. Ein Versprechen nicht wahrzumachen, kann sowohl emotionale als auch reale Schäden verursachen, insofern dies die Aussichten der Frau, einen anderen Verehrer zu finden, beeinträchtigt. Interessanter noch ist der Umstand, daß Willoughby sich so ehrlos verhält und Marianne zugleich liebt. Offensichtlich sind Gefühle also nicht notwendigerweise die Quelle von Heiratsentscheidungen. Eine solche gefühllose und berechnende Konzeption der Ehe war es ja gerade, gegen die Jane Austen anschrieb. Zudem: Als Willoughby sich öffentlich weigert, mit Marianne zu sprechen und damit ihre romantische Verbindung anzuerkennen, rührt Mariannes Bestürzung ebensosehr aus seinem Sinneswandel wie aus ihrer öffentlichen Zurschau-

72 Jane Austen, *Verstand und Gefühl* [1811, 1813], übers. von U. u. Chr. Grawe, Stuttgart 2007, S. 203.

stellung eines Mangels an Zurückhaltung und Schicklichkeit, mithin den von Elinor gepredigten Kardinaltugenden. Es ist ebenso Mariannes unerwiderte Liebe zu Willoughby wie ihr sichtliches Unvermögen, den Regeln angemessenen Verhaltens zu folgen, die sie in eine qualvolle Lage versetzen. Der private Schmerz bietet einen normativen Haken, an dem Marianne ihr Leiden »aufhängen« und das sie dadurch erklären kann. Ihre Defizite sind keine innerlichen, sondern äußerliche – sie haben mit ihrem Verhalten zu tun, nicht mit ihrem Wesen, damit, wer sie ist. Wie niederschmetternd auch immer ihre Enttäuschung ist, stellt sie doch ihr Selbstgefühl nicht in Frage. Und schließlich verurteilt ihre gesellschaftliche Umwelt Willoughby moralisch so heftig, daß ihr Schmerz nie ganz privat ist, er ist für andere sichtbar und wird von ihnen geteilt. Indem sie die Bürde ihres Schmerzes mit ihr auf sich nehmen, haben sie an einem klaren moralischen und sozialen Gefüge teil. In diesem Sinne zeichnet sich Mariannes Leiden durch das aus, was Susan Neiman »moralische Klarheit« nennt.[73]

In *Kloster Northanger* löst Isabella Thorpe ihre Verlobung mit James Morland zugunsten besserer finanzieller Aussichten in der Person Hauptmann Frederick Tilneys auf. Als James Morland seiner Schwester Catherine die traurige Geschichte in einem Brief mitteilt, bekundet er statt Niedergeschlagenheit oder Wut einzig Erleichterung: »Gott sei Dank! Mir wurden rechtzeitig die Augen geöffnet!« Er geht sogar so weit, ernsthaft Mitleid damit zu haben, wie es Isabellas Bruder – John Thorpe – gehen wird, wenn er vom Verhalten seiner Schwester erfährt: »Der arme Thorpe ist in London; mir graut vor einer Begegnung. Der treuen Seele wird es nahegehen.«[74] James Morlands Reaktion ist

---

73 Susan Neiman, *Moralische Klarheit. Leitfaden für erwachsene Idealisten*, übers. von Chr. Goldmann, Hamburg 2010.

74 Jane Austen, *Kloster Northanger* [1803, 1818], übers. von U. u. Chr. Grawe, Stuttgart 2007, S. 224.

eindeutig nicht durch tiefe Schmerzen und Qualen geprägt. Tatsächlich sind die einzigen Gefühle, die er klar ausdrückt, die des Mitgefühls und Mitleids mit Isabellas Bruder. Ein solches Mitleid rührt von dem Wissen her, daß Isabella einen Ehrenkodex verletzt hat, den er selbst, Isabellas Bruder und ihr ganzes gesellschaftliches Milieu kennen und teilen. Ein Heiratsversprechen zugunsten besserer finanzieller Aussichten aufzulösen, ist ein *öffentlicher* Akt, für den man vor einer Vielzahl anderer geradestehen muß, eine Verletzung moralischer Kodizes. Morlands Mitleid verdankt sich auch dem Wissen, daß die Befolgung solcher Kodes genauso wichtig für den eigenen Status ist wie die eigenen persönlichen Vorzüge. Weil Isabellas Tat ihren Namen und den Namen ihres Bruders entehrt, kann James Morland mit Thorpe mitfühlen, hat dessen Schwester ihm doch einen *realen* und nicht nur imaginären Schaden zugefügt. Wie in Willoughbys Fall liegt die Schande hier deshalb eindeutig bei der Person, die ihr Versprechen bricht, nicht bei der Person, die verlassen wurde – Marianne in *Verstand und Gefühl* und James Morland in *Kloster Northanger*. Im Gegenteil, Austens Text läßt uns vermuten, daß James in seinem Gefühl moralischer Makellosigkeit bestärkt und unterstützt wird, während John Thorpe geradezu zum (kuriosen) Opfer des gebrochenen Versprechens seiner Schwester wird. Um Alasdair MacIntyres Betrachtung der homerischen Gesellschaft zu zitieren, sind Fragen danach, »was zu tun und wie zu urteilen ist, [...] auch nicht schwer zu beantworten, außer in Ausnahmefällen. Denn die bestehenden Regeln, die den Menschen ihren Platz in der sozialen Ordnung zuweisen und damit ihre Identität, schreiben auch vor, was sie schuldig sind und was man ihnen schuldig ist und wie sie zu behandeln und anzusehen sind, wenn sie scheitern, und wie sie andere behandeln und ansehen sollen, wenn diese anderen scheitern.«[75]

75 Alasdair MacIntyre, *Der Verlust der Tugend. Zur moralischen Krise der Gegenwart* [1981], übers. von W. Rhiel, Frankfurt/M. u. New York 2006, S. 166.

Wenn enttäuschte romantische Beziehungen in dieser Gesellschaftsordnung seelisches Leid verursachen, dann ist diesem stets moralische Empörung und ein Gefühl sozialer Unangemessenheit beigemengt. Dies besagt, daß Schuld und Verantwortung klar verteilt sind, und zwar außerhalb des Selbst.

Auch Balzacs Novelle »Die Verlassene« veranschaulicht auf interessante Weise, wie im 19. Jahrhundert im Falle des Verlassenwerdens Schuld zugesprochen wurde. Die Vicomtesse de Beauséant, eine verheiratete Frau, nimmt sich einen Liebhaber, der sie jedoch verläßt. Als ihr Mann von der Affäre erfährt, verstößt er sie, doch nachdem eine Scheidung nicht in Frage kommt, verbannt sie sich selbst in die französische Provinz. Balzacs Novelle enthält vielleicht eine der reichsten und detailliertesten Beschreibungen dessen, was es im Frankreich des 19. Jahrhunderts für eine Frau der oberen Mittelklasse bedeutete, verlassen zu werden. Für unsere Diskussion besonders interessant ist, daß die Geschichte ihre Schande in sozialen Begriffen erzählt, nicht in solchen, die sich um ihr Selbstgefühl drehen. Im Gegenteil, die Pointe der Novelle besteht gerade in dem Nachweis, daß diese Frau trotz ihrer gesellschaftlichen Ausgrenzung einen makellosen und überlegenen Charakter beweist: Die Normen ihrer Umwelt sind für ein Elend verantwortlich, das wesentlich sozial ist, ihr Selbstwertgefühl jedoch nicht betrifft. So sehr die Helden und Heldinnen der Romane des 18. und 19. Jahrhunderts auch leiden mögen, nachdem sie verlassen wurden, gestaltet sich ihr Leid doch in einem moralischen Bezugssystem, in dem die Schuld klar verteilt ist. So beschreibt Balzac die brennendsten Wünsche der Vicomtesse de Beauséant im Stand ihrer »Verlassenheit«: »Der Freispruch durch die Gesellschaft, die rührenden Sympathien, die soziale Achtung, alles, was sie so sehr gewünscht, was ihr so grausam verweigert worden war, kurzum: ihre geheimsten Sehnsüchte waren durch diesen Ausruf erfüllt worden [...].«[76] Wonach sie trachtet, ist, in den Augen ihres gesellschaftlichen Milieus rehabilitiert zu werden. Zweifelsfrei sind es die willkürlichen und erstickenden Normen dieses Milieus, die hier für das Elend dieser Frau verantwortlich gemacht werden.

In *Die Kameliendame* von Alexandre Dumas d. J. erleidet Marguerite, eine Kurtisane in den höheren Kreisen der französischen Gesellschaft, Qualen, als sie durch die Vorhaltungen von dessen Vater gezwungen wird, ihren Liebhaber Armand zu verlassen. Doch werden auch in diesem Werk die Normen, denen sie und ihr Geliebter zum Opfer fallen, dafür verantwortlich gemacht, daß sie ihn gezwungenermaßen verläßt. Obwohl Marguerite eine »ausgehaltene Frau« ist, verweist der Roman unzweideutig auf die Grausamkeit der gesellschaftlichen Normen als Hinderungsgrund für ihre Liebe zu Armand, nicht auf ihr inneres Selbst, das im Gegenteil als erhaben und nobel dargestellt wird. Den ganzen Roman über erweist sie sich als eine bewundernswerte Frau, und es ist gerade ihre Fähigkeit, unter dem Verzicht auf ihren Geliebten zu leiden, die dem Leser und den Protagonisten des Romans die Tiefe und Stärke ihres Charakters offenbart. Die Fähigkeit von Heldinnen und Helden, an einer unerwiderten oder unmöglichen Liebe zu leiden, verweist gerade deshalb auf die Stärke und Tiefe ihres Charakters, weil die Wurzel ihres Leids in der Tatsache besteht, daß sie ihr gesellschaftliches Los, ihre Stellung und ihren Status nicht ändern können.

In zeitgenössischen Affären beziehungsweise Geschichten von Menschen, die verlassen wurden, können wir eine erstaunliche Umkehrung feststellen. Tatsächlich geht heutigen Erzählungen des Betrugs oder Verlassenwerdens die Dimension der »moralischen Klarheit« (Neiman) völlig ab. Statt

---

76 Honoré de Balzac, »Die Verlassene« [1832], übers. von E. Sander, in: Honoré de Balzac, *Die menschliche Komödie*, Bd. 2, München 1998, S. 655-704, hier: S. 677.

dessen künden sie von einem bezeichnenden Wandel in der moralischen Struktur der Schuld und der Gefühle, die aus dieser moralischen Struktur hervorgehen.

Beispiele von Internetseiten, die sich dem Thema Trennung widmen, bestätigen dies unmittelbar. In einem medizinisch-psychologischen Webangebot findet sich unter den ersten Nutzern die folgende Geschichte:

> Ich habe mich kürzlich von meinem Freund getrennt, mit dem ich drei Jahre zusammen war. Ich fand heraus, daß er gelogen und gestohlen hat. Er schreckte nicht davor zurück, den Verlobungsring des Freundes meiner Mutter zu klauen, und als ich ihn fand, gab er ihn mir und machte einen Antrag. Als ich herausfand, daß der Ring gestohlen war, war ich extrem verärgert und verletzt, daß er mich und meine Familie derart belogen hatte. [...] Lohnt es sich, diese Beziehung wieder aufzunehmen, wenn er die Hilfe kriegt, die er braucht? Ich möchte nicht allein sein, aber ich weiß, daß es nur schlimmer wird, wenn ich mich in eine neue Beziehung stürze.[77]

Diese Geschichte ist offensichtlich von einem klaren Bewußtsein geprägt, daß Stehlen, Lügen und Betrügen moralisch nicht zu rechtfertigen sind. Und doch kommt in der Darstellung nicht weniger deutlich heraus, daß die moralische Bedeutung ihrer Paarbeziehung für die Erzählerin ungewiß ist, denn die moralischen Schwächen des Freundes ziehen keine klare Handlungsweise und eigentlich auch keine klare Verurteilung nach sich. Dies zeigt sich auch an dem Umstand, daß sie das moralische Fehlverhalten ihres Freundes medikalisiert, wodurch für sie selbst wiederum undeutlich wird, wie sie angemessen auf ihn reagieren soll. Nicht nur bringt sie keinerlei moralische Verurteilung der Person vor, die sie betrogen hat, sondern sie nutzt das Internet hauptsächlich als Mittel, um andere nach moralischer Orientierungshilfe zu fragen, weil sie selbst nicht weiß, wie sie ihre Geschichte moralisch zu wichten hat.

77 ⟨http://www.medhelp.org/posts/show/670415⟩, letzter Zugriff 27. 2. 2011.

Ein solcher Selbstzweifel – und das mit ihm einhergehende Bedürfnis, sich von einer anonymen Gemeinschaft von Internetnutzern Rat zu holen – entspringt der Struktur und der Position des Selbst in zeitgenössischen Beziehungen, einer Position, in der das Selbst Schwierigkeiten damit hat, dem Verhalten anderer moralisches Gewicht beizumessen, und, entscheidender noch, in der das Selbst aufgefordert ist, sich in die Schwächen anderer verstrickt zu fühlen.

Die Schwierigkeit, in der Einschätzung einer Trennungsgeschichte eine moralische Sichtweise zu artikulieren, wird verschärft und tritt noch deutlicher zutage, wenn keine Rechtsnorm verletzt wurde (wie beim Stehlen). Tatsächlich scheint es im folgenden Beispiel, als sei die Last der moralischen Verantwortung der geschmähten Person zugeschoben. Shira, der wir bereits weiter oben begegnet sind, erzählt:

SHIRA: Als mein damaliger Freund mich verließ, *hatte ich das Gefühl, daß etwas mit mir nicht stimmte; ich empfinde das auch heute noch so; aber damals war es viel stärker; damals empfand ich mich als einen furchtbaren Menschen; ich habe überhaupt nicht mehr an mich selbst geglaubt.* Aber ich habe viel an mir gearbeitet in diesem vergangenen Jahr und bin sehr stolz auf mich. Es war wirklich ein Prozeß.

INTERVIEWERIN: Können Sie mir erklären, was es bedeutet, daß Sie nicht mehr an sich selbst geglaubt haben?

SHIRA: Es ist eine schreckliche Erfahrung; als es passierte, hatte ich das Gefühl, es sei klarerweise das Ende meiner Welt, das Ende meines Lebens; ich glaube nicht, daß ich an Selbstmord gedacht habe, aber ich hatte das Gefühl, daß es nichts mehr gab, wofür ich lebte; ich fühlte mich, als wäre mein einziger Lebensinhalt verschwunden.

INTERVIEWERIN: Wie lange hat dieses Gefühl angehalten?

SHIRA: Ungefähr sieben Monate; das ging so, bis ich nach Indien reiste; ja, dieser fürchterliche Alptraum hat ungefähr sieben Monate angedauert.

INTERVIEWERIN: Ein fürchterlicher Alptraum.

SHIRA: Ein fürchterlicher Alptraum. *Es fühlt sich an, als sei man nichts, und man wartet darauf, nur ein einziges Wort von ihm zu hören, um sich für einen Moment wieder mit sich selbst wohl zu fühlen, ich hatte das Gefühl, ich müßte einfach nur hören, daß er mich noch immer liebte, daß ich nicht diese schreckliche Person war.* In dieser Zeit fragte ich ihn tausendmal, was passiert war, ich war besessen von der Frage, was passiert war und warum es passiert war; ich bin jemand, der verstehen muß, und ich konnte nicht akzeptieren, daß ich partout nicht verstand, daß so etwas einfach zu Ende ging. (Meine Hervorhebungen)

Die Verfasserin eines autobiographisch grundierten Romans über das Leben als weiblicher Single schildert das Erlebnis einer Trennung. In *Stell dir vor, du bist Single – und keiner merkt's* erzählt Suzanne Schlosberg von einer dreijährigen Beziehung mit einem Mann. Als deutlich wird, daß dieser nicht die Absicht hat, sie zu heiraten, mit ihr zusammenzuleben oder Kinder mit ihr zu haben, trennt sie sich von ihm.

Bald darauf verfiel ich in leichte Formen einer Selbstgeißelung. [...] Gewiss, er hatte seine schwachen Momente, aber wer behauptete denn, ich wäre perfekt? Vielleicht brauchten wir nichts weiter als ein bisschen mehr Zeit. Vielleicht hätte ich einen Weg finden können, damit es doch klappte. Vielleicht, *wenn ich nicht so anspruchsvoll, so ungeduldig, so engstirnig gewesen wäre.* Vielleicht ... vielleicht war alles mein Fehler?[78]

Eines der vielleicht besten Beispiele für diese Art von Selbstbeschuldigung stammt aus der »Modern Love«-Kolumne der *New York Times*. Die Verfasserin eines Textes über die Schwierigkeiten einer Umsiedlung nach San Francisco sinniert: »Ich kam immer wieder auf dieselbe Frage zurück, wie sehr ich mich auch dafür haßte, sie zu stellen: Wenn ich es wert wäre, geliebt zu werden, stünde dann nicht jetzt hier ein Mann neben mir?« Auf den Punkt gebracht wird dieser Gedankengang in dem internationalen Bestseller *Schoko-*

---

78 Suzanne Schlosberg, *Stell dir vor, du bist Single – und keiner merkt's*, übers. von G. Reichart, Bergisch Gladbach 2007, S. 66 (meine Hervorhebung).

lade zum Frühstück. Hier behauptet die alleinstehende Anfang dreißigjährige Bridget:

Sitzengelassen zu werden ist grausam. Nicht nur, daß einem der Betreffende fehlt oder daß die ganze kleine Welt zusammengebrochen ist, die man sich gemeinsam erschaffen hat. Schlimm ist vor allem, daß alles, was man sieht oder tut, einen an den anderen erinnert. Aber am schlimmsten ist der Gedanke, daß er einen ausprobiert hat, um einem am Ende doch nur den Stempel ABGELEHNT aufzudrücken.[79]

Wenn wir diese zeitgenössischen Geschichten mit denen Jane Austens vergleichen, treten die Unterschiede offen und deutlich hervor: In ersteren ist es die verlassene Person, die sich unzulänglich und sogar schuldig fühlt. In diesen Darstellungen ist das elementare Selbstgefühl ernsthaft gefährdet. Statt einer moralischen Verurteilung ziehen diese Frauen eine direkte Verbindung zwischen dem Weggang ihrer Lebenspartner und ihrem Selbst und Selbstwertgefühl. Es ist nicht weniger als Shiras Selbstgefühl, das zum zentralen Schauplatz des Dramas von Trennung und Verlassensein wird. Verlassen zu werden, ist für Shira eine Erfahrung, die auf ein wesentliches, wenn auch unverstandenes Manko ihres Selbst hinweist. Doch ist eine solche Erfahrung, die als psychische und private erlebt wird, vornehmlich eine soziale, insofern Shiras Gefühl, unwürdig zu sein, vor allem mit dem Repertoire an Gründen zu tun hat, mit dem sie sich selbst den Weggang ihres Freunds erklärt,[80] wobei dieses Repertoire wiederum damit zusammenhängt, daß sie keine moralische Sprache gebraucht, um das Verhalten des Mannes zu verstehen oder zu verurteilen.

Auf den ersten Blick könnte der Grund für diese Ermangelung einer moralischen Sprache trügerisch offensichtlich

---

79 Helen Fielding, *Schokolade zum Frühstück*, übers. von A. Böckler, München 1997, S. 219.

80 Axel Honneth u. Avishai Margalit, »Recognition«, in: *Proceedings of the Aristotelian Society, Supplementary Volumes*, Bd. 75 (2001), S. 111-139.

sein: Moderne Intimbeziehungen basieren auf Vertragsfreiheit, und eine solche Freiheit schließt die Möglichkeit aus, jemanden moralisch für einen Rückzug verantwortlich zu machen. Doch vermag diese Argumentation Shiras oder Bridgets Geschichten nicht befriedigend zu erklären. Denn deren springender Punkt besteht ja darin, daß sie sich verantwortlich dafür fühlen, verlassen worden zu sein, und folglich als wertlos empfinden. Es ist diese implizite Kette von Ursache und Wirkung, die diese Geschichten strukturiert und nach Klärung verlangt. Eine solche Kette von Ursache und Wirkung ist ein schönes Beispiel für das, was Marx und Engels »falsches Bewußtsein« nennen. Wir können dieses falsche Bewußtsein durch den Umstand charakterisieren, daß das Subjekt unfähig ist, die Natur und die Ursachen seiner (sozialen) Not zu erkennen und zu benennen, und daß es, wenn es sich einen Reim auf diese Not zu machen versucht, zu seinem eigenen Nachteil den Standpunkt eines anderen (in unserem Falle des Mannes) einnimmt – die Frauen klagen sich selbst der Sünde an, verlassen worden zu sein. Daß jedoch der Standpunkt des Mannes ihren eigenen so leicht verdrängt, ist ebenfalls in gewissem Maß erklärungsbedürftig. Schlicht davon auszugehen, daß Ideologie eben so funktioniert, wäre tautologisch. Das falsche Bewußtsein kann nicht selbst die Erklärung sein, nachdem es als Explanandum ja seinerseits der Erklärung bedarf. Worin besteht der Mechanismus, durch den wir uns die Perspektive eines anderen zu eigen machen und dessen Interessen verteidigen? Um die Macht und Effizienz des falschen Bewußtseins zu verstehen, müssen wir seine praktischen Grundlagen bloßlegen, die Art und Weise, wie es das Psychische mit dem Sozialen verbindet. Ich behaupte, daß ein solches falsches Bewußtsein – sich dafür verantwortlich zu fühlen, daß man verlassen worden ist – dadurch erklärt wird, wie verschiedene Eigenschaften unseres moralischen Universums und die Macht der Männer ineinandergreifen: nämlich die Struktur der Anerkennung in romantischen Beziehungen (und wahrscheinlich in der Moderne im allgemeinen); die Tatsache, daß das Ideal der Autonomie der Anerkennung in die Quere kommt und innerhalb einer grundsätzlichen strukturellen Ungleichverteilung von Autonomie wirksam ist; sowie die Tatsache, daß die Vorstellungen von Selbst und Verantwortung in psychologische Erklärungsmodi eingelassen sind. Ich möchte die kontraintuitive Behauptung aufstellen, daß nicht ein *Mangel* an Moral in romantischen Beziehungen, sondern *gerade die moralischen* Eigenschaften der modernen Liebe – in ihrer Prägung durch die Spannung zwischen dem Gebot der Autonomie und der Anerkennung – erklären, wie und warum die Struktur der moralischen Schuld radikal transformiert wurde.

Die moralische Struktur der Selbstbeschuldigung

Der Hauptgrund für die Transformation der moralischen Struktur der Schuld hat mit dem Umstand zu tun, daß die Spannung zwischen Anerkennung und Autonomie im großen und ganzen durch eine zunehmende Betonung der Autonomie seitens der therapeutischen Modi der Selbstkontrolle aufgelöst wurde. In der therapeutischen Kultur kommt es zu einem Gewinn an Autonomie, wenn das Subjekt verstehen kann, inwiefern seine Vergangenheit seine gegenwärtige Situation bedingt. Dies wiederum impliziert ein Erklärungsmodell, in dem die eigenen Mißerfolge als Manifestationen oder sogar Einbrüche vergangener traumatischer oder ungeklärter Ereignisse gelten, die das Subjekt sich bewußt zu machen und zu bewältigen angehalten ist. Ein beträchtlicher Teil der psychologischen Ratschläge geht ganz einfach davon aus, daß Verlassenwerden oder die Nachlässigkeit und Distanziertheit seitens des oder der Geliebten (ob real oder als drohende Möglichkeit) nur deshalb so sehr schmerzen können, weil die ängstliche Person durch traumatische Kindheitserlebnisse geprägt ist, in denen sie (real oder eingebildet) verlassen beziehungsweise nachlässig oder distanziert behandelt wurde. Auch wenn die Therapie nicht darauf abzielt, den Subjekten die Verantwortung für ihre Mißerfolge zuzuschieben, verlangt sie somit in der Praxis doch, daß die Subjekte die Gründe für ihre Lebenskrisen in ihren privaten Lebensgeschichten und in ihrer Weigerung, ihre Probleme durch Selbstbeobachtung und Selbsterkenntnis zu lösen, zu suchen haben. Indem sie behauptet, daß wir stets willige, aber blinde Komplizen unseres Schicksals sind, macht die Therapie das Selbst in gewisser Weise für seine Niederlagen und Abstürze mitverantwortlich – und sie macht es obendrein dafür verantwortlich, jegliche Form von Abhängigkeit zu vermeiden. Während Abhängigkeit für Soziologen die unvermeidliche Folge der Tatsache ist, daß wir soziale Wesen sind, und folglich kein pathologischer Zustand, sollte sie nach Meinung von Psychologen ausgemerzt werden. Und wenn sich jemand »emotional nicht erreichbare« Partner aussucht, dann verweist dies aus ihrer Sicht stets auf ein Defizit desjenigen, der eine solche Wahl trifft. Ein Beispiel:

Vor etwas mehr als zweieinhalb Jahren fiel es mir wie Schuppen von den Augen, daß ich mich nicht nur immer wieder in einen Mister Unerreichbar (emotional unerreichbaren Mann) verliebte, sondern unter Bindungsangst litt und *ohne, daß ich es mitbekam, alle meine Beziehungen sabotierte*. Ich begann damit, meine Einsichten hier und auf Baggage Reclaim [einer anderen Website] mitzuteilen und bin immer noch verblüfft, wie vielen Frauen es genauso geht wie mir.[81]

Oder: »Ich brauchte ›Jahrhunderte‹, bis ich nicht mehr den Männern die Schuld gab, sondern begann, *selbst die Verantwortung für mein geringes Selbstwertgefühl zu überneh-*

81 ⟨http://www.naughtygirl.typepad.com/⟩, letzter Zugriff 28. 2. 2011 (meine Hervorhebung).

men, und dafür, wie sich dies auf meine Entscheidung für bestimmte Männer auswirkte.«[82]

In ähnlicher Weise erklärt die oben zitierte Irene – die ihre gesamten Ersparnisse abgehoben hatte, um zu ihrem Freund umzusiedeln, nur um festzustellen, daß dessen Leidenschaft abgekühlt war –, warum sie ihn sogar nach ihrer Trennung immer noch liebte:

INTERVIEWERIN: Können Sie das erklären?
IRENE (*Lange Pause*): Ich weiß, daß es irrational ist, aber ich glaube, tief im Innern hatte ich das Gefühl, daß es mein Fehler war. Daß ich etwas getan haben mußte, was ihn in die Flucht schlug.
INTERVIEWERIN: Was zum Beispiel?
IRENE: Daß ich zum Beispiel vielleicht zu liebevoll, zu erreichbar für ihn war. Ich weiß nicht. Ach, wissen Sie, daß ich es zuließ, daß meine kaputte Kindheit mein Leben durcheinanderbrachte (*lacht*).

Diese Frauen sehen sich kulturell gezwungen, die (beschönigend als »Verantwortung« bezeichnete) Schuld dafür zu übernehmen, daß sie Beziehungen mit unerreichbaren Männern eingehen, und geben sich, als wäre dies noch nicht genug, sogar noch die Schuld dafür, daß sie »zu sehr lieben«. Was hier in Anschlag gebracht wird, ist die unausgesprochene psychologische Auffassung, daß das Selbst dafür verantwortlich ist, die falschen Entscheidungen zu treffen und tatsächlich auf Anerkennung und Geltung mit ihrer inhärent sozialen Grundlage angewiesen zu sein. Noch ein Beispiel:

INTERVIEWERIN: Können Sie sagen, was Sie in Ihren Beziehungen mit Männern schwierig gefunden haben?
OLGA: Ja, das kann ich problemlos sagen. Es ist, daß ich nie weiß, wie ich mich verhalten soll. Ist man zu nett, dann befürchtet man, verzweifelt zu erscheinen; gibt man sich zu kühl, dann sagt man sich, daß man ihn nicht genügend ermutigt hat. Aber wissen Sie, meinem Naturell entspricht es, nett zu sein, den Männern zu zeigen, daß ich sie will, und irgendwie habe ich das Gefühl, daß sie das vertreibt.

82 〈http://www.helium.com/items/477586-ways-to-avoid-emotionally-unavailable-men〉, letzter Zugriff 28. 2. 2011 (meine Hervorhebung).

In manchen Strängen der psychoanalytischen Theorie soll das ideale Selbst in der Lage sein, Autonomie und Verbundenheit unter einen Hut zu bringen. Die populäre Version der Therapie jedoch – diejenige, welche »Frauen, die zu sehr lieben«, den Rat erteilt, weniger zu lieben, und darüber hinaus die Kraft der »Selbstwertschätzung« und »Selbstbehauptung« anpreist – hat die Autonomie ins Zentrum des Selbst und der zwischenmenschlichen Beziehungen gerückt. Die therapeutische Überzeugung geht die Hauptschwierigkeit in der Moderne, nämlich ein vernünftiges Selbstwertgefühl zu entwickeln, an, indem sie die Akteure und insbesondere die Frauen auffordert, Eigenliebe zu entwickeln und, schlimmer noch, sich unzulänglich zu fühlen, wenn sie so lieben, wie man es Frauen beibringt, nämlich durch offene Zurschaustellung von Fürsorglichkeit. Die Frage von Geltung und Wert wird im wesentlichen als ein Problem verstanden, welches das Selbst mit sich selbst hat, nicht als ein Problem der Anerkennung, das man per definitionem nicht allein verursachen kann. Damit spielt das Thema der »Eigenliebe« das Thema der Autonomie grundsätzlich hoch und verstrickt das Selbst noch tiefer, indem es ihm die Bürde des Scheiterns der Liebe aufhalst. Es ist diese moralische und kulturelle Struktur, die den grundlegenden Wandel von Schuld, Verantwortung und Rechenschaft in modernen Beziehungen erklärt. Wenn sie die Frage behandeln, wie man mit der Angst und Unsicherheit fertig wird, die der Partnersuche innewohnen, ähneln die populärpsychologischen Ratschläge in ihrer Mehrzahl somit auf merkwürdige Weise dem Rat, den das ungemein erfolgreiche Werk *The Rules* erteilt: »Paß auf dich auf, nimm ein Schaumbad und baue deine Seele mit positiven Slogans auf, also zum Beispiel: ›Ich bin eine schöne Frau. Ich genüge mir‹.«[83] Oder, aus einer Internetkolumne:

[83] ⟨http://www.therulesbook.com/rule10.html⟩, letzter Zugriff 13. 11. 2010.

Der gemeinsame Nenner all dieser Arten von obsessiver Liebe oder Liebessucht ist das, was wir eingangs feststellten – ein Mangel an Selbstwertgefühl. Wenn wir einmal begreifen, daß wir stets »sicher« sind, ob wir nun allein oder in einer Paarbeziehung sind, *besteht keine Notwendigkeit mehr, für seine Bestätigung auf andere zu bauen.* Wir können uns selbst loben, uns selbst lieben und wertschätzen und damit jenen, mit denen wir interagieren und die uns am Herzen liegen, ein vollständiges menschliches Wesen bieten. Emotionaler Hunger kann nie von anderen gestillt werden. Die romantische Illusion ist der Traum von einer vollkommenen Person, die es natürlich nur im Märchen gibt. Liebe ist genaugenommen nicht etwas, das wir von außerhalb unserer selbst erhalten.[84]

Ein solcher Rat – ersetze Liebe durch Eigenliebe! – leugnet den grundlegend und essentiell sozialen Charakter des Selbstwerts. Er verlangt von den Akteuren, etwas zu erzeugen, was sie aus eigenen Kräften nicht erzeugen können. Die moderne Obsession damit und Aufforderung dazu, »sich selbst zu lieben«, ist ein Versuch, das reale Bedürfnis nach Anerkennung durch Autonomie zu befriedigen. Anerkennung aber kann nur durch das Eingeständnis der eigenen Abhängigkeit von anderen erlangt werden. Letztlich ermuntern die psychologischen Erklärungsmodi zur Selbstbezichtigung:

Manche Menschen wollen das Warum verstehen: Warum zweifeln sie an sich selbst? Warum ist ihre Selbstachtung untergraben? Warum tut es so weh, verlassen zu werden? Nicht akzeptiert zu werden? Von einem Freund gekränkt zu werden? Woher kommt diese Verletzlichkeit? Was hat sie verursacht? Was hält sie am Leben?
Die einfache Antwort lautet »ungeklärte Verlassenheit« (*unresolved abandonment*). Um aber das Warum und Weshalb wirklich verstehen zu können, müssen wir zurückgehen – bis hin zu unserer Urangst vor der Verlassenheit ...
Wenn wir als Erwachsene spüren, wie uns jemandes Liebe oder Zustimmung entgleitet, brechen unsere urtümlichsten Selbstzweifel hervor. Unsere tiefste Angst fliegt uns um die Ohren – daß uns jemand

84 ⟨http://www.simplysolo.com/relationships/love_strategies.html⟩, letzter Zugriff 13. 11. 2010 (meine Hervorhebung).

verlassen und nie wiederkommen könnte. Und diese Angst wird durch den Umstand verkompliziert, daß sie mit unserem Selbstwertgefühl zusammenhängt. Indem sich jemand von uns losreißt, spüren wir den Verlust unserer Fähigkeit, sie oder ihn dazu zu nötigen, mit uns zusammensein zu wollen.

Wir haben das Gefühl, unseren schlimmsten Alptraum zu erleben – den, verlassen zu werden, weil wir wertlos sind. Daher haben Vorfälle wie die, von einem Freund gekränkt, von einem Lehrer übergangen, von einem Chef übersehen und vor allem von einem geliebten Menschen zurückgewiesen zu werden, das Potential, unsere Selbstachtung zu untergraben und Selbstzweifel zu säen.

Das beschädigte Selbstwertgefühl von den gesammelten Wunden der Verlassenheit, die seit der Kindheit schwären, zu heilen, *beginnt damit, die Dynamik der Geschehnisse zu verstehen. Aber das ist nur der Anfang, und es gibt Werkzeuge (über die ich in meinen Büchern berichte), um ein neues Selbstgefühl aufzubauen, das unbesiegbar ist und einem niemals von jemand anderem genommen werden kann.*[85]

Diese Psychologin bemerkt zu Recht, daß das Selbstwertgefühl maßgeblich von der Erfahrung einer Trennung betroffen ist. Ihre eilfertige Erklärung jedoch macht eine mißratene Entwicklung des Selbst zum Hauptschuldigen sowohl für das Bedürfnis nach der Zuschreibung eines Wertes durch andere als auch für die Unfähigkeit, diesen Wert zugeschrieben zu bekommen. Das Bedürfnis nach anderen läuft in solchen Erklärungen eigentlich immer auf einen Mangel an Selbstachtung hinaus, womit die Notwendigkeit der Anerkennung verschleiert und das Selbst für sein Unvermögen, die Spannung zwischen Autonomie und Anerkennung in den Griff zu bekommen, verantwortlich gemacht wird. Die Umstellung von Beschuldigung auf Selbstbeschuldigung ist so geartet, daß sogar die Abwesenheit einer Beziehung als Zeichen einer unreifen oder grundlegend beschädigten Psyche rückinterpretiert wird. So schreibt eine alleinstehende Frau auf einer israelischen Website:

---

85 ⟨http://www.thirdage.com/today/dating/where-did-my-self-doubt-come-from⟩, Eintrag Susan Anderson vom 18. 7. 2008, letzter Zugriff 28. 2. 2011 (meine Hervorhebung).

Tief im Innern weiß ich, daß der Fehler bei mir liegt. Das Problem ist, daß ich immer noch nicht weiß, was ich eigentlich falsch gemacht habe. Manchmal scheint mir, ich hätte mir nicht genug Mühe gegeben. In anderen Momenten befürchte ich, des Guten zuviel getan zu haben. Was auch immer zutrifft, etwas stimmt wohl grundsätzlich mit mir nicht. Und was auch immer nicht stimmt, muß mit mir nicht stimmen. So zumindest scheint es alle Welt zu sehen und in Anspielungen zum Ausdruck zu bringen. Nicht laut natürlich, und nur indirekt. Aber wenn man 31 Jahre alt und immer noch Single ist, dann bildet sich ein stillschweigender Konsens um einen herum, der besagt, es muß wohl an einem selbst liegen. Und wissen Sie was? So langsam glaube ich, daß dem womöglich so ist.

Gehen wir also geradeheraus davon aus, daß ich selbst schuld bin. Ich stimme dem Urteil zu. Ich neige mein Haupt und verkünde, daß ich bereit und willens bin, meine Art zu ändern – wenn mir nur irgend jemand, verdammt noch mal, verraten würde, was genau ich ändern muß und wie. Wenn man mich nämlich fragt, dann habe ich schon sämtliche Techniken ausprobiert, die der moderne Mensch kennt. Ich habe zu viele schlechte Kuchen bei Verabredungen gegessen, zu viele Gläser Whiskey in Anmachbars getrunken, zu viele witzige Chats im Internet gehabt, ich habe zu viele feuchte Hände in New-Age-Zirkeln gehalten und bin immer noch nicht aus dem ganzen Schlamassel heraus. Also bitte. Ihr seid herzlich eingeladen, mir zu sagen, was ihr denkt, denn die Wahrheit ist, daß mir die Ideen ausgegangen sind.

Ja, ich bin wütend. Und ich habe gute Gründe dafür. Ich habe meine Einsamkeit ziemlich lange tapfer und großmütig ertragen. Ich bin optimistisch geblieben und habe den Kopf hochgehalten, mit Würde und Geduld. Ich habe gezeigt, daß ich zur Eigenliebe fähig bin. Zur Liebe zur Welt und zur Liebe im allgemeinen. Ich habe erst gelernt, offener zu sein, dann, mich mehr zurückzuhalten, und dann wieder, offener zu sein, und jetzt weiß ich nicht mehr weiter. Ich möchte – nein, ich verlange – Liebe. Laßt mich endlich mit einem Mann nach Hause gehen, der keine weitere Narbe in meinem Stolz ist, sondern ein Trost für ein Herz, das seit vielen Jahren vergessen in der Tiefkühltruhe liegt. Gebt mir nur endlich diese Liebe, um Gottes willen, denn ich habe schon zu lange in der Schlange gestanden und gewartet, und jetzt ist der Moment gekommen, unmißverständlich zu sagen: Jetzt bin ich dran.[86]

86 ⟨http://www.ynet.co.il/articles/0,7340,L-3320096,00.html⟩, letzter Zugriff 28. 2. 2011.

Die Struktur dieser Selbstbeschuldigung hat mit der Verteilung des Privilegs der Autonomie zwischen beiden Geschlechtern zu tun. Weil der Selbstwert der Frauen am engsten mit der Liebe verknüpft ist, weil Frauen die Hauptzielgruppe psychologischer Beratung waren und weil der Rückgriff auf psychologische Beratung ihre Beschäftigung damit fortsetzt, sich selbst und ihre Beziehungen zu überwachen, haben Frauen auch mit größerer Wahrscheinlichkeit die Struktur jener Beratung verinnerlicht, die da besagt: Verlassen zu werden oder schlicht Single zu sein, verweist auf eine Unzulänglichkeit des Selbst, das an seiner eigenen Niederlage spinnt. Ich behaupte, daß sich Männer und Frauen im Ausmaß ihrer Selbstbeschuldigung unterscheiden. Oder, anders gesagt, daß die Spannung zwischen Anerkennung und Autonomie kulturell mit Hilfe einer therapeutischen Sprache bewältigt wird, die auf je unterschiedliche Weise in die Positionen und Beziehungen von Männern und Frauen eingeschrieben ist.

Ein Zweifel, aus dem Sicherheit erwächst, könnte eine typische Gedankenfigur für einen Mann sein, der sich seiner selbst bemächtigt. Der von mir beschriebene Selbstzweifel jedoch ist eine weibliche Gedankenfigur und verweist auf eine Subjektivität, die in der Spannung zwischen Autonomie und Anerkennung gefangen ist und der es an einer klaren und starken sozialen Verankerung mangelt, wie man sie braucht, um Selbstwert zu entwickeln. Dies zeigt sich an einem der frappierendsten Ergebnisse meiner Untersuchung, nämlich daß sich Frauen oft selbst für ihre romantischen Schwierigkeiten und Fehlschläge verantwortlich machen, was Männer nur in sehr viel geringerem Umfang tun. Daß der Mann im Prozeß der Überwachung von Anerkennung – den er einleitet und dessen Fluß er kontrolliert – die Oberhand hat, wird auch dadurch evident, daß er sich in weitaus geringerem Maß die Verantwortung für das Gelingen oder Scheitern einer Beziehung gibt. Nehmen wir zum Beispiel

Sye, einen 52jährigen, beruflich sehr erfolgreichen geschiedenen Mann, der auf eine lange Reihe monogamer Beziehungen zurückblickt:

INTERVIEWERIN: Ich habe eine Frage, die etwas von unseren bisherigen Themen abweicht: Ist es Ihnen je widerfahren, kommt es vor, daß Sie an sich selbst zweifeln? Bei allem, was mit Liebeserlebnissen zu tun hat – bin ich attraktiv/verlockend genug? Bin ich gut genug? Etwas ... haben Sie jemals Zweifel dieser Art gehabt?

SYE: Nein, nie.

INTERVIEWERIN: Nie.

SYE: Nie.

INTERVIEWERIN: Sie wollen sagen, Sie haben sich immer begehrt gefühlt?

SYE: Ja.

INTERVIEWERIN: Von Frauen, meine ich.

SYE: Ja, ja.

INTERVIEWERIN: Und Sie hatten immer das Gefühl, die Frauen waren eher hinter Ihnen her als umgekehrt?

SYE: Ja. Absolut. Ich hatte vielleicht ein- oder zweimal eher negative Erlebnisse, wo ich eine Frau wollte, die mich nicht wollte. Ich kann mich an zwei Erlebnisse dieser Art erinnern, aber das ist nicht die prägende Erfahrung.

INTERVIEWERIN: Mit anderen Worten, die prägende Erfahrung für Sie ist, daß Sie das Sagen haben.

SYE: Zumindest in den letzten 22 Jahren.

INTERVIEWERIN: Sagen wir also, wenn Sie eine Frau wollen, dann ist Ihre Erfahrung, daß Sie sie mit großer Wahrscheinlichkeit kriegen können.

SYE: Nein, so stimmt das nicht, das würde ich nicht sagen, aber sie wollten mich immer eher, als ich sie wollte. Was ich meine ist, daß sie mehr hinter mir her waren, die Frauen waren mehr hinter mir her als ich hinter ihnen, und bestimmte Frauen, die ich wollte, wollten mich um so mehr. Einmal hat mich eine Frau interviewt, und schon als sie um das Interview bat, dachte ich über sie nach, ich widmete ihr meine Aufmerksamkeit, sie war intelligent. Und nach dem Interview rief ich sie an und fragte sie, ob sie ungebunden sei, »weil ich sie wirklich mag«. Sie sagte, sie wolle es auch, sei aber gegenwärtig gebunden. Das ist mir einmal passiert, aber ich hatte nicht das Gefühl, zurückgewiesen zu werden.

Ich behaupte natürlich nicht, daß dieses Interview die Erfahrung aller Männer widerspiegelt; es beschreibt jedoch, was es heißt, das sexuelle Feld zu kontrollieren, eine Situation, in der sich manche Männer und manche Frauen befinden. Der Prozeß der Anerkennung ist nicht nur nach dem sozialen Geschlecht gespalten, sondern könnte vielmehr die grundlegenden sozialen Trennungen zwischen Männern und Frauen ausdrücken. Denn im Unterschied zu Hegels Dialektik von Herr und Knecht, in der der Herr strenggenommen nur von einem autonomen Knecht anerkannt werden kann, sind Männer weniger auf die Anerkennung der Frauen angewiesen als umgekehrt – und zwar deshalb, weil sowohl Männer als auch Frauen die Anerkennung durch andere Männer brauchen.

Schluß

Über die Folgen des cartesischen Zweifels für die Moderne nachdenkend, schreibt Hannah Arendt: »[W]as in der Neuzeit verlorenging, war natürlich weder das Wissen um Wahrheit und Wirklichkeit oder das Vermögen, zu glauben und zu vertrauen, an sich noch die fraglose Anerkennung des Zeugnisses der Sinne wie der Vernunft, ohne die niemand leben kann, sondern die *Gewißheit*, die all dies, das Wissen wie den Glauben, einmal begleitet hatte.«[87] In gleicher Weise können wir sagen: Was in der modernen Erfahrung des romantischen Leids verlorengegangen ist, ist die ontologische Sicherheit, die aus der Organisation der Partnersuche in einer moralischen Ökologie der Wahl, der Verbindlichkeit und des Rituals ebenso herrührt wie daraus, daß der Selbstwert in das soziale Gewebe der Gemeinschaft eingelassen ist. Die ontologische Unsicherheit, die das romantische Leid

87 Hannah Arendt, *Vita Activa oder Vom tätigen Leben* [1958], München ⁹2010, S. 352 (meine Hervorhebung).

begleitet, ist ungleich verteilt. Weil das Gebot der Autonomie über das Gebot der Anerkennung triumphiert, leben Frauen in der Hypermoderne eines sehr uncartesischen Selbstzweifels, bei dem ihnen nur wenige oder überhaupt keine moralischen Rahmenbedingungen zur Verfügung stehen, um Sicherheit zu erlangen.

Das heißt: Während ein (männlicher) cartesischer Selbstzweifel letztlich zur Versicherung der eigenen Position, des eigenen Wissens und der eigenen Empfindungen in der Welt führt, untergräbt der durch die therapeutische Kultur der Autonomie und Eigenliebe geprägte (weibliche) Selbstzweifel den ontologischen Grund des Selbst.

4.
Liebe, Vernunft, Ironie

»Aber nach meiner Erfahrung sprechen einen Gedichte entweder beim ersten Kennenlernen an oder überhaupt nicht. Eine plötzliche Offenbarung und eine spontane Reaktion darauf. Wie wenn ein Blitz einschlägt. Wie wenn man sich plötzlich verliebt.«
Wie wenn man sich plötzlich verliebt. Verlieben sich die jungen Leute noch, oder ist dieser Mechanismus inzwischen überholt, unnötig, kurios, wie die Fortbewegung mit Dampfkraft? Er ist nicht auf dem laufenden, schlecht informiert. Sich zu verlieben könnte unmodern geworden und etliche Male wieder in Mode gekommen sein, wenn es nach ihm ginge.

– J. M. Coetzee

Stuart sagt, ich soll mir fünfzig Dollar aus seiner Brieftasche nehmen, da fällt ein Foto raus, ich schau es mir an, ich sage: »Stuart, wer ist das?« Er: »Ach, das ist Gillian.« Seine erste Frau. [...] In der Brieftasche, nachdem wir zwei, drei Jahre miteinander verheiratet sind [...].
»Stuart, möchtest du mir dazu irgendwas sagen?«, frage ich.
»Nein«, sagt er.
»Bist du sicher?«, frage ich.
»Nein«, sagt er. »Ich meine, das ist Gillian.« Er nimmt das Foto und steckt es wieder in die Brieftasche.
Ich mach einen Termin bei der Eheberatung, ist doch klar.
Wir halten rund achtzehn Minuten lang durch. Ich erkläre, dass ich mit Stuart vor allem das Problem habe, wie ich ihn dazu bringe, über unsere Probleme zu reden. Stuart sagt: »Das liegt daran, dass wir keine Probleme haben.« Ich sage: »Sehen Sie das Problem?«

– Julian Barnes*

Im Rahmen seiner Überlegungen zum Einfluß der Französischen Revolution auf das sittliche Gefüge der Gesellschaft schreibt Edmund Burke:

* Die Mottos stammen aus J. M. Coetzee, *Schande*, übers. von R. Böhnke, Frankfurt/M. 2000, S. 20; sowie Julian Barnes, *Liebe usw.*, übers. von G. Krueger, Köln 2002, S. 124 f.

Alle die wohltätigen Täuschungen, unter deren Schirm das Herrschen sanft, das Gehorchen edel wurde, die mannigfaltigen Schattierungen der Gesellschaft leise ineinander schmolzen [...] – sollen verfliegen wie eitler Dunst vor der erobernden Fackel dieses neuen Reichs der Wahrheit und Vernunft. Das züchtige Gewand, welches das Gemälde des bürgerlichen Lebens bekleidete, soll heruntergerissen werden. Alles, was die Vorratskammer moralischer Gefühle darbietet, der ganze Schmuck der köstlichen Nebenideen, welche das Herz umfaßt und selbst der Verstand billigt, weil er ihrer bedarf, um die Mängel unsrer nackten gebrechlichen Natur zu bedecken und den Menschen in seiner eignen Schätzung zu heben – soll als eine veraltete, widersinnige, lächerliche Mode ausgemerzt und verworfen werden.[1]

Was Burke hier vorwegnimmt, sollte sich zu einer der Hauptquellen der Dynamik der Moderne, aber auch des Unbehagens an ihr entwickeln, nämlich die Tatsache, daß sich jeder Glaube – an Transzendenz und Autorität – vor der Vernunft rechtfertigen muß. Für Burke jedoch verheißt das »Reich der Wahrheit und Vernunft« mitnichten einen Fortschritt in der menschlichen Verfassung. Vielmehr konfrontiert es uns mit Wahrheiten, die wir nicht zu ertragen vermögen. Denn, so Burke, wie die Macht verfällt, so werden auch unsere Illusionen verblassen, und diese neue Nacktheit wird uns ungemein verletzlich machen und uns selbst wie allen anderen die wahre Häßlichkeit unserer Lage offenbaren. Die eingehende Überprüfung gesellschaftlicher Verhältnisse durch den unerbittlichen Blick der Vernunft muß zwangsläufig das harmonische Geflecht von Bedeutungen, auf denen Macht, Gehorsam und Gefolgschaft traditionell beruhen, zerreißen. Um erträglich zu sein, ist die menschliche Existenz auf ein Minimum an Mythos, Illusion und Lüge angewiesen. Nur Lügen und Illusionen können die Gewalt

---

1 Edmund Burke u. Friedrich Gentz, *Über die Französische Revolution. Betrachtungen und Abhandlungen* [1790], hg. von Hermann Klenner, übers. von F. Gentz, Berlin 1991, S. 161 f. Vgl. auch Marshall Berman, *All That is Solid Melts into Air. The Experience of Modernity*, Gloucester 1982.

sozialer Beziehungen erträglich machen. Anders gesagt: Die unermüdlichen Bemühungen der Vernunft, die Trugschlüsse unserer Überzeugungen aufzuspüren und zu entlarven, werden uns frierend in der Kälte zurücklassen, denn nur erbauliche Geschichten vermögen uns zu trösten, nicht jedoch die Wahrheit. Burke hat recht: Inwieweit die Vernunft vermag, unserem Leben Sinn zu verleihen, ist *die* grundlegende Frage der Moderne.

Marx, der wichtigste Erbe und Verteidiger der Aufklärung, stimmt eigentümlicherweise mit Burkes ultrakonservativen Ansichten überein, wenn er in seinem berühmten Diktum feststellt: »Alles Ständische und Stehende verdampft, alles Heilige wird entweiht, und die Menschen sind endlich gezwungen, ihre Lebensstellung, ihre gegenseitigen Beziehungen mit nüchternen Augen anzusehen.«[2] Wie Burke sieht auch Marx die Moderne als eine »Ernüchterung«, als gewaltsames Herausreißen aus einem angenehmen, wenn auch benommen machenden Schlummer und als Konfrontation mit den nackten, schmucklosen und öden Bedingungen der gesellschaftlichen Verhältnisse. Diese ernüchternde Erkenntnis mag dazu führen, daß wir wachsamer werden und uns nicht mehr so leicht von den abstrusen und nichtigen Versprechungen von Kirche und Adel einlullen lassen, doch beraubt sie unser Leben auch all seines Zaubers, seiner Rätselhaftigkeit und seines Sinns für das Heilige. Wissen und Vernunft haben einen Preis, nämlich die Entheiligung dessen, was wir einst verehrten. Somit scheint Marx wie Burke davon auszugehen, daß kulturelle Phantasien – nicht die Wahrheit – unser Leben sinnvoll mit dem anderer Menschen verknüpfen und uns auf ein höheres Gut verpflichten. Obwohl Marx das neue Reich der Wahrheit nicht ablehnte und sich auch nicht nach einer Rückkehr zu den erloschenen Ritualen der Vergangenheit sehnte, können wir bei ihm

2 Karl Marx u. Friedrich Engels, *Manifest der Kommunistischen Partei* [1848], Stuttgart 1981, S. 27.

denselben Burkeschen Schrecken vor dem registrieren, was auf eine Menschheit zukommt, der nichts heilig und alles profan ist.

Was Marx genuin und zutiefst modern machte, war nicht, daß er die Moderne (Fortschritt, Technik, Vernunft, wirtschaftlichen Wohlstand) befürwortete, sondern es waren gerade die gemischten Gefühle, die er ihr gegenüber empfand. Von Anfang an hieß Moderne, zugleich und mit Unbehagen die außerordentlichen Energien, die die Vernunft entfesselte, und die mit dem Vernunftgebrauch einhergehende Gefahr des Verdorrens anzuerkennen. Die Vernunft machte die Welt berechenbarer und sicherer, aber auch nichtssagender. Im selben Moment, als die Modernen ihre Befreiung von den Fesseln verkündeten, die Geist und Bewußtsein gelähmt hatten, sehnten sie sich nach dem, wovon sie sich für frei erklärt hatten – nach einem Sinn für das Heilige und Transzendente und nach ebenjener Fähigkeit, zu glauben. Der triumphierende Aufruf der Vernunft, Mythen und Überzeugungen zu sezieren, wurde erst richtig modern, als er sich mit der schwermütigen Sehnsucht nach Transzendentem verband, an das man glauben und von dem man sich beherrschen lassen konnte. Die Moderne definiert sich über ihre ambivalente Einstellung zu ihrem eigenen kulturellen Legitimationskern, über ein Gefühl der Furcht vor den Mächten, die sie zu entfesseln vermag. Max Weber verlieh dieser Ambivalenz bekanntlich ihr treffendstes soziologisches Pathos, als er die Moderne durch ihre Kraft der »Entzauberung« charakterisierte. Entzauberung bedeutet nicht einfach, daß die Welt nicht länger von Engeln und Dämonen, Hexen und Feen erfüllt ist, sondern vielmehr, daß schon die bloße Kategorie des »Mysteriums« diskreditiert und bedeutungslos wird: Denn in ihrem Trieb, die natürliche und die soziale Welt zu beherrschen, zersetzen die verschiedenen modernen Institutionen der Wissenschaft, der Technik und des Marktes, die auf Problemlösung, Leidenslinderung und Wohlfahrtssteigerung abzielen, zugleich unseren Respekt vor der Natur sowie unsere Fähigkeit zu glauben und uns einen Sinn für das Mysterium zu bewahren. Die Wissenschaft ist berufen, Rätsel zu lösen und Geheimnisse aufzuklären, nicht ihrem Bann zu erliegen. Ebenso mißachten und untergraben Kapitalisten, deren vordringlicher Wunsch in der Gewinnmaximierung besteht, gerne die Sphären von Religion und Ästhetik, weil diese der ökonomischen Aktivität Grenzen setzen, sich nicht um sie scheren oder sie rundheraus unterlaufen. Gerade weil Wissenschaft und Ökonomie die Grenzen unserer materiellen Welt erheblich erweiterten und uns so das Problem der Knappheit zu lösen halfen, haben uns die Götter verlassen. Was in einem früheren Zeitalter durch Glaube, persönliche Gefolgschaft und charismatische Helden geregelt wurde, wird zu einer Frage von Wissen, Kontrolle und Kalkulierbarkeit.

Dieser Rationalisierungsprozeß schafft jedoch nicht jedwede Form von Leidenschaft aus der Welt. Für Weber ruft er vielmehr Bemühungen auf den Plan, von Inbrunst und Leidenschaft beherrschte Erfahrungszusammenhänge zu restaurieren, die freilich aus zweiter Hand sind und entsprechend dürftig ausfallen.[3] Der Gefühlskult des 20. Jahrhunderts läßt sich in diesem Sinne verstehen. Wo aber Weber und andere Rationalisierung und Gefühle als Gegensatz und feindliche Mächte verstanden, sehe ich die Herausforderung für die soziologische Analyse darin, Vernunft und Rationalisierung nicht als eine dem Gefühlsleben entgegengesetzte kulturelle Logik zu begreifen, sondern als eine, die gerade mit ihm zusammenwirkt.[4] Rationalität ist eine institutionalisierte kulturelle Kraft für sich, die das Gefühlsleben von

3 Lawrence A. Scaff, *Fleeing the Iron Cage. Culture, Politics, and Modernity in the Thought of Max Weber*, Berkeley 1991.

4 Eva Illouz u. Shoshana Finkelman, »An Odd and Inseparable Couple. Emotion and Rationality in Partner Selection«, in: *Theory and Society*, Jg. 38, Nr. 4 (2009), S. 401-422.

innen heraus neu strukturiert, die also die grundlegenden
kulturellen »Drehbücher« oder Skripte umgeschrieben hat,
mit deren Hilfe Gefühle verstanden und ausgehandelt werden. Während die romantische Liebe nach wie vor einen
konkurrenzlos starken gefühlsmäßigen und kulturellen Einfluß auf unsere Wünsche und Phantasien genießt, stehen die
kulturellen Skripte und Werkzeuge, die wir zur Gestaltung
der romantischen Liebe zur Verfügung haben, zunehmend
im Konflikt mit der Sphäre des Erotischen, ja, sie schwächen
sie sogar. Im Gefühl der Liebe sind somit mindestens zwei
kulturelle Strukturen am Werk: eine, die auf der mächtigen
Phantasie erotischer Selbstaufgabe und gefühlsmäßiger Verschmelzung basiert; und eine, die auf rationalen Modellen
der emotionalen Selbstregulierung und optimalen Wahl beruht. Diese rationalen Verhaltensmodelle haben die Struktur
des romantischen Begehrens grundsätzlich verändert, indem
sie die kulturellen Ressourcen zersetzten, mit deren Hilfe Leidenschaft und Erotik in früheren Zeiten erfahren wurden.

Verzauberte Liebe

Weber hat nicht wirklich deutlich gemacht, worin in seinen
Augen eine »verzauberte« Erfahrung besteht. Wir können
dies aber im Umkehrschluß aus der Definition der Entzauberung ableiten. Eine verzauberte Erfahrung ist durch mächtige kollektive Symbole vermittelt, die einen auf ein Gefühl
des Heiligen einstimmen. Sie beruht auf Glaubensakten und
Gefühlen, die das Selbst in seiner Gänze einbeziehen und
mobilisieren; diese Glaubensakte und Gefühle werden nicht
in kognitiven Systemen zweiter Ordnung prozessiert und
sind rational nicht zu rechtfertigen. Die entsprechenden kollektiven Symbole bringen die Erfahrungsrealität des Gläubigen hervor und überwältigen sie zugleich. In verzauberten Erfahrungen gibt es keine verläßliche Unterscheidung

zwischen Subjekt und Objekt. Daher verfügen der Gegenstand des Glaubensakts und der Glaubensakt selbst für den Gläubigen über einen ontologischen Status, den er nicht in Frage stellt. Die elementaren Formen »verzauberter« Liebe als eines kulturellen Prototyps und einer phänomenalen Erfahrung können wir wie folgt festhalten:

(1) *Heiligkeit des Liebesobjekts.* Der französische Gelehrte und Dichter Guillaume de Lorris, Autor des ersten Teiles des *Roman de la Rose*, jenes mittelalterlichen französischen Versromans, der die Kunst der Liebe lehren will, stellt die Dame, die Geliebte, wie auf einem Podest als eine quasi göttliche, anzubetende Erscheinung dar. Diese Rhetorik der Ergebenheit gegenüber einem heiligen Objekt kam in der höfischen Liebe des 12. Jahrhunderts auf, begegnet uns aber noch bis ins 19. Jahrhundert. In einem Brief an seine Geliebte Evelina Hanska vom Oktober 1833 drückt Balzac den Wunsch aus, sie in einer Weise zu verehren, die durchaus nicht modernem Empfinden entspricht: »Oh, wie gern hätte ich einen halben Tag zu Deinen Füßen verbracht, den Kopf in Deinem Schoß, schöne Träume träumend, Dir meine Gedanken schildernd oder schweigend, dafür Dein Kleid küssend [...].«[5]

(2) *Unmöglichkeit, die Liebe zu begründen oder zu erklären.* Amors Pfeil ist das älteste Symbol der Liebe als eines willkürlichen und nicht zu begründenden Gefühls. So erzählt Guillaume de Lorris, daß er den Pfeil, nachdem er einmal in seinen Körper und sein Fleisch eingedrungen war, sowenig herausziehen konnte, wie er aufhören konnte, die Dame zu lieben. Er kann nicht nicht lieben. Die Liebe ist eine Macht für sich, die einen zu lieben zwingt. So hört es sich an, als Humbert Humbert Lolita zum ersten Mal sieht: »Es bereitet mir die größte Schwierigkeit, dies Aufleuchten,

5 Honoré de Balzac, *Briefe an die Fremde. Eine Auswahl*, hg. von Ulla Momm u. Gerda Gensberger, übers. von G. Gensberger, Frankfurt/M. 1999, S. 105 (18.-20. 10. 1833).

dies Erschauern, diesen Schock leidenschaftlichen Wiedererkennens mit angemessener Kraft zu schildern.«[6] Die Liebe ist hier unmittelbar, unwiderstehlich, weil sie als ein leiblicher Erkenntnisakt begriffen wird, der den Willen übergeht.

(3) *Eine Erfahrung, die die Erfahrungsrealität des Liebenden überwältigt.* Als Oberbefehlshaber der französischen Armee in Italien schreibt Napoleon am 30. März 1796 an seine Frau: »Ich habe noch keinen Tag verbracht, ohne Dich zu lieben, und noch keine Nacht, ohne Dich in die Arme zu schließen. Ich habe noch keine Tasse Tee getrunken, ohne Ruhm und Ehrgeiz zu verfluchen, die mich von der Seele meines Lebens fernhalten.«[7] Die Liebe ist hier ein Gefühl, das die ganze existentielle Realität des Liebenden ergreift.

(4) *In der verzauberten Liebe gibt es keine Unterscheidung zwischen Subjekt und Objekt der Liebe.* Das Liebesobjekt läßt sich vom liebenden Subjekt nicht trennen, weil eine solche Erfahrung das Selbst in seiner Gänze einbezieht und mobilisiert. Beethoven bringt es in einem Brief vom 6. Juli 1812 an seine (unbekannt gebliebene) »unsterbliche Geliebte« auf den Punkt: »Mein Engel, mein alles, mein Ich.«[8]

(5) *Das Liebesobjekt ist einzigartig und unvergleichlich.* Als er Julia zum ersten Mal sieht, erklärt Romeo: »Liebt' ich wohl je?«,[9] womit er meint, daß sie die einzige ist, die er je geliebt hat und je lieben wird. Einzigartigkeit schließt ein, daß die oder der Geliebte durch niemanden ersetzbar ist. Sie bedeutet auch, daß ihre oder seine Tugenden oder Schwächen nicht an denen anderer gemessen oder mit ihnen verglichen werden können.

6 Vladimir Nabokov, *Lolita* [1955], übers. von H. Hessel u.a., bearb. von D. Zimmer, Reinbek bei Hamburg 2007, S. 63.

7 Napoléon I., *Briefe an Josephine*, übers. von W. Müller, München 1967, S. 8.

8 Ludwig van Beethoven, *Briefe. Eine Auswahl*, hg. von Hansjürgen Schäfer, Berlin 1984, S. 78.

9 William Shakespeare, *Romeo und Julia* [1599], übers. von A. W. Schlegel, Stuttgart 2002, S. 26 (1. Akt, 5. Szene).

(6) In ihrer Liebe ist sich die liebende Person *ihres Ei-geninteresses nicht bewußt.* Tatsächlich ist Schmerz ein we-sentliches Ingrediens der Erfahrung von Absolutheit und Erhöhung. Wie sagt Felix, Balzacs Held in *Die Lilie im Tal*: »Ohne Hoffnung zu lieben ist immer noch ein Glück.«[10]

Das Modell der Liebe auf den ersten Blick ist eine leichte Abwandlung dieses Prototyps einer »verzauberten« Liebe. »Liebe auf den ersten Blick« wird als einzigartiges Ereignis erfahren, das unerwartet ins Leben einbricht; sie ist uner-klärlich und irrational; sie stellt sich bei der ersten Begeg-nung ein und beruht daher nicht auf einer kognitiven und kumulativen Kenntnis des anderen. Vielmehr leitet sie sich aus einer ganzheitlichen und intuitiven Form von Erfahrung ab. Sie unterbricht das alltägliche Leben und löst einen tie-fen Aufruhr der Seele aus. Die Metaphern, mit denen dieser Geisteszustand beschrieben wird, verweisen auf eine über-wältigende und übermächtige Kraft (Hitze, Magnetismus, Donner, Elektrizität und dergleichen). Das Liebesobjekt löst überwältigende Gefühle aus, die der Liebende nicht unter Kontrolle hat; der Wert des Liebesobjekts ist so hoch, daß er oder sie unvergleichlich wird und unmöglich gegen jemand anderen einzutauschen ist; die Absolutheit und Bedingungs-losigkeit der Hingabe verlangen von uns somit eine völlige Selbstaufopferung und Preisgabe des Selbst.[11] Eine solche Version »verzauberter« Liebe ist zugleich spontan und be-dingungslos, überwältigend und ewig, einzigartig und total. Dieser Idealtyp der romantischen Liebe unterstreicht die ra-dikale Einzigartigkeit des Liebesobjekts, die Unmöglichkeit, ein Liebesobjekt gegen ein anderes auszutauschen, die In-kommensurabilität des Liebesobjekts, die Weigerung (oder

10 Honoré de Balzac, *Die Lilie im Tal* [1836], übers. von E. Sander, in: Honoré de Balzac, *Die menschliche Komödie*, Bd. 10, München 1998, S. 1029.

11 Ein gutes Beispiel hierfür ist Stefan Zweig, *Brief einer Unbekannten* [1922], Frankfurt/M. 1996.

Unmöglichkeit), Gefühle der Berechnung oder rationalen Erkenntnis zu unterwerfen, die völlige Preisgabe des Selbst gegenüber der geliebten Person sowie die Möglichkeit (oder zumindest das Potential) der Selbstzerstörung und Selbstaufopferung um jemand anderes willen. Diese quasireligiöse Liebesauffassung hat verschiedene säkulare Varianten hervorgebracht und sich vielleicht deshalb die ganze Geschichte hindurch gehalten.[12] Zwar wurde dieser verzauberte Prototyp der Liebe verschiedentlich variiert, doch blieben seine Grundkomponenten – Heiligkeit, Einzigartigkeit, Erfahrung einer Überwältigung, Irrationalität, Preisgabe des Eigeninteresses, Abwesenheit von Autonomie – in den literarischen Modellen, die mit der Verbreitung der Lese- und Schreibfähigkeit und des Liebesromans prägend wurden, gewahrt.

Die Moderne jedoch bewirkte einen tiefgreifenden Wandel in der Geschichte der verzauberten Liebe. Eine solche Liebe zu erfahren geriet nun unter Verdacht und wurde leichthin abgetan. Die folgende Witzelei von Candace Bushnell – der gefeierten Verfasserin jener Zeitungskolumne, die die Fernsehserie *Sex and the City* inspirierte – ist nur eine von zahllosen möglichen Illustrationen dieses Tatbestands. »Wann haben Sie das letzte Mal jemanden ›Ich liebe dich!‹ sagen hören, ohne das unvermeidliche (wenn auch unausgesprochene) ›wie einen guten Freund‹ dranzuhängen? Wann haben Sie das letzte Mal zwei sich hingerissen anstarrende

12 Im Mittelalter war die religiöse Rhetorik oft mit jener amourösen Rhetorik durchsetzt, die die Geliebte als Gottheit zeichnete, was das Bild der Liebe als einer totalen Erfahrung zusätzlich verstärkte. In dieser totalen Erfahrung strebt das Subjekt der Liebe danach, mit dem Objekt der Liebe zu verschmelzen und in ihm aufzugehen. Der bürgerliche Roman des 19. Jahrhunderts stellte die Liebe als den narrativen Dreh- und Angelpunkt des häuslichen und (für Frauen) sozialen Lebens dar. In gewissem Ausmaß ist dieses Modell auch in der modernen Filmkultur präsent, in der Liebe, Sex und romantische Affären das häufigste Telos der Handlungen und psychologischen Sehnsüchte der Charaktere sowie den entscheidenden Knoten der Geschichten bilden.

Menschen gesehen, ohne zu denken: Jaja, schon gut? Wann haben Sie das letzte Mal jemanden verkünden hören: ›Ich bin wirklich unsterblich verliebt‹, ohne zu denken: Warte nur bis Montagmorgen?«[13] Bushnell bringt hier eine hochgradig reflektierte, höchst ironische und desillusionierte Einstellung zur Liebe zum Ausdruck. Diesen Stand der Dinge beklagend, schrieb Maureen Dowd, eine der prominentesten Kommentatorinnen der *New York Times*: »Kulturell und gefühlsmäßig ist die ganze Idee der romantischen Liebesgeschichte tot, tot, tot.«[14] Was sie meines Erachtens damit meinte, ist, daß eine »verzauberte« Liebeserfahrung zu etwas geworden ist, dem man sich nur noch schwer verschreiben kann. Das heißt: Obwohl die Liebe für die meisten Menschen immer noch eine sehr bedeutsame Erfahrung sein mag, erfaßt und mobilisiert sie das Selbst nicht mehr in seiner Gänze. Damit stellt sich die Frage, warum die Liebe das Vermögen verloren hat, als »Verzauberung« erlebt zu werden, als eine Preisgabe der Vernunft und des Selbst. Ich werde im folgenden zu zeigen versuchen, daß die Liebe die Kraft eingebüßt hat, einen romantischen Glauben beziehungsweise romantische Überzeugungen hervorzurufen, weil derartige Überzeugungen auf den drei Feldern der Wissenschaft, Technik und Politik rationalisiert worden sind.

Entzauberung ist ein grundlegender kultureller, kognitiver und institutioneller Prozeß der Moderne, der Glaubensinhalte in Wissenssystemen organisiert und das Verhalten systematischen und abstrakten Regeln unterwirft. Wie Weber postulierte, wird es infolge dieses Prozesses schwer, zu glauben. Weber zufolge ist die stärkste kulturelle Macht, welche die Entzauberung vorantreibt, die Rationalisierung

---

13 Candace Bushnell, *Sex and the City. Am Bett vorbei ist voll daneben*, übers. von A. Hahn, München 1998, S. 8 f.

14 Maureen Dowd, »Tragedy of Comedy«, in: *The New York Times*, 3. August 2010, ⟨http://www.nytimes.com/2010/08/04/opinion/04dowd.html⟩, letzter Zugriff 28. 2. 2011.

der Lebensvollzüge: die Tatsache, daß diese immer »metho-
discher« und systematischer werden sowie zunehmend der
Kontrolle des Verstandes unterliegen.[15] Das rationale Handeln wird bewußt gesteuert – es ist nicht willkürlich, gewohn-
heitsmäßig oder impulsiv –, wobei die kulturelle Quelle einer solchen reflektierten Steuerung religiöser, wissenschaftlicher, politischer oder ökonomischer Natur sein kann. Eine
rationale Einstellung untergräbt die Verzauberung, weil sie
sich, um an ein Objekt heranzugehen und es zu erkennen,
systematischer Regeln bedient, die unabhängig vom Subjekt
und Objekt des Wissens gelten. Somit erzeugt sie eine Trennung zwischen Subjekt und Objekt des Wissens und delegi-
timiert Formen von Wissen, die auf Offenbarung, Tradition
oder Intuition beruhen. Die rationale Einstellung untergräbt
die Grundlage jeglichen Glaubens (mit Ausnahme vielleicht
des Glaubens an die Vernunft). Auch neigt sie dazu, die
Transzendenz auszuhöhlen, indem sie das Handeln einem
Zweck-Mittel-Verhältnis unterstellt. Glaubensinhalte zu ra-
tionalisieren, bedeutet auch, daß die emotionale Intensität
der Liebe und der Glaube an die Liebe geschwächt werden.
Folgt man dieser Definition von Rationalisierung, dann
läßt sich feststellen, daß eine Reihe gewaltiger kultureller
Mächte das Gefühl und die Erfahrung der Liebe umgestaltet
und zu ihrer Rationalisierung beigetragen hat – und damit
zu einem tiefgreifenden Wandel in der Art und Weise, wie sie
vom Subjekt erlebt wird. Diese kulturellen Mächte sind die
Wissenschaft, die Technologien der Wahl und das politische
Vertragsdenken. Das Zusammenlaufen und Zusammenspiel
dieser drei Mächte war, so möchte ich im folgenden zeigen,
für den Niedergang des Glaubens an die romantische Erfahrung verantwortlich. Sie brachten darüber hinaus mit Un-

---

15 Max Weber, *Wissenschaft als Beruf* [1919], Stuttgart 2006; ders.,
»Die protestantische Ethik und der Geist des Kapitalismus« [1904/1905],
in: ders.: *Gesammelte Aufsätze zur Religionssoziologie I*, Stuttgart ⁹1988,
S. 17-206.

sicherheit und Ironie zwei Gefühlsstrukturen hervor, die die Fähigkeit des Selbst, Selbstaufgabe und Ekstase zu erfahren, erheblich geschwächt haben.

Die Verwandlung der Liebe in eine Wissenschaft

Der erste Faktor, der zum kulturellen Prozeß der Entzauberung beitrug, besteht in der Vorherrschaft wissenschaftlicher Erklärungsweisen der Liebe, die über die Institutionen der Universität und der Massenmedien eine umfassende Verbreitung erfuhren. Im Laufe des 20. Jahrhunderts entfalteten zunächst Psychoanalyse und Psychologie, später dann Biologie, evolutionäre Psychologie und Neurowissenschaften ihre wissenschaftlichen Infrastrukturen, indem sie die »Liebe« unter ihre jeweiligen Schlüsselkonzepte subsumierten. Zu diesen zählen das »Unbewußte«, der »Sexualtrieb«, die »Hormone«, das »Überleben der Spezies« oder die »Hirnchemie«. Unter der Schirmherrschaft wissenschaftlicher Erklärungsweisen unterminierten diese Bezugssysteme die Vorstellung von der Liebe als eines unaussprechlichen, einzigartigen, quasimystischen und selbstlosen Gefühls.

Gerade weil *Psychoanalyse* und *dynamische Psychologie* die Liebe in den Mittelpunkt der Konstitution des Selbst rückten, untergruben sie ihren kulturellen Status als einer mystischen Kraft, indem sie sie zum Resultat psychischer Prozesse wie jener des »psychischen Traumas«, des »Ödipuskonfliktes« oder des »Wiederholungszwangs« machten. Die freudianische Populärkultur, von der die meisten modernen Gesellschaften durchdrungen wurden, ist mit der wirkmächtigen Behauptung verbunden, daß die Liebe ein Nachvollzug frühkindlicher Konflikte und oft nicht mehr als die Wiederholung eines Dramas aus der Frühzeit des Lebens mit anderen frühen Protagonisten ist, die den wahren Ursprung und die wahre Ursache des aktuellen Liebesobjekts bilden. Die Psychoanalyse behauptet, die Liebe sei durch die Art unserer Bindungen an unsere frühen Elternfiguren bedingt sowie dadurch, wie unsere Psyche den Ödipuskomplex erlebte und verarbeitete. Damit verwandelt sich die Liebe in den Ausdruck einer allgemeinen psychischen Struktur und das Liebesobjekt in eine Verlängerung frühkindlicher Dramen. Indem sie eine direkte narrative Linie zwischen der Kindheit und den romantischen Erlebnissen der Erwachsenen zieht, macht die psychologische Kultur die Liebeserfahrung zu einer Neuinszenierung per se nichtamouröser Sequenzen, womit sie ihre Unbeschreiblichkeit und ihr Mysterium unterläuft. Die Liebe wird zum Gegenstand endloser Erforschung, Selbsterkenntnis und Selbstprüfung.

Das Selbst wird zum Gegenstand eines fortlaufenden Prozesses der Selbstverständigung und sorgsamen Selbstüberwachung der Psyche. Dieser Prozeß führt durch die systematische Etikettierung von Gefühlen und deren Überwachung mittels Techniken der Selbsterfahrung und Selbsttransformation zu einer Intellektualisierung romantischer Beziehungen. Als sie das menschliche Subjekt zu Gegenstand und Zielsetzung wissenschaftlichen Wissens machte, entwickelte die Psychologie das entscheidende Konzept der »Persönlichkeit«, also eines Bündels stabiler Züge, die eine Person im Zeitablauf charakterisieren sollen. Die Persönlichkeit ist ein Bündel stabiler Attribute, und eine geglückte Liebe ist die Folge einer Vereinbarkeit der psychologischen Veranlagung und der Eigenschaften zweier Menschen. Daraus folgt, daß sich die romantische Vereinbarkeit zweier Menschen mit den richtigen psychologischen Hilfsmitteln einschätzen, messen und vorhersagen läßt. So konnte sich die Liebe in den Gegenstand einer (psychologischen) Metrik verwandeln, deren Zweck darin bestand, den eng verwandten Idealen von Autonomie und Verbundenheit zur Geltung zu verhelfen.

Als die Autonomie zunehmend in den Mittelpunkt des von der Psychologie verfochtenen idealen Selbst rückte, kam die emotionale Verschmelzung in den Ruf, diese Autonomie zu gefährden. Sein Selbst mit dem eines anderen zu verschmelzen oder sich jemand anderem zu unterwerfen, galt nun als Negation des eigenen grundlegenden Anspruchs auf Autonomie und damit als Anzeichen einer emotionalen Pathologie. Mit Modellen der Intimität, die auf Verhandlung, Kommunikation und Gegenseitigkeit beruhten, machten die psychologischen Wissenschaften die Intimbeziehung zum idealen, aus der reflexiven Überwachung zweier autonomer Willen erwachsenden und auf die Bedürfnisse und psychologische Veranlagung des Individuums maßzuschneidernden Beziehungstyp. Damit beseitigten sie die alte Assoziation von Liebe und Transzendenz als einer Kraft, die die spezifischen Bedürfnisse und den Willen des Individuums übersteigt. Die Liebe wurde zur »Intimität«, und Intimität bedeutete, daß sich das Gefühlsleben Verhaltensregeln unterwerfen ließ, deren Zweck darin bestand, ein Maximum an individueller Autonomie zu bewahren und in die romantische Bindung einzumeißeln.

Noch auf eine dritte Weise trug die Psychologie zur Rationalisierung des Liebeserlebnisses bei. Sie verwandelte nämlich das Liebesleid in ein inakzeptables und ungerechtfertigtes Symptom, eine Folge unreifer Psychen. War »Schmerz [...] im 19. Jahrhundert ein absolut normaler Bestandteil der emotionalen Reaktion darauf, eine Identität mit einem anderen Menschen zu teilen«,[16] so signalisiert das Leiden in der psychologischen Kultur keine emotionale Erfahrung mehr, die über die Grenzen des Selbst hinausreichen würde. Es ist, mit anderen Worten, kein Zeichen einer selbstlosen Hingabe oder seelischen Überhöhung mehr; eine solche Liebe, die auf Selbstaufopferung, Verschmelzung und

16 Karen Lystra, *Searching the Heart. Women, Men and Romantic Love in Nineteenth-Century America*, New York 1989, S. 50.

einer Sehnsucht nach dem Absoluten beruht, gilt nunmehr als Symptom emotionaler Unreife. Die kulturelle Gleichsetzung von Liebe und Leid ähnelt der Gleichsetzung der Liebe mit einer Transzendenzerfahrung wie auch mit einer selbsterfüllend-selbstverschwenderischen Erfahrung, bei der das Ich seine Liebe in einer ostentativen Zurschaustellung seines Selbstverlusts zu behaupten sucht.[17] Utilitaristische Modelle des Gemeinwesens wurden auf die Psyche übertragen, und dieser neue emotionale und psychologische Utilitarismus verwandelte Ideale von Verzicht und Selbstaufgabe in illegitime Anzeichen einer ungesunden Psyche (oder in ein Zeichen dafür, daß jemand um eines verborgenen psychischen Nutzens willen »litt«). In der neuen therapeutischen Kultur sind Selbstaufgabe und Selbstaufopferung höchst suspekt geworden, weil die Fähigkeit, die eigenen Interessen zu wahren, zum Synonym für geistige Gesundheit geworden ist.

Dieses Modell geistiger Gesundheit, das flächendeckend in die Intimbeziehungen Einzug hielt, forderte eine Ausrichtung der Liebe auf Definitionen des Wohlbefindens und Glücks, die das Leiden letztlich verwarfen, und hielt den einzelnen dazu an, seinen Nutzen zu maximieren. Of-

---

17 In seinem Gedicht »Einfluß der Natur« (»Influence of Natural Objects«, 1799) beschreibt William Wordsworth diese Erfahrung wie folgt:

> [...] nicht
> umsonst hast du seit früher Kindheit mir
> die Leidenschaften, die die Seele formen,
> bei Tag und Sternlicht ineinand gewebt;
> nicht mit alltäglich und gemeinem Tun
> der Menschen, nein mit hohen, ewigen Dingen,
> mit Leben und Natur, so reinigend
> des Fühlens und des Denkens Elemente
> *und durch ein solch Verfahren heiligend*
> *so Schmerz wie Furcht, bis wir erkennen eine*
> *Erhabenheit in unseres Herzens Schlag.*

Zitiert nach Hans Feist (Hg.), *Ewiges England. Dichtung aus sieben Jahrhunderten von Chaucer bis Eliot*, übers. von H. Feist, Zürich 1945, S. 390 (meine Hervorhebung).

fen stellte es den Begriff des Eigeninteresses in den Mittelpunkt eines reifen Selbst. Seine eigenen Interessen zu kennen und zu verteidigen, wurde zunehmend gleichbedeutend mit emotionaler Reife. Folglich paßte sich die Liebe immer mehr an den Begriff und die Praxis des Eigeninteresses an. Gut zu lieben heißt nun, seinen eigenen Interessen gemäß zu lieben. Das emotionale Erleben der Liebe beinhaltet und bezeugt in wachsendem Maß ein utilitaristisches Projekt des Selbst, bei dem es darum geht, ein Maximum an Genuß und Wohlbefinden sicherzustellen. Leid ist dieser neuen kulturellen Sprache der Liebe zusehends fremd geworden. Dies wiederum bedeutet, daß eine Liebe, die eine Quelle von Leid war, als »Irrtum« gelten mußte, als Fehleinschätzung der Vereinbarkeit zweier Persönlichkeiten, als Zeichen dafür, daß man weiterer Selbsterkenntnis bedurfte, um das eigene Leiden zu beheben und zu einer reiferen Wahl zu finden. Das wechselseitige Geben und Nehmen und die Wahrung des Eigeninteresses wurden unsichtbar in die gewöhnliche Erfahrung der Liebe eingebunden. Dies läßt sich an einigen gegenteiligen Beispielen gut demonstrieren.

In Shakespeares *Sommernachtstraum* wendet sich Helena, die *nicht* unter dem Bann von Drolls Zauberkünsten und Tricks steht, an Demetrius, der unter Drolls Einfluß ihre Liebe zurückgewiesen hat:

Demetrius
Lock ich Euch an, und tu ich schön mit Euch?
Sag ich Euch nicht die Wahrheit rund heraus,
Daß ich Euch nimmer lieb und lieben kann?

Helena
Und eben darum lieb ich Euch nur mehr! –
Ich bin Eu'r Hündchen, und, Demetrius,
Wenn Ihr mich schlagt, ich muß Euch dennoch schmeicheln.
Begegnet mir wie Eurem Hündchen nur,
Stoßt, schlagt mich, achtet mich gering, verliert mich:
Vergönnt mir nur, unwürdig, wie ich bin,

Euch zu begleiten. Welchen schlechtern Platz
Kann ich mir wohl in Eurer Lieb' erbitten,
(Und doch ein Platz von hohem Wert für mich!)
Als daß Ihr so wie Euren Hund mich haltet?[18]

Helena drückt ihrem Geliebten gegenüber ihre Liebe un-
befangen auf eine Weise aus, die heutzutage nicht nur als
eine Form von Selbsterniedrigung, sondern als pathologisch
interpretiert würde. In Shakespeares Welt hingegen dürfte
man dies wohlwollender als eine gewöhnliche Manifestation des »Wahnsinns der Liebe« aufgefaßt haben.

Julie de Lespinasse – eine weithin gefeierte und bewun-
derte französische *Salonnière* des 18. Jahrhunderts – liebte
den Grafen von Guibert, ihren launischen und untreuen
Liebhaber, der ihre Gefühle nicht erwiderte und eine andere
Frau heiratete. Julie jedoch hielt an ihrer Liebe zu ihm fest.
Obwohl Guibert ihre Zuneigung nicht erwiderte, ließ sie
von ihrer Bekundung absoluter Leidenschaft und ihrer Bekräftigung einer durch keinerlei Mechanismen des Tauschs
und der Gegenseitigkeit gehemmten Liebe nicht ab. In einem Brief verkündete sie ihm:

Ich liebe Sie viel zu sehr, um mir den mindesten Zwang aufzuerlegen.
Viel lieber ist es mir auch, Sie um Verzeihung zu bitten, als keine Fehler zu begehen. Ihnen gegenüber *besitze ich keinerlei Eigenliebe mehr*,
und das Verständnis für jene Verhaltensmaßregeln, die dafür sorgen,
daß man stets mit sich zufrieden ist, und die einem gleichzeitig eine
unempfindlich machende Kälte dem gegenüber verschaffen, den man
liebt, gehen mir völlig ab. Ich hasse derlei Klügelei, ja, ich verabscheue
sogar – ertragen Sie, es zu hören – diese Freundschaftspflichten, die an
die Stelle herzlicher Anteilnahme die Zurückhaltung setzen, die statt
Mitempfinden bloß Taktgefühl fordern. Aber was sage ich Ihnen da?
Ich liebe die Ungezwungenheit, *ich handele impulsiv* und liebe es über
alles, wenn man sich mir gegenüber genauso beträgt.[19]

18 William Shakespeare, *Ein Sommernachtstraum* [1600], übers. von
A. W. Schlegel, Stuttgart 1972, 2008, S. 20 (2. Akt, 1. Szene).
19 Julie de Lespinasse, *Briefe einer Leidenschaft, 1773-1776*, hg. und
übers. von Johannes Willms, München 1997, S. 48 (Brief vom 1. August
1773; meine Hervorhebungen).

Julie de Lespinasse steht für eine Ethik der Selbstaufgabe, die von einer impulsiven Emotionalität statt von einer Kosten-Nutzen-Rechnung angeleitet wird. Die Fähigkeit, unabhängig von der Frage der Gegenseitigkeit zu lieben, signalisierte bei weitem keine Unreife oder geringe Selbstachtung, sondern durfte als Zeichen eines großen Charakters gedeutet werden (und wurde dies wahrscheinlich auch).

Ein weiteres Beispiel haben wir bereits in Kapitel 1 erörtert. Anne Elliots Entschlossenheit, Kapitän Wentworth trotz ihrer unmißverständlichen Trennung treu zu bleiben, beißt sich mit dem zeitgenössischem Empfinden, weil Anne sich einem Verständnis der Liebe als absolut und inkommensurabel verschreibt und die Forderungen ihres Eigeninteresses zu ignorieren scheint. Die Bindung an einen anderen verdankt sich hier einer völligen Zielstrebigkeit des Selbst, ungeachtet der Folgen für das eigene Wohlergehen. Ihre Liebe einmal zu geben, zwingt Anne dazu, auf bessere Aussichten zu verzichten und somit aufzugeben, was die moderne Gesellschaft als Kennzeichen einer reifen Psyche sähe, nämlich ihr Eigeninteresse. Eine moderne Anne Elliot wäre gezwungen, einen Psychologen aufzusuchen, sich auf die Couch zu legen und Rechenschaft über ihre standhafte Entschlossenheit zu geben, ihr ganzes Leben auf uneigennützige Weise und ohne die Aussicht auf eine Gegenleistung aufzuopfern. Edith Wharton schließlich machte von einer ausdrücklich antiutilitaristischen Terminologie Gebrauch, als sie am 8. Juni 1908 an ihren Geliebten Morton Fullerton schrieb: »Man hätte eine versierte Kokotte aus mir machen können, weil mir mein klarer Verstand jeden Zug in diesem Spiel verrät – wenn mich nicht im selben Moment eine verächtliche Reaktion dazu brächte, alle Steine vom Spielbrett zu fegen und auszurufen: ›Nimm sie nur alle – ich will gar nicht gewinnen – ich will alles an Dich verlieren!‹«[20]

20 Edith Wharton, *The Letters of Edith Wharton*, hg. von R. W. B. Lewis u. Nancy Lewis, New York 1988, S. 152.

Helenas, Julie de Lespinasses, Anne Elliots und Edith Whartons Gleichgültigkeit gegenüber dem, was uns als Norm der Reziprozität erscheinen würde, spottet dem gegenwärtigen gesunden Menschenverstand. Sie mißachtet die vernünftige Voraussetzung, daß die Wahl eines Liebesobjekts das eigene Wohlergehen nicht übertrumpfen, sondern vielmehr in Form emotionaler Gegenseitigkeit zu ihm beitragen sollte. Die moralische und psychologische Norm der emotionalen Reziprozität, die mittlerweile unsere Modelle der romantischen Liebe und unsere Modelle von Beziehungen im allgemeinen beherrscht, fußt auf einer utilitaristischen Konzeption von geistiger Gesundheit und Wohlbefinden und ist eine der Hauptquellen der kulturellen Rationalisierung der Liebe. Dieses Modell von emotionaler Reziprozität und Utilitarismus basiert letztlich auf einem starken Vernunftprogramm, demzufolge es galt, die Wahl eines Liebesobjekts den Launen und Klauen des Unbewußten zu entreißen; wenn diese Wahl gesund sein sollte, mußte sie vernünftig begriffen werden und Gegenstand der Selbsterkenntnis sein; sie konnte Genuß und Wohlbefinden verursachen, und vor allem konnte und sollte sie das jeweilige Eigeninteresse wahren und unterstreichen.

Die *Biologie* wirkte sich etwas anders auf die kulturellen Hintergrundannahmen aus, die für das Verständnis der Liebe prägend geworden sind. Üblicherweise erklären Biologen die Liebe durch chemische Prozesse, die die Liebe sogar noch stärker als die Kategorien der Psychologen auf Faktoren reduzieren, welche dem Liebesgefühl selbst vollkommen äußerlich sind. Neurowissenschaftliche Studien deuten auf das Vorhandensein einer gleichbleibenden Anzahl von chemischen Stoffen im Gehirn hin, wenn ein Proband angibt, Liebesgefühle zu verspüren.[21] Zu diesen Chemikalien gehören Testosteron, Östrogen, Dopamin, Noradrenalin, Sero-

---

21 Andreas Bartels u. Semir Zeki, »The Neural Basis of Romantic Love«, in: *Neuroreport*, Jg. 11, Nr. 17 (2000), S. 3829-3834.

tonin, Oxytocin und Vasopressin. So soll es zum Beispiel zu einem drastischen Anstieg der Dopamin- und Noradrenalinmengen im Gehirn kommen, wenn jemand für eine andere Person schwärmt. Mit der lustvollen Phase einer Beziehung gingen höhere Testosteron- und Östrogenspiegel einher. Dopamin, Noradrenalin und Serotonin seien in der Anziehungsphase einer Beziehung häufiger anzutreffen.[22] Die Serotonineffekte bei Verliebten gleichen chemisch denen einer Zwangsstörung,[23] was erklären würde, warum wir offenkundig nicht imstande sind, an irgend jemand anderen zu denken, wenn wir verliebt sind. Auch sind die Serotoninspiegel in den Gehirnen von Frischverliebten wesentlich höher als in denen anderer Menschen.[24] Oxytocin und Vasopressin scheinen eine signifikante Rolle bei langfristigen Bindungen und Beziehungen, die von großer Verbundenheit geprägt sind, zu spielen.[25] In der Ausgabe des *National Geographic* vom Februar 2006 behandelt Lauren Slater in ihrer Titelgeschichte »Love: The Chemical Reaction« die Liebe als eine rein chemische Reaktion. Sie betrachtet Anziehung wie Zuneigung als etwas, das durch unterschiedliche chemische Komponenten ausgelöst wird. Impliziert wird damit,

22 Arthur Aron u.a., »Reward, Motivation, and Emotion Systems Associated With Early-Stage Intense Romantic Love«, in: *Journal of Neurophysiology*, Jg. 94, Nr. 1 (2005), S. 327-337.

23 Donatella Marazziti, Hagop S. Akiskal, Alessandra Rossi u. Giovanni B. Cassano, »Alteration of the Platelet Serotonin Transporter in Romantic Love«, in: *Psychological Medicine*, Jg. 29, Nr. 3 (1999), S. 741-745; Dorothy Tennov, *Limerenz. Über Liebe und Verliebtsein*, übers. von W. Stifter, München 1981; Abraham Tesser u. Delroy L. Paulhus, »Toward a Causal Model of Love«, in: *Journal of Personality and Social Psychology*, Jg. 34, Nr. 6 (1976), S. 1095-1105.

24 Vgl. Marazziti u.a., »Alteration of the Platelet Serotonin«.

25 J. Thomas Curtis u. Zuoxin Wang, »The Neurochemistry of Pair Bonding«, in: *Current Directions in Psychological Science*, Jg. 12, Nr. 2 (2003), S. 49-53; Thomas R. Insel u. Larry J. Young, »The Neurobiology of Attachment«, in: *Nature Review of Neuroscience*, Jg. 2, Nr. 2 (2001), S. 129-136; Keith M. Kendrick, »Oxytocin, Motherhood and Bonding«, in: *Experimental Physiology*, Jg. 85 (2000), S. 111s-124s.

daß die Euphorie oder Exaltation, die wir infolge unserer Verliebtheit empfinden mögen, nichts weiter ist als eine unwillkürliche chemische Reaktion im Gehirn. Auch betont die Forschung, daß diese Symptome in der Regel nach maximal zwei Jahren abklingen.[26] Die Folge dieser Reduktion der Liebe auf die Hirnchemie besteht darin, die mystische und spirituelle Auffassung der Liebe aus der Welt zu schaffen und durch eine neue Form von biologischem Materialismus zu ersetzen. So sinniert etwa die Kolumnistin Catherine Townsend über ihr Bedürfnis, sich geliebt zu fühlen: »Glaubt man *Psychology Today*, dann ›steigt Phenethylamin – die Chemikalie im Gehirn, die mit verliebtheitsbedingter Euphorie zusammenhängt – mit Gefühlen der Verliebtheit, Hochstimmung und Aufregung an‹. Klingt nach mir. Andererseits klingt es auch nach einer Menge Frauen, die ich kenne. Sind wir alle dysfunktionale Liebessüchtige?«[27] Offensichtlich hat die Mixtur aus psychologischer und biologischer Terminologie in gewöhnlichen Liebesvorstellungen einen deflationierenden Effekt, insofern sie Gefühle auf bloße unfreiwillige chemische Reaktionen und das Erlebnis der Liebe auf eine physiologische Erfahrung ohne höhere Bedeutung reduziert. Die Soziobiologin Helen Fisher etwa behauptet, daß wir biologisch darauf programmiert sind, für höchstens zwei Jahre intensive Liebesgefühle zu empfinden, und daß Leidenschaft und Heftigkeit nach dieser Phase abklingen.

Obwohl sie eine andere Perspektive einnehmen, schreiben auch die *Evolutionspsychologen* das Gefühl der Liebe einem äußerlichen, der menschlichen Spezies dienenden Faktor zu. Dylan Evans zufolge sollen Gefühle wie Liebe (oder Schuld oder Eifersucht) dazu beigetragen haben, das »Problem der

26 Helen Fisher, *Warum wir lieben. Die Chemie der Leidenschaft*, übers. von M. Klostermann, Düsseldorf u. Zürich 2005.
27 Catherine Townsend, *Breaking the Rules. Confessions of a Bad Girl*, London 2008, S 241.

Verpflichtung« zu lösen.[28] Dieses besteht in der Frage: Wie werden sich die Menschen, da sie nun einmal miteinander kooperieren müssen, einem anderen gegenüber verpflichten und/oder sicherstellen, daß sich ein anderer ihnen gegenüber verpflichtet? Für Evolutionspsychologen lautet die Antwort: durch Gefühle. Insbesondere die romantische Liebe könnte dem Zweck gedient haben, die Menschen vermehrungswillig zu machen und sicherzustellen, daß Männer und Frauen sich nicht einfach aus einer Laune heraus gegenseitig im Stich lassen. Auch hier hat der von der evolutionären Psychologie vollzogene interpretative Paradigmenwechsel zur Folge gehabt, daß die gefühlte Einzigartigkeit und Transzendenz der Liebe entleert und in eine bloße funktionale Notwendigkeit zur Sicherstellung der Kooperationsbereitschaft verwandelt wurde, die es auf der Ebene der Spezies zu verhandeln gilt. Die Liebe ist hier nichts weiter als eine blinde Notwendigkeit der Natur und der sozialen Gruppe, die sich in den je besonderen Geschichten und Individuen ausdrückt.

Wissenschaftliche – psychologische, biologische und evolutionäre – Erklärungsmodelle neigen von Natur aus dazu, den Kategorien der gefühlten und gelebten Erfahrung gegenüber abstrakt und äußerlich zu sein. Darin unterscheiden sie sich beispielsweise von vormodernen religiösen Erklärungen, die, wenn sie eine intensive Liebe als Manifestation einer Geisterbesessenheit oder als zeitweiligen Verlust des Verstands ansahen, immer noch mit der erlebten Erfahrung des Subjekts in Einklang standen. Wissenschaftliche Erklärungen reduzieren die Liebe auf ein Epiphänomen, einen bloßen Effekt vorangegangener Ursachen, die vom Subjekt nicht gesehen oder empfunden werden und die weder mystisch noch singulär sind, sondern durch unwillkürliche und beinahe mechanische – psychische, chemische oder biolo-

28 Dylan Evans, *Emotion. The Science of Sentiment*, Oxford u. New York 2001.

gische – Prozesse hervorgerufen werden. Die Vorherrschaft wissenschaftlicher Erklärungsweisen macht es schwierig, an der Vorstellung der Liebe als eines einzigartigen, mystischen und unbeschreiblichen Gefühls festzuhalten. So gesehen unterlag die Liebe demselben Prozeß der Entzauberung wie die Natur: Sie wird nicht mehr als etwas von geheimnisvollen und gewaltigen Mächten Beseeltes betrachtet, sondern als ein erklärungs- und kontrollbedürftiges Phänomen, als eine durch psychologische, evolutionäre und biologische Gesetze bestimmte Reaktion.[29]

Das wissenschaftliche Wissen wird über mediale Verbreitungswege, die in regelmäßigen Abständen Interpretationen der Realität zur Verfügung stellen müssen, weithin bekannt gemacht. Diese wissenschaftlichen Interpretationsrahmen ersetzen die traditionellen romantischen Liebeskonzeptionen nicht einfach, sondern konkurrieren mit ihnen und unterminieren sie letztlich. Die Wissenschaft pflegt partikulare Erfahrungen unter allgemeine und abstrakte Kategorien zu subsumieren und somit um ihre Partikularität zu bringen. Weil wissenschaftliche Bezugssysteme definitionsgemäß darauf ausgelegt sind, Ursachen aufzuspüren und zu erklären, zersetzen sie naturgemäß jegliche Erfahrung, die auf einem Gefühl des Einzigartigen, Unaussprechlichen und Irrationalen fußt. Insgesamt ist die Folge wissenschaftlicher interpretativer Bezugssysteme für die Erfahrung der Liebe eine doppelte, nämlich eine zugleich *reflexive* und *deflationäre*. Indem sie die Akteure veranlassen, auf die tieferliegenden Mechanismen zu achten, die Beweggrund ihrer Liebe sind, verwandeln wissenschaftliche Interpretationssysteme die Liebe in das Resultat einer universellen psychologischen oder chemischen Kraft, die jenseits und unterhalb der kon-

29 Man sollte diese Behauptung vielleicht dahingehend nuancieren, daß die Psychologie die Erfahrung der Liebe immer noch für etwas Singuläres hielt und mittels der privaten Geschichte des Subjekts zu erklären versuchte.

kreten besonderen Begierden bestimmter Individuen am Werk ist. In gewisser Weise wird so das Begehren als etwas von der konkreten Person, auf die es zugeschnitten ist, Abgelöstes verstanden; als unwillkürlicher Mechanismus ist es eine blinde Macht mit einem letztlich völlig austauschbaren Objekt. Insofern kann man sagen, daß das romantische Begehren seines mythologischen Inhalts beraubt wird.

Weber war ein Kulturpessimist, weil er nicht glaubte, daß eine Erweiterung unseres wissenschaftlichen Verständnisses auch ein besseres Verständnis unserer konkreten Lebensbedingungen bewirkt. Er schreibt:

Wenn wir heute Geld ausgeben, so wette ich, daß, sogar wenn nationalökonomische Fachkollegen im Saale sind, fast jeder eine andere Antwort bereit halten wird auf die Frage: Wie macht das Geld es, daß man dafür etwas – bald viel, bald wenig – kaufen kann? Wie der Wilde es macht, um zu seiner täglichen Nahrung zu kommen, und welche Institutionen ihm dabei dienen, das weiß er. Die zunehmende Intellektualisierung und Rationalisierung bedeutet also *nicht* eine zunehmende allgemeine Kenntnis der Lebensbedingungen, unter denen man steht.[30]

Wie Nicholas Gane in seiner Weber-Interpretation vorschlägt, könnten nichtwissenschaftliche Erklärungen wissenschaftlichen überlegen sein, weil sie die Totalität unserer gelebten Erfahrung erfassen, weil sie ganzheitlich und organischer mit der Totalität unserer Erfahrung verknüpft sind. Somit entfernen uns wissenschaftliche Erklärungen unserer Erfahrung sowohl kognitiv als auch emotional von dieser Erfahrung. Mehr noch, sagt Weber, die Wissenschaft läßt uns unsere Erfahrung in einer bestimmten Hinsicht unverständlicher werden, weil existentielle und abstrakte, systematische Sinnzusammenhänge unvereinbar miteinander sind. Folglich lösen wissenschaftliche Erklärungen die sinnhafte Verbindung zwischen der romantischen Erfah-

---

30 Weber, *Wissenschaft als Beruf,* S. 18 f. Vgl. auch Nicholas Gane, *Max Weber and Postmodern Theory. Rationalization versus Re-enchantment*, Basingstoke 2004.

rung und einer mystisch und irrational gedachten Liebe auf. Indem sie die Liebe zum Resultat vorgängiger unbewußter, chemischer und evolutionärer Mechanismen macht, untergräbt die Wissenschaft die Fähigkeit, die Liebe in eine Mythologie, eine transzendente Eigenmacht zu verwandeln.

Politische Emanzipation als Rationalisierung

Wie die oben angeführten Beispiele nahelegen, galten Selbstaufopferung, Selbstaufgabe und die Fähigkeit, ohne Anspruch auf Gegenseitigkeit zu lieben, vornehmlich (wenn auch nicht ausschließlich) als weibliche Eigenschaften. Eine der wesentlichen Veränderungen, die das Motiv der Selbstaufopferung betrafen, wurde durch den Feminismus herbeigeführt, wenn wir darunter die allgemeine kulturelle Überzeugung verstehen, daß die Menschenrechte auf Frauen auszudehnen und jene sozialen und ideologischen Mechanismen zu entlarven sind, die die Entrechtung der Frauen zugleich möglich, unsichtbar und für so viele auch wünschenswert gemacht hatten. Weitere Quellen der kulturellen Rationalisierung der Liebe sind die Normen der Gleichheit, des Konsenses und der Gegenseitigkeit – mit anderen Worten: der Kontraktualismus oder das Vertragsdenken –, die mittlerweile das moralische Vokabular unserer Gemeinwesen dominieren und die Bedingungen verändert haben, unter denen heterosexuelle Beziehungen ausgehandelt werden. In seinem Buch *Politics of Authenticity* weist Marshall Berman darauf hin, daß »Männer [sic!] erst in der Moderne darauf verfielen, das Selbst als spezifisch *politisches* Problem zu denken«.[31] Angesichts des von Berman in seiner Formulierung gebrauchten Geschlechts ist es ironisch, daß sich dieser Satz vor allem und höchst eindrucksvoll auf

31 Marshall Berman, *The Politics of Authenticity. Radical Individualism and the Emergence of Modern Society*, New York 1970, S. XVI.

Frauen im 20. Jahrhundert anwenden läßt. Tatsächlich hat vielleicht keine andere Bewegung einen derart bedeutenden Einfluß auf die Subjektivität von Frauen und das Verhältnis zwischen den Geschlechtern ausgeübt wie der Feminismus. Die Neue oder Zweite Frauenbewegung veränderte unser Verständnis des Gefühls der Liebe tiefgreifend.[32] Nachhaltiger als jede andere politische oder kulturelle Formation hat die feministische Überzeugung die kulturelle Geschichte der Liebe beeinflußt, weil sie die Schleier der männlichen Ritterlichkeit und des weiblichen Nimbus des Geheimnisvollen zerriß. Gerade weil sie sich so entscheidend auswirkte, möchte ich die Folgen der Frauenbewegung für die romantischen Beziehungen bilanzieren und danach fragen, worin der kulturelle Einfluß feministischer Denkweisen in einer Gesellschaft bestanden haben mag, die immer noch im großen und ganzen von Männern beherrscht wird. Indem ich dies tue, betrachte ich den Feminismus als eine kulturelle Weltanschauung, das heißt als eine neue Weise, das Selbst und seine Beziehung zu anderen zu begreifen. Dies bedeutet, daß ich vorübergehend meine eigenen offensichtlich feministischen Überzeugungen einklammere und außer Kraft setze, um den Einfluß des Feminismus als einer kulturellen Weltanschauung zu verstehen, die durch ihre Kritik der traditionellen Geschlechterrollen und -normen sowie durch ihre egalitäre Vision der Rechte und Pflichten von Männern und Frauen ebendiese Rollen und Normen destabilisiert. Weil neben der klinischen Psychologie und der Konsumkultur kein kultureller Akteur die Beziehungen zwischen Männern und Frauen so stark geprägt und verändert hat wie die feministische Bewegung, kann und sollte sie wie diese beiden anderen kulturellen Formationen analysiert werden.

32 Dieses Kapitel beschäftigt sich mit heterosexueller Liebe. Wenn nicht anders spezifiziert, sollte mein Gebrauch des Ausdrucks »Liebe« in diesem Sinne verstanden werden.

In *Frauenbefreiung und sexuelle Revolution* argumentiert Shulamith Firestone, daß die romantische Liebe die Segregation nach Klasse und Geschlecht nicht nur unsichtbar macht, sondern, entscheidender noch, überhaupt erst ermöglicht, fortbestehen läßt und verstärkt. »Denn«, wie Firestone sagt, »die Liebe ist – wahrscheinlich mehr noch als das Kinderkriegen – der Schlüssel zur Unterdrückung der Frauen heute.«[33] Die romantische Liebe gilt mittlerweile nicht nur als eine kulturelle Praxis, die die Geschlechterungleichheit reproduziert, sondern auch als einer der Hauptmechanismen, der Frauen dazu bringt, ihre Unterordnung unter die Männer zu akzeptieren (und zu »lieben«). Der Schlüsselbegriff, der es dem Feminismus ermöglichte, Geschlecht und Liebe zu dekonstruieren, ist der der Macht. In der feministischen Weltanschauung ist Macht die unsichtbare, doch zugleich höchst greifbare Dimension, die die Geschlechterverhältnisse strukturiert, also das, was es aufzuspüren und aus Intimbeziehungen zu verbannen gilt. »Macht« hat den Status erlangt, den Großteil dessen zu erklären, was in den Beziehungen zwischen Männern und Frauen falsch gelaufen ist. »Macht« ist ein kulturelles Bezugssystem, das soziale Beziehungen konzipiert, organisiert und auf diese Weise hervorbringt. Als kulturelles Skript, das – wie die kulturellen Skripte »Kaste« oder »blaues Blut« – sexuelle und geschlechtliche Beziehungen organisiert und reguliert, kann »Machtsymmetrie« so verstanden werden, daß sie soziale Bindungen in mehrfacher Hinsicht rationalisiert: Sie lädt Männer und Frauen dazu ein, über die routinierten, selbstverständlichen Regeln nachzudenken, die Entwicklung und Verlauf einer sexuellen Anziehung strukturieren (eine Routine, die durch jahrhundertealte Normen patriarchaler Herrschaft geprägt ist), und ihre Gefühle, ihre Sprache und ihr Verhalten reflexiv zu kontrollieren.

---

33 Shulamith Firestone, *Frauenbefreiung und sexuelle Revolution* [1970], übers. von G. Strempel-Frohner, Frankfurt/M. 1987, S. 140.

Um Symmetrie herzustellen, lädt sie Frauen dazu ein, ihren Beitrag zur Beziehung sowie den des Mannes einzuschätzen und zu messen; sie sorgt dafür, daß die Werte des Arbeitsplatzes und des Gemeinwesens Vorrang vor den erotischen Beziehungen erhalten (der professionelle Status potentieller Geliebter muß die privaten Wünsche, die sie als Individuen haben, übertrumpfen); zu guter Letzt verlangt sie danach, die erotischen Beziehungen neutralen, prozeduralen Sprach- und Verhaltensregeln unterzuordnen, welche die Spezifika und Konkretheit jeder bestimmten Beziehung in den Hintergrund drängen.

Die Entroutinisierung der Macht

Der vielleicht sichtbarste Bereich, in dem die Prinzipien der Symmetrie geltend gemacht werden, ist der der Partnersuche und der sexuellen Initiative. Das auffälligste Beispiel für das neue Prinzip der Organisation von Intimbeziehungen entlang der Symmetrieachse läßt sich in der Kategorie der *sexuellen Belästigung* finden, einem sehr guten Beispiel für das Äquivalenzprinzip machtfreier und emotional symmetrischer Beziehungen. Dies zeigt etwa der Fall von Dave Cass und Claudia Stachel: Cass war seinerzeit Professor für Ökonomie an der Universität von Pennsylvania, während Stachel dort ein Magisterstudium absolvierte. Fünf Jahre währte ihre Beziehung, als 1994 Cass' Ernennung zum Leiter der Diplomstudiengänge (Chair of Graduate Studies) mit der Begründung abgelehnt wurde, er sei aufgrund seiner Beziehung mit einer Studentin für diese Position ungeeignet. Barry Dank erläutert die rechtlichen Maßnahmen der Universität wie folgt:

Sie [Cass und Stachel] verletzten die feministischen Normen bezüglich asymmetrischer Beziehungen gleich mehrfach. Diesen Normen zufolge ist es unangebracht, daß Personen miteinander intim werden, wenn zwischen beiden Teilen der Beziehung ein erhebliches Machtgefälle besteht. In diesem Bezugsrahmen stellen asymmetrische Beziehungen einen Mißbrauch dar und machen ein Einverständnis suspekt und sogar unmöglich, während symmetrische Beziehungen Gleichheit und Wahlfreiheit verkörpern sollen. Dave und Claudia waren in einer mehrfach asymmetrischen Beziehung, da sie unterschiedlichen Altersgruppen angehörten – Dave war 25 Jahre älter als Claudia – und unterschiedliche Machtpositionen an der Universität innehatten – Dave war Professor, Claudia Studentin.[34]

Die kulturellen und politischen Kategorien der Gleichheit und Symmetrie – die hier mit anderen Prinzipien wie denen der Gefühlsfreiheit und der Privatsphäre in Konflikt geraten – stellen neue Weisen dar, Geschlechterbeziehungen zu regulieren, indem man diese auf neue Normen der Machtsymmetrie und -balance verpflichtet. Damit ist zugleich ein neues Verständnis jener Kategorien verbunden, die zuallererst eine sexuelle Beziehung zwischen zwei Menschen ausmachen, denn nunmehr wird verlangt, daß eine konkrete Interaktion unter eine Einschätzung der abstrakten Position der Beteiligten in einer Gesellschaftsstruktur subsumiert werden muß. So erzählt J. M. Coetzees berühmter Roman *Schande* die Geschichte eines Hochschullehrers, Professor Lurie, der eine heftige Affäre mit einer seiner Studentinnen hat. Infolge dieser Affäre unterzieht ihn seine Universität einem Disziplinarverfahren und zwingt ihn, sein Lehramt aufzugeben. Lurie verkörpert einen männlichen Charakter, der die neuen Normen zur Regulierung der Beziehungen zwischen Männern und Frauen nicht versteht. Hier ist ein Zitat aus einem Wortwechsel zwischen ihm und einem seiner Kollegen:

34 Barry M. Dank, »The Ethics of Sexual Correctness and the Cass Case«, in: *Book Of Proceedings, Seventh Annual Conference On Applied Ethics* (1996), S. 110-115, hier: S. 112, ⟨www.csulb.edu/~asc/post9.html⟩, letzter Zugriff 28. 2. 2011.

»Glaubst du nicht«, sagt Swarts, »daß das akademische Leben, wie es nun einmal ist, gewisse Opfer verlangt? Daß wir uns zum Wohl des Ganzen gewisse Dinge versagen müssen?«

»Denkst du daran, den Austausch von Intimitäten zwischen den Generationen zu verbieten?«

»Nein, nicht unbedingt. Aber als Lehrer haben wir eine Machtposition. Vielleicht ein Verbot, Machtbeziehungen mit sexuellen Beziehungen zu vermischen. Was meinem Empfinden nach auf diesen Fall zutraf. Oder äußerste Vorsicht.«

Farodia Rassool schaltet sich ein. »[...] Ja, er sagt, daß er schuldig ist; aber wenn wir Genauigkeit im Detail wollen, läuft sein Geständnis plötzlich nicht mehr auf den Mißbrauch einer jungen Frau hinaus, sondern auf einen Drang, dem er nicht widerstehen konnte, und von dem Schmerz, den er verursacht hat, ist keine Rede, und auch nicht von der langen Geschichte der sexuellen Ausbeutung, in die das einzuordnen ist.«[35]

Diese Szene illustriert die semantische Verschiebung von einem »Drang, dem man nicht widerstehen kann«, zum politischen (und psychologischen) Begriff des »Mißbrauchs«, von einer Vorliebe für jüngere Menschen zum »Austausch von Intimitäten zwischen den Generationen«, von einem Verständnis von Männlichkeit als sozialer Autorität zu einer »Vermischung von Machtbeziehungen mit sexuellen Beziehungen« sowie von der Erfahrung »privater Lust« zu dem Verdacht, daß diese eine »lange Geschichte der sexuellen Ausbeutung« verdeckt. Das Individuum mit seinen Begierden wird zum Träger einer abstrakten Machtstruktur, die wiederum ein Einschreiten der Institution rechtfertigt. Zusammen mit der Sprache der Psychologie hat der Feminismus dazu beigetragen, Normen und Prozeduren durchzusetzen, die – institutionell und emotional – Fairneß, Gleichheit, emotionale Gerechtigkeit und Symmetrie sicherstellen sollen.

35 Coetzee, *Schande*, S. 70f.

Wenn der Arbeitsplatz die Gefühle übertrumpft

Die Regelwerke zur Verhinderung sexueller Belästigung zielten darauf, Frauen vor dem Mißbrauch institutioneller Macht durch Männer zu beschützen. Soziologisch gesehen hatte dies zur Folge, daß Fairneßregeln am Arbeitsplatz über die privaten Begierden von Individuen gestellt wurden. Die entsprechenden Richtlinien der Harvard Graduate School of Education (HGSE) etwa stellen fest:

Die HGSE bekennt sich zu dem Wert enger, fürsorglicher Beziehungen zwischen den Mitgliedern der HGSE-Gemeinschaft. Zugleich jedoch werden besondere Fragen aufgeworfen, wenn eine Person eine unmittelbare professionelle Verantwortung für eine andere trägt – wie sie ein Fakultätsmitglied oder ein/e Tutor/in für eine/n Studierende/n hat, den er oder sie unterrichtet oder betreut, eine Aufsichtsperson gegenüber der von ihr beaufsichtigten Person oder wie sie Verwaltungskräfte und Fakultätsangehörige füreinander haben können. In dieser Situation ist jede romantische Beziehung grundsätzlich asymmetrisch, weil sie eine Person einschließt, die aufgrund ihrer Rolle in der HGSE-Gemeinschaft gegenüber der anderen Person in einer offiziellen Machtposition ist. Eine solche Beziehung kann auch andere Mitglieder der Gemeinschaft betreffen, die davon ausgehen könnten, daß jemand in einer Machtposition für eine unfaire Beeinflussung anfällig ist, daß jemand unfaire Vorteile bekommt oder daß eine romantische Beziehung Dritte akademisch oder professionell benachteiligt. Solche Vermutungen können schädliche Folgen haben, selbst wenn sie nicht zutreffen.[36]

Der Fairneß gegenüber der allgemeinen Gemeinschaft der Arbeitnehmer wird ein unbedingter Vorrang vor individuellen Gefühlen eingeräumt, was impliziert, daß der Arbeitsplatz die Autonomie erotischer Beziehungen übertrumpft. Eindeutig rangiert hier der Arbeitsplatz vor privaten Gefühlen.

36 HGSE Student Handbook, S. 45, ⟨http://pdca.arts.tnua.edu.tw/reference/Harvard%A1Ghandbook.pdf⟩, letzter Zugriff 28. 2. 2011.

Prozeduralismus und neutrale Sprache

Um derartige Fairneßregeln einzuführen, mußte von einer neutralen Sprache Gebrauch gemacht werden, insofern man der Neutralität zutraute, die Sprache von ihren geschlechtlichen Voreingenommenheiten zu reinigen. Vor allem aber sollte sie die unausgesprochenen und unsichtbaren Annahmen, auf deren Grundlage Männer und Frauen traditionellerweise ihre Identitäten und Ambitionen entwickelten und reproduzierten, offenlegen und ihnen dadurch entgegenwirken. So halten etwa die Richtlinien der Universität von Pennsylvania zu sexueller Belästigung, die auf Männer und Frauen in unterschiedlichen Machtpositionen, aber auch auf Studierende in gleicher Machtposition gemünzt sind, fest:

ALLGEMEINE FRAGEN UND ANTWORTEN ZUM THEMA
SEXUELLE BELÄSTIGUNG

Kann ich einem/einer meiner Studierenden oder Mitarbeiter/innen Komplimente machen?
Ja, solange Ihre Komplimente frei von sexuellen Anspielungen sind. Komplimente wie »tolle Beine« oder »Sie sehen wirklich sexy aus, wenn Sie das anhaben« können dazu führen, daß sich Ihr/e Mitarbeiter/in oder Studierende/r unbehaglich oder bedroht fühlt. Selbst wenn sich die Person, der Sie ein Kompliment machen, durch dieses nicht belästigt fühlt, könnte dies bei anderen der Fall sein.
Wie sieht es mit der Frage nach einer Verabredung aus? Muß ich ein »Nein« als Antwort akzeptieren?
Sie möchten privat mit jemandem in Kontakt kommen, den Sie von der Arbeit oder aus dem Unterricht kennen und attraktiv finden. Daran ist nichts auszusetzen, solange sie sicherstellen, daß der Wunsch und die Anziehung beiderseitig sind. Wenn Sie abgewiesen werden, könnten Sie die betreffende Person fragen wollen, ob die Frage nach einer Verabredung zu einem anderen Zeitpunkt genehm wäre. Sie müssen sich jedoch darüber im klaren sein, daß manchen Menschen nicht wohl in der Haut ist, wenn sie auf diese Art von Frage ablehnend reagieren, weil sie befürchten, Sie zu verletzen oder irgendeine Form von Vergel-

tung heraufzubeschwören. Gebrauchen Sie Ihr Urteilsvermögen. Wenn die gefragte Person mehr als einmal nein sagt oder sich angesichts Ihrer Frage unwohl fühlt oder ausweichend reagiert, dann dürfen Sie keinen Druck ausüben. Akzeptieren Sie die Antwort und geben Sie es auf.[37]

Diese Instruktionen zielen auf eine emotionale Selbststeuerung, die ausschließen soll, daß einer anderen Person Unbehagen bereitet wird. Eine solche emotionale Selbststeuerung läuft folglich darauf hinaus, eine Komfortzone neutraler Interaktionsformen einzurichten, die sich durch eine emotional neutrale, asexuelle und geschlechtslose Sprache auszeichnet. Die »politisch korrekte« Sprache – ein nicht sehr glücklich gewählter Ausdruck – ist somit in erster Linie eine Technik der *Dekontextualisierung* (*dis-embedding technique*), das heißt ein sprachliches und prozedurales Hilfsmittel, das die unbewußten Regeln, denen die Geschlechterbeziehungen und Gefühle folgen, außer Kraft setzt, um sie durch kontextlose, allgemeine und prozedurale Interaktionsregeln zu ersetzen. Ein in den Vereinigten Staaten berühmt gewordenes Beispiel dafür, wie sich Beziehungen nunmehr nach Regeln der Einwilligung, Symmetrie und Gegenseitigkeit richten müssen, bieten die »Antioch-Regeln«. In dem gleichnamigen College brachte 1990 eine feministische Gruppierung die Verwaltung dazu, ein für alle Studierenden bindendes Regelwerk zur sexuellen Einvernehmlichkeit zu erlassen. Die Zeitschrift *Newsweek* faßte die Regeln mit einem gewissen Spott so zusammen:

Zweck der Richtlinie zu Sexualdelikten ist, diese Studentinnen zu ermächtigen, Partnerinnen auf Augenhöhe zu werden, wenn sie sich mit Männern zusammentun. Das Ziel ist hundertprozentig einvernehmlicher Sex, und es funktioniert so: Es reicht nicht, daß jemand eine Studentin fragt, ob sie gerne Sex mit ihm hätte, wie eine Vertreterin des Antioch-Frauenzentrums in diesem Herbst vor einer Gruppe Erstsemester sagte. Jeder einzelne Schritt bedarf der Zustimmung. »Wenn

37 ⟨http://www.upenn.edu/affirm-action/shisnot.html⟩, letzter Zugriff 28. 2. 2011.

Sie ihre Bluse ausziehen wollen, müssen Sie sie fragen. Wenn Sie ihre Brust berühren wollen, müssen Sie sie fragen. Wenn Sie Ihre Hand zu ihren Genitalien herunterwandern lassen wollen, müssen Sie sie fragen. Wenn Sie mit Ihrem Finger in sie hineinwollen, müssen Sie sie fragen.«[38]

Worüber sich der Artikel lustig macht, ist die Tatsache, daß diese Regeln darauf abzielen, prozedurale Gleichheit zwischen den Partnern herzustellen, und infolgedessen darauf hinauslaufen, erotische Begegnungen explizit durch einen *politischen Willensakt* zu arrangieren. Von einem erotischen Standpunkt aus gesehen, scheinen diese Regeln die unausgesprochene Ambivalenz und Spontaneität zu eliminieren, die erotische Transaktionen normalerweise begleiten. Doch ermöglichen es diese Regeln auch, auf neue Weise einen politischen Willen zu entwickeln und als solchen zu kennzeichnen, ganz ähnlich wie die Regeln, die sich im Laufe der Französischen Revolution herausbildeten und die die Bürger nutzten, um sichtbar einen neuen Gesellschaftsvertrag zu gestalten, zu erkennen zu geben und zu begründen.[39] Solche expliziten politischen Willensakte stehen im Gegensatz zu den traditionellen Kodes und Symbolen der Liebe, die, weil sie nicht ausdrücklich formuliert werden, spontaner und natürlicher erscheinen. Spontaneität ist in der Tat nichts weiter als ein Effekt sowohl der Kraft als auch der Unsichtbarkeit sozialer Skripte.

38 Sarah Crichton u.a., »Sexual Correctness: Has it Gone Too Far?«, in: *Newsweek,* 25. Oktober 1993, ⟨www.soc.umn.edu/~samaha/cases/sexual%20correctness.htm⟩, letzter Zugriff 28.2.2011.

39 Lynn Hunt, *Symbole der Macht, Macht der Symbole. Die Französische Revolution und der Entwurf einer politischen Kultur,* übers. von M. Bischoff, Frankfurt/M. 1989.

Neue Äquivalenzprinzipien

Eine so verstandene Intimität schließt neue Formen der Bewertung von Beziehungen und neue Äquivalenzprinzipien ein. Insbesondere bietet sie neue Prinzipien, mit denen Gefühle als bewertbare, meßbare und vergleichbare Beiträge neu konzeptualisiert werden können. Sie führt etwas ein, was die Soziologen Luc Boltanski und Laurent Thévenot als neue »Äquivalenzprinzipien« bezeichnet haben, also neue Weisen, eine Handlung nach einem Prinzip zu beurteilen, das Objekte implizit organisiert, indem es sie mit manchen anderen zusammengruppiert, von manchen anderen unterscheidet und ihnen einen Wert zuweist, das heißt, sie einstuft.[40] Fairneß war ein solches neues Äquivalenzprinzip für zusammenlebende Paare: Mit ihr wurde eine neue Maßeinheit eingeführt, anhand deren sich Beiträge und Empfindungen bewerten und vergleichen ließen. Dieses Äquivalenzprinzip drehte sich um zwei Bewertungsgegenstände. Der offensichtlichste, für dieses Äquivalenzprinzip leicht zugängliche Bereich ist jener der *praktischen Haushaltsarbeiten und Zuständigkeiten*. Das Prinzip der Fairneß fragt danach, ob die Arbeiten im Haushalt und bei der Kindererziehung, also Saubermachen, Einkaufen und so weiter gleich verteilt sind. So finden sich auf einer Website zum Thema »Sharing Housework« folgende Hinweise:

Doch ist es wichtig, die Gesamtbilanz im Auge zu behalten, wenn man entscheidet, wer für jede einzelne Aufgabe im Haushalt zuständig ist, und auch darauf zu achten, wie viele Stunden jeder Beteiligte außer Haus arbeitet, sich um die Kinder kümmert, Rechnungen bezahlt oder für die Familie einkauft. [...]
Wenn es ans Aufaddieren geht und daran, den Überblick zu behalten,

---

40 Luc Boltanski u. Laurent Thévenot, *Über die Rechtfertigung. Eine Soziologie der kritischen Urteilskraft* [1991], übers. von A. Pfeuffer, Hamburg 2007.

wer was macht, könnte manchen Paaren eine Checkliste oder Tabelle nutzen, sagt Dr. Joshua Coleman, Senior Fellow des »Council on Contemporary Families«.[41]

Unübersehbar bringt die Norm der Fairneß neue Weisen mit sich, die alltäglichen Handlungen eines Paares zu bewerten, zu messen und zu vergleichen.

Die eindrucksvollste Illustration der Einführung neuer Äquivalenzprinzipien findet sich gleichwohl in dem weitaus ungreifbareren Reich der Gefühle. Während sich Beiträge zum Haushalt mitunter in materielle und meßbare Bestandteile übersetzen lassen, scheinen Emotionen bei weitem nicht so leicht quantifizierbar. Doch auch sie sind trotz ihres kaum greifbaren Charakters zum Gegenstand von Äquivalenzprinzipien geworden. Häusliche und romantische Transaktionen werden um Äquivalenzprinzipien und kognitive Achsen wie »emotionale Verfügbarkeit«, »emotionale Expressivität« und »emotionale Investition« herum organisiert – also anhand solcher Fragen wie der, wer mehr Energie investiert, um die Beziehung am Leben zu halten, und ob die emotionalen Bedürfnisse beider Beteiligten adäquat zum Ausdruck gebracht und befriedigt werden. So rät die Verfasserin eines Buchs mit dem Titel *Lose that Loser and Find the Right Guy*: »Denken Sie daran: Der perfekte Mann sollte sich genauso sehr um Sie kümmern wie um sich selbst.«[42] Um zu vergleichen, wie sehr sich ein Mensch um sich selbst und wie sehr er sich um sein Gegenüber kümmert, ist zweifellos der Einsatz kognitiver Mittel erforderlich, mit denen man das Ausmaß des »Kümmerns« bewerten und messen kann. Ein weiteres Beispiel ist Laura, eine vor kurzem geschiedene 40jährige Frau mit zwei

---

41 ⟨http://www.revolutionhealth.com/healthy-living/relationships/love-marriage/couples-marriage/sharing-housework-equally⟩, letzter Zugriff 28. 2. 2011.

42 Jane Matthews, *Lose that Loser and Find the Right Guy*, Berkeley 2005, S. 21.

Kindern, die die Gründe für ihre Trennung wie folgt erläutert:

LAURA: Mein Mann ist in vielerlei Hinsicht der ideale Ehemann, verantwortungsbewußt, attraktiv, ein toller Vater, aber er war mir gegenüber nie so warmherzig, wie ich das wollte. Während all dieser Jahre habe ich mir gesagt, daß ich nicht versuchen sollte, meine und seine Wärme, meine und seine Liebe zu vergleichen, aber am Ende schaffte ich es nicht mehr. Ich hatte alles, und doch gab er mir so viel weniger, als ich wollte, und schließlich verließ ich ihn.

Die implizite Norm emotionaler Symmetrie zwang sie dazu, die Scheidung einzureichen.

Die Entmystifizierung der Liebe durch die politischen Ideale der Gleichheit und Fairneß sowie durch Wissenschaft und Technik hat Liebesbeziehungen in selbstreflexive Objekte der Prüfung und Kontrolle mittels formaler und berechenbarer Verfahren verwandelt. Die Forderungen, daß die Sprache neutral und von ihren geschlechtsperspektivischen Verzerrungen bereinigt sein soll, daß Liebesbeziehungen aus dem langen Schatten der Macht herausgeholt werden sollen, daß beiderseitiges Einvernehmen und Gegenseitigkeit im Mittelpunkt einer jeden Intimbeziehung stehen sollen, und schließlich die Überzeugung, daß unpersönliche Prozeduren ein solches Einvernehmen gewährleisten, haben zusammengenommen zur Folge gehabt, daß die erotische und romantische Liebeserfahrung zunehmend unter systematische Verhaltensregeln und abstrakte Kategorien subsumiert wurde. Giddens brachte diese Entwicklungen auf den wenig überzeugenden Begriff der »reinen Beziehung« – einer vertragsbasierten Beziehung, die man nach Belieben eingeht und beendet. Doch entging ihm dabei, daß die reine Beziehung eine Rationalisierung intimer Bindungen bedeutete und nicht weniger als die Natur des Begehrens transformierte.

Technologien der Wahl

Der dritte kulturelle Einfluß, der zur Rationalisierung der Liebe beitrug, ist in der Intensivierung von Technologien der Wahl zu sehen, wie sie mit dem Internet gegeben ist. Diese Technologien überlappen sich mit psychologischen Kenntnissen (einer nichtgegenständlichen Technologie der Wahl), auf die sie sich in hohem Maß stützen, sowie mit Formen der Partnerwahl, die vom Markt abgeleitet sind.[43] Daß die Wahl eines Partners zu einem wesentlich rationaleren Vorgang geworden ist, wurde oft übersehen, weil die auf Liebe beruhende Partnerwahl nach landläufiger Meinung einen Rückgang rationaler Kriterien in der Partnerwahl bedingt. Dagegen möchte ich kontraintuitiv argumentieren, daß Liebe und Rationalität moderne Beziehungen zusammenwirkend strukturieren und sowohl die Liebe *als auch* die Rationalität rationalisiert worden sind.

Um herauszuarbeiten, was an der modernen Partnerwahl rational ist, möchte ich zunächst die vormoderne Rationalität auf diesem Feld in den Blick nehmen. Ein vormoderner Akteur, der sich nach einem Partner umsah, folgte dabei bekanntlich rationalen Überlegungen: Er oder sie wog die Kriterien Höhe der Mitgift, persönlicher oder familiärer Vermögensstand und Leumund, Bildung und Familienpolitik ab (obgleich seit dem 18. Jahrhundert in vielen europäischen Ländern auch gefühlsbezogene Überlegungen zunehmend eine explizite Rolle spielten).[44] Was in den Diskussionen hierüber aber oft ausgespart bleibt, ist die Beobachtung, daß dies auch schon das ganze Ausmaß der Berechnung war. Angesichts ihrer begrenzten Optionen verlangten die

---

43 Eva Illouz, *Gefühle in Zeiten des Kapitalismus. Frankfurter Adorno-Vorlesungen 2004*, übers. von M. Hartmann, Frankfurt/M. 2006.
44 Lawrence Stone, *The Family, Sex and Marriage in England, 1500-1800*, New York 1977.

Akteure über allgemeine und elementare Erfordernisse des
Charakters und Aussehens hinaus nur sehr wenig von ihren
künftigen Partnern und beschieden sich zumeist mit der *ersten verfügbaren hinreichend guten* Heiratschance – einer
Rationalität folgend, die ich als *pragmatische Rationalität*
bezeichne.[45] In den Augen vormoderner Experten in Sachen
Heiratsvermittlung bedurfte die Wahl daher keiner großen
reflexiven Berechnung, weil die Menschen nur rudimentäre
Anforderungen an Gefühle, Bildungsstand und Lebensstil
stellten. Giovanni di Pagolo Morelli, ein Angehöriger der
Oberschicht im Italien der Renaissance, riet jungen Männern, sich nicht von ihrer Begierde überwältigen zu lassen,
sondern sich schlicht »ein Mädchen zu nehmen, das euch
gefällt«.[46] Eine pragmatische Einschätzung von Status, Leumund, Charakter und Aussehen des potentiellen Partners
war unerläßlich, wenngleich diese durch den begrenzten
Fundus an Kandidaten beziehungsweise Kandidatinnen
und die Sitten des jeweiligen Milieus abgemildert wurde.
Die Entscheidung basierte auf einer groben Einschätzung
der Person, nicht auf einem umfassenden Versuch, Informationen über den Geschmack, die Persönlichkeit und den
Lebensstil des potentiellen Partners einzuholen. Man hoffte,
daß die Betroffenen nach und nach eine grundsätzliche Zuneigung füreinander entwickeln würden. In einem anderen
italienischen Leitfaden schlägt Lodovico Dolce 1547 den
Vätern vor, in die »Schuhe ihrer Töchter« zu schlüpfen,
wenn sie nach möglichen Schwiegersöhnen Ausschau halten.[47] Ihm war klar, daß ein Vater unmöglich rational ermitteln konnte, welchen Typ Mann seine Tochter attraktiv und
gefühlsmäßig passend finden würde; statt dessen verlangte

45 Alan MacFarlane, *Marriage and Love in England. Modes of Reproduction, 1300-1840*, Oxford 1986, S. 160-166.
46 Zitiert nach Mary Rogers u. Paola Tinagli (Hg.), *Women in Italy,
1350–1650. Ideals and Realities. A Sourcebook*, Manchester u. New York
2005, S. 116 f.
47 Zitiert nach ebd., S. 118.

diese Entscheidung letztlich von ihm, sich auf sein »Bauch-gefühl« zu verlassen und pragmatisch zu entscheiden, was seine Tochter zu schätzen wissen würde.

Darüber hinaus stützten sich die grundlegenden Informationen, die man sammelte, zum Gutteil auf Hörensagen und den allgemeinen Eindruck, den andere hatten. Im späten 15. Jahrhundert schreibt eine Witwe nach Hause an ihren Sohn, um ihn über die Partie zu informieren, die sie für ihn zu arrangieren versucht: »Alle sagen dasselbe: Wer immer sie heiratet, wird sich glücklich schätzen, denn sie wird eine gute Frau abgeben. Was ihr Aussehen betrifft, sagt man mir das, was ich selbst gesehen habe. Sie hat eine gute, wohl-proportionierte Figur. [...] Als ich fragte, ob sie ein bißchen derb sei, sagte man mir, das sei sie nicht.«[48]

Aus moderner Perspektive überrascht, wie *wenige* Informationen diese vormodernen Subjekte einholten und zur Verfügung hatten, bevor sie sich für einen Partner entschieden.[49] Die Anforderungen ans Äußere waren oft minimal. »[S]olange er nicht wie Baronci del Certaldese aussieht,[50] sollte ihn seine Frau für attraktiv halten«, instruiert Dolce in seinem erwähnten Leitfaden für Brautväter.[51] Zwar spielte die Attraktivität eine Rolle bei der Partnerwahl, doch machte die noch kaum ausdifferenzierte kulturelle Kategorie des Sex-Appeal nur vage und, nach modernen Standards,

48 Zitiert nach ebd., S. 117 f.

49 Zweifellos gab es in der vormodernen Zeit zahlreiche Fälle lokaler Partien, bei denen sich die Beteiligten auf eine lange und gründliche Kenntnis der potentiellen Partner stützen konnten. Doch wie die zitierten Beispiele verdeutlichen, war die Informationssammlung in Fällen, die dem modernen Kennenlernen zuvor unbekannter potentieller Partner entsprechen, wesentlich weniger detailliert und ausgeklügelt, als es heute in Internet-Kontaktbörsen der Fall ist.

50 Die Mitglieder der Familie Baronci werden in Boccaccios *Dekameron*, VI, 6, als extrem häßlich beschrieben.

51 Zitiert nach Rogers u. Tinagli, *Women in Italy*, S. 118. Ähnliche Beispiele finden sich bei Stone, *The Family, Sex and Marriage in England*, S. 194 f.

minimale Vorgaben. Ebenso war der Charakter des potentiellen Partners zwar ein wichtiger Aspekt, doch blieb dieser Begriff allgemein und unterbestimmt und somit weit von jenen ausgefeilten psychologischen Anforderungen entfernt, wie sie die Menschen in der Moderne aneinander stellen.

Während viele Renaissance-Eltern bei der Partnerwahl für ihre Söhne und Töchter stark von sozialen, finanziellen und politischen Faktoren beeinflußt waren, suchten die vormodernen Akteure, wenn es um Charakterfragen ging, schlichtweg nach »guten« Schwiegersöhnen und -töchtern, ein ebenfalls recht ungenaues Attribut, das sich auf Grunderfordernisse von Charakter und Status bezog. Nachdem sie den finanziellen Stand und die gesellschaftliche Stellung potentieller Kandidaten erwogen hatten, suchten die englischen Aristokraten im 15. und 16. Jahrhundert nach einer allgemein »guten« Person zur Vermählung mit ihrem Sohn oder ihrer Tochter, nicht nach der »perfekten« Partie. In ihrer Studie über Frauen aus dem englischen Renaissanceadel gibt die Historikerin Barbara J. Harris zwei Beispiele:

[Sir William] Holles formulierte ausdrücklich seinen Wunsch, daß seine Enkelin »einen ehrlichen Mann von gutem Namen und Ruf« wie auch »von Vermögen« heiraten solle. [Sir Anthony] Denny verlieh seiner Hoffnung Ausdruck, daß seine Töchter seine Mündel heiraten würden, »die ich, als Erben meiner Freunde, aufgrund der guten Qualitäten und Tugenden ihrer Eltern [...] erhielt, um sie mit den meinigen ehelich zu verbinden«. Wie er hinzufügte, bestand sein vordringliches Anliegen darin, »daß meine Nachkommen und jene, die mit ihnen ehelich verbunden werden sollen, in rechter Weise die Liebe und die Furcht Gottes, Gehorsam gegenüber ihrem obersten Herrn Jesus und ihre Pflicht gegenüber ihrem Land beigebracht bekommen«.[52]

Frances und Joseph Gies zufolge riet die bäuerliche Klasse in England ihren Kindern in ähnlicher Weise, einen anständigen Partner zu finden, wenngleich die Aufgabe in manchen

---

52 Barbara J. Harris, *English Aristocratic Women, 1450-1550. Marriage and Family, Property and Careers*, Oxford u. New York 2002, S. 55.

Fällen auch einfach darin bestand, *irgend jemanden* zu finden. Ein Lehrgedicht aus dem 15. Jahrhundert mit dem Titel »›How the Good Wife Taught Her Daughter‹ [›Wie die gute Frau ihre Tochter unterwies‹] empfiehlt, daß, wenn auch nur ein Mann um ein Mädchen freit, dieses ›ihn nicht verschmähen soll, was auch immer er sei‹«.[53] Die Zielsetzung für Unverheiratete lautete also, mit ihrer Wahl zufrieden zu sein, statt den perfekten Partner zu finden. Die gefühlsmäßigen Erwartungen an die Ehe bestanden darin, übermäßiges Leid zu vermeiden und im Idealfall eine dauerhafte, wenn auch maßvolle Form der Zuneigung zu entwickeln.

Zusammengefaßt ging mit der vormodernen Rationalität wenig bis gar kein »Expertenwissen« einher (abgesehen vielleicht von dem über die Herstellung von Liebestränken). Sie bestand in einer groben Einschätzung von jemandes Vermögensverhältnissen, während die Menschen über allgemeine Eigenschaften einer angenehmen Persönlichkeit hinaus kaum über erwünschte Charakterzüge nachdachten. Die Suche war nicht systematisch, auch wenn sie außerhalb der unmittelbaren Nachbarschaft durchgeführt wurde, und es war auch keine individuelle Suche, sondern eine, auf die sich eine Gruppe oder Familie begab. Schließlich war das mit Heiratsstrategien verfolgte Eigeninteresse vor allem pekuniärer und weniger entschieden emotionaler Natur. Gefühle und Eigeninteressen waren deutlich unterschiedene Kategorien.

Der vormoderne Akteur auf Partnersuche nimmt sich wie ein ausgesprochen schlichtes Gemüt aus, wenn man ihn mit zeitgenössischen Akteuren vergleicht, die von der Adoleszenz bis ins Erwachsenenalter ein ausgefeiltes Bündel von Kriterien für die Partnerwahl und zusätzlich höchst raffinierte Mittel entwickeln, um ihre Ziele zu erreichen. Solche Kriterien beziehen sich nicht nur auf soziale und bildungsmäßige, sondern auch auf physische, sexuelle und – vielleicht vor

---

53 Frances Gies u. Joseph Gies, *Marriage and the Family in the Middle Ages*, New York 1989, S. 242 f.

allem – emotionale Eigenschaften. Es sollte klar sein, daß dies keine moralische Feststellung ist. Wie Lawrence Stone bemerkt, scheint sich zwischen Ende des 17. und Anfang des 18. Jahrhunderts in England eine neue »Amoral« oder sogar »Unmoral« im Bereich des Liebeswerbens und der Ehe ausgebreitet zu haben. »Eine Geschichte nach der andern, ob sie nun vom Eingehen oder vom Auseinandergehen einer Ehe handelt, enthält Belege für eine ungewöhnlich zynische, gewinnsüchtige und raubtierhafte Rücksichtslosigkeit gegenüber menschlichen Beziehungen, die für ein modernes Empfinden zutiefst anstößig ist.«[54] Meine These ist vielmehr, daß vormoderne Akteure sich keiner ausgeklügelten, hochgradig erkenntnisförmigen oder systematischen Techniken der Partnersuche bedienten, während das Zusammenspiel von Psychologie, Internet und der auf die Partnerwahl angewandten Logik des kapitalistischen Marktes eine kulturelle Persönlichkeit entstehen ließ, die ihre Vorlieben sowie ihr Urteils- und Auswahlvermögen erheblich vervielfacht und verfeinert hat. Insbesondere die Psychologie hat maßgeblich dazu beigetragen, Personen als Bündel psychologischer und emotionaler Merkmale zu definieren und Intimität als den gemeinsamen Austausch zweier Persönlichkeiten zu verstehen, deren Merkmale und Vorlieben feinjustiert aufeinander abgestimmt sein müssen. Eine hochgradig erkenntnisförmige, rationale Methode der Partnerwahl geht Hand in Hand mit der kulturellen Erwartung, daß die Liebe authentische, unvermittelte emotionale und sexuelle Erfahrungen bietet. Eine solche hyperkognitive Methode der Suche nach einem Partner ist besonders im Bereich des Online-Datings unübersehbar.[55]

54 Lawrence Stone, *Broken Lives. Separation and Divorce in England, 1660-1857*, Oxford u. New York 1993, S. 27 f.
55 Für Beispiele anderer rationaler Methoden der Partnersuche vgl. Aaron Ahuvia u. Mara Adelman, »Formal Intermediaries in the Marriage Market. A Typology and Review«, in: *Journal of Marriage and Family*, Jg. 54, Nr. 2 (1992), S. 452-463; Richard Bulcroft, Kris Bulcroft, Karen

Internetkontaktbörsen sind zu ausgesprochen populären und profitablen Unternehmen geworden.[56] Online-Dating ist der bedeutendste Trend in der modernen Partnersuche.[57] Internet-Partnersuchdienste verfolgen ein Ziel: die Suche nach einem Liebesabenteuer oder nach der wahren Liebe, die auf dem doppelten Ideal der körperlichen Anziehung und der gefühlsmäßigen Vereinbarkeit basiert, zu erleichtern. Die Suche nach einem Lebenspartner dreht sich nicht mehr darum, jemanden zu finden, der »einem gefällt«, sondern jemanden zu finden, der immense, hochgradig differenzierte Ansprüche erfüllt, was das Ergebnis einer nuancierten Dynamik gemeinsamer Vorlieben sein soll. So garantiert eine überaus populäre Kontaktbörse, »die Liebe mit Match.com Wirklichkeit werden zu lassen«.[58] Das Webangebot wirbt mit Erfolgsgeschichten wie »Er hat meine Welt auf den Kopf gestellt und total umgekrempelt«, »Wir sind endlich zusammen und wollen es für immer blei-

Bradley u. Carl Simson, »The Management and Production of Risk in Romantic Relationships. A Postmodern Paradox«, in: *Journal of Family History*, Jg. 25, Nr. 1 (2000), S. 63-92; Stanley Woll u. Peter Young, »Looking for Mr. or Ms. Right. Self-Presentation in Videodating«, in: *Journal of Marriage and Family*, Jg. 51, Nr. 2 (1989), S. 483-488.

56 Den Erhebungen der Firma comScore Networks zufolge war Yahoo! Personals im Dezember 2006 mit über 4,5 Millionen Besuchen die führende Internetkontaktbörse in den Vereinigten Staaten, während alle entsprechenden Angebote zusammen auf 20 Millionen Besuche von US-amerikanischen Internetnutzern pro Monat kamen. Mit monatlichen Kosten zwischen 10 und 50 US-Dollar (⟨www.onlinedatingtips.org⟩, letzter Zugriff 28. 2. 2011) ist das Online-Dating ein lukratives Geschäft. 2006 stand es mit Einnahmen von über einer Milliarde US-Dollar auf dem zweiten Platz der Online-Bezahlinhalte (vgl. Alexandra Wharton, »The Dating Game Assessed From ⟨www.revenuetoday.org⟩«, Mai/Juni 2006). Während das Marktwachstum nachzulassen scheint, prognostiziert die Firma Jupiter Research für das Jahr 2011 Einnahmen der US-Internetkontaktbörsen in Höhe von 932 Millionen US-Dollar (vgl. ⟨http://findarticles.com/p/articles/mi_moEIN/is_2007_Feb_12/ai_n17218532/⟩, letzter Zugriff 28. 2. 2011).

57 Die folgende Analyse basiert auf meinen Adorno-Vorlesungen, vgl. Illouz, *Gefühle in Zeiten des Kapitalismus*, Kap. 3.

58 ⟨www.match.com⟩, letzter Zugriff 28. 2. 2011.

ben« oder »Wir sind so lachhaft glücklich, daß Worte es nicht beschreiben können«. Yahoo! Personals neckt damit: »Rendezvous, Schmetterlinge im Bauch, Romantik ... gibt's alles hier.«[59] Und eHarmony ersucht Singles, »die Freuden wahrer Vereinbarkeit zu erfahren. Laß dir von eHarmony dabei helfen, dich noch heute auf die Reise zu deinem Seelenverwandten zu begeben«.[60] Wie ich jedoch in *Gefühle in Zeiten des Kapitalismus* dokumentiert habe, haben diese einschüchternden emotionalen Erwartungen in Wirklichkeit das Ausmaß der bei der Partnerwahl eingesetzten rationalen Methoden[61] durch eine Vielzahl kultureller Mechanismen gesteigert:

(1) *Intellektualisierung*. Das in einem Internet-Kontaktmarkt angelegte Profil des Nutzers verwandelt die Suche in eine Liste von Eigenschaften, die gewußt, durch Selbstbeobachtung herausgefunden und ausformuliert werden können und, wenn sie mit den passenden Eigenschaften einer anderen Person zusammengeführt werden, Vereinbarkeit ergeben – das psychologische Profil. »Intellektualisierung« ist ein zentraler Bestandteil der Rationalisierung und bezieht sich auf die Art und Weise, wie implizite Merkmale unserer Erfahrung zu Bewußtsein gebracht, benannt und reflexiven Schlußfolgerungen unterworfen werden.[62]

(2) *Rationale Steuerung des Stroms der Begegnungen*. Die Partnersuche im Internet umfaßt im Normalfall eine wesentlich größere Zahl von Interaktionen als die im echten Leben; diese hohe Zahl zwingt die Akteure dazu, Standardtechniken zu entwickeln, um den permanenten Strom an Interessierten leichter und effizienter zu bewältigen. Mit

59 ⟨http://personals.yahoo.com/us/static/dating-advice_romance-predictions-07⟩, letzter Zugriff 28. 2. 2011.

60 ⟨www.eHarmony.org⟩, letzter Zugriff 28. 2. 2011.

61 Eva Illouz: *Der Konsum der Romantik. Liebe und die kulturellen Widersprüche des Kapitalismus* [1997], übers. von A. Wirthenson, Frankfurt/M. 2003.

62 Weber, *Wissenschaft als Beruf*.

Neil Smelser gesprochen funktioniert der Computer als ein »Rationalisierungsmittel par excellence«.[63]

(3) *Visualisierung.* Eines der wichtigsten Elemente, das zur Rationalisierung der romantischen Bindung beitrug, besteht in dem Umstand, daß die Nutzer nunmehr das Feld potentieller Partner vor Augen haben, das heißt das Angebot verfügbarer möglicher Partner tatsächlich auf einen Blick sehen können. Während der Partnermarkt in der wirklichen Welt virtuell bleibt – also nur vorausgesetzt, latent und unsichtbar ist –, ist der Markt im Netz nicht virtuell, sondern real und wörtlich zu nehmen, eben weil die Internetnutzer den Fundus potentieller Partner *visualisieren* und diese vor einer Begegnung miteinander vergleichen können. Das Internet arrangiert die Auswahl wie auf einem Büffet und lädt zu einer Form von Wahl ein, die aus der ökonomischen Sphäre abgeleitet ist. Formen von Wissen, die eher auf Intuition oder Offenbarung beruhen, werden dadurch beeinträchtigt. Diese Rationalisierung beinhaltet den regelgeleiteten Vergleich und die Wahl zwischen alternativen Mitteln zu einem gegebenen Zweck. Ein solcher formaler Prozeß des Schließens erwägt die verschiedenen Vorgehensweisen, die wir verfolgen und denen wir uns methodisch widmen wollen, um unsere Ziele zu erreichen.[64]

(4) *Kommensurabilisierung.* In Verbindung mit der Ideologie der Psychologie und der des Marktes institutionalisiert das Internet einen Prozeß der *Kommensurabilisierung.* Wendy Espeland und Mitchell Stevens definieren diesen

---

63 Neil Smelser, »The Rational and the Ambivalent in the Social Sciences. 1997 Presidential Address«, in: *American Sociological Review*, Jg. 63, Nr. 1 (1998), S. 1-16, hier: S. 2.

64 Weber, *Wissenschaft als Beruf*, sowie ders., »Die protestantische Ethik«. Zur Weberschen Rationalität vgl. auch: Martin Albrow, *Max Weber's Construction of Social Theory*, London 1990; Wolfgang Schluchter, *Die Entwicklung des okzidentalen Rationalismus. Eine Analyse von Max Webers Gesellschaftsgeschichte*, Tübingen 1979; Sam Whimster u. Scott Lash (Hg.), *Max Weber, Rationality and Modernity*, London 1987.

wie folgt: »Kommensurabilisierung bedeutet, Zahlen zu verwenden, um Dinge ins Verhältnis zu setzen. Die Kommensurabilisierung verwandelt qualitative in quantitative Unterscheidungen, bei denen der Unterschied als eine Größe in einem gemeinsamen metrischen System ausgedrückt wird.«[65] Die kombinierten Auswirkungen der Psychologie, des Internets und des kapitalistischen Marktes haben den kulturellen Effekt, potentielle Partner nach Maßgabe neuer Techniken und kognitiver Bewertungshilfsmittel kommensurabel, meßbar und miteinander vergleichbar zu machen.

(5) *Konkurrenzdenken.* Der augenfälligste Effekt der Visualisierung des Angebots ist die Einführung neuer Formen des Klassifizierens, die in der Partnerwahl vor dem Internetzeitalter implizit geblieben waren. In der Zeit vor dem Internet beruhte die Suche nach einem Partner im wesentlichen auf dem, was der Kognitionspsychologe Gary Klein unter »Intuition« versteht, die einem sagt, »wie man Erfahrung in Handlung übersetzt [oder] die Menge an Ahnungen, Impulsen, Einsichten, Bauchgefühlen, Vorahnungen und Urteilen, die wir früheren Ereignissen in unserem Leben verdanken«.[66] Intuition ist eine nicht bewußte Form des Urteilens und Bewertens, die auf der gefühlsmäßigen Bedeutung beruht, welche Objekte für uns haben. Im Gegensatz dazu institutionalisiert die Partnersuche im Internet eine formale, bewußte und systematische Form von Rationalität, bei der Menschen andere einschätzen, indem sie sie als Bündel von Eigenschaften definieren, anhand verschiedener Skalen bewerten und mit anderen vergleichen. Das Internet führt zur Entwicklung einer Mentalität des Vergleichens, indem die Technologie Auswahlmöglichkeiten bereitstellt und

65 Wendy Espeland u. Mitchell Stevens, »Commensuration as a Social Process«, in: *Annual Review of Sociology*, Jg. 24 (1998), S. 313-343, hier: S. 316.

66 Gary Klein, *The Power of Intuition. How to Use Your Gut Feelings to Make Better Decisions at Work*, New York 2004, S. 293.

Hilfsmittel (wie Wertungslisten) anbietet, um die relativen Vorzüge jedes potentiellen Partners zu messen. Wenn potentielle Partner nach einem bestimmten Maß bewertet werden können, werden sie austauschbar und sind im Prinzip immer zu übertreffen. Damit wird es immer schwieriger, sich für eine Möglichkeit zu entscheiden, die »gut genug« ist.

(6) *Nutzenmaximierung.* Schließlich ermöglicht und fördert die Technologie sogar – im Einklang mit der Logik der Konsumkultur – eine zunehmende Präzisierung und Verfeinerung der Vorlieben. Wie es ein Ratgeber zum Online-Dating ausdrückt: »Je mehr Erfahrung man hat, um so verfeinerter sind die eigenen Vorlieben und um so weniger Leute wird man überhaupt in Betracht ziehen.«[67] Der pragmatische Rationalismus der vormodernen Partnerwahl ist einer allgegenwärtigen, berechnenden, marktgestützten und hochdifferenzierten Rationalität gewichen, die von dem Verlangen getrieben ist, den eigenen Nutzen zu maximieren und zu kultivieren. Bourdieus Bemerkung über den Geist der Wirtschaft dürfte den fraglichen Prozeß auf den Punkt bringen: »Der Geist der Berechnung [...] setzt sich nach und nach in allen Praxisfeldern gegen die Logik der häuslichen Ökonomie durch, die auf der Unterdrückung oder genauer, auf der Verweigerung der Berechnung beruhte.«[68] Internet-Kontaktbörsen weisen in der Tat die konsumorientierte Logik auf, daß die Nutzer ihre Geschmäcker immer stärker verengen, immer genauer definieren und immer weiter verfeinern und dabei ständig zwischen alternativen Möglichkeiten vergleichen.

Indem das Internet den Nutzern ermöglicht, eine gewaltige Zahl an Optionen zu prüfen, ermutigt es sie dazu, ihre Partnerauswahl in noch nie dagewesener Weise zu maximie-

---

67 Evan Katz, *I Can't Believe I'm Buying this Book. A Commonsense Guide to Internet Dating*, Berkeley 2004, S. 103.

68 Pierre Bourdieu, *The Social Structures of the Economy*, Cambridge 2005, S. 6.

ren – in völligem Gegensatz zu vormodernen Methoden der Partnersuche, bei denen man sich für die erste ausreichend gute Möglichkeit entschied, diese Entscheidung früher traf und aus einem kleineren Fundus an potentiellen Partnern auswählte. Die Ergebnismaximierung ist zu einem Selbstzweck geworden.[69] Viele befragte Personen erklären die verfügbare Auswahl für so groß, daß sie nur mit Leuten in Kontakt treten, die ihren verschiedenen Erwartungen – unter anderem an das Aussehen, das sexuelle Auftreten sowie die psychologische und emotionale Veranlagung – sehr genau entsprechen. Mehrheitlich geben die Befragten an, daß ihre Vorlieben sich im Zuge ihrer Suche änderten und daß sie danach strebten, »perfektere« Menschen zu finden als zu Beginn ihrer Suche.

Die Partnersuche im Internet, die sich auf die kulturellen Rezepte psychologischer Profile und der Konsumlogik stützt, zeigt deutlich, mit welchen elaborierten rationalen Strategien die Akteure ihre romantischen Wünsche zu erfüllen versuchen. Jeffrey Alexander befindet: »Das graduelle Eindringen des Computers in die Poren des modernen Lebens hat das vertieft, was Max Weber die Rationalisierung der Welt nannte.«[70] Wie keine andere Technologie hat das Internet die Vorstellung des Selbst als eines »Wählenden« sowie die Idee, daß die romantische Begegnung das Resultat der bestmöglichen Wahl sein sollte, radikalisiert. Mit anderen Worten: Die virtuelle Begegnung ist zu einer hochgradig erkenntnisförmigen geworden, zum Ergebnis einer rationa-

69 Beispiele für die Auswirkungen der Nutzenmaximierung auf Zufriedenheit und Motivation finden sich bei Barry Schwartz, *Anleitung zur Unzufriedenheit. Warum weniger glücklicher macht*, übers. von H. Kober, Berlin 2004; sowie Sheena S. Iyengar u. Mark R. Lepper, »When Choice is Demotivating. Can One Desire Too Much of a Good Thing?«, in: *Journal of Personality and Social Psychology*, Jg. 79, Nr. 6 (2000), S. 995-1006.

70 Jeffrey C. Alexander, *The Meanings of Social Life. A Cultural Sociology*, Oxford u. New York 2003, S. 179; vgl. auch Smelser, »The Rational and the Ambivalent«.

len Methode der Informationssammlung mit dem Ziel, einen Partner auszusuchen.

Das Internet hat sich zu einem Markt entwickelt, in dem man die mit Menschen verbundenen »Werte« vergleichen und sich für das »beste Angebot« entscheiden kann. Die mit den Menschen verbundenen Werte schließen ihre sozioökonomischen Errungenschaften und Bildungserfolge ebenso ein wie ihr Aussehen, ihre psychologische Veranlagung oder ihren bevorzugten Lebensstil. Das Netz versetzt jeden, der auf der Suche ist, in einen offenen Markt, in dem er sich in einem offenen Wettbewerb mit anderen befindet. Die Vorstellung, daß man seine romantische Situation verbessern kann und sollte und daß (potentielle oder aktuelle) Partner austauschbar sind, wird somit radikalisiert. Ein Beispiel: »In reinen Marketingbegriffen gesprochen, sind die Frauen beim Online-Dating mit einer überwältigenden Zahl von Kaufentscheidungen konfrontiert. Das ist das Gesetz von Angebot und Nachfrage.« Oder: »Online-Dating ist ein Zahlenspiel. [...] Sich diesen Frauen erfolgreich zu verkaufen heißt also, Wege zu finden, wie man sich von anderen Männern unterscheiden kann.«[71]

Das Eindringen von Marketingterminologie und -techniken in den Bereich zwischenmenschlicher Beziehungen kennzeichnet den Übergang zu *Technologien der Austauschbarkeit*, das heißt zu Technologien, die den Fundus an Auswahlmöglichkeiten vergrößern, den raschen Wechsel von einem Partner zum anderen ermöglichen und Kriterien dafür aufstellen, (potentielle) Partner miteinander und sich selbst mit anderen zu vergleichen. Solche Bewertungspraktiken stehen im Widerspruch zu einer Auffassung der Liebe, für die der andere mittels rationaler Methoden nicht erfaßt oder erkannt werden kann, einer Auffassung, die man sogar

---

71 Howard Brian Edgar, Jr., u. Howard Martin Edgar II, *The Ultimate Man's Guide to Internet Dating. The Premier Men's Resource for Finding, Attracting, Meeting and Dating Women Online*, Aliso Viejo 2003, S. 21 f.

für das Paradigma eines bestimmten Beziehungsmodells er-
achten könnte, das Derrida wie folgt definiert:

Die Struktur meiner Beziehung zum anderen ist die einer ›Beziehung
ohne Beziehung‹. Es ist eine Beziehung, in der der andere absolut tran-
szendent bleibt. Ich kann den anderen nicht erreichen. Ich kann den
anderen nicht von innen heraus kennen und so weiter. Das ist kein
Hindernis, sondern die Grundvoraussetzung der Liebe, der Freundschaft, auch des Krieges, eine Grundvoraussetzung des Verhältnisses
zum anderen.[72]

Eine solche Auffassung des geliebten anderen – als transzen-
dent und inkommensurabel – ist unter dem Ansturm der
Ideologie und der Technologien der Wahl zunehmend im
Schwinden begriffen.

Dies wiederum deutet darauf hin, daß die Liebe und die
Rationalität *gleichermaßen* rationalisiert wurden, in dem
Sinne, daß die vormodernen Akteure im Vergleich zu der
unsrigen nur über eine ziemlich rudimentäre Form von Rationalität verfügten, um ihre Liebes- und Heiratsentscheidungen zu treffen. Technologien der Wahl kennzeichnen
den Niedergang nichtrationaler, primär auf dem Körper be-
ruhender Methoden der Partnerwahl. Bei diesen Methoden
werden Gefühle aufgrund einer sehr geringen Wissens- oder
Informationsbasis über den anderen ins Spiel gebracht und
romantische Partner als einzigartige Wesen betrachtet, nicht
als Einheiten, die anhand hochgradig reflektierter Kriterien
meßbar und vergleichbar sind.

Eine Einschränkung ist hier freilich am Platz: Wenn wir
die Auswirkungen der Rationalisierung auf die romantischen Beziehungen beschreiben, dürfen wir die Notwendigkeit nicht außer acht lassen, zwischen ihren verschiedenen
Quellen zu unterscheiden. So ist etwa dem Feminismus und
der wissenschaftlichen Sprache das Ziel gemeinsam, Beziehungen zu kontrollieren, sie zum Gegenstand von Prozedu-

72 Jacques Derrida, *Deconstruction in a Nutshell. A Conversation
with Jacques Derrida*, hg. von John D. Caputo, New York 1997, S. 14.

ren und Regeln zu machen, sie unter abstrakte Prinzipien und Prozeduren zu subsumieren, die aus den Sphären des Rechts und der Wirtschaft stammen. Doch haben der Feminismus und die Rationalisierung der Liebe durch die kapitalistische Wissenschaft und Technologie wichtige und unterschiedliche Implikationen für die Politik der Empfindungen. Der Feminismus bringt Kontrolltechniken hervor, die es dem Selbst ermöglichen, Machtunterschiede in den Blick zu bekommen, um letztlich dialogisch gleiche Beziehungen zu schaffen. Die kapitalistische Rationalisierung hingegen reproduziert und rechtfertigt Ungleichheiten, indem sie Techniken hervorbringt, um andere in eine Rangordnung einzuteilen und die eigenen Bedürfnisse und Präferenzen zu verdinglichen (sie also in einem feststehenden Raster zu fixieren). Die feministische Praxis widersetzt sich jeder Instrumentalisierung von Körpern und Personen; eine Praxis der Wahl hingegen, die im Lexikon und der emotionalen Grammatik des Marktes gründet, widersetzt sich der Instrumentalisierung nicht, ja, sie fördert sie sogar. Was jedoch vom normativen Standpunkt unterschieden werden *muß*, läßt sich als kulturelle Praxis nicht immer unterscheiden, weil die wissenschaftliche Sprache, der Feminismus und die Internettechnologie allesamt dazu beitragen, die erotische Bindung durch die formalen Regeln wissenschaftlicher Wissenssysteme, der Technologie und des vertraglichen Proleduralismus aus ihrem Kontext zu reißen. Ich werde im folgenden zu zeigen versuchen, daß dieser dreifache Rationalisierungsprozeß das Wesen des romantischen Begehrens und des romantischen Glaubens tiefgreifend verändert hat.

Eros, Ironie

Auf den ersten Blick scheint diese Analyse direkt in die Argumentation Cristina Nehrings zu münden, die den Verlust der Leidenschaft beklagt und auf die neuen Forderungen nach Gleichheit zurückführt. Wie viele andere Beobachter auch diagnostiziert Nehring zu Recht eine Veränderung der Gefühlstemperatur moderner Liebender und schreibt sie den neuen Normen der Gleichheit und Gleichförmigkeit zu. Sie schreibt: »Die vielleicht schwierigste Situation in der romantischen Liebe ist die, die wir so offiziell und so lautstark anstreben: Gleichheit.«[73] Obwohl sich die obige Analyse mit Nehrings Diagnose zu decken scheint, weicht sie in mindestens zweierlei Hinsicht von ihr ab. Die erste ist, daß die Geschichte nicht nur Beispiele wie Emily Dickinsons berühmte Anrede an einen mysteriösen, von ihr als »Meister« bezeichneten Geliebten kennt. Sie kennt genausogut die elektrisierenden Beispiele von Elizabeth Barrett und Robert Browning, Diderot und Sophie Volland, Harriet Taylor und John Stuart Mill, Sartre und de Beauvoir, für die Partnerschaft und Gleichheit mächtige Wirkungsverstärker der chemischen Formel ihrer Liebe waren. In Wirklichkeit ist Ungleichheit wahrscheinlich vielfach zersetzender für die Liebe als Gleichheit. Zu behaupten, Gleichheit sei erotikfeindlich, heißt schlichtweg zu ignorieren, auf wie vielfältige Weise Ungleichheit mit Erniedrigung, Scham und Gemeinheit einhergeht, Zuständen mithin, die schwerlich erotisierend sind. Der Hauptgrund für meine Meinungsverschiedenheit mit Nehring ist aber, daß sie den Aspekt der Gleichheit mit dem grundsätzlicheren Prozeß der Rationalisierung der Liebe verwechselt, also dem Umstand, daß das Liebesleben durch eine Vielzahl von Dekontextualisierungsmechanismen wie wissenschaftlichem Wissen, Technologien der Wahl und prozeduralen Regeln zur Gewährleistung von Symmetrie, Wechselseitigkeit und Einvernehmen reguliert wurde. Es ist nicht die Gleichheit als solche, die die romantischen Beziehungen hat erkalten lassen, sondern der Um-

---

73 Cristina Nehring, *A Vindication of Love. Reclaiming Romance for the Twenty-First Century*, New York 2009, S. 79.

stand, daß Prozeduralismus, wissenschaftliche Reflexivität, Kontraktualismus und Konsumrationalität die Wege verstellt haben, auf denen heterosexuelle Beziehungen traditionellerweise erotisiert wurden. Die Rationalisierung steht im Widerspruch zu den Bedeutungsordnungen, mit deren Hilfe Männer und Frauen historisch ihre sexuelle Begierde erfahren und ausgedrückt haben. Diese Bedeutungsordnungen will ich im nächsten Schritt beleuchten. Weil die sexuelle Begierde historisch durch die Ungleichheit von Männern und Frauen kodifiziert wurde, befinden wir uns zu Beginn des 21. Jahrhunderts in einer Situation, in der die traditionellen Rituale der sexuellen Interaktion und die Dynamik des sexuellen Begehrens zum Erliegen gebracht worden sind. Im folgenden analysiere ich diese traditionelle Dynamik des erotischen Begehrens.

Erotik als dichte Differenz

Warum »fühlen« sich stark geschlechtsspezifische romantische Praktiken – etwa, ›der Dame die Tür aufzuhalten‹, seine Liebe im Knien zu erklären, ausladende Blumensträuße zu verschenken – erotischer an als die Frage um die Erlaubnis, die Brüste einer Frau berühren zu dürfen? Der Grund ist, daß stark geschlechtlich kodifizierte Praktiken mehrere Dinge auf einmal leisten: Sie ästhetisieren die Macht, die Männer über Frauen haben; sie subsumieren Vorherrschaft unter Gefühl und Ehrerbietung, das heißt, sie verschleiern die Macht und verwandeln sie in eine implizite; sie ermöglichen eine Ritualisierung der zwischengeschlechtlichen Beziehungen, das heißt, sie organisieren sie in klaren Bedeutungsmustern; und sie ermöglichen es, mit Bedeutungen zu spielen, insofern die Ehrerbietung (das Aufhalten der Tür zum Beispiel) nur als falsche erotisch verlockend sein kann, wenn sie nämlich von der mächtigen Seite gespielt wird (von der Ehrerbietung des Sklaven geht kein erotischer Reiz aus, von der des mächtigen Mannes hingegen schon). Feministische Praktiken enterotisieren die so verstandenen Geschlechterbeziehungen, weil sie vorrangig darauf zielen, die Macht explizit zu machen und somit jenes Gewebe impliziter Bedeutungen aufzudröseln, in dem sich die Macht verbirgt und erotisiert. Louis Dumont, einer der feinsinnigsten Analytiker der Moderne, verdeutlicht diese Dynamik, indem er die These einer wesentlichen Affinität zwischen Macht und dichten oder ästhetisierten Bedeutungen aufstellt. Wie er schreibt, »ist der Schlüssel zu unseren Werten leicht zu finden. Unsere beiden Hauptideale heißen Gleichheit und Freiheit«.[74] Und diese Werte, behauptet Dumont, lassen unsere Wahrnehmung sozialer Beziehungen verflachen: »Der erste Wesenszug, der hervorgehoben werden muß, ist der, daß die Idee von der Gleichheit der Menschen auch die Idee von ihrer Ähnlichkeit nach sich zieht. [...] Wenn die Gleichheit aber als von der menschlichen Natur gegeben angesehen wird und nur von einer schlechten Gesellschaft abgelehnt wird, dann sind alle Menschen einander ähnlich, ja sogar identisch und gleich [...].« Mit Bezug auf Tocqueville fügt er hinzu: »Dort, wo – anders als in der egalitären Gesellschaft – Ungleichheit herrscht, gibt es ebenso viele unterschiedliche ›Menschheiten‹ wie soziale Kategorien.«[75] Dumont verteidigt jene Art dichter Differenzen, die etwa zwischen verschiedenen sozialen und kulturellen Gruppen in Indien ausgetragen werden. Für ihn sind die rechte und die linke Hand nicht einfach polare und symmetrische Gegenstücke, sondern an sich verschieden, weil sie ein unterschiedliches Verhältnis zum Körper haben. Was Dumont also nahelegt, ist, daß Gleichheit einen Verlust an qualitativen Unterschieden mit sich bringt.

74 Louis M. Dumont, *Gesellschaft in Indien. Die Soziologie des Kastenwesens* [1966], übers. von M. Venjakob, Wien 1976, S. 20.
75 Ebd., S. 31.

In seinem Gleichnis von der rechten und der linken Hand
sind beide Hände notwendig für den Körper, jedoch radikal
voneinander verschieden. Der nichtmodernen, nichtegalitä-
ren Auffassung zufolge wurzelt der Wert jeder Hand – der
rechten wie der linken – in ihrem Verhältnis zum Körper,
das einen höheren Status hat als die einzelne Hand. »Diese
Beseitigung der Unterordnung oder, um die Dinge beim Namen zu nennen, der Transzendenz, setzt an die Stelle einer
Tiefen- eine Oberflächen-Anschauung, und darin liegt auch
die Wurzel jener ›Atomisierung‹ und Zersplitterung, über
welche die romantischen oder nostalgischen Kritiker der
Moderne so oft geklagt haben. Allgemein gesehen hat die
moderne Ideologie, die ein hierarchisches Universum erbte,
es in eine Ansammlung flacher Vorstellungen dieser Art
aufgelöst.«[76] In der Bedeutungsordnung, auf die Dumont
verweist, wird Transzendenz durch die Fähigkeit gestiftet,
in einem gegliederten und hierarchisierten moralischen und
sozialen Universum zu leben. Die Erotik – wie sie in der
westlichen patriarchalischen Kultur entwickelt wurde –
gründet in einer vergleichbaren »rechte Hand/linke Hand«-
Dichotomie zwischen Männern und Frauen, die beide radikal verschieden voneinander sind und beide ihre dichten
Identitäten in Szene setzen. Diese dichte Differenz ist es, die
traditionell die Beziehungen zwischen Männern und Frauen
erotisiert hat, mindestens seit diese Identitäten stark essentialisiert wurden. Darüber hinaus könnte man spekulieren,
daß Macht Bedeutungsreichtum schafft, weil Macht fast
immer verschleiert werden muß. Deshalb muß sie komplexe
Bedeutungen schaffen, die die von ihr erzeugte Gewalt zugleich zur Geltung bringen und aussparen. Ein solches Aussparen ist die Folge der Ästhetisierung machtdurchsetzter
Verhältnisse wie im Fall des maskulinen Kodes der »Galanterie« und des traditionellen Liebeswerbens.

76 Louis Dumont, *Individualismus. Zur Ideologie der Moderne* [1983],
übers. von U. Pfau u. A. Russer, Frankfurt/M. u. New York 1991, S. 266.

Erotik als Unterbrechung

Roland Barthes bietet eine weitere interessante Definition des Erotischen:

Ist die erotischste Stelle eines Körpers nicht da, *wo die Kleidung auseinanderklafft?* Bei der Perversion (die das Spezifische der Textlust ist) gibt es keine »erogenen Zonen« [...]; die Unterbrechung ist erotisch, wie die Psychoanalyse richtig gesagt hat: die Haut, die zwischen zwei Kleidungsstücken glänzt (der Hose und der Bluse), zwischen zwei Säumen (das halboffene Hemd, der Handschuh und der Ärmel); das Glänzen selbst verführt, oder besser noch: die Inszenierung eines Auf- und Abblendens.[77]

Die Dynamik des Erotischen ist eine der Enthüllung und Verhüllung, weil ein solches Hin und Her, wie man vermuten darf, den Wechsel zwischen (erotischer) Entbehrung und Erfüllung einübt und durchspielt. Sowohl die sexuelle Befreiung als auch »politische korrekte« Körper- und Bekleidungspraktiken tendieren hingegen dazu, diese Dynamik zu unterlaufen, da sie die Oberfläche der Körper »flach«, nämlich eine der anderen gleich erscheinen lassen, sei es, indem sie sie ausstellen (die Politik der sexuellen Befreiung, etwa beim Urlaub in einem Nudistencamp), sei es, indem sie sie verhüllen (den Körper auszustellen wird zu einer politisch illegitimen Zurschaustellung verdinglichter Sexualität). Auch verweist die auseinanderklaffende Kleidung auf eine Unsicherheit bezüglich der Grenzen – was erotisch ist und wann und wo eine solche Erotik erlaubt ist oder nicht. Die Unterbrechung erzeugt eine Art semiotischer Unschärfe und Doppeldeutigkeit. Auch hier wieder eliminieren die Prozeduren einer politisch korrekten Sprache und Kleiderordnung die Ambivalenz. Sie zielen darauf ab, die Sprache und den Körper unzweideutig zu machen, indem sie Bereiche

77 Roland Barthes, *Die Lust am Text* [1973], übers. von T. König, Frankfurt/M. 1982, S. 16f.

erlaubten und unerlaubten Kontakts klar definieren. Kurz gesagt: Unsere neuen Regeln neigen dazu, Doppeldeutigkeiten zu beseitigen.

Versunkenheit und Selbstaufgabe

In einer höchst interessanten Analyse schlägt der Philosoph Richard Shusterman vor, daß es sich bei der erotischen Erfahrung eigentlich um eine Form der ästhetischen Erfahrung handelt. Gegen die Kantische Ästhetik der Interesselosigkeit und Distanziertheit vertritt Shusterman, erotische Erlebnisse seien ästhetisch gerade in der tiefen Versunkenheit, die sie erfordern und auslösen.

Sex kann sowohl als im aristotelischen Sinn erfüllende, absorbierende und von Ablenkungen freie Aktivität genossen werden als auch in Form der damit verbundenen angenehmen Empfindungen. Sex ist eine machtvolle Demonstration der phänomenologischen Spannbreite, die es möglich macht, zugleich die eigene Subjektivität genießen zu können und intentional auf ein Objekt (das meistens ein anderes menschliches Subjekt ist) gerichtet zu sein, das die Erfahrung strukturiert, ihre Qualität gestaltet und ihr wichtige Bedeutungsdimensionen verleiht [...]. Der Sexualakt stellt eine kognitive Erfahrung dar, die Wissen vom eigenen Körper und Geist und auch von Körper und Geist der Sexualpartner vermittelt. Ganzheit ist sowohl als Kohärenz als auch als Vollständigkeit Teil dieser Erfahrung, die als Entwicklung hin auf eine befriedigende Erfüllung erlebt wird. Die sexuelle Erfahrung ragt zudem deutlich aus dem Fluss der normalen Alltagserfahrung heraus, sie schließt ein weites Spektrum von Affekten ein, deren Intensität zum Teil unübertroffen ist, und weist sowohl das Moment des aktiven selbstermächtigenden Begreifens als auch das Moment der Selbsthingabe und des Versinkens auf.[78]

---

78 Richard Shusterman, »Auf der Suche nach der ästhetischen Erfahrung. Von der Analyse zum Eros«, übers. von R. Celikates u. E. Engels, in: *Deutsche Zeitschrift für Philosophie*, Jg. 54, Nr. 1 (2006), S. 3-20, hier: S. 16 f.

Die sexuelle/erotische Erfahrung steht im Gegensatz zum
analytischen, rationalen Denken, das die Erfahrung frag-
mentiert, aufgliedert und ihren Fluß und ihre Unmittelbar-
keit unterbricht. In der erotischen Erfahrung ist das Selbst
vollständig versunken. In Anlehnung an Weber formuliert
Shusterman einen Gegensatz »zwischen dem selbstbe-
herrschten, rational kontrollierten Genuss der Form und
der leidenschaftlicheren Freude an einer Erfahrung, die das
Subjekt überwältigt«.[79] Shusterman würde sich wohl entschieden Webers Darstellung anschließen:

In der Unbegründbarkeit und Unausschöpfbarkeit des eigenen, durch
kein Mittel kommunikablen, *darin* dem mystischen »Haben« gleich-
artigen Erlebnisses, und nicht nur vermöge der Intensität seines Er-
lebens, sondern der unmittelbar besessenen Realität nach, weiß sich
der Liebende in den jedem rationalen Bemühen ewig unzugänglichen
Kern des wahrhaft Lebendigen eingepflanzt, den kalten Skeletthänden
rationaler Ordnungen ebenso völlig entronnen wie der Stumpfheit des
Alltags.[80]

Die Erotik umfaßt das Ganze der Erfahrung und kann daher nicht auf Kategorien des Wissens reduziert werden. Das
heißt auch, daß Erklärungsweisen, die aus der Sphäre des
Erotischen hervorgehen, zwangsläufig nichtrational sind.
»Keine volle erotische Gemeinschaft wird sich selbst anders als durch geheimnisvolle *Bestimmung* für einander:
Schicksal in diesem höchsten Sinn des Wortes, gestiftet
[...] wissen.«[81] Schicksal kann die einzige Möglichkeit sein,
Liebe zu erklären, weil es Gefühlen Rechnung trägt, ohne
sie zu erklären. Es macht diese Gefühle unausweichlich. Die
Erotik kann mithin keinen Faktor zulassen, der ihrer Erfah-
rung äußerlich wäre. Die Erotik ist eine bestimmte Sinnord-

79 Ebd., S. 13.
80 Max Weber, »Die Wirtschaftsethik der Weltreligionen«, Abschnitt
»Zwischenbetrachtung« [1915], in: ders.: *Gesammelte Aufsätze zur Religionssoziologie I*, Stuttgart ⁹1988, S. 536-573, hier: S. 560f.
81 Ebd., S. 562.

nung, in der das Konkrete, Besondere, in der ganzheitliches Urteilen und die Irreduzibilität der Erfahrung dominieren. Rationalisierte Bedeutungen wirken der erotischen Erfahrung entgegen, weil sie sie intellektualisieren und Distanz zwischen der Erfahrung und dem ihr vorausgehenden Wissen schaffen. Somit laufen sie einer tiefen Versunkenheit zuwider.

Erotik als Verschwendung

Versucht man das moderne Verständnis der Liebe zu charakterisieren, dann springt einem ins Auge, daß die romantische Liebe, weil sie institutionell außerhalb der Ehe stattfand, traditionellerweise für Werte stand, die jenen der Institution der Ehe (wie Eigeninteresse und Fortsetzung der Familie) entgegengesetzt waren. Die Ehe mochte wohl durch Familienbündnisse und wirtschaftliche Interessen veranlaßt sein, die Liebe als solche jedoch galt als eine ihren Zweck in sich tragende, auf ihre eigene Vollendung zielende Erfahrung und bedrohte als solche die wirtschaftliche und gesellschaftliche Ordnung. George Batailles Ansichten zu Nutzen und Nützlichkeit bieten in diesem Zusammenhang einen höchst interessanten Anknüpfungspunkt. Bataille stellt die folgende Hypothese auf, um eine große Zahl scheinbar unzusammenhängender ökonomischer, sexueller und ästhetischer Phänomene zu analysieren: Produktivität, Selbsterhaltung und Eigeninteresse sind für die Gesellschaftsordnung nicht grundlegend. Bataille hält im Gegenteil unproduktive Verschwendung sowie selbstzerstörerisches und nichtnutzenorientiertes Verhalten für grundlegender. Kriege, Rituale, Luxus, Spiele, schwelgerische Momente sind allesamt Beispiele für das, was er *depense* nennt, ein Wort mit der doppelten Bedeutung von »ausgeben« und »verschwenden«. Tatsächlich ist es die Verschwendung, die diesen Aktivitäten

Bedeutung verleiht, und ist es das Opfer, das Heiligkeit erzeugt.[82]

Die Erotik gehört zu jener Sphäre nichtnutzenorientierten Verhaltens, in der das Selbst sich nicht nur aufgibt, sondern das Risiko eingeht, sich zu verschwenden, verletzt zu werden. Im Gegensatz dazu ist den Diskursen der Therapie und des Feminismus der Versuch gemeinsam, die Psyche, insbesondere die von Frauen, als etwas Nützliches zu erweisen und Verschwendung zu vermeiden, wenn wir darunter Formen von Anhänglichkeit verstehen, die dem Projekt eines gesunden, autonomen und sich selbst verwirklichenden Selbst nicht dienlich sind. Der von Philip Rieff so bezeichnete »psychologische Mensch«, der sorgfältig über »seine Befriedigungen und Enttäuschungen« Buch führt und dem »unprofitable Bindungen unbedingt zu vermeidende Sünden« sind,[83] ist somit der Mann (oder die Frau), der (oder die) selbstaufopfernde Formen von Liebe vermeidet. Solche selbstaufopfernden Formen von Liebe sind aber Teil erotischer und romantischer Erfahrungen, die ohne Selbstaufgabe nicht zu haben sind. Um mit Jean-Luc Marion zu sprechen:

Das Hindernis, das an der Öffnung des Felds der Liebe Anstoß nimmt – das erotische Hindernis, das weder epistemologisch noch ontisch ist – besteht in der Gegenseitigkeit selbst; und die Gegenseitigkeit erwirbt diese Macht, Hindernis zu sein, nur, weil man ohne Beweis oder Argument voraussetzt, daß sie allein die Möglichkeitsbedingung für das bildet, was das Ich unter einer »glücklichen Liebe« versteht.[84]

---

82 Georges Bataille, *Die Erotik* [1957], übers. von G. Bergfleth, Berlin 1994; ders., *Die Aufhebung der Ökonomie* [1967], übers. von T. König, H. Abosch u. G. Bergfleth, Berlin ²1985.

83 Philip Rieff, *The Triumph of the Therapeutic. Uses of Faith After Freud* [1966], Chicago 1987; zitiert nach Warren I. Susman, *Culture as History. The Transformation of American Society in the Twentieth Century*, New York 1984, S. 278.

84 Jean-Luc Marion, *Le phénomène érotique. Six méditations*, Paris 2003, S. 114f.

Wie Marion hinzufügt, ist Gegenseitigkeit jedoch eine unmögliche Zielsetzung, weil sie einen aus dem Reich der Liebe heraus- und in das – mit der Liebe unvereinbare – Reich des Kommerzes hineinführe. Ein solches Verständnis der Liebe wie das Marionsche hat zunehmend an Legitimität eingebüßt, weil Selbstaufgabe und Selbstaufopferung – Verschwendung – einseitig zu sein und obendrein als ideologischer Zierrat zu dienen scheinen, mit dessen Hilfe Frauen ein emotionaler Mehrwert abgewonnen werden kann.

Semiotische Sicherheit

Dichte Identitäten und ritualisierte Verhaltensformen schaffen semiotische Sicherheit, was paradoxerweise die Voraussetzung dafür ist, mehrdeutige Bedeutungen lustvollen Charakters zu kreieren. Das heißt: Machtverhältnisse sind in der Regel in stabile und klare Bedeutungsrahmen eingefügt, weil Machtstrukturen dazu neigen, Bedeutungen zu reproduzieren, zu verfestigen und erstarren zu lassen. Mehrdeutigkeit kann entstehen, wenn man mit festen Bedeutungen spielt und sie verdreht. So ist etwa ein androgyner Mann (oder eine androgyne Frau) androgyn (und als solche/r attraktiv), weil die Signifikanten für Männlichkeit und Weiblichkeit ansonsten klar und stabil sind. Androgynität ließe sich kulturell nicht kodifizieren, wenn sie nicht mit den wohlbekannten Signifikanten von Männlichkeit und Weiblichkeit spielen könnte. Wären das Maskuline und das Feminine semiotisch unsichere Größen, könnte semiotisch keine Androgynität hervorgebracht werden. Es ist also semiotische Sicherheit, die Mehrdeutigkeit hervorzubringen vermag, das Gefühl von Spiel und Lust. Demgegenüber führt die Reinigung romantischer Beziehungen von Machtverhältnissen semiotisch dazu, daß die Geschlechterzeichen weniger ausgeprägt werden, was ihr Vermögen zur Erzeugung von

Mehrdeutigkeit schwächt – die viele aber für einen unverzichtbaren Bestandteil von Verführung halten. So klagt etwa Catherine Townsend über den Mangel an Leidenschaft, den der neue »sensible Mann« an den Tag legt:

Das Klima sexueller Verwirrung war allgegenwärtig. Talkshowmoderatoren ermutigten uns dazu, jedes Gefühl zu diskutieren, während einige Universitäten in den Vereinigten Staaten dazu übergingen, Richtlinien zu erlassen, die einen mündlichen Vertrag vor jeder »neuen Ebene des körperlichen und/oder sexuellen Kontakts« verlangten.

Ich weiß, daß man die besten Absichten mit diesen Regeln verband, und bin absolut dafür, daß Frauen beschützt werden. Die Jungs versuchten halt, zu kommunizieren. Aber »kann ich deine Brust anfassen?« zündet einfach nicht als Vorspiel.

Beim sensiblen Mann weiß ich einfach nicht, ob er möchte, daß ich auf ihm sitze oder neben ihm in einem Starbucks-Cafe, um die Lage des Universums zu diskutieren. Wenn ich etwas über Gefühle hören will, kann ich eine Freundin anrufen. In einer ganz frischen Affäre will ich heißen Sex und keinen heißen Tee!

Respekt ist eine feine Sache, aber wenn es Richtung Schlafzimmer geht, ist egalitär und erotisch nicht unbedingt dasselbe. Ich bezweifle, daß Marlon Brando an politische Korrektheit dachte, als er im *Letzten Tango in Paris* zur Butter griff.

Frühere Generationen von Männern betrachteten Sex als eine Eroberung – derb, obszön, witzig und schmutzig.

Roiphe schreibt, daß die junge Garde von Romanciers sich in »gewundenen postfeministischen Mutmaßungen« ergeht, statt über »Eroberungen oder den Vollzug« zu schreiben.

Um keine Mißverständnisse aufkommen zu lassen: Ich achte mich selbst, und ich will einen Mann, der sensibel für meine Bedürfnisse, Gedanken und Gefühle ist.[85]

Unbeabsichtigt liefert Townsend hier eine Erwiderung auf Nehring und legt nahe, daß Gleichheit die Erotik sowohl um stark kodifizierte Geschlechteridentitäten als auch um

85 Catherine Townsend, »Why Some Men's ›Hot‹ Sex Scenes Leave Me Cold«, in: *The Independent*, 7. Januar 2010, ⟨http://catherinetownsend. independentminds.livejournal.com/17943.html⟩, letzter Zugriff 28. 2. 2011.

deren Verspieltheit bringt. Sie beklagt den Mangel an Verspieltheit und Mehrdeutigkeit, der unverbrüchlich zur kulturellen Praxis der »Verführung« gehört – einer halbbewußten Praxis, mit seinem Körper und seiner Sprache zu spielen, um das Begehren eines anderen anzustacheln. In seiner Charakterisierung des perfekten Verführers verweist Robert Greene darauf, wie wichtig es ist, die romantische Interaktion unvollständig zu lassen. Dazu gehört, die Mehrdeutigkeit zu steigern, widersprüchliche Signale auszusenden, die Kunst der Anspielung zu beherrschen, Wunsch und Realität durcheinanderzubringen, Lust und Schmerz zu vermengen, Begehren und Verwirrung auszulösen, das sexuelle Element zurückzunehmen, ohne es ganz zum Verschwinden zu bringen, sich jedem Standard zu verweigern, die Befriedigung aufschieben zu können und keine völlige Befriedigung zu gewähren.[86]

Mehrdeutigkeit ist im wesentlichen eine Methode, um die Absichten eines Sprechers im unklaren zu lassen. Mehrdeutigkeit in diesem Sinne ermöglicht Freiheit, denn sie ermöglicht es, daß etwas gesagt wird, ohne gemeint zu werden, ermöglicht es, eine Identität zu haben, während man in eine andere hineinschlüpft. Wie Bartsch und Bartscherer schreiben (wobei sie »Ambivalenz« für »Mehrdeutigkeit« gebrauchen): »[...] Ambivalenz ist in das Phänomen des Erotischen eingebaut.«[87] Die Verführung stützt sich oft auf mehrdeutige Kodes, was die prototypischen Verführer in der westlichen Kultur zu exemplarischen Vertretern einer bestimmten Form der Freiheit von Moral macht. Verführer bedienen sich einer mehrdeutigen Sprache, weil sie sich nicht an die Normen der Ernsthaftigkeit und der Symmetrie gebunden fühlen. Die »politisch korrekten« Praktiken hingegen verlangen

86 Robert Greene, *The Art of Seduction*, New York 2001.
87 Shadi Bartsch u. Thomas Bartscherer, »What Silent Love Hath Writ. An Introduction«, in: dies. (Hg.), *Erotikon. Essays on Eros, Ancient and Modern*, Chicago 2005, S. 1-15, hier: S. 7.

nach Transparenz und dem Verzicht auf Mehrdeutigkeiten, um die größtmögliche vertragliche Freiheit und Gleichheit zu gewährleisten und somit den traditionellen rhetorischen und emotionalen Nimbus der Verführung ins Leere laufen zu lassen.

Die Rationalisierung der Liebe hat die Bedeutungsordnungen, auf denen Erotik und Liebe fußen – und zu denen Mehrdeutigkeit, Unterbrechung, verschleierter Sprachgebrauch, Verspieltheit und Transzendenz gehören –, untergraben. Traditionell gründen Verführung und Erotik in einer höchst unvollständigen Kenntnis des anderen, in einer gewissen Unbefangenheit des Selbst und in der Fähigkeit, mehrdeutig zu sein. Kants ästhetische Ansichten zusammenfassend, stellt der Soziologe Jeffrey Alexander fest: »Die Qualität, sich der Bestimmung durch rationales Denken oder moralische Einsichten zu entziehen, nicht die völlige Loslösung von beidem, macht eine Erfahrung zu einer ästhetischen – eben die Freiheit von apriorischer Bestimmtheit, die im Anschluß an die ästhetische Erfahrung erweiterte Möglichkeiten der begrifflichen und moralischen Entwicklung eröffnet.«[88]

Das vierfache Interesse an einer neutralen Sprache, an symmetrischen Machtbeziehungen, prozeduraler Fairneß und explizitem Einvernehmen behindert und zerrüttet die Regeln des Unausgesprochenen und Mehrdeutigen im kulturellen Herzen der Libido, die hier *nicht* als unveränderliche universelle Größe verstanden wird, sondern als historisch spezifische Art und Weise, das sexuelle Begehren zu organisieren. Weil Weiblichkeit im großen und ganzen über die Zurschaustellung von Abhängigkeit definiert ist, sind Machtunterschiede im tiefsten Grund der Begierden und der Erotik von Frauen und Männern angesiedelt (in diesem

---

88 Jeffrey C. Alexander, »Iconic Consciousness. The Material Feeling of Meaning«, in: *Environment and Planning D: Society and Space*, Jg. 26, Nr. 5 (2008), S. 782-794, hier: S. 789.

Punkt hat Nehring völlig recht). Das heißt: Die institutionellen Prozeduren, die ein symmetrisches Machtgebaren
verankern sollen, stellen eine sehr alte kulturelle Tradition
in Frage, in der just die Macht der Männer und die Machtlosigkeit der Frauen erotisiert wurde – zusammen mit den
dicht gewobenen Bedeutungen, die Macht wie Machtlosigkeit hervorbrachten. Ich möchte daher die folgende Hypothese aufstellen: Wenn die »politisch korrekte« Sprache
Spott, Unbehagen und kulturelles Unwohlsein hervorgerufen hat, dann weil sie einen bestimmten ideologischen Leim
sichtbar machte und bröckeln ließ – nämlich den Leim, der
die Geschlechteridentitäten und Machtunterschiede von
Männern und Frauen zusammenhielt und so erotisch wie
lustvoll, weil spontan und unreflektiert machte –, während sie zugleich die Geschlechterstruktur und -hierarchie
unangetastet ließ. Was die politisch korrekte Sprache also
unannehmbar macht, ist die Tatsache, daß sie die emotionalen Phantasien und Gelüste, auf denen die traditionellen
Geschlechterbeziehungen beruhen, ausschließt, die Struktur der Ungleichheiten zwischen den Geschlechtern jedoch
nicht grundlegend erschüttert oder transformiert. Diese Ungleichheiten aber sind es, die am emotionalen Kern von Beziehungen nagen, solange Frauen sich um die Kinder kümmern, mit Teilzeitjobs jonglieren und die ganze emotionale
Beziehungsarbeit leisten müssen. Anders gesagt: Gleichheit
verlangt nach einer Neudefinition von Erotik und romantischen Sehnsüchten, die noch aussteht.

Unsicherheit, Ironie oder das Unwohlsein
mit der Gleichheit

Der Verlust von Leidenschaft und Erotik ist mit zwei kulturellen Sensibilitäten verbunden, die sich der Gleichheit verdanken, nämlich Unsicherheit und Ironie. Wenn, wie Wil-

liam James behauptet, Gefühle dazu dienen, »der Zukunft die Unsicherheit auszutreiben«,[89] dann hat der Prozeß der Rationalisierung dieses Vermögen, Sicherheit zu erlangen, geschwächt. Die Folge ist, daß das kulturelle Klima romantischer Beziehungen von Unsicherheit und Ironie beherrscht ist.

Emotionales Vertragsdenken – eine Beziehung, die auf dem freien Willen, Gleichheit und Symmetrie beruht – bringt paradoxerweise semiotische Unsicherheit mit sich. Das heißt, man ist permanent mit der Frage beschäftigt, ob das eigene Verhalten angemessen ist, und muß sich permanent mit der Schwierigkeit auseinandersetzen, in einer gegebenen Interaktion die richtigen Verhaltensregeln zu erfassen. Maureen Dowd schreibt:

Meine schwulen Freunde scheinen genauso perplex zu sein, was die modernen Anstandsregeln bei einem Rendezvous betrifft. Wie einer von ihnen mir sagte: »Meine Gruppe könnte ein Gradmesser dafür sein, was deiner Gruppe noch bevorsteht: wie es nämlich ist, wenn sich die ersehnte Geschlechtergleichheit wirklich einstellt. Und weißt du was? Es ist die Hölle. Du sitzt da und denkst: Wenn ich voreilig die Rechnung übernehme, stemple ich mich dann als dominante, aggressive Daddyfigur ab? Wenn ich aber kleinlaut hier sitze, vermittle ich dann die Botschaft: Nimm dich meiner an und, ähm, nimm mich bitte auch?«[90]

Diese Form von Unsicherheit steht im Gegensatz zur Mehrdeutigkeit als einer semantischen Ordnung, die gerade von geteilten Bedeutungen lebt. Mehrdeutigkeit ist lustvoll und besteht darin, zwei Repertoires von bekannten Bedeutungen zu vermengen; Unsicherheit jedoch ist quälend und rührt von der Schwierigkeit her, die Regeln zu erkennen, die Interaktionen strukturieren. Mehrdeutigkeit ist ein Merkmal des

---

89 William James, *The Will to Believe and Other Essays in Popular Philosophy,* & *Human Immortality* [1897/1898], Mineola 1956, S. 77.

90 Maureen Dowd, *Are Men Necessary? When Sexes Collide*, New York u. London 2005, S. 40.

erotischen Spiels, weil es ihre Absicht ist, etwas zu sagen, ohne es zu sagen, oder mehrere Dinge auf einmal zu sagen, immer auf der Grundlage geteilter und unausgesprochener Bedeutungen. Mehrdeutigkeit ist verspielt und lustvoll, weil sie eine virtuose Weise ist, mit sozialen Regeln zu spielen. Unsicherheit hingegen hemmt das sexuelle Verlangen und verängstigt, weil die Menschen sich auf die Regeln der Interaktion konzentrieren und sich zu diesen befragen müssen. Dies schmälert ihre Fähigkeit, durch die Interaktion selbst hervorgerufene Gefühle zu empfinden. Zudem stehen die Normen der Gleichheit mit dem Lustgefühl in Konflikt, das mit der Inszenierung klarer Geschlechteridentitäten einhergeht. So erzählte mir Tessa, eine 37jährige, in Europa geborene und aufgewachsene Malerin, in einem Interview:

TESSA: Der Umgang mit israelischen Männern war nicht leicht für mich, weil sie komischerweise, obwohl sie Machos sind, nicht all das tun, was Machomänner in Europa tun, damit man sich wohl fühlt.
INTERVIEWERIN: Was zum Beispiel?
TESSA: Sie wissen schon, wie zum Beispiel vor einem auf die Knie zu gehen, oder einem die Tür aufzuhalten, oder einem Blumen mitzubringen. Obwohl ich glaube, daß ich mir dämlich vorkäme, wenn ich diese Dinge reizvoll fände, ich meine, trotzdem, ich muß sagen, sie sind reizend, und doch weiß ich, daß ich sie nicht reizvoll finden sollte.
INTERVIEWERIN: Nicht reizvoll finden sollte? Warum nicht?
TESSA: Nun ja, Sie wissen ja, weil sie politisch nicht korrekt sind.
INTERVIEWERIN: Wie interessant. Sie sagen also, Sie würden sich selbst daran hindern, eine bestimmte Art von Vergnügen zu empfinden?
TESSA: O ja, wissen Sie, ein Schwerpunkt meiner Arbeit [Malerei/Skulptur] liegt auf Frauen und der Lage der Frauen, also ja, ein Teil von mir fände diese Dinge reizvoll, ja mehr noch, ich würde erwarten, daß man sie tut, und doch würde ein Teil von mir den anderen Teil zurechtweisen und fast schon den Befehl erteilen (*lacht*), daß er sich bloß nicht vergnügt. Als ob ich zwei Identitäten hätte, eine traditionelle Frauenidentität und eine moderne Frauenidentität, verstehen Sie?
INTERVIEWERIN: Und diese beiden Identitäten liegen miteinander im Streit?

TESSA (*Lange Pause*): Man könnte es so sagen, es ist aber eher so, daß ich ziemlich verwirrt bin. Ich weiß einfach nicht, was ich von einem Mann erwarten kann: Wenn ich ihm sage, warum schenkst du mir keine Blumen, oder warum schreibst du mir keine Liebesgedichte, dann habe ich das Gefühl, ich würde meine Identität als Feministin verraten, ich kann so etwas nicht fordern, weil eine befreite Frau wie ich in unserer Zeit diesen Kram nicht braucht oder jedenfalls nicht mehr darum bitten kann. Also geht es in Wirklichkeit darum, was zu erbitten man sich berechtigt glaubt. Ein Teil von mir will bestimmte Dinge, ein anderer Teil jedoch sagt, ich sollte nicht so empfinden. Also weiß ich oft nicht mehr so richtig, was ich will oder was ich wollen sollte oder sogar, was ich fühle.

Die Überlagerung zweier kultureller Strukturen führt zu Unsicherheit über die eigenen Wünsche und zu Spannungen zwischen dem, was tatsächlich Vergnügen bereitet, und den Normen, anhand deren dieses Vergnügen bewertet wird. Diese Überlagerung erschwert es Frauen, herauszufinden, welche Regeln ihre Interaktionen leiten sollten. Der Philosoph Robert Pippin schreibt: »Etwas am Eros läßt sich nicht leicht in den christlichen oder den liberal-egalitären Humanismus integrieren.«[91] Soziologischer gesprochen: Gleichheit löst soziale Ängste aus, weil sie Unsicherheit hinsichtlich der Interaktionsregeln hervorruft – und somit die Spontaneität abwürgt, die historisch von dichten Identitäten und ritualisierten Regeln ermöglicht wurde.

Unsicherheit wiederum ruft Ironie als beherrschende rhetorische Figur zum Sprechen über Liebe auf den Plan. In der westlichen Kultur tritt die Liebe in einer ironischen, entzaubert-desillusionierten Verfassung erstmals mit Cervantes' *Don Quixote* in Erscheinung. Der Roman zerstörte unmittelbar die Fähigkeit des Lesers, an die Liebeserfahrung des fahrenden Ritters zu glauben. Die Schwierigkeit, an die Liebe zu glauben, wuchs mit dem Aufkommen der Moderne; die moderne romantische Situation gleicht häu-

---

91 Robert Pippin, »Vertigo. A Response to Tom Gunning«, in: Bartsch u. Bartscherer (Hg.), *Erotikon*, S. 278-282, hier: S. 280.

figer der von Marx beschriebenen »Ernüchterung« als der
Inbrunst und dem Taumel vormoderner Liebender, und
sie verwandelt die Liebe zunehmend in einen Gegenstand
ironischer Randbemerkungen. Die moderne Liebe hat sich
zum bevorzugten Schauplatz für die Trope der Ironie entwickelt. Die Rationalisierung der Liebe steht im Zentrum
der neuen ironischen Struktur des romantischen Gefühls,
die den Übergang von einer »verzauberten« zu einer entzau-
berten kulturellen Definition der Liebe markiert. Gefühlsstrukturen, um den geglückten Ausdruck von Raymond
Williams zu gebrauchen, kennzeichnen soziale und strukturelle Aspekte von Gefühlen und die mit sozialen Strukturen
einhergehenden Gefühle. Sie sind »soziale Erfahrungen *in
Form von Lösungen*«.[92] Eine ironische Struktur des romantischen Gefühls macht es schwierig, sich nicht nur der Idee
der Leidenschaft, sondern auch einer leidenschaftlichen und
aufopferungsvollen Bindung an eine geliebte Person zu verschreiben, wie sie die westliche Vorstellung von der Liebe
während der letzten Jahrhunderte ausgezeichnet hat.

Ironie ist eine literarische Technik, die Unwissenheit vor-
täuscht; sie täuscht Unwissenheit vor, rechnet aber für ihren
Effekt auf das Wissen des Hörers (sonst würde sie wörtlich
so verstanden, als meinte sie, was sie sagt, obwohl das Gegenteil der Fall ist). Ironie ist daher die rhetorische Figur von
jemand, der sich weigert, die in eine Situation eingeschriebe-
nen Überzeugungen zu teilen. Dem modernen romantischen
Bewußtsein ist die rhetorische Struktur der Ironie zu eigen,
weil es von einem desillusionierten Wissen erfüllt ist, das
eine volle Überzeugung und Verbindlichkeit verhindert. Die
Ironie kann einen Glauben nicht ernst nehmen, der für die
Liebe zentral ist, nämlich ihren selbsterklärten Anspruch
auf Ewigkeit und Totalität. Das folgende ist ein Beispiel
für eine Ironie, die sowohl den Wunsch beschreibt, an die

92 Michael Payne u. Jessica Rae Barbera (Hg.), *A Dictionary of Cultural and Critical Theory*, Malden 1997, S. 518.

Ewigkeit der Liebe zu glauben (den Wunsch, ihr Freund möge etwas Dramatisches tun, um sie davon abzubringen, ihn zu verlassen), als auch die Unmöglichkeit, genau das zu tun

Wie konnte ich dieser Phantasie aufsitzen? Ich habe immer gesagt: Ich gehe jede Wette ein, gäbe es eine Fortsetzung zu *Pretty Woman*, so säße Julia Roberts darin auf der Straße, nachdem Richard Gere sich zu langweilen begonnen und sie prompt abserviert hätte. Aber sie wissen einfach, wie sie dich zurückbekommen, wir alle haben es ja im Kino gesehen: indem sie eine große Show abziehen.[93]

Diese Art kultureller Reflexivität – gegenüber cineastischen Formeln und der Macht, die kulturelle Mythen über uns haben – läßt mit dem Mittel der Selbstironie die Luft aus dem Pathos ihres Wunsches, bei ihm zu bleiben. Tatsächlich galt dem Romantiker Friedrich Schlegel das Bewußtsein von der Endlichkeit der Liebe als entscheidend für die Ironie: »Die wahre Ironie [...] ist die Ironie der Liebe. Sie entsteht aus dem Gefühl der Endlichkeit und der eignen Beschränkung und dem scheinbaren Widerspruch dieses Gefühls mit der in jeder wahren Liebe mit eingeschlossenen Idee eines Unendlichen.«[94] Diese Definition ergibt Sinn vor dem Hintergrund der Tatsache, daß Schlegel das Wesen der Liebe im Gefühl ihrer eigenen Unendlichkeit angesiedelt sah – so im übrigen auch Kierkegaard, »denn das eben unterscheidet alle Liebe von Wollust, daß sie ein Gepräge der Ewigkeit an sich trägt«.[95] Im Unterschied dazu, könnten wir sagen, hat die Rationalisierung der Liebe den Effekt gehabt, eine Kultur der Endlichkeit der Liebe hervorzubringen, die deren

93 Catherine Townsend, »Romance and Passion«, 19. September 2008, ⟨http://sleeping-around.blogspot.com/2008/09/romance-passion.html⟩, letzter Zugriff 28. 2. 2011.

94 Friedrich Schlegel, *Philosophische Vorlesungen insbesondere über die Philosophie der Sprache und des Wortes* [1830], in: *Kritische Friedrich-Schlegel-Ausgabe*, hg. von Ernst Behler, Bd. 10, Paderborn 1969, S. 357.

95 Sören Kierkegaard, *Entweder – Oder. Teil I und II* [1843], übers. von H. Fauteck, München [10]2009, S. 544.

psychologische, biologische, evolutionäre, politische und ökonomische Grenzen betont. Die Relativierung der Liebe durch verschiedene Rationalisierungsprozesse mußte die Ironie ins Zentrum der neuen romantischen Sensibilität rükken. Was das Bewußtsein der Endlichkeit verschärft haben dürfte, ist die Ausweitung von Technologien der Wahl, das Bewußtsein der Kommensurabilität und Austauschbarkeit der Partner sowie der Einsatz wissenschaftlicher Expertensysteme, die die Luft aus dem Anspruch auf Ewigkeit herauslassen. Ironie schränkt die Möglichkeit des Glaubens selbst ein. Wie David Halperin schreibt:

Manche Erfahrungen [...] sind mit Ironie nicht zu vereinbaren. Um sie überhaupt machen zu können, muß man jeden Anflug von Ironie vermeiden. Umgekehrt signalisiert das Aufkommen von Ironie das Ende der Erfahrung oder ihre Abschwächung. In Momenten intensiver, überwältigender Empfindungen haben wir kaum ein Bewußtsein des Kontexts und keine Aufmerksamkeit für mehr als ein Bündel von Bedeutungen. In solchen Zuständen werden wir zu Buchstabengläubigen: Wir können nur eine Art von Erlebnis haben. Die drei Kardinalerfahrungen, die die Ausschaltung der Ironie erfordern beziehungsweise die keine Ironie überstehen würden, sind nackte Trauer oder nacktes Leid, religiöse Entrückung und sexuelle Lust.[96]

Wenn Halperin recht hat, dann ist Ironie unvereinbar mit der gefühlsmäßigen und körperlichen Erfahrung von Leidenschaft und Intensität. Daß die Ironie zur tonangebenden kulturellen Erfahrung unserer Zeit geworden ist, verdankt sich dem im vorliegenden Kapitel beschriebenen dreifachen Rationalisierungsprozeß, der zerstörerisch auf die emotionale Struktur der verzauberten Liebe übergreift.

96 David Halperin, »Love's Irony. Six Remarks on Platonic Eros«, in: Bartsch u. Bartscherer (Hg.), *Erotikon*, S. 48-58, hier: S. 49.

Schluß

Im *Symposion* argumentiert Platon bekanntlich, daß die Liebe der Weg zu Wissen und Weisheit[97] und somit vollkommen mit der Vernunft vereinbar ist. Mit der Metapher der »Liebesleiter« postuliert Platon, daß einen einzigen schönen Körper zu lieben heißt, die Idee der Schönheit und Vollkommenheit selbst zu lieben, und daß Vernunft und Liebe in diesem Sinne verbunden werden könnten. Der in diesem Kapitel beschriebene dreifache Rationalisierungsprozeß verlangt nach einer Neuformulierung der Platonischen Auffassung, daß Liebe und Vernunft miteinander vereinbar sind, weil die Vernunft – genauer, die rationalisierte Vernunft – die Wege unterspült hat, auf denen das romantische und erotische Begehren historisch konstruiert und erfahren wurde: als ein Begehren, das sich aus dichten und doppelbödigen Bedeutungen zusammensetzt, das die Aufführung echter männlicher und weiblicher Rollen ermöglichte, das zwischen Enthüllung und Verbergung oszillierte und demonstrativ verschwenderisch verfuhr.

Die Liebe hat ihr kulturelles Pathos verloren, und die Leidenschaft – als zügellose Bewegung des Geistes und des Körpers – wurde durch einen gewaltigen kulturellen Prozeß des Prozeduralismus und der Rationalisierung diszipliniert. So gesehen hat auch das romantische Leid sein Pathos und seine Schärfe eingebüßt. Wie Miriam Markowitz in *The Nation* schrieb:

Der Unterschied zwischen diesen jüngeren Büchern und den klassischen Romanen über die Liebe besteht nicht in der Anzahl der stattgefundenen Hochzeiten oder der ›bis ans Ende ihrer Tage‹ geglückten Ehen – für Anna Karenina und Emma Bovary ging es bekanntlich

---

97 Vgl. die berühmte Metapher des Stufenwegs der Erkenntnis respektive der »Liebesleiter«: Platon, *Symposion*, in: *Sämtliche Werke*, Bd. 2, übers. von F. Schleiermacher, Reinbek bei Hamburg 1994, 210a-212b.

nicht gut aus –, sondern in der Macht der Liebe, sozial, körperlich und geistig entscheidend für das Leben der Protagonisten zu sein. [Um die Kritikerin Vivian Gornick zu zitieren:] Als Emma Bovary ihr Mieder bei einem Mann öffnete, der nicht ihr Gatte war, als Anna Karenina vor ihrem Mann wegrannte, als Newland Archer sich mit der Frage abquälte, ob er New York mit Ellen Olenska verlassen sollte, riskierten die Menschen tatsächlich alles für die Liebe. Die bürgerliche Ehrbarkeit hatte die Macht, diese Charaktere zu gesellschaftlichen Parias zu machen. Das Exil zu ertragen, erforderte Festigkeit. Aus solchen Risiken konnte womöglich eine Kraft des Leidens erwachsen, die zu Klarheit und Erkenntnis verhalf. Heute gibt es keine Strafen mehr und keine ehrbare Welt, aus der man exkommuniziert werden könnte. Die bürgerliche Gesellschaft als solche gehört der Vergangenheit an.[98]

Für die zitierten Autorinnen hat das Leiden an der Liebe seine kulturelle Kraft verloren und vermag keine existentielle Klarheit mehr zu bieten. Das romantische Leid hat seine Klarheit und sein Pathos eingebüßt, weil es keinen Konflikt zwischen Individuum und Gesellschaft mehr zur Sprache bringt, weil es sich dem Kalkül des ökonomischen Handelns nicht widersetzt, weil es vom Selbst nicht verlangt, seine üblichen Mechanismen der Selbstkontrolle zu opfern oder sich abzugewöhnen – sondern einzig auf das Selbst und seinen Nutzen verweist. Beschrieb ich in der Einleitung und im 1. Kapitel eine Entstrukturierung des romantischen Willens, so handelten die Kapitel 2, 3, und 4 vom Strukturverlust des romantischen Begehrens. Zwischen Selbstzweifeln, Ironie und einer hypersexualisierten Kultur hin- und hergerissen, hat die Auflösung seiner Struktur auch die traditionellen Voraussetzungen der emotionalen und sexuellen Leidenschaft aufgelöst.

98 Miriam Markowitz, »A Fine Romance. On Cristina Nehring« in: The Nation, 28. Februar 2010, ⟨http://www.thenation.com/article/fineromance-cristina-nehring?page=full⟩, letzter Zugriff 28. 2. 2011.

5.
Von der romantischen Phantasie zur Enttäuschung

> Keine Liebe ist originell.
>
> – *Roland Barthes*

> Heard melodies are sweet, but those unheard
> Are sweeter ...
>
> – *John Keats**

Der Gebrauch der Vorstellungs- oder Einbildungskraft war für die Entstehung eines modernen Bewußtseins ebenso entscheidend wie der Begriff der Vernunft. Wie ich zu zeigen versuchen werde, gilt dies auch für die Entwicklung des modernen Gefühlslebens.[1] Webers Entzauberungsthese auf interessante Weise variierend, behauptet Theodor W. Adorno, daß die Einbildungskraft von zentraler Bedeutung für die bürgerliche Gesellschaft war, insofern sie sich zu einer zugleich produktiven und konsumtiven Kraft entwickelte, einem Teil der ästhetischen Kultur des Kapitalismus. In seiner Einleitung zu *Der Positivismusstreit in der deutschen Soziologie* führt Adorno aus, daß die bürgerliche Moderne mit der Ausbreitung ihrer Kulturtechniken die regellose, assoziative Form des Denkens einhegte. Die Einbildungskraft habe sich im 18. Jahrhundert zu einem Schlüsselbegriff der

---

* Die Mottos stammen aus Roland Barthes, *Fragmente einer Sprache der Liebe* [1977], übers. von H.-H. Henschen, Frankfurt/M. ⁶1986, S. 149; sowie John Keats, »Ode on a Grecian Urn« [1820], zitiert nach Mario Praz, *Liebe, Tod und Teufel. Die schwarze Romantik* [1930], übers. von L. Rüdiger, München 1981, S. 41 u. 379: »Gehörte Melodien sind süß, doch süßer / sind die ungehörten«.

1 Jochen Schulte-Sasse, »Imagination and Modernity. Or the Taming of the Human Mind«, in: *Cultural Critique*, Nr. 5 (1986), S. 23-48.

ästhetischen Diskussion entwickelt, sei aber auch auf diesen
Bereich beschränkt worden. Seit Ende des 18. Jahrhunderts,
so Adorno, ist die Einbildungskraft zu einer institutionalisierten Praxis auf dem Feld der Ästhetik und später in
der Massenkultur geworden. Seiner Auffassung zufolge ist
der geregelte, institutionalisierte, warenförmige Gebrauch
der Einbildungskraft zentral für eine moderne bürgerliche
Konsumgesellschaft. Die gefällige postmoderne These, das
moderne Subjekt zeichne sich durch eine Vervielfältigung
seiner Begierden aus, wird aus dieser Perspektive um den
Gedanken ergänzt, daß diese Wucherung der Begierden eine
Folge der Institutionalisierung der Einbildungskraft war.
Mehr noch: Die Institutionalisierung der Einbildungs- oder
Vorstellungskraft hat selbst das Wesen des Begehrens im allgemeinen und des romantischen Begehrens im besonderen
nicht unberührt gelassen: Sie hat die kulturellen Phantasien,
in denen sich die Menschen die Liebe als Geschichte, als
Ereignis und als Gefühl ausmalen, wesentlich deutlicher
kodifiziert als zuvor und eine imaginäre Sehnsucht zu ihrer
ständigen Bedingung gemacht. Als Gefühl und als kulturelle Wahrnehmung umfaßt die Liebe in immer stärkerem
Maß imaginäre Objekte der Sehnsucht, das heißt Objekte,
die sich allein der Vorstellungskraft verdanken und auf
diese beschränkt bleiben. Adorno geht jedoch auch davon
aus, daß die Vorstellungskraft, als sie in den Kreislauf des
Konsums eingespeist wurde, außerhalb der ästhetischen
Sphäre eine Herabsetzung erfuhr: »Ihre Diffamierung, oder
Abdrängung in ein arbeitsteiliges Spezialbereich, ist ein
Urphänomen der Regression bürgerlichen Geistes [...].«[2]
Die romantische Liebe und die Phantasie wurden kulturell
verdächtig, weil »nur verdinglicht: abstrakt der Realität ge-
genübergestellt, Phantasie überhaupt noch geduldet wird«.[3]

2 Theodor W. Adorno u. a., *Der Positivismusstreit in der deutschen Soziologie* [1969], München 1993, S. 63 (Einleitung).
3 Ebd.

Gerade weil es schwierig bis unmöglich geworden ist, in der Erfahrung der Liebe Eingebildetes und Wirkliches auszueinanderzuhalten, wurde und wird die Einbildungskraft in der Liebe geschmäht. Diese Annahme, daß die romantische Erfahrung unter der Bürde kollektiver Phantasien leidet, ist es, die ich im vorliegenden Kapitel untersuchen möchte. Genauer gesagt möchte ich versuchen, das Verhältnis zwischen dem Gefühl der Liebe und ihrer Vorformulierung in massengefertigten Phantasien zu verstehen, einschließlich der Auswirkungen, die solche vorformulierten »Drehbücher« oder Skripte auf die Natur des romantischen Begehrens haben.

Einbildungskraft, Liebe

Was ist Einbildungskraft? Einer verbreiteten Auffassung zufolge handelt es sich dabei um eine normale geistige Aktivität. Jeffrey Alexander beschreibt sie als »dem Prozeß der Repräsentation selbst wesentlich. Sie greift einen unausgegorenen Eindruck aus dem Leben auf und verleiht ihm mittels Assoziation, Verdichtung und ästhetischer Kreativität eine spezifische Form.«[4] Die Einbildungskraft wird hier nicht als freie und ungebundene Aktivität des Geistes verstanden, sondern als genau der Stoff, aus dem wir Gedanken und Erfahrungen gestalten oder die Welt in unserer Vorstellung vorwegnehmen. Alexanders Definition betont, daß die Aktivität der Einbildungskraft weniger im Erfinden besteht als vielmehr darin, bereits bestehende kulturelle Szenarien und Konstrukte zu verarbeiten. Auch ist die Einbildungskraft mitnichten von der Wirklichkeit abgekoppelt, sondern unterhält eine enge Beziehung mit der sinnlichen oder »realen« Erfahrung, an deren Stelle sie oft auch tritt.

4 Jeffrey C. Alexander u. a., *Cultural Trauma and Collective Identity*, Berkeley 2004, S. 9.

Hobbes verglich sie mit »verkümmerten Sinnesempfindungen«, dem schwachen Abglanz einer ursprünglichen Wahrnehmung. In *Das Imaginäre* verfolgt Jean-Paul Sartre diesen Gedanken und stellt fest, daß die Einbildungskraft zwar oft für ein mächtigeres Vermögen als die gewöhnliche Wahrnehmung gehalten wird, in Wirklichkeit aber doch ein fahles Echo der Sinne ist.[5] Man schließe die Augen und stelle sich das Gesicht eines geliebten Menschen vor, sagt Sartre, und welches Bild auch immer man heraufbeschwört, es wird »dünn«, »trocken«, »zweidimensional« und »reglos« wirken.[6] Dem vorgestellten Objekt fehlt einfach das, was Elaine Scarry die Lebhaftigkeit und Vitalität des mit den Sinnen wahrgenommenen Objekts nennt.[7] Dieser Ansicht zufolge ist Einbildungskraft das Vermögen, durch empfundene Sinneseindrücke, die dem nahekommen, was sie im wirklichen Leben wären, einen Ersatz für die reale Erfahrung des realen Objekts zu schaffen. Sie kündigt somit die Wirklichkeit nicht auf, sondern versucht sie im Gegenteil nachzuahmen, indem sie sich auf Eindrücke und Gefühle stützt, die das Abwesende vergegenwärtigen.

Und doch stellt ihre am weitesten verbreitete philosophische Auffassung die Einbildungskraft als eine phantastische Schöpfung dar, die den Geist nachdrücklicher in Beschlag nimmt als die gewöhnliche Sinneswahrnehmung und uns von der Wirklichkeit trennt. Shakespeares Bild für diese Sichtweise ist berühmt geworden:

5 Jean-Paul Sartre, *Das Imaginäre. Phänomenologische Psychologie der Einbildungskraft* [1940], übers. von H. Schöneberg, überarb. von V. von Wroblewsky, Reinbek bei Hamburg 1994.

6 Zitiert nach Elaine Scarry, »On Vivacity. The Difference Between Daydreaming and Imagining-Under-Authorial-Instruction«, in: *Representations*, Nr. 52 (1995) S. 1-26, hier: S. 1.

7 Ebd.

Und wie die schwangre Phantasie Gebilde
Von unbekannten Dingen ausgebiert,
Gestaltet sie des Dichters Kiel, benennt
Das luft'ge Nichts und gibt ihm festen Wohnsitz.[8]

Hier ist die Einbildungskraft das Vermögen, etwas zu erfinden, das vorher nicht da war, und unsere gelebte Erfahrung durch Erfindungen und Schöpfungen, die das Formlose »gestalten«, zu erweitern und zu intensivieren. Dieses Verständnis des Vorstellungsvermögens ist besonders einschlägig für das Reich der Liebe, in dem sich das Objekt der Liebe und Imagination durch Lebenskraft und Vitalität auszeichnet. Sowohl die gewöhnliche Erfahrung als auch ein umfangreicher Korpus philosophischer und literarischer Werke bestätigen die Tatsache, daß in der Liebe die imaginäre Beschwörung des oder der Geliebten so mächtig ist wie seine oder ihre Gegenwart – ebenso wie die Tatsache, daß wir das Objekt unserer Begierden zu einem Großteil erfinden, wenn wir lieben. Vielleicht kann man nirgendwo deutlicher als in der Liebe die konstitutive Rolle der Einbildungskraft beobachten, also ihre Fähigkeit, ein reales Objekt zu ersetzen und zu erzeugen. Gerade weil die Liebe ihr Objekt mittels Einbildungskraft erschaffen kann, hat die Frage nach der Authentizität der durch letztere ausgelösten Gefühle die westliche Kultur immer angetrieben. Aus diesem Grund war die Authentizität des Liebeserlebnisses und der Liebesgefühle im 20. Jahrhundert ein so interessantes Forschungsfeld im Zusammenhang mit der Analyse des Subjekts, wobei hier auch eine ältere Tradition mitschwang, die die Quellen des Liebesgefühls kritisch hinterfragte. Von Heidegger über Adorno und Horkheimer bis Baudrillard galt die Moderne als eine Epoche, in der die Erfahrung und ihre Repräsentation immer weiter auseinanderfallen – und erstere zu einem Spezialfall von letzterer gemacht wird.

8 William Shakespeare, *Ein Sommernachtstraum* [1600], übers. von A. W. Schlegel, Stuttgart 2008, S. 56 (5. Akt, 1. Szene).

Der klassische literarische Ort für die Frage nach dem epistemischen Status der Einbildungskraft ist Shakespeares *Ein Sommernachtstraum*. Trotz seines fröhlich-festlichen Charakters, trotz seines Gewimmels von Elfen und mythologischen Figuren ist *Der Traum*, wie er in Schauspielerkreisen auch genannt wird, eine schwarze Komödie über das menschliche Herz und seine Launen und Tücken. Diese Schwärze rührt von der besonderen Weise her, wie Shakespeare mit dem Begriff der Einbildungskraft den Gegensatz zwischen Vernunft und Liebe zur Sprache bringt. Wie Zettel zu Titania sagt, »halten Vernunft und Liebe heutzutage nicht viel Gemeinschaft«,[9] und es ist dieser altehrwürdige Gegensatz, der das Stück strukturiert. Für eine oberflächliche Lesart dieses Gegensatzes inszeniert der *Sommernachtstraum* den Topos, die Liebe sei deshalb ein gefährliches oder lächerliches Gefühl, weil sie nicht rational zu wählen vermag, insofern der Hauptsitz der Vernunft der Geist ist, die Liebe jedoch durch die Sinne entfacht wird und in diesen gründet. Wollte man dies für bare Münze nehmen, so wäre die Einbildungskraft hier eine irrationale geistige Aktivität, die in den Sinnen wurzelt. Shakespeare jedoch bringt die entgegengesetzte (und hochmoderne) Auffassung zum Ausdruck. – In einem Monolog beansprucht Helena, so schön zu sein wie Hermia, als Liebesobjekt aber systematisch geschmäht und gemieden worden zu sein.

Wie kann das Glück so wunderlich doch schalten!
Ich werde für so schön wie sie gehalten.
Was hilft es mir, solang Demetrius
Nicht wissen will, was jeder wissen muß?
Wie Wahn ihn zwingt, an Hermias Blick zu hangen,
Vergöttr' ich ihn, von gleichem Wahn befangen.
Dem schlechtsten Ding an Art und an Gehalt,

9 Ebd., S. 31 (3. Akt, 1. Szene).

Leiht Liebe dennoch Ansehn und Gestalt.
Sie sieht mit dem Gemüt, nicht mit den Augen,
Und ihr Gemüt kann nie zum Urteil taugen.
Drum nennt man ja den Gott der Liebe blind.
Auch malt man ihn geflügelt und als Kind,
Weil er, von Spiel zu Spielen fortgezogen,
In seiner Wahl so häufig wird betrogen.
Wie Buben oft im Scherze lügen, so
Ist auch Cupido falscher Schwüre froh.
Eh' Hermia meinen Liebsten mußt' entführen,
Ergoß er mir sein Herz in tausend Schwüren;
Doch, kaum erwärmt von jener neuen Glut,
Verrann, versiegte diese wilde Flut.[10]

Shakespeares *Traum* gibt dem vertrauten Topos der Irrationalität der Liebe eine interessante Wendung, indem er diese
Irrationalität darauf zurückführt, daß die Liebe *im Geist*
wurzelt und nicht in den Sinnen. »Sie sieht mit dem Gemüt,
nicht mit den Augen«: Weil die Liebe im Geist angesiedelt
ist, ist sie den Kriterien einer rationalen Diskussion weniger
leicht zugänglich, als wenn sie eine Sache der Augen wäre.
Unter Geist ist hier die subjektiv erzeugte Menge verschlun-
gener, für die Außenwelt undurchdringlicher Assoziationen
zu verstehen. Die Augen hingegen vermitteln zwischen dem
Selbst und der äußeren Welt: Der Gegenstand des Sehver-
mögens ist gleichsam objektiv gegeben, und in diesem Sinne
trauen die Augen der dem Subjekt äußerlichen Realität. Helena fordert, die Liebe möge in den Sinnen (den Augen) wurzeln, nicht im Geist, weil letzterer gerade das ist, was den
Prozeß des Beurteilens/Liebens eines anderen von dessen
Wert in der objektiven Welt der Objekte ablöst. Der Geist ist
hier nicht nur der Ort, an dem die Vorstellungskraft ausgeübt wird, sondern auch ihre Quelle. Was die Liebe zu einer
Form von Wahnsinn macht, ist, daß sie keine Verbindung
zum Realen unterhält.

---

10 Ebd., S. 10 f. (1. Akt, 1. Szene; meine Hervorhebung).

Auf der Grundlage des medizinischen Diskurses des 16. Jahrhunderts erklärt der *Sommernachtstraum* die romantische Einbildungskraft gerade deshalb für eine Form von Wahnsinn, weil ihr eine – physische oder psychische – Verankerung fehlt. Für Freud ist die romantische Imagination, wie irrational sie auch sein mag, im frühkindlichen Bild eines Elternteils oder im Bedürfnis und Begehren, ein frühkindliches Trauma zu bewältigen, verankert; in Shakespeares Stück jedoch ist die Irrationalität der Liebe radikal, weil die Einbildungskraft sie zu einem willkürlichen, keiner Erklärung zugänglichen Gefühl macht – oder zu einem Stiftungsereignis selbst der psychoanalytischen Spielart. Im *Sommernachtstraum* ist die Liebe eine Erfahrung, die wir nicht in den Griff bekommen, weder auf rationale noch auf irrationale Weise. Zu behaupten, sie folge der Logik des Unbewußten, hieße zu behaupten, sie folge überhaupt einer Logik. Der Schlüssel zu dem Stück besteht darin, daß es keinen wirklichen Unterschied zwischen vernünftiger und verrückter Liebe gibt, unterscheidet sich doch die »vernünftige« Liebe nicht grundsätzlich von den rasenden Gefühlen, denen Drolls Opfer erliegen. Die romantische Vorstellungskraft, die hier eine Chiffre für Wahnsinn ist, verwandelt die Liebe in ein irrationales und aus sich selbst heraus erzeugtes Gefühl, das sich der Identität der geliebten Person gar nicht bewußt ist. Dieses Verständnis der Liebe unterstreicht, worin sich spätere Auffassungen von Liebe und Einbildungskraft von dieser frühen Verdächtigung der Einbildungskraft unterscheiden und worin sie ihr gleichen. Shakespeares Stück nimmt die Befragung des Wesens der durch die Vorstellungskraft ausgelösten Gefühle vorweg, erwähnt aber keines der Themen, die Philosophen und Schriftsteller vom 18. Jahrhundert an beschäftigen sollten: sei es der Einfluß von Kulturtechniken und Romanen auf die Gestaltung der Einbildung, sei es der antizipierende, vorgreifende Charakter imaginärer Gefühle und vor allem das Problem, wie man von einem eingebildeten Objekt zur gewöhnlichen Realität übergeht.

Moderne Institutionen der Vorstellungskraft erregen und unterstützen eine maßvolle Form des Tagträumens, vor allem durch die beispiellose Produktion der Bild- wie der Printmedien, die uns eindringliche Geschichten vom guten Leben vor Augen führen. Die Moderne hat in erheblichem Maß in der Fähigkeit bestanden, sich neue Formen der sozialen und politischen Verbundenheit vorstellen zu können.[11] Diese neuen imaginierten Bindungen betreffen nicht nur die politischen Verhältnisse, sondern, was vielleicht noch entscheidender ist, auch die Utopien des privaten Glücks. Die utopische Vorstellungskraft wird im privaten Bereich betätigt und setzt eine Definition des Subjekts als privates voraus, das mit privaten Gedanken, Gefühlen und Sehnsüchten ausgestattet ist. Vor allem aber macht sie den privaten Bereich des häuslichen Lebens zum Gegenstand und Schauplatz des Vorstellungsvermögens. Liebe und emotionale Erfüllung werden zum Gegenstand utopischer Phantasie. Die Vorstellungskraft geht Hand in Hand mit der Demokratisierung und Verallgemeinerung des Glücksideals, wenn wir darunter einen materiellen und emotionalen Zustand verstehen. Die Konsumkultur – die sich mit Nachdruck für ein emotionales Projekt der persönlichen Erfüllung ausspricht – organisiert das private moderne Gefühlssubjekt um seine Emotionen und Tagträume und lokalisiert den Gebrauch der eigenen Freiheit in einer Individualität, die es zu erlangen *und* zu phantasieren gilt. Sie legitimiert die Kategorien des Begehrens und der Phantasie, macht sie zur legitimen Grundlage des Handelns und Wollens und verwandelt Konsum und Waren in eine institutionelle Hilfestellung, um solche Begierden zu befriedigen oder auch einfach nur zu erfahren. Ein »Lebensprojekt« ist die institutionalisierte

11 Charles Taylor, *Modern Social Imaginaries*, Durham 2004.

Projektion des eigenen individuellen Lebens in die Zukunft unter Einsatz der Vorstellungskraft. Die Moderne institutionalisiert die Erwartung und das Vermögen des Subjekts, sich seine Lebenschancen mit Hilfe der kulturellen Praxis der Vorstellungskraft auszumalen. Gefühle werden in dem Sinne zu Gegenständen der Vorstellungskraft, daß ein Lebensprojekt nicht nur eine vorgestellte kulturelle Praxis ist, sondern mitunter auch ausgefeilte emotionale Projekte umfassen kann. So verwandelt die Vorstellungskraft die Sehnsüchte des Subjekts und seine projektive Vorwegnahme eines ewigen Zustands von Liebe und Enttäuschung in eine unmittelbare Bedrohung der Fähigkeit, zu begehren.

Es ist genau diese Funktion von Kultur und Technik, eine aus sich selbst heraus geschaffene romantische Einbildung zu nähren, die westeuropäische Moralisten und Philosophen seit dem 17. Jahrhundert beschäftigt. In Westeuropa spitzte sich das intrikate Verhältnis von Liebe und Einbildungskraft mit der Verbreitung des gedruckten Buchs, der Kodifizierung von Genre und Formel der romantischen Liebesgeschichte sowie dem Entstehen der Privatsphäre besonders zu. Das Gefühl der Liebe wurde zunehmend mit Technologien durchsetzt, die die Aktivität des Vorstellungsvermögens freisetzten und zugleich kodifizierten, indem sie sie in eindeutige narrative Formeln gossen.[12]

Das Potential des Romans, Identifikationsprozesse und Einbildungskraft in Gang zu setzen – und seine Beschäftigung mit Themen wie Liebe, Ehe und soziale Mobilität – machte die romantische Einbildungskraft zu einem Gegenstand öffentlichen Interesses. Zunehmend schrieb man der Imagina-

---

12 Cervantes' *Don Quixote* etwa parodiert die Ritterromane, die eine geistige Deformation ihrer Leser bewirken, mit einer übertriebenen Rhetorik amouröser Ergebenheit. Der Roman war ein Versuch, sich über die Ritterromantik, die den europäischen Buchmarkt überschwemmte, und ihren Einfluß auf Möchtegernliebhaber und -edelmänner lustig zu machen. Er handelte somit von der institutionellen Basis und dem systematischen, keineswegs chaotischen Charakter der Einbildungskraft.

tion sozial wie emotional destabilisierende Effekte zu. Der rasch wachsenden weiblichen Leserschaft wurde während des gesamten 18. Jahrhunderts die moralische Gefährlichkeit von Romanen vor Augen geführt. In zahlreichen Anprangerungen sprach sich die kaum verhohlene Befürchtung aus, die Romanlektüre könnte sich geradezu auf die Natur der emotionalen und sozialen Erwartungen der Frauen auswirken.[13] Die Verweiblichung dieses Genres, die mit seiner überwiegend weiblichen Leserschaft und dem Auftreten von Romanautorinnen einherging, verschärfte die Sorge, daß Romane irreale und bedenkliche Empfindungen anregten.[14]

Weil die Romanproduktion des 19. Jahrhunderts jedoch zunehmend die Auswirkungen des eigenen literarischen Genres reflektierte, kritisierten viele Werke den sozial destruktiven Charakter des Romans, sein Potential, bei den Lesern und Leserinnen gefährliche sentimentale und gesellschaftliche Erwartungen, kurz, vorgreifende Gefühle auszulösen. In Puschkins *Eugen Onegin*, bekannt für seine Diskussion des Verhältnisses von Leben und Kunst, verliebt sich Tatjana, ein einfaches Mädchen vom Land, unglücklich in Eugen, einen kultivierten und zügellosen Großstadtbewohner. Der Erzähler, der Eugens Kaltschnäuzigkeit nachahmt, bemerkt ironisch:

Früh mochte sie Romane,
für alles waren sie ihr Ersatz;
sie verliebte sich in das Blendwerk

13 So behauptete etwa Thomas Jefferson: »Wenn dieses Gift den Geist infiziert, zerstört es seine Spannkraft und nimmt ihn gegen erbauliche Lektüre ein. [...] Das Ergebnis ist ein aufgeblähtes Vorstellungsvermögen, ein kränkelndes Urteilsvermögen und ein Widerwille gegen alle wirklichen Aufgaben des Lebens.« Zitiert nach Herbert Ross Brown, *The Sentimental Novel in America, 1789-1860*, Durham 1940, S. 4.

14 Ein Kritiker verurteilte, was er als zügellosen Genuß romantischer Romane verstand, indem er behauptete: »[I]hre ganze Tendenz besteht darin, romantische Vorstellungen auszulösen, zugleich aber den Kopf gedankenleer und das Herz gefühllos zu machen.« Zitiert nach ebd., S. 5.

von Richardson und Rousseau.
Ihr Vater war ein herzensguter Mensch,
der im vergangenen Jahrhundert zurückgeblieben war,
doch an Büchern nichts Schlimmes finden konnte;[15]
[...]
der Zeitpunkt war gekommen – sie hatte sich verliebt.
So wird ein in die Erde gefallener Same
vom Frühlingsfeuer zum Leben erweckt.
Längst hatte ihre Phantasie,
sich verzehrend in Sinnlichkeit und Sehnsucht,
gelechzt nach dieser schicksalhaften Speise,
längst hatte Herzensschmachten
ihr die junge Brust zugeschnürt;
die Seele wartete – auf irgend einen [...].[16]

Zweifellos war Tatjanas Liebe eine vorbereitete Form, die nur darauf wartete, mit einem beliebigen Objekt gefüllt zu werden, als das sich dann der scheinbar romantische Eugen erwies. George Eliot beschreibt Hetty Sorel in ihrem Roman *Adam Bede* wie folgt: »Hetty hatte noch nie einen Roman gelesen; wie sollte sie da ihren Erwartungen Gestalt verleihen können?«[17] Auf ähnliche Weise macht sich Jane Austen in *Kloster Northanger* anhand ihrer Figur Catherine Morland, deren verstiegene Vorstellungen sich der Romanlektüre verdanken, über das Genre des Schauerromans lustig. Diese und andere Autorinnen und Autoren beschreiben und ironisieren die Fähigkeit des Romans, durch vorgreifende Vorstellungen Bilder der Liebe zu gestalten, das heißt zu gestalten, wie die Erforschung imaginärer Welten Gefühle hervorruft.

　　Das Buch, das die zeitgenössischen Sorgen über die Ein-

---

15 Alexander Puschkin, *Eugen Onegin. Ein Versroman* [1833], übers. von S. Baumann unt. Mitarb. von Chr. Körner, Frankfurt/M. u. Basel 2009, S. 112.
16 Ebd., S. 122 (meine Hervorhebung).
17 Zitiert nach Sally Mitchell, »Sentiment and Suffering. Women's Recreational Reading in the 1860s«, in: *Victorian Studies*, Jg. 21, Nr. 1 (1977), S. 29-45.

bildungskraft und die schwierige Beziehung zwischen Einbildungskraft, Roman, Liebe und gesellschaftlichen An-
sprüchen am umfassendsten aufgriff, ist *Madame Bovary*.
Flauberts Roman enthält die kaum überbietbare Beschreibung des Elends eines genuin modernen Bewußtseins, das
vollgesogen ist mit imaginären Liebesszenarien, und er untersucht, was passiert, wenn diese imaginären Szenarien auf
die Realität treffen. Als Heranwachsende las Emma Bovary
heimlich Romane, die ihre Vorstellungen von der Liebe und
ihre Träume von Luxus prägten.

Darin [in den Romanen] wimmelte es von Liebschaften, Liebhabern,
Liebhaberinnen, von verfolgten Damen, die in einsamen Pavillonen
ohnmächtig, und von Postillionen, die an allen Ecken und Enden ge-
mordet wurden, von edlen Rossen, die man Seite für Seite zuschanden
ritt, von düsteren Wäldern, Herzenskämpfen, Schwüren, Schluchzen,
Tränen und Küssen, von Gondelfahrten im Mondenschein, Nachtigal-
len in den Büschen, von hohen Herren, die wie Löwen tapfer und sanft
wie Bergschafe waren, dabei tugendsam bis ins Wunderbare, immer
köstlich gekleidet und ganz unbeschreiblich tränenselig. Ein halbes
Jahr lang beschmutzte sich die fünfzehnjährige Emma ihre Finger mit
dem Staube dieser alten Scharteken. Dann geriet ihr Walter Scott in
die Hände, und nun berauschte sie sich an geschichtlichen Begeben-
heiten im Banne von Burgzinnen, Rittersälen und Minnesängern. Am
liebsten hätte sie in einem alten Herrensitze gelebt, gehüllt in schlanke
Gewänder wie jene Edeldamen, die, den Ellenbogen auf den Fenster-
stein gestützt und das Kinn in der Hand, unter Kleeblattbogen ihre
Tage verträumten und in die Fernen der Landschaft hinausschauten,
ob nicht ein Rittersmann mit weißer Helmzier dahergestürmt käme
auf einem schwarzen Roß.[18]

Flauberts Beschreibung der Einbildungskraft ist höchst modern: Es handelt sich um eine ausgesprochen strukturierte
Imagination, eine Form von Tagträumen mit klaren, leb-
haften und sich wiederholenden Bildern; sie setzt sich aus
klar umrissenen Bildern zusammen und ruft dieselbe dif-

18 Gustave Flaubert, *Madame Bovary* [1857], rev. Übers. von A. Schurig, Frankfurt/M. ⁵1981, S. 56f.

fuse Sehnsucht hervor, die auch Tatjana, Hetty Sorel und Catherine Morland empfanden. Diese Sehnsucht ist sowohl sprachlich, in Form von narrativen Handlungssequenzen, als auch durch geistige Bilder von Mondschein, idyllischen Landschaften und leidenschaftlichen Umarmungen strukturiert. Was die Liebe zu einem eindeutig modernen Gefühl macht, ist in der Tat das Ausmaß, in dem sie ein vorgreifendes Gefühl ist, also gut einstudierte emotionale und kulturelle Szenarien umfaßt, die sowohl die Sehnsucht nach einem Gefühl als auch die nach dem dazugehörigen guten Leben prägen (ein vormodernes Äquivalent dazu könnte vielleicht jenes vorgreifende Gefühl des Schreckens oder der Hoffnung gewesen sein, das man im Nachdenken über den Tod oder das Jenseits in Form von Hölle und Paradies empfunden haben mag). Als Emma Bovary zum ersten Mal Ehebruch begeht, erlebt sie diesen ausschließlich im Modus der literarischen Genres, von denen ihre Einbildungskraft erfüllt ist:

Immer wieder sagte sie sich: »Ich habe einen Geliebten, einen Geliebten!« [...] Sie war in eine Wunderwelt eingetreten, in der alles Leidenschaft, Verzückung und Rausch war. Blaue Unermeßlichkeit breitete sich rings um sie her, vor ihrer Phantasie glänzte das Hochland der Gefühle, und fern, tief unten, im Dunkel, weit weg von diesen Höhen, lag der Alltag. *Sie erinnerte sich an allerlei Romanheldinnen, und diese Schar empfindsamer Ehebrecherinnen sang in ihrem Gedächtnisse mit den Stimmen der Klosterschwestern. Entzückende Klänge! Jene Phantasiegeschöpfe gewannen Leben in ihr; der lange Traum ihrer Mädchenzeit ward zur Wirklichkeit.* Nun war sie selber eine der amoureusen Frauen, die sie so sehr beneidet hatte! [...] Jetzt triumphierte sie, und ihre so lange unterdrückte Sinnlichkeit wallte nun auf und schäumte lebensfreudig über. Sie genoß ihre Liebe ohne Gewissenskämpfe, ohne Nervosität, ohne Wirrungen.[19]

19 Ebd., S. 220 f. (meine Hervorhebung).

Diese Vorstellungswelt prägt in ihrer Vorwegnahme die Gefühle, die sie in ihrem Leben zu einer so enttäuschten Ehefrau machen und sie ermutigen, sich in Leo und Rodolphe zu verlieben. *Madame Bovary* war einer der ersten Romane, der das Verhältnis zwischen der Einbildung und den Aufgaben und Pflichten des alltäglichen häuslichen Lebens hinterfragte. Zwar phantasiert und tagträumt Don Quixote weit mehr als Emma, doch gefährden seine romantischen Phantasien nicht seine Pflichten als Vater oder Gatte beziehungsweise die häusliche Sphäre oder Einheit. Im Unterschied zu Don Quixote ist Emma in erster Linie die Frau eines gutherzigen und mittelmäßigen Landarztes, und in ihren Tagträumen – die in ihrem Innenleben absolute Priorität genießen – verschlingen sich ein emotionales und ein sozial aufwärtsmobiles Projekt: »Die Spießerlichkeit ihrer Wohnung verlockte sie zu Utopien von Pracht und Herrlichkeit und die ehelichen Freuden zu ehebrecherischen Gelüsten.«[20] Die Einbildung ist hier sowohl privat/emotional als auch sozial/ökonomisch; sie ist die Antriebskraft zur Kolonialisierung der Zukunft schlechthin und begründet gegenwärtige Entscheidungen mit dem Bild, das man sich von der Zukunft macht, womit sie wiederum diese Zukunft formt. Eine der interessantesten Transformationen der Institutionalisierung der Einbildungskraft in der Massenkultur besteht darin, daß diese zunehmend von Technologien und kulturellen Genres geprägt wird, die Begierden, Sehnsüchte und vorgreifende Gefühle (Gefühle anläßlich künftiger Gefühle) auslösen sowie kognitive Skripte darüber hervorbringen, wie diese Gefühle sich anfühlen und wie sie dargestellt werden sollten.

Die Einbildungskraft beeinflußt und prägt die Gegenwart, gerade weil sie deren Möglichkeiten – was sie sein könnte oder sein sollte – kognitiv immer auffälliger hervortreten

20 Ebd., S. 152.

läßt. Wie der Erzähler in *Madame Bovary* deutlich macht, hat diese romantische Einbildungskraft zwei Effekte: Sie verwandelt die Liebe in ein vorgreifendes Gefühl, ein Gefühl also, das empfunden und erträumt wird, bevor es sich in Wirklichkeit einstellt; dieses vorgreifende Gefühl wiederum beeinflußt die Einschätzung der Gegenwart, weil es ermöglicht, daß sich reale und fiktionale Emotionen überlagern und ersetzen:

Aber beim Schreiben stand vor ihrer Phantasie ein ganz anderer Mann: nicht Leo, sondern ein Traumgebilde, die Ausgeburt ihrer zärtlichsten Erinnerungen, eine Reminiszenz an die herrlichsten Romanhelden, das leibhaft gewordene Idol ihrer heißesten Gelüste. Allmählich ward ihr dieser imaginäre Liebling so vertraut, als ob er wirklich existiere, und sie empfand die seltsamsten Schauer, wenn sie sich in ihn versenkte, obgleich sie eigentlich gar keine bestimmte Idee von ihm hatte.[21]

Emmas Vorstellung verwandelt Leo in eine zwischen Realität und Fiktion schwebende Figur und die Realität ihrer eigenen Empfindungen in die Einstudierung imaginärer kultureller Stereotype und Skripte.

Emma kann zwischen ihrer Liebe und ihren Bildern von der Liebe nicht unterscheiden. Im Gegensatz zu Hobbes' und Sartres Behauptungen sind Emmas Einbildungen wesentlich lebendiger und realer für sie als ihr tägliches Leben. In einer Vorwegnahme postmoderner Klagen scheint Emmas Liebe lediglich aus der Wiederholung leerer Zeichen zu bestehen, die ihrerseits von den seinerzeit aufkommenden Kulturindustrien wiederholt werden. Eigentlich jedoch ist es ihr alltägliches Leben, das als ein blasses, kaum wahrnehmbares Abbild des imaginären Originals erscheint, wie in einer Vorwegnahme von Baudrillards Befürchtung, das Reale sei auf seine Simulation reduziert worden. In der Moderne

---

21 Ebd., S. 384f. Vgl. auch René Girard, *Figuren des Begehrens. Das Selbst und der Andere in der fiktionalen Realität* [1961], übers. von E. Mainberger-Ruh, Thaur 1999.

wirkt die Aktivität der Einbildungskraft auf das Verhältnis des Subjekts zum Realen ein, indem sie das Reale entleert und zu einer dünnen und blassen Widerspiegelung rein geistig ausgelebter Szenarien macht.

Die Crux der Einbildungskraft hängt also mit der Organisation des Begehrens zusammen – damit, *wie* Menschen begehren, wie kulturell herausragende Wahrnehmungsangebote das Begehren prägen und wie wiederum ein solches kulturell erzeugtes Begehren gewöhnliche Formen des Leidens hervorbringt, zu denen chronische Unzufriedenheit, Enttäuschung und ewige Sehnsucht gehören. Die Vorwegnahme von Erfahrungen in der Vorstellung wirft zwei Probleme auf: ein epistemologisches (erlebe ich die Sache an sich oder nur ihre Repräsentation?) und ein ethisches (inwieweit beeinträchtigt dies meine Möglichkeit, ein gutes Leben zu führen?). Die Frage, welche emotionalen Folgen die Technologien der Vorstellungskraft nach sich ziehen, ist um so dringender, als sich das 20. Jahrhundert durch eine spektakuläre Beschleunigung solcher Imaginationstechnologien auszeichnete. Das Kino perfektionierte, was der Roman begonnen hatte, nämlich Techniken der Identifikation mit den Charakteren, die Erkundung unbekannter visueller Szenerien und Verhaltensweisen sowie die Produktion von Bildern des täglichen Lebens, die als kompakte ästhetische Szenen angelegt sind und die Bandbreite der Techniken zum Vorstellen und Ausmalen von Sehnsüchten erweiterten. Mehr als jede andere Kultur in der Menschheitsgeschichte drängt die Konsumkultur aktiv und sogar aggressiv darauf, daß die Menschen von ihrem Vorstellungsvermögen Gebrauch machen und sich in Tagträumen ergehen. Tatsächlich wird nur selten darauf hingewiesen, wie sehr Emmas Phantasie der Motor für die Schulden ist, die sie bei Lheureux macht, einem abgefeimten Kleinhändler, der ihr Stoffe und Modeschmuck verkauft. Emmas Phantasien führen direkt in die frühe Konsumkultur Frankreichs im 19. Jahrhundert, gerade weil sie durch ihr romantisches Begehren vermittelt sind.

Wie der eingangs zitierte Adorno behauptet, wurde das Einbildungsvermögen durch die bürgerliche kommerzialisierte Kultur gleichermaßen diszipliniert und unerbittlich stimuliert. Colin Campbell und andere Soziologen sind der Auffassung, daß der Konsum durch Träume und Phantasien angetrieben wird, die den einzelnen in die Frage nach seiner Identität verwickeln. In seinem Buch *The Romantic Ethic and the Spirit of Modern Consumerism* argumentiert Campbell, daß die Konsumkultur ein »romantisches Selbst« in den Mittelpunkt gerückt hat, ein gefühlvolles Selbst voller Sehnsüchte nach Authentizität, durch die Emotionen, Einbildungen und Tagträumereien ausgelöst werden.[22] In seiner Erörterung vorausgreifender Konsumerfahrungen macht Campbell geltend, daß »die zentrale Konsumaktivität [...] nicht in der tatsächlichen Auswahl, Anschaffung und Nutzung der Produkte besteht, sondern in der imaginären Vergnügungssuche und -sucht, zu der sich das Produktimage anbietet«.[23] Das konsumistische und das romantische Selbst sind somit historisch vergemeinschaftet.

Campbell erläutert nicht genau, wie diese Art niedrigschwelligen Tagträumens in Gang gesetzt wird, doch können wir vier Quellen vorschlagen, deren Zusammenspiel mächtige kognitive Mechanismen des »Tagträumens« oder »Sehnens« hervorbringt, wie man es für gewöhnlich nennt. Erstens bilden *Waren* den Endpunkt eines komplexen und unerschöpflichen Prozesses der Bedeutungserzeugung durch Werbung, Markenpflege und andere mediale Kanäle; dieser Prozeß der Bedeutungserzeugung assoziiert Waren mit der Ausbildung von Identitäten und einem guten Leben. In der

---

22 Colin Campbell, *The Romantic Ethic and the Spirit of Modern Consumerism*, Oxford u. New York 1989.
23 Ebd., S. 89.

Konsumkultur wird es mit anderen Worten immer schwieriger, die Phantasien über eine Ware (etwa ein sportliches Auto) von den Phantasien zu trennen, mit denen das Objekt unermüdlich assoziiert wird (Sex mit einer schönen Frau). Eine zweite Quelle der Tagträumerei ist eine doppelte: Sie umfaßt die über Druck- und Bildmedien verbreiteten *Geschichten* und *Bilder* von schönen Menschen, die, meistens erfolgreich, nach emotionaler Glückseligkeit streben; solche Charaktere verkörpern narrative Skripte und Bildwelten, die die Struktur ihrer Liebesgefühle bestimmen. Und schließlich ist seit den 1990er Jahren das *Internet* eine Einrichtung zur Mobilisierung des Vorstellungsvermögens, ermöglicht das Netz es doch, das Selbst imaginär in einer Fülle von Formen zu projizieren und in der Vorstellung echte Erlebnisse zu simulieren. Alle vier Medien – Waren, narrative Handlungssequenzen, Bilder und Websites – tragen auf je eigene Weise dazu bei, das moderne Subjekt als begehrendes Subjekt zu positionieren, als ein Subjekt, das sich nach Erfahrungen sehnt, von Gegenständen oder Lebensformen tagträumt und in imaginärer und virtueller Weise Erfahrungen macht. Das moderne Subjekt nimmt seine Wünsche und Gefühle in wachsendem Maß auf imaginäre Weise durch Waren, Medienbilder, Geschichten und Technologien wahr, und diese diversen Vermittlungen wirken sich wiederum auf die Struktur des Begehrens – darauf, was begehrt wird und wie es begehrt wird – sowie auf die psychische Rolle des Begehrens aus. Die Phantasie wird zu einer Form, die durch Konsumgütermarkt und Massenkultur institutionalisierten Gelüste und Gefühle zu erfahren.

Ich schlage die folgende soziologische Definition der Vorstellungs- oder Einbildungskraft als einer organisierten und institutionalisierten Praxis vor: Sie ist sozial organisiert – so können beispielsweise die Vorstellungen von Männern und Frauen auf unterschiedliche Weise angeregt werden und unterschiedliche Gegenstände umfassen (etwa Liebe für

Frauen, gesellschaftlichen Erfolg für Männer). Sie ist institutionalisiert – das heißt, sie wird in gedruckter und visueller
Form durch bestimmte kulturelle Genres und Technologien
stimuliert und verbreitet – und betrifft institutionalisierte
soziale Bereiche wie Liebe, Familienleben und Sex. Sie ist ihrem kulturellen Inhalt nach systematisch und hat eine klare
kognitive Form – das heißt, sie dreht sich um altbekannte
narrative Formeln und visuelle Klischees. Sie hat soziale
Folgen – etwa die Entfremdung vom eigenen Ehemann oder
das Gefühl, das eigene Leben sei öde. Sie ist in emotionalen
Praktiken verkörpert – vorgreifenden und fiktionalen Gefühlen, die das Gefühlsleben auf bestimmte Weisen mit dem
realen Leben verbinden. Das Vorstellungsvermögen ist somit eine soziale und kulturelle Praxis, die einen erheblichen
Teil dessen ausmacht, was wir Subjektivität – Wollen und
Begehren – nennen. Sie formt das Gefühlsleben und beeinflußt die Wahrnehmung des Alltags.

Fiktionale Gefühle

Um über den emotionalen und kognitiven Prozeß nachzudenken, der durch die Vorstellungskraft ausgelöst wird,
müssen wir bei der immensen Bedeutung von Fiktionen für
die Sozialisation ansetzen. Die Vorstellungskraft ist für eine
Kultursoziologie der Liebe von besonderem Interesse, weil
sie so tief mit Fiktion und Fiktionalität verwoben ist und
weil institutionalisierte Fiktionen (im Fernsehen, in Comics,
Filmen und Kinderbüchern) für die Sozialisation so zentral
geworden sind. Diese Fiktionalität prägt das Selbst, nämlich die Art und Weise, wie es sich selbst narrativ modelliert,
durch Geschichten lebt und die Gefühle begreift, die das
Lebensprojekt eines Menschen ausmachen. Einer der entscheidenden, aber noch zu wenig erforschten Gegenstände
der Kultursoziologie ist die Frage, wie Ideen von Gefühlen

durchdrungen werden und umgekehrt wie Gefühle einen ideellen, narrativen und fiktionalen Inhalt absorbieren. Dieser Prozeß ist in dem enthalten, was ich als fiktionale emotionale Vorstellung bezeichne.

Genaugenommen ist eine »fiktionale Vorstellung« jene Art Vorstellung, die bei der Lektüre oder Interaktion mit fiktionalem Material entfaltet wird und ihrerseits Gefühle hervorbringt. Im Zusammenhang mit der Lektüre fiktionaler Texte definiert Bijoy Boruah die Vorstellungskraft als eine »Sorte nichtbehaupteten Denkens – eine Wahrheit, die der Wahrheit auf referentieller Ebene gegenüber indifferent ist und lediglich in Erwägung gezogen wird«.[24] Nichtbehauptete Überzeugungen sind Überzeugungen über Handlungen und Charaktere, von denen wir wissen, daß sie nicht existieren. Doch, fährt Boruah fort, diese »nichtbehaupteten Überzeugungen« – Vorstellungen – rufen reale Gefühle hervor. Boruah stellt die These auf, fiktionale Vorstellungen könnten durch eine bestimmte Untermenge von Gefühlen, die er »fiktionale Gefühle« nennt, Handlungen auslösen. Zweifellos sind fiktionale Gefühle solchen des »realen Lebens« benachbart – sie ahmen sie nach –, doch sind sie ihnen nicht gleichgestellt, insofern sie durch Dinge ausgelöst werden können, von denen wir wissen, daß sie nicht real oder sogar unmöglich sind (»am Ende von *Anna Karenina* muß ich immer weinen, obwohl ich weiß, daß sie nie existiert hat«, »ich bin in bester Stimmung aus dem Kino gekommen, weil sich die Hauptfiguren am Ende versöhnt haben«). Fiktionale Gefühle können denselben kognitiven Inhalt haben wie echte Gefühle: Man kann sich im Kino vor einer Seuche ekeln oder über den Verrat eines engen Freundes empören. Doch werden diese fiktionalen Gefühle dadurch hervorgerufen, daß wir uns auf ästhetische Formen einlassen, und sie sind selbstreferentiell – das heißt, sie verweisen auf das Selbst

---

24 Bijoy H. Boruah, *Fiction and Emotion. A Study in Aesthetics and the Philosophy of Mind*, Oxford 1988, S. 3.

zurück und sind nicht Teil einer fortlaufenden und dynamischen Interaktion mit einem anderen. In diesem Sinne sind sie weniger verhandelbar als die Gefühle des wirklichen Lebens, was der Grund dafür sein mag, daß sie über ein in sich geschlossenes Eigenleben verfügen. Diese fiktionalen Gefühle wiederum sind die Bausteine für die kulturelle Aktivität der Einbildungskraft. Man bildet sich Gefühle ein und nimmt Gefühle vorweg, die dadurch ausgelöst wurden, daß wir Medieninhalten ausgesetzt sind.

Die Bilder und Geschichten der Liebe lassen sich auf einige wenige Schlüsselerzählungen und -motive eindampfen: Die Liebe wird als ein starkes Gefühl vorgeführt, das den Handlungen der Akteure nicht nur Sinn verleiht, sondern sie auch von innen heraus motiviert. Sie ist in vielerlei Hinsicht die ultimative Motivation für einen Handlungsstrang. Die Liebe wird als eine Kraft gezeigt, die innere oder äußere Hindernisse überwindet, als ein Zustand der Glückseligkeit; Figuren verlieben sich auf den ersten Blick, und oft ist es ihr gutes Aussehen, das Zuschauer und Liebende verbindet. Die Liebe wird in klaren und wiedererkennbaren Ritualen ausgedrückt; die Männer lieben das Reich der Frauen und ergeben sich ihm rasch; die Menschen sind mit ihren Gefühlen auf Tuchfühlung und handeln nach ihnen; und die Liebe geht für gewöhnlich mit perfekter körperlicher Liebe in schöner Umgebung einher.

Aus fiktionalen Gefühlen – wie sie entstehen, wenn wir uns mit Geschichten und Figuren identifizieren – bilden sich irgendwann die kognitiven Schablonen vorgreifender Gefühle. Damit Gefühle durch erfundene Skripte geprägt werden können, muß eine Reihe von Bedingungen erfüllt sein.

Lebendigkeit

Das vielleicht offensichtlichste Charakteristikum der modernen Einbildungskraft besteht in ihrer hohen »Auflösung« oder Lebendigkeit. Kendall Walton zufolge ist diese Lebendigkeit der wichtigste Grund dafür, daß fiktionale Inhalte Gefühle hervorrufen.[25] Unter Lebendigkeit ist das Vermögen mancher Darstellungen zu verstehen, geistige Prozesse dadurch auszulösen, daß sie anschauliche Objekte heraufbeschwören, von ihnen handeln und sie zueinander in Beziehung setzen. Bilder erzeugen einen lebendigen Inhalt, weil sie die Visualisierung einer vorausgreifenden Erfahrung ermöglichen und sie mit gefühlsmäßiger Bedeutung aufladen. Manche Forscher behaupten, Bilder riefen mehr Gefühle hervor als sprachliche Inhalte, was uns zu der Spekulation verleitet, daß es eher der visuelle Charakter vieler Geschichten in den Massenmedien ist, der Emotionen stimuliert, als ihr sprachlich vermittelter Inhalt.[26] Zudem wird Lebendigkeit durch Realismus akzentuiert, den man seinerseits oft mit Visualität assoziiert. Nicht umsonst ist der Realismus der vorherrschende Stil in der zeitgenössischen visuellen Kultur. Und schließlich sind fiktionale Gefühle mit einiger Wahrscheinlichkeit besonders lebhaft, wenn sie Bilder durchspielen, die über große Resonanz verfügen. Die geistigen Bilder, in die man Vorstellungen über die Liebe kleidet, sind klar verständlich und wiederholen sich. Begründet ist dies in der ausgesprochenen Auffälligkeit und Präsenz der kulturell verfügbaren Bilder der Liebe: Sie sind in einer Unmenge kultureller Arenen anzutreffen (in Werbung, Filmen, Unterhaltungsliteratur, Hochliteratur,

25 Kendall L. Walton, »Fearing Fictions«, in: *Journal of Philosophy*, Jg. 75, Nr. 1 (1978), S. 5-27.
26 Emily A. Holmes u. Andrew Mathews, »Mental Imagery and Emotion. A Special Relationship?«, in: *Emotion*, Jg. 5, Nr. 4 (2005), S. 489-497.

Fernsehen, Musik, dem Internet, Selbsthilfebüchern, Frauenzeitschriften, religiösen Erzählungen, Kinderbüchern, Opern); Liebesgeschichten und -bilder stellen die Liebe als ein Gefühl dar, das dem Glück und damit dem wünschenswertesten Zustand überhaupt dienlich ist; die Liebe wird mit Jugend und Schönheit assoziiert, den am meisten bewunderten sozialen Eigenschaften unserer Kultur; sie gilt als Kern der normativ am stärksten gebotenen Institution (der Ehe); und in säkularen Kulturen macht die Liebe Sinn und Ziel der Existenz aus. Zudem ist sie mit Situationen, Gesten oder Worten potentiell erotischen Charakters assoziiert, die einen besonderen Zustand emotionaler und physiologischer Erregung hervorrufen können, was wiederum zur Lebendigkeit dieser Bilder für ihre Konsumenten beiträgt. Kurz gesagt: Diese verschiedenen Bedingungen – kulturelle Verbreitung, kulturelle Resonanz, kulturelle Legitimität, kulturelle Sinnhaftigkeit, Realismus und körperliche Erregung – erklären, warum die geistige Bilderwelt der Liebe dazu angetan ist, sich auf besonders lebhafte Weise in unsere kognitive Welt einzuschreiben. Wie formulierte es Anna Breslaw in der »Modern Love«-Kolumne der *New York Times*?

Aufgrund der auffälligen Abwesenheit von Männern in meiner Familie waren die Männer in der Videosammlung meiner Tante jahrelang die einzigen, die ich kannte, und stürmische Romanzen mit erlösenden, schwer erkämpften Happy-Ends die einzigen Beziehungen, die ich zu sehen bekam. […] [Ich bin] darauf konditioniert, nette Männer an mir abprallen zu lassen und nur dann jemanden leidenschaftlich zu küssen, wenn im Hintergrund meine Stadt in Flammen steht.[27]

---

27 Anna Breslaw, »Casting Call: Bit Player, Male«, in: *The New York Times*, 13. März 2011, ⟨http://www.nytimes.com/2011/03/13/fashion/13ModernLove.html?emc=tnt&tntemail1=y⟩, letzter Zugriff 3. 7. 2011.

Narrative Identifikation

Geistige Bilder prägen Gefühle durch Vorwegnahme, durch vorgreifende Gefühle, wie wir sie nennen können. Dies liegt daran, daß Lebhaftigkeit eine Eigenschaft von Geschichten ist, die starke Mechanismen der Identifikation mit Handlungsverläufen und Figuren auslösen. Moderne Gefühle sind fiktional aufgrund der Vorherrschaft von Erzählungen, Bildern und Simulationstechniken zur Konstruktion und Manipulation von Sehnsüchten. Wir alle sind Emma Bovary in dem Sinne, daß unsere Gefühle tief in fiktionale Erzählungen eingebettet sind: Sie entwickeln sich in Geschichten und als Geschichten. Wenn »wir alle in unserem Leben Erzählungen ausleben und unser Leben mit Hilfe der Erzählungen, die wir ausleben, verstehen«,[28] dann können wir sagen, daß die narrative Form unserer Gefühle – vor allem jener der romantischen Sorte – von Geschichten aus den Medien und der Konsumkultur geschaffen und in Umlauf gebracht wird. Gefühle sind unauflöslich mit Fiktion verwoben, das heißt, sie werden als erzählte und erzählerische Lebensprojekte gelebt. Was es diesen Gefühlen ermöglicht, sich zu Erzählungen zu entwickeln, ist die Tatsache, daß sie sich in Geschichten entfalten, die starke Identifikationsmechanismen in Gang setzen.

Um die fiktionale Identifikation näher einzugrenzen, schlägt Keith Oatley zwei Definitionen von Identifikation vor:

Bedeutung 1 ist (Wieder-)Erkennung, Bedeutung 2 Nachahmung. Freuds Vorstellung von Identifikation zufolge erfährt eine Person von einer Handlung und identifiziert (Bedeutung 1) in sich einen Grund für sie oder ein Verlangen nach ihr. Dann wird besagte Person durch

---

28 Alasdair MacIntyre, *Der Verlust der Tugend. Zur moralischen Krise der Gegenwart* [1981], übers. von W. Rhiel, Frankfurt/M. u. New York 2006, S. 283.

eine Art unbewußten Rückschluß von ihrem Verlangen zu derselben Art Verhalten oder Haltung hingezogen, ahmt sie nach (Bedeutung 2) und wird jener Person ähnlich, die Vorbild für die Nachahmung war.[29]

Für Oatley ist Identifikation der Kern dessen, was er Simulation nennt – worunter er versteht, daß wir die Gefühle der Protagonisten eines Romans simulieren, nicht viel anders als Simulationen, die auf einem Computer laufen. Einfühlung, Identifikation und Simulation vollziehen sich durch vier grundlegende Prozesse: Wir machen uns die Ziele des Protagonisten zu eigen (»ein Plot ist die Ausarbeitung solcher Pläne in der durch die Geschichte gegebenen Welt«, oder, anders gesagt, sich auf einen Plot einzulassen heißt, einen spezifischen Weg zu ersinnen, um Absichten mit Zielen zu verknüpfen); wir stellen uns eine Welt vor beziehungsweise eine Welt, die man sich vorstellen kann, wird in lebhafter Weise dargestellt; der Erzähler verleiht der Erzählung durch Sprechakte, die an seine Leserschaft gerichtet sind, zusätzliche Glaubwürdigkeit; und wir synthetisieren die verschiedenen Elemente der Geschichte zu einem »Ganzen«. Oatley zufolge empfinden wir Gefühle durch diesen vierfachen Prozeß der Identifikation und Simulation. Mit anderen Worten: Die Vorstellungskraft ruft durch kulturell verschriftete Erzählungen Gefühle hervor, die die Mechanismen der Identifikation mit Charakteren, Handlungsabläufen, den Absichten der Charaktere sowie die sich daraus ergebende gefühlsmäßige Simulation in Gang setzen. Dieser Mechanismus, der anschließend um visuelle Lebhaftigkeit ergänzt wird, bewirkt, daß manche erzählten Szenen in unsere geistigen Schablonen eingeschrieben werden und daher geeignet sind, zu einem Bestandteil unserer persönlichen Weise des Imaginierens und Vorwegnehmens zu werden. Insoweit

---

29 Keith Oatley, »A Taxonomy of the Emotions of Literary Response and a Theory of Identification in Fictional Narrative«, in: *Poetics,* Jg. 23, Nr. 1/2 (1994), S. 53-74, hier: S. 64.

wir vielen unserer eigenen Gefühle in der und durch die Medienkultur begegnen, können wir sagen, daß ein Teil unserer emotionalen Sozialisation fiktional ist: Am Ende entwickeln und antizipieren wir Gefühle durch die wiederholten kulturellen Szenarien und Geschichten, denen wir begegnen. Wir nehmen also schließlich vorweg, durch welche Regeln Gefühle ausgedrückt werden, wie wichtig manche Gefühle für unsere Lebensgeschichten sind und mit welchem Vokabular und welcher Rhetorik diese Gefühle ausgedrückt werden.

Fiktionale Gefühle entstehen durch den Mechanismus der Identifikation – mit Charakteren und Handlungen –, der durch Schablonen oder Schemata zur Einschätzung neuer Situationen, zum Sinnieren über Ereignisse des Lebens und zu ihrer Vorwegnahme ausgelöst wird. In diesem Sinne liefert die imaginäre Vorwegnahme die Schablonen für die fiktionalen Gefühle, die die Grundlage von Lebensprojekten bilden. Diese einem »Drehbuch« folgende Vorwegnahme modelliert die geplante Erzählung, mit deren Hilfe wir neu eintretende Lebensereignisse, die anschließend an die Erzählung angehefteten Gefühle sowie das voraussichtliche Ziel der Erzählung ordnen. Deshalb sind Lebensprojekte in fiktionale Gefühle eingebettet und umgekehrt.

Mit einem Schuß Selbstironie verriet mir Bettina, eine 37jährige Übersetzerin, in einem Interview:

BETTINA: Wenn ich einen Mann kennenlerne, dann stelle ich mir nach dem zweiten oder dritten Treffen, manchmal sogar noch davor, kaum zu glauben, die Hochzeit vor, das Hochzeitskleid, die Einladungskarten, manchmal sogar nur wenige Minuten, nachdem ich ihm zum ersten Mal begegnet bin.

INTERVIEWERIN: Ist das ein schönes Gefühl?

BETTINA: Ja und nein; ja, weil es grundsätzlich toll ist, sich etwas auszumalen, was es auch sei, ich liebe es zu phantasieren; manchmal aber gehe ich völlig darin auf, ohne es überhaupt zu wollen, ich wäre gerne vorsichtiger, hätte die ganze Sache gerne besser im Griff, aber meine Phantasien, dieser rührselige Kitsch in meinem Kopf bringen mich immer an Orte, an denen ich gar nicht sein möchte.

INTERVIEWERIN: Was für ein »rührseliger Kitsch«?

BETTINA: Daß irgendwie die große Liebe auf mich wartet, ich sehe das ganze Drehbuch vor mir, abends händchenhaltend zusammensitzen, ein Glas Champagner trinken, zusammen an aufregende Orte reisen, es wie verrückt miteinander treiben, einfach ein tolles Leben haben, großartigen Sex, wissen Sie, wie im Kino.

Wie diese Frau sagt, ist sie unfähig, ihr Hingezogensein zu einem Mann *nicht* als eine Geschichte zu erleben, die sich eigenmächtig in ihrer Vorstellung entfaltet – im Sinne einer emotionalen Intensität, die sie gleichsam überkommt. Was diese Vorstellungen und die dazugehörigen Gefühle jedoch entzündet, ist der geistige Probedurchlauf wohlkodifizierter Bilder und narrativer Skripte.

Auf ähnliche Weise berichtet Catherine Townsend von der Begegnung mit einem früheren Freund und ihrer Hoffnung, die Beziehung mit ihm wiederaufleben zu lassen. Sie beschreibt ihre Gemütsverfassung vor dem Treffen in einer Form, die sowohl auf die Lebhaftigkeit ihrer vorgreifenden geistigen Bilder als auch auf deren Vermögen, die Wirklichkeit in eine enttäuschende Erfahrung zu verwandeln, schließen läßt.

Daß ich von britischen Männern besessen bin, verdanke ich der Figur, die Hugh Grant in *Vier Hochzeiten und ein Todesfall* spielt. Grant lehrte mich, daß diese noch so linkisch und verklemmt sein konnten und doch am Ende alles überstehen und eine Liebeserklärung machen würden, höchstwahrscheinlich im strömenden Regen.

Schließlich ist dies doch das Land Shakespeares, auch wenn die meisten Männer, die ich hier kennengelernt habe, glauben, *courtly love* [höfische Liebe] habe irgend etwas mit Kurt Cobain zu tun.

Eine weitere alltägliche Phantasie ist die von einer Tür, die sich plötzlich während einer banalen U-Bahnfahrt öffnet und mich direkt in die Augen eines Doppelgängers von Colin Firth blicken läßt.

Auch wenn die meisten Männer, die mich in der U-Bahn ansprechen, nach Kleingeld fragen, hoffe ich unverdrossen darauf, daß ich irgendwo eingezwängt in den schweißfleckigen Massen einem Mann begegnen werde, der sich nicht gegen den Gedanken sträubt, seinen

Sitzplatz für den älteren Herrn mit dem Gehstock aufzugeben. (Wenn er es tut, war's das auch schon.)

Mein Exfreund hatte immer Schwierigkeiten damit gehabt, seine Gefühle zu zeigen. Als er mich also nach Las Vegas einlud, dachte ich aus irgendeinem Grund: Wenn wir gezwungen sind, in einer bescheuerten und irrsinnigen Umgebung etwas zusammen zu unternehmen, würde uns das einander näher bringen.

Wäre unser Wochenende eine kitschige romantische Komödie à la *Love Vegas* gewesen, dann hätten wir an einem einarmigen Banditen den Jackpot geknackt und in einer betrunkenen Zeremonie geheiratet, und die skurrilen Abenteuer, die wir zusammen erlebt hätten, hätten ihm klargemacht, wie sehr er mich liebt. Vielleicht wäre sogar eine verrückte Geschichte daraus geworden, die wir eines Tages unseren Enkeln würden erzählen können. Ross und Rachel sind ja schließlich auch betrunken, als sie in *Friends* heiraten, und am Ende wendet sich alles zum Guten.

Als ich zum Flughafen kam, buchte mich Virgin netterweise in eine höhere Klasse um, was ich als ein gutes Zeichen nahm. Den ganzen Flug über nippte ich an meinem Champagner und stellte mir mein Kleid vor, das dem glich, das Sharon Stone in *Casino* beim Würfeln trägt.

Der größte Mythos, den romantische Filme aufrechterhalten, ist vielleicht der »Moment der Wahrheit« – jener märchenhafte Moment, wenn zwei Menschen, die überhaupt nicht zueinander passen, begreifen, daß sie füreinander bestimmt sind, obwohl ihre Beziehung bis dahin völlig zerrüttet war. Normalerweise heißt das, daß einer von beiden irgend jemandes Hochzeitszeremonie unterbricht oder ihn daran hindert, am Flughafen in ein Flugzeug zu steigen.

Die Realität von Vegas war deutlich profaner. Mein Ex und ich hatten eine nette Zeit an diesem Wochenende, den Jackpot aber haben wir nicht geknackt. Wir hatten die gleichen Diskussionen wie vorher in London, und auch nachdem die Minibar leergetrunken war, hatten sich unsere Beziehungsprobleme nicht in Luft aufgelöst.[30]

Die narrative Struktur des Vorgriffs ist in diesem Text deutlich vom Genre der *Screwball Comedy* geprägt, in der die wahre Liebe erst aus einer Phase von Ablehnung und Streit

30 Catherine Townsend, »Culture of Love«, 23. September 2008, ⟨http://sleeping-around.blogspot.com/2008/09/culture-of-love.html⟩, letzter Zugriff 1. 3. 2011.

hervorgeht. Townsend beschreibt, wie eine bestimmte erzählerische Formel – die der romantischen Komödie – die
Erwartung schafft, daß »Probleme« in einem Moment der
Offenbarung überwunden werden. Die Projektion des eigenen Selbst in diese narrativen Skripte erklärt deren Vermögen, Erwartungen und Vorwegnahmen sowie Tagträumereien und Einbildungen auszulösen. Dies deckt sich mit
der verbreiteten Feststellung, in der Welt des Kinos würden
gewöhnliche Beziehungen nicht realistisch dargestellt, sondern überhöhte Erwartungen geschaffen, Probleme um-
gangen und erzählerische Formeln eingesetzt, die die Liebe
gegen alle Schwierigkeiten triumphieren lassen – was letztlich zu Enttäuschungen führe. Tatsächlich zeichnet sich die
Moderne, wie Reinhart Koselleck behauptet,[31] durch eine
wachsende Kluft zwischen Realität und Erwartung aus, was
nicht nur Enttäuschungen hervorruft, sondern diese zu einem chronischen Merkmal moderner Lebensläufe werden
läßt. So gesehen wird die moderne Einbildungskraft zu einer
Chiffre für »gesteigerte Erwartungen« und Enttäuschungen.
Die Einbildungskraft hat die Ansprüche von Männern und
Frauen hinsichtlich der von ihnen gewünschten Eigenschaften eines Partners und/oder der Aussichten auf ein gemeinsames Leben verändert und nach oben geschraubt. Auf diese
Weise hat sie sich mit der Erfahrung der Enttäuschung ver-
bündet, die eine berüchtigte Magd der Einbildung und vor
allem im Reich der Liebe eine bedeutende Quelle von Leiden ist.

---

31 In Kosellecks Worten: »Meine These lautet, daß sich in der Neuzeit
die Differenz zwischen Erfahrung und Erwartung zunehmend vergrößert,
genauer, daß sich die Neuzeit erst als eine neue Zeit begreifen läßt, seitdem
sich die Erwartungen immer mehr von allen bis dahin gemachten Erfahrungen entfernt haben.« Zitiert nach Jürgen Habermas, *Der philosophische Diskurs der Moderne. Zwölf Vorlesungen*, Frankfurt/M. 1985, S. 22.

Enttäuschung als kulturelle Praxis

Soziobiologen, die Panglosse unserer Zeit, würden die Assoziation von Phantasie und Enttäuschung als Folge zwangsläufiger chemischer Mechanismen erklären, die höheren evolutionären Zwecken dienen. Bei Verliebten schüttet das Gehirn verschiedene chemische Substanzen aus, die Euphorie sowie die Neigung hervorrufen, über jemanden zu phantasieren.[32] Weil diese Substanzen nur begrenzte Zeit (bis zu zwei Jahre) im Körper bleiben, verwandeln sich romantische Phantasien und euphorische Stimmungen alsbald entweder in eine unaufgeregte Anhänglichkeit oder, für manche, in eine Enttäuschung. Verbreiteter dürfte die Auffassung sein, daß die Liebe stärker noch als andere Gefühle ebenso hartnäckig mit der Gegenwart eines anderen in institutionalisierten, routinierten Zusammenhängen zurechtkommen, wie sie den Übergang von Intensität zu Kontinuität, von Neuheit zu Vertrautheit meistern muß. Die »Enttäuschung« wird dadurch zu einem existentiell unverbrüchlichen Bestandteil der Liebeserfahrung.

Ich meine, daß die Enttäuschung über den eigenen Partner, das eigene Leben, den eigenen Mangel an Leidenschaft nicht nur eine psychologische und private Erfahrung oder ein Ausdruck unserer Determiniertheit durch Hormone ist, sondern auch ein vorherrschendes kulturelles Motiv hinsichtlich des Gefühlslebens. Marshall Berman versteht den Unterschied zwischen vormoderner und moderner Identität wie folgt: »[D]er Mensch, dessen ganzes zukünftiges Leben vom Augenblick seiner Geburt an für ihn festgelegt ist, der nur auf die Welt kam, um eine bereits vorhandene Nische auszufüllen, wird mit wesentlich geringerer Wahrschein-

---

32 Genauer gesagt ist die intensive romantische Liebe, bei der der Partner idealisiert wird, mit der Ausschüttung von Dopamin und Noradrenalin verbunden.

lichkeit enttäuscht sein als der in unserem System lebende Mensch [...], in dem seinem Streben keine sozialen Grenzen gesetzt sind.« Denn obwohl »die Zugehörigkeit zu einer rigide organisierten Gesellschaft dem Individuum die Gelegenheit vorenthalten mag, seine speziellen Talente zu erproben, verleiht sie ihm *eine gefühlsmäßige Sicherheit*, die uns Heutigen praktisch unbekannt ist«.[33] Den Gedanken, daß modernen Beziehungen gefühlsmäßige Sicherheit abgeht, kann man auch so formulieren, daß sie stets am Rande der Enttäuschung operieren.

Doch ist es nicht nur die Enttäuschung, sondern die Vorwegnahme der Enttäuschung, die ein Kennzeichen der modernen Liebe ist. Wie es eine Protagonistin in *Sex and the City* ausdrückt: »Immer, wenn ein Mann mir sagt, er sei romantisch veranlagt, möchte ich schreien [...]. Es bedeutet nur, daß ein Mann eine romantische Vorstellung von dir hat, und sobald du real wirst und aufhörst, seine Phantasien zu füttern, hat er keine Lust mehr. Das macht Romantiker so gefährlich. Bleib bloß weg von denen.«[34] In ihrer Vorwegnahme der Enttäuschung des Mannes bringt diese Romanfigur die Modernität ihrer Vorwegnahme der Enttäuschung eines anderen (oder ihrer eigenen Enttäuschung) zum Ausdruck. Moderne Menschen unterscheiden sich von Emma Bovary genau darin, daß sie ihre eigene Enttäuschung und die der anderen vorwegnehmen.

Meine These lautet: Damit Tagträumerei und Vorstellungskraft enttäuschen können, müssen sie auf bestimmte Weise mit dem Realen verbunden sein. Damit meine ich, daß es eine bestimmte Weise – und Schwierigkeit damit – geben muß, vom Imaginären zum Realen überzugehen.

In seinem berühmt gewordenen Buch *Die Erfindung*

---

33 Marshall Berman, *The Politics of Authenticity. Radical Individualism and the Emergence of Modern Society*, New York 1970, S. 90.
34 Candace Bushnell, *Sex and the City. Am Bett vorbei ist voll daneben*, übers. von A. Hahn, München 1998, S. 13 f.

der Nation[35] argumentiert Benedict Anderson, die Art und Weise, wie Gemeinschaften – oder Nationen – erfunden werden, unterscheide sich nicht danach, ob sie wahr oder falsch seien, sondern anhand *ihres Stils*. Die Einbildungskraft – oder der kulturell und institutionell organisierte Einsatz der Phantasie – ist keine abstrakte oder universelle Aktivität des menschlichen Geistes. Sie verfügt vielmehr über eine kulturelle Form, die sie in bestimmter Form mit dem Realen verbindet. Das heißt, daß mit dem Gebrauch der Einbildungskraft nicht von Haus aus eine Enttäuschung verbunden sein muß. Dies läßt sich gewissermaßen im Umkehrschluß anhand der Art und Weise veranschaulichen, wie das Vorstellungsvermögen im Mittelalter funktionierte. Die mittelalterliche Phantasie war von der Hölle und dem Paradies beherrscht. Das Paradies war ein Ort des Fließens und Überflusses, der als geographischer Raum und nicht als Geschichte mit einer klaren Erzähllinie definiert und diskutiert wurde. Ein Großteil der Überlegungen zum Paradies galt der Frage, wo es angesiedelt war, wer dort hauste und wie man es finden konnte. Die Vorstellungsbilder, die hierzu aufgerufen wurden, drehten sich um mythische Schauplätze. Jean Delumeau zufolge hielten sich diese Vorstellungen nicht nur bis ins 17. Jahrhundert, sondern erreichten in jener Epoche ihren Höhepunkt. Man träumte vom »goldenen Zeitalter, der Insel der Seligen, vom Jungbrunnen, Schäferidyllen und Schlaraffenländern [...]. Und noch nie zuvor hatte man in unserem Abendland den Gärten so viel Platz eingeräumt und solche Gunst gewährt.«[36] Das Paradies wurde somit als geographischer Ort imaginiert, der durch seine Gewässer und seine üppige Vegetation bestimmt war.

35 Benedict Anderson, *Die Erfindung der Nation. Zur Karriere eines folgenreichen Konzepts* [1983], übers. von B. Burkard u. Chr. Münz, 2., erw. Aufl., Frankfurt/M. u. New York 2005.

36 Jean Delumeau, *Une Histoire du paradis*, Bd. 1: *Le Jardin des délices*, Paris 2002, S. 155.

Im 15. Jahrhundert entwickelte er sich zu einem Schauplatz ewiger Jugend und Liebe, jenseits von Raum und Zeit. Diese imaginäre Konstruktion des Paradieses ist durch zwei Merkmale gekennzeichnet: In ihrem Mittelpunkt stehen keine deutlich abgegrenzten Charaktere und Handlungsfäden, und sie kennt per se keine Enttäuschung. In der mittelalterlichen Vorstellung war das Paradies real, es existierte irgendwo weit vor Europas Küsten und mußte nicht mit der Echtzeit konfrontiert werden – das heißt, es mußte nicht mit der Frage konfrontiert werden, wie der Übergang von einem vorgestellten Inhalt zur Realität zu bewerkstelligen wäre.[37] Als das Paradies irgendwann im Laufe des 16. Jahrhunderts verlorenging – als die Menschen also nicht mehr glaubten, daß es sich an irgendeinem Ort der Welt befand –, wurde es zum Objekt nostalgischer Sehnsucht. Vom Paradies war nun in einem tröstenden Sinne die Rede oder um die Alltagsrealität zu überglänzen. Im 15. und 16. Jahrhundert war es mithin ein nostalgischer Ort, das verlorene Paradies, das sich nicht mehr zurückgewinnen ließ. Doch verband es sich kulturell nicht mit vorgreifenden Gefühlen aus dem realen Leben und auch nicht mit der kulturellen Problematik der Enttäuschung. Erst als der Gebrauch der Einbildungskraft durch Romane angeregt wurde, entwickelte sich diese zu einer Quelle der Enttäuschung. Genauer gesagt: Als die Einbildungskraft realistischer, das heißt auf reale, alltägliche Dinge ausgerichtet wurde, und als sie demokratisch, das heißt auf Gegenstände und Erfahrungen ausgerichtet wurde, die im Prinzip jedermann zugänglich waren, bekam sie es mit dem Problem zu tun, zwischen eingebildeten Erwartungen und den Einschränkungen des täglichen Lebens hindurch lavieren zu müssen. Die Enttäuschung entwickelte sich genau in dem Moment zu einem Begleitumstand der Liebeserfahrung, als in der Liebe immer

37 Ebd.

stärker von der Vorstellungskraft Gebrauch gemacht wurde
und deren Beziehung zum alltäglichen Leben an Bedeutung
gewann.

Um das Wesen der Enttäuschung zu verstehen, möchte
ich zunächst zwischen einer Enttäuschung als einmaligem
Ereignis – etwa, wenn wir einen Menschen kennenlernen,
der unsere Erwartungen nicht erfüllt – und der Enttäuschung als verschwommenem Gefühl, das sich über einen
längeren Zeitraum erstreckt, unterscheiden. Im ersten Fall
ist die Enttäuschung klar und deutlich, wie es im Fall einer
ersten Begegnung der Fall sein kann und im Zusammenhang mit der zunehmenden Nutzung von Internet-Kontaktbörsen auch immer häufiger der Fall ist. Im zweiten Fall
baut sich die Enttäuschung durch die gesammelten Erfahrungen des alltäglichen Lebens auf. Diese beiden Formen
von Enttäuschung unterscheiden sich, weil sich ihre kognitiven Stile unterscheiden. Im ersten Fall haben wir es
zumeist mit einem klaren geistigen Bild zu tun, das man
sich von einer Person gemacht hat, bevor man ihr zum
ersten Mal begegnet; im zweiten Fall verdankt sich die Enttäuschung einem stillschweigenden Vergleich des eigenen
täglichen Lebens mit dem Kern der allgemeinen und ver-
schwommenen narrativen Erwartungen, wie dieses Leben
sein sollte.

Das enttäuschende Leben

Welche Faktoren tragen dazu bei, ein Gefühl der Enttäuschung als prägender Erfahrung auszulösen, die sich im und
durch den Alltag aufstaut? Wir können zunächst, um den
soeben skizzierten Unterschied zwischen zwei Formen von
Enttäuschung noch einmal anders zu formulieren, eine Unterscheidung heranziehen, die Daniel Kahneman und seine
Kollegen zwischen zwei Formen von Bewußtsein treffen:

In der einen Bewußtseinsform wird das Leben als endloser Strom von Augenblicken erlebt; in der anderen werden
Erlebnisse erinnert und in Form gebracht. Kahneman u.a.
beschreiben den Unterschied zwischen diesen beiden Be-
wußtseinsformen.[38] So wird beispielsweise Patient A, der einer schmerzhaften, abrupt beendeten Prozedur unterzogen
wurde, diese als belastender erinnern als Patient B, dessen
schmerzhafte Prozedur länger dauerte, dessen Schmerzbe-
lastung jedoch schrittweise reduziert wurde.[39] Dies deutet
darauf hin, daß Menschen, um zu entscheiden, ob eine Erfahrung angenehm ist oder nicht, stärker auf ihre kognitive
Struktur achten als auf die Erfahrung an sich. Obwohl die
Autoren den Implikationen ihrer Ergebnisse nicht nachgehen, weisen diese doch deutlich darauf hin, wie sich ein
Bewußtsein, das Inhalte in bereits bestehende kulturelle
und kognitive Formen gliedert, von einem Bewußtsein unterscheidet, das einen formlosen Fluß von Erfahrungen begleitet. Das Vermögen, Erfahrung formal zu gliedern – das
heißt, sie in einer Erzählung mit spezifischen Szenenfolgen
oder in visuellen Momentaufnahmen anzuordnen –, verleiht
dieser Erfahrung eine neue Konsistenz und Bedeutung. Damit wir ein Erlebnis als angenehmer erleben und erinnern,
so scheint es also, müssen wir es in eine kulturelle und kognitive Form bringen.

Das Problem der Einbildungskraft ist offensichtlich ähnlicher Natur. Der Unterschied besteht darin, daß die Einbildungskraft Erfahrungen vorausschauend und nicht zurück-
blickend organisiert. Wo das Gedächtnis manche Aspekte
eines Erlebnisses auslöscht und an anderen festhält, so daß
wir nur die Elemente erinnern, die »zum Drehbuch passen«,

38 Daniel Kahneman, Barbara L. Fredrickson, Charles A. Schreiber u.
Donald A. Redelmeier, »When More Pain Is Preferred to Less. Adding a
Better End«, in: *Psychological Science*, Jg. 4, Nr. 6 (1993), S. 401-405.
39 Donald A. Redelmeier u. Daniel Kahneman, »Patients' Memories of
Painful Medical Treatments. Real-Time and Retrospective Evaluations of
Two Minimally Invasive Procedures«, in: *Pain*, Jg. 66, Nr. 1 (1996), S. 3-8.

nimmt die Einbildungskraft nur bestimmte Formen und Gestalten der Erfahrung vorweg. Sie bewirkt damit, daß wir andere Aspekte dieser Erfahrung gar nicht bemerken, wenn wir sie tatsächlich machen, oder die Erfahrung als negativ bewerten. Eine Enttäuschung ist somit entweder die Unfähigkeit, die vorweggenommene (ästhetische) Form in der realen Erfahrung wiederzufinden, oder die Schwierigkeit, sie im realen Leben aufrechtzuerhalten. Diese Schwierigkeit hat damit zu tun, ob und wie es gelingt – oder eben nicht gelingt –, die beiden Formen von Bewußtsein miteinander zu verbinden. Dieses Problem hat uns meiner Meinung nach viel über die Natur der Vorstellungskraft *und* über die Natur der alltäglichen Erfahrung zu sagen, mit der unsere geistigen Vorgriffe zurechtkommen müssen. Zwar hat uns eine lange Tradition gelehrt, der Einbildungskraft zu mißtrauen, und uns zu der unterschwelligen Annahme verleitet, an den Alltag müsse man sich eben anpassen, doch möchte ich dem entgegenhalten, daß wir der Struktur des alltäglichen Lebens genausoviel Aufmerksamkeit widmen müssen, bewirkt sie doch eine große Kluft zwischen diesen beiden Formen von Bewußtsein.

Das Scheitern des Alltags

In der Behauptung, die Medienkultur schüre mit ihren Vorstellungswelten übermäßige Erwartungen, ist die Vorstellungskraft immer schon implizit im Unrecht; die »Realität« hat das letzte Wort und ist die definitive Meßlatte, die an den Gebrauch der Einbildungskraft anzulegen ist. So erhebt etwa die Psychoanalyse das »Realitätsprinzip« zu dem Kodex, dem sich die Psyche letztlich beugen muß. Nur ein Beispiel: »Da sie mit einer ›Überbewertung‹ verbunden ist, geht die romantische Liebe in ihrer Idealisierung mit einem Bruch der Realitätsprüfung einher und ist somit immer unreif und gefährlich.«[40] Diese Bejahung des Realen gegenüber dem Vorgestellten aber fragt nicht nach der Struktur des »Realen«, mit dem die Vorstellungskraft zurechtkommen muß. Eine Enttäuschung gilt stets als Folge »unrealistischer Erwartungen«, doch wird die Struktur des Realen, die diese Erwartungen unrealisierbar macht, nie in Frage gestellt. Ich möchte hingegen gerade die Annahme hinterfragen, daß dem Realen von Haus aus und zwangsläufig die Mittel fehlen, um unsere Vorstellungen zu befriedigen. Oder wenn dem so ist, dann möchte ich wissen, warum.

In einem Buch mit dem Titel *Kann denn Liebe ewig sein?* argumentiert der Psychoanalytiker Stephen Mitchell, daß die meisten Ehen aus der Erfahrung seiner Praxis heraus in schwierige Fahrwasser geraten, weil ihnen die Leidenschaft ausgeht.[41] Mitchell schreibt dies dem Umstand zu, daß die meisten Menschen versuchen, gleichzeitig ein Sicherheits- und ein Abenteuerbedürfnis zu befriedigen. Die Leidenschaftslosigkeit der Ehe rühre davon her, wie wir unserem Sicherheitsbedürfnis nachkommen. Sicherheit gilt den meisten als unvereinbar mit Leidenschaft oder als der Anfang von ihrem Ende. Dem möchte ich entgegenhalten, daß diese Suche nach »Sicherheit« und/oder »Abenteuer« keine unveränderliche Dimension der Psyche ist beziehungsweise, wenn das doch der Fall sein sollte, Sicherheit und Abenteuer in verschiedenen kulturellen Strukturen unterschiedliche Formen annehmen. Sie sind auch Folgen der sozialen Organisation der Psyche. Die Dimension der Sicherheit leitet sich von der Fähigkeit her, die eigene Umgebung zu kontrollieren und vorauszuberechnen, die Dimension des Abenteuers hingegen von dem Gefühl, entwe-

---

40 James W. Jones, *Terror and Transformation. The Ambiguity of Religion in Psychoanalytic Perspective*, New York 2002, S. 14.

41 Stephen A. Mitchell, *Kann denn Liebe ewig sein? Psychoanalytische Erkundungen über Liebe, Begehren und Beständigkeit*, übers. von Th. Kierdorf in Zus. mit H. Höhr, Gießen 2004.

der in seiner sozialen Identität oder in seinem Wissen, wie man Dinge macht, herausgefordert zu sein. Was Mitchell Sicherheit nennt, ist eine Folge der tiefgreifenden Rationalisierung des täglichen und häuslichen Lebens, der Routinisierung von Aufgaben und Dienstleistungen, die einem helfen, den häuslichen Betrieb tagein, tagaus aufrechtzuerhalten. Die Rationalisierung des Haushalts äußert sich in einer Zeitdisziplin, die darin besteht, daß wir zu einer bestimmten Zeit aufwachen, zu einer bestimmten Zeit nach Hause kommen, die Kinder zu ihren regelmäßigen Aktivitäten bringen, zu bestimmten Zeiten essen, bestimmte Nachrichtensendungen oder Fernsehserien verfolgen, an einem bestimmten Tag Lebensmittel kaufen, gesellschaftliche Aktivitäten planen und festgelegte Mußestunden haben und so weiter. Die Rationalisierung des Raums wiederum äußert sich darin, daß die Supermärkte und Einkaufszentren, in denen wir unsere Besorgungen machen, hochkontrollierte Umgebungen sind; daß in den Wohnungen, in denen wir leben, der Raum homogen geplant, rational aufgeteilt und nach funktionalen Kriterien der Objektnutzung angeordnet ist; daß die Gegenden, in denen wir leben, überwacht und frei von jedem möglichen Quell von Chaos sind. Das moderne häusliche Leben ist hochgradig vorhersehbar, und seine Vorhersehbarkeit wird durch ein ganzes Spektrum von Institutionen sichergestellt, die das tägliche Leben organisieren: die Hauslieferung (von Essen, Zeitungen, bestellten Waren), das Fernsehen mit seinen regelmäßigen Programmen, zumeist im voraus geplante Geselligkeiten sowie standardisierte Frei- und Urlaubszeiten. Was Mitchell als Sicherheit bezeichnet, ist somit in Wirklichkeit eine rationalisierte Weise, den Alltag einzurichten – »Sicherheit« wird, mit anderen Worten, sowohl psychisch als auch soziologisch als Nebenprodukt der Rationalisierung des Alltags erlangt.

Diese Rationalisierung des täglichen Lebens führt oft zu

Enttäuschung, weil sie fortwährend und unaufhörlich mit jenen weitverbreiteten, ganz anderen Modellen und Idealen emotionaler Aufregung und Expressivität verglichen wird – ein Vergleich, der einen dazu bringt, sich und sein Leben negativ zu beurteilen. Tatsächlich zeigen Forschungen, daß man seine rationalisierte Alltagserfahrung unter dem Einfluß von Medienbildern eher negativ bewertet. Der Mechanismus, der dies bewirkt, ist komplex. Untersuchungen zum Einfluß von Medienbildern auf die Wahrnehmung des eigenen Körpers deuten darauf hin, daß Bilder perfekter Körper deshalb negative Auswirkungen auf die Selbstachtung und das Selbstverständnis haben, weil die Betrachtung dieser perfekten Körper suggeriert, daß andere sie leichter bekommen können (Konkurrenzaspekt) und daß ihnen dies wichtig ist (Aspekt der normativen Legitimität). Medienbilder werden somit durch unsere stillschweigenden Annahmen darüber, was sie über die Erwartungen, die andere an uns haben, und über die Erfolge, die andere im Vergleich zu uns haben, aussagen, zu einer Quelle von Wünschen. Weitverbreitete Bilder der Liebe können zu dem Gedanken verleiten, daß anderen eine Liebe geglückt ist, die uns versagt blieb, und daß eine geglückte Liebe für ein erfolgreiches Leben normativ von Bedeutung ist. Die so ausgelöste Unzufriedenheit kann eine chronische Enttäuschung nähren. Somit führt die Rationalisierung des täglichen Lebens zu einer Langeweile, die wir permanent stillschweigend mit den Modellen emotionaler Erregung, Intensität und Fülle vergleichen, wie sie uns die Medien vor Augen führen.

Irritationen

Neben Sicherheit und Rationalisierung bringt ein gemeinsamer Alltag auch Irritationen mit sich. In seinem Buch *Was sich liebt, das nervt sich* hat der französische Soziologe Jean-Claude Kaufmann die kleinen Ärgernisse untersucht, die Paare im Alltag erleben.[42] Er beschreibt sie als kleine Irritationen, die entweder den Charakter eines Menschen (»warum liest du ausgerechnet Zeitung, während ich aufräume?«, »warum wirfst du mir immer vor, ich würde mich nicht genug um dich kümmern?«) oder seine Art und Weise, mit Dingen umzugehen, betreffen (»warum schraubst du nie den Deckel richtig zu?«, »warum schnüffelst du immer am Essen herum, bevor du ißt?«). Diese Irritationen beziehungsweise ihr Anlaß – relativ kleine oder unbedeutende Gesten oder Wörter – scheinen eine typisch moderne Erfahrung zu sein, in der sich ein neues Verständnis und eine neue Organisationsform von Beziehungen widerspiegelt. Kaufmanns Analyse gewährt keine Einsicht in die Gründe, warum das moderne Alltagsleben einen so fruchtbaren Boden für diese Form von »Gereiztheit« bietet. Meines Erachtens verdanken sich derartige Irritationen der Art und Weise, wie Häuslichkeit durch institutionalisierte Nähe und Intimität organisiert wird, wie wir dies nennen könnten.

Intimität wird durch verschiedene sprachliche Strategien hergestellt, die alle darauf abzielen, die Distanz zwischen zwei Menschen abzubauen. Zu diesen Strategien gehört es etwa, tiefere Schichten seiner Identität zu offenbaren, einander seine am besten gehüteten Geheimnisse zu verraten, sein Inneres ungeschützt preiszugeben, in einem Zimmer und Bett zu schlafen, seine Freizeit gemeinsam zu gestalten, um miteinander am selben Ort Zeit zu verbringen. Die außergewöhnliche Zunahme an Freizeit im 20. Jahrhundert läßt sich nicht davon trennen, daß Männer und Frauen ihre Freizeit zunehmend als Begegnungsort nutzen, um gemeinsame Erfahrungen zu sammeln und miteinander vertraut zu werden. Vertrautheit und Nähe sind gewiß die Hauptziele

---

42 Jean-Claude Kaufmann, *Was sich liebt, das nervt sich*, übers. von A. Beck, Konstanz 2008.

von Paarbildung und Intimität. Zusammen mit der Rationalisierung des Alltags institutionalisiert die Vertrautheit das Selbst derart, daß es das Ferne, Unvertraute oder Unvorhersehbare an einer anderen Person beseitigt. Doch auch wenn dies auf den ersten Blick nicht einleuchtet, führen meines Erachtens Vertrautheit und Nähe in Wirklichkeit zu größeren »Irritationen«.

Man kann dies mit einem Umkehrschluß plausibel machen. Wie eine Untersuchung zeigt, sind Fernbeziehungen stabiler als Nahverhältnisse. Die Forscher begründen dies damit, daß es leichter fällt, seinen Partner zu idealisieren, wenn er entfernt lebt.[43] Idealisierung ist negativ mit der Frequenz der Interaktion korreliert. Es fällt leichter, positiv über den anderen zu denken, wenn er abwesend ist. Umgekehrt institutionalisieren zusammenlebende Paare ihre Beziehung in verschiedener Weise durch Nähe: Sie teilen Raum, Zimmer und Bett, sie unternehmen gemeinsame Freizeitaktivitäten und inszenieren ihr wahres Selbst durch den ritualisierten Ausdruck von Authentizität. Bis weit ins 19. Jahrhundert hinein sahen die familiären Strukturen in der Oberschicht noch ganz anders aus: Männer und Frauen schliefen nicht unbedingt im selben Schlafzimmer; sie verbrachten ihre freie Zeit getrennt und teilten einander nicht permanent ihre Gefühle und ihr Innenleben mit. Zur Veranschaulichung des anderen kulturellen Musters dessen, was Menschen im 19. Jahrhundert als »Probleme« ansahen, möchte ich aus einem Brief zitieren, in dem Harriet Beecher Stowe ihrem Mann gegenüber die Probleme ihrer Ehe zusammenfaßt:

Wenn ich über unsere künftige Verbindung – unsere Ehe – und die früheren Hindernisse auf dem Weg zu unserem Glück nachdenke, so scheint mir, daß sie von zweier- oder dreierlei Art sind. Erstens von

---

43 Laura Stafford u. Andy J. Merolla, »Idealization, Reunions, and Stability in Long-Distance Dating Relationships«, in: *Journal of Social and Personal Relationships*, Jg. 24, Nr. 1 (2007), S. 37-54.

jener körperlichen Art sowohl bei Dir als auch bei mir – wie der hypochondrischen kränklichen Labilität auf Deiner Seite, für welche die einzige Medizin in leiblicher Pflege und der Beachtung der Gesetze der Gesundheit besteht – und auf meiner Seite gibt es jenes Übermaß an Empfindlichkeit und Desorientiertheit sowie mangelnder Kontrolle über meinen Geist und mein Gedächtnis. Dies steigert sich bei mir immer im Verhältnis dazu, wie man mich tadelt und an mir herumkrittelt, und ich hoffe, daß es mit zunehmender Gesundheit nachlassen wird. Ich hoffe, daß wir beide von einem höchst feierlichen Gefühl für die Wichtigkeit einer klugen und permanenten Beachtung der Gesetze der Gesundheit erfüllt sein werden.

Dann an zweiter Stelle das Fehlen eines jeglichen konkreten Plans gegenseitiger Wachsamkeit, was unsere wechselseitige Verbesserung angeht, einer festgesetzten Zeit und Örtlichkeit, um dies in der festen Entschlossenheit zu betreiben, daß wir einander verbessern und voneinander verbessert werden – uns wechselseitig unsere Fehler gestehen und füreinander beten, daß wir geheilt werden mögen ...[44]

An heutigen Standards gemessen erscheint diese Beschreibung von Beziehungsproblemen so nüchtern wie distanziert, das heißt, sie geht nicht davon aus, daß jeder der beiden Partner die einzigartige Veranlagung des anderen erkennen und nach größtmöglicher Verschmelzung streben sollte. Sie bringt vielmehr die Auffassung zum Ausdruck, daß beide versuchen müßten, ihr jeweiliges Selbst und das des anderen zu »verbessern«. Dies steht im Gegensatz zu zeitgenössischen Modellen von Nähe und Intimität.

In einer Beschreibung der Struktur des Alltagslebens vieler Paare heißt es:

In ihren alltäglichen Gesprächen »überprüfen Partner gegenseitig ihre Gelüste, Begierden und Einstellungen; sie verkünden ihre Werte; legen die Struktur ihrer Besorgnisse offen; enthüllen ihren Bindungsstil; und reden im übrigen frei über eine Vielzahl an Themen, die offen wie unterschwellig deutlich machen, was sie meinen, und Hinweise dar-

44 Harriet Beecher Stowe in einem Brief an ihren Mann aus dem Jahr 1847. Zitiert nach Cathy N. Davidson (Hg.), *The Book of Love. Writers and Their Love Letters*, New York 1996, S. 73.

auf geben, was andere meinen.« Die empirischen Belege scheinen die Wichtigkeit der Alltagsgespräche zu belegen.[45]

Diese Art des Gesprächs – in dem man sein Seelenleben und seine Präferenzen offenlegt – hat den Effekt, Formen intensiver Vertrautheit zu schaffen, die der Fähigkeit, Distanz zu wahren, entgegenstehen. Kognitiv verhält sich Vertrautheit zu Gefühlen so wie Nähe zu Wahrnehmungen: Eine gewisse Entfernung von einem Gegenstand macht es leichter, das Material in kulturelle Formen zu gliedern und somit auf seine Gestalt zu achten. Die Nähe zu einem Gegenstand hingegen führt dazu, daß man sich auf die einzelnen Bestandteile der Erfahrung konzentriert. Auf den Alltag und romantische Beziehungen umgemünzt bedeutet dies meiner Ansicht nach, daß Nähe einen stärker auf die einzelnen und für sich stehenden Momente des täglichen Lebens achten läßt, jedoch die Fähigkeit schwächt, auf deren kognitive Form zu achten – auf die kulturelle Gestalt, die diese Momente in die Lage versetzt, emotionale Lebendigkeit hervorzurufen. Anders gesagt: Die Institutionalisierung von Intimität und Nähe ruft Irritationen und Enttäuschungen hervor, weil sie die Partner dazu bringt, sich unentwegt aufeinander und weniger auf die kulturelle Gestalt ihrer Gefühle zu konzentrieren.

Einer der Gründe, warum Distanz Idealisierung ermöglicht, besteht darin, daß sie die »andere« Form von Bewußtsein aktiviert, also jene Form von Gedächtnis, das sich an gute Erlebnisse erinnert, sowie die vorgreifende Vorstellung, die diese Erinnerungen zu ästhetischen Szenen anordnet. Distanz ermöglicht die Vorwegnahme einer Begegnung nach Gedächtnisskripten und kognitiven Formen, die das alltägliche Leben ästhetisieren, sich in der kognitiven Offenheit des Alltags jedoch schnell verlieren. Gerade weil sich Gefühle

45 Stafford u. Merolla, »Idealization, Reunions, and Stability«, S. 38, mit einem Zitat von Steve Duck, *Meaningful Relationships. Talking, Sense, and Relating*, Thousand Oaks 1994, S. 11.

leichter bilden, wenn sie mit klar konturierten (»ästhetischen«) Formen interagieren, ermöglicht Entfernung intensivere Empfindungen – Empfindungen, die deshalb intensiver sind, weil sie in deutliche und genau umrissene kognitive Muster gegliedert sind.

Psychologische Ontologie

Einem tiefverwurzelten Klischee zufolge macht uns ein Übermaß an Phantasie und Erwartungen realitätsuntauglich. Dasselbe Klischee besagt, daß Erwartungen von Haus aus unrealistisch sind. In einem Beitrag zur »Modern Love«-Kolumne der *New York Times* berichtet eine Frau, wie sie sich von ihrem Freund, der sehr gut zu ihr paßte, eben deshalb trennte, weil sie ihre Erwartungen immer höherschraubte:

Als ich meine beengte Wohnung und meinen vor sich hin dösenden Freund auf mich wirken ließ, blitzte eine Vision unserer gemeinsamen Zukunft vor meinem inneren Auge auf – ein Leben, das mir, nun ja, durchschnittlich vorkam. Ich wollte aber mehr. [...] In New York, und vor allem in der Filmindustrie, ist es schwer, sich die Vorstellung aus dem Kopf zu schlagen, daß gleich hinter der nächsten Ecke etwas Besseres lauert. Doch als ich mir diese Vorstellung zu eigen machte, ließ ich zu, daß sich mein Leben in einen endlosen Kreislauf schaler Enttäuschungen verwandelte. Am Ende sehnte ich mich nach jemandem wie meinem Tim Donohue, der genau mit dem zufrieden zu sein vermochte, was er hatte und wer er war. Schlimmer noch, ich sehnte mich danach, selbst auch wieder so zu werden.[46]

Die Kluft zwischen Vorwegnahme und Realität wird häufig als Fall übertriebener Erwartungen an die Eigenschaften

46 Laura Berning, »I Call Your/His Name«, in: *The New York Times*, 27. Januar 2011, ⟨http://www.nytimes.com/2011/01/30/fashion/30Modern.html?pagewanted=2&tntemail1=y&_r=1&emc=tnt⟩, letzter Zugriff 30. 1. 2011.

eines Partners verstanden und behandelt, eine Übertreibung, die sich, wie diese Geschichte illustriert, der institutionalisierten Hoffnung verdankt, die eigene Position zu verbessern. In einem Buch über die Schwierigkeit der Partnersuche appellierte die *Atlantic Magazine*-Autorin Lori Gottlieb an die Frauen, ihre Erwartungen zurückzuschrauben. Der Zusammenfassung einer Kritikerin zufolge besagte ihr Appell, »Frauen müßten lernen, auf die guten Eigenschaften von Männern zu achten, die vielleicht ihre anspruchsvollen *Wunschlisten* nicht erfüllen, von denen sie aber wissen, daß sie gut mit ihnen auskommen würden«.[47] Das Problem besteht hier darin, daß Männer und Frauen auf Partnersuche zwar über sehr ausgefeilte und kognitiv klare, vorab festgelegte Bündel von Kriterien verfügen. Was der zitierten Empfehlung jedoch fehlt, ist ein Verständnis des Mechanismus, der dazu führt, daß solche Erwartungen nicht nur klar formuliert sind und kognitiv ins Auge springen, sondern tatsächlich ein Beziehungshindernis darstellen. Nicht weniger als in den Bilderwelten Hollywoods besteht einer der zentralen Mechanismen, der Enttäuschung über die Wirklichkeit auslöst, in einer *psychologischen Ontologie* des Selbst, wie wir dies nennen könnten. Gemeint ist damit, daß man sich anderen in der Annahme nähert, sie verfügten über stabile, benennbare, erkennbare psychologische Eigenschaften. In dieser Ontologie ist das Selbst mit festen Merkmalen versehen; das Selbst muß seine eigenen festen Merkmale kennen und mit den wahrgenommenen festen Merkmalen anderer ins Geschäft kommen. Folglich sucht man nach Menschen mit definitiven, erkennbaren, stabilen Eigenschaften. Insbesondere zwei Kategorien werden auf diese Weise ontologisiert: das Selbst und die Beziehung.

47 Diane Johnson, »The Marrying Kind«, in: *The New York Review of Books*, 19. August - 29. September 2010, S. 22-27, hier: S. 24 (meine Hervorhebung).

Barbara, eine 42jährige geschiedene Frau, schätzt ihre Aussichten, einen »guten« Mann zu finden, wie folgt ein:

BARBARA: Es ist so schwierig, gute Männer zu finden, wissen Sie, oder wenigstens Männer, die zu mir passen würden. Manchmal glaube ich, es müßte ein Wunder geschehen, damit das passiert.
INTERVIEWERIN: Warum? Wie müßten diese Männer denn sein?
BARBARA: Zum Beispiel müßten sie zu meiner komplexen Psyche passen. Ich habe alle möglichen Ängste und alle möglichen Bedürfnisse. Auf der einen Seite etwa bin ich sehr unabhängig, ich brauche Raum für mich, ich muß das Gefühl haben, mir mein Leben so einrichten zu können, wie ich das will. Auf der anderen Seite muß ich auch gehätschelt werden, das Gefühl haben, daß man mich stützt. Es ist nicht leicht, jemanden zu finden, der sich auf beides versteht. Ich brauche einen Mann, der sehr stark und sehr selbstsicher, aber auch sehr mitfühlend mit mir ist.

Barbaras Suche ist offensichtlich durch eine psychologische Ontologie des Selbst motiviert. Obwohl sie ihre Bedürfnisse selbst als widersprüchlich beschreibt, ist ihre Selbstkenntnis ausgesprochen gefestigt; sie ist durch eine psychische Ontologie festgeschrieben, die ihr Selbstgefühl verfestigt und klare kognitive Hilfsmittel hervorbringt, mit denen potentielle Partner bewertet werden. Ich frage sie:

INTERVIEWERIN: Wenn Sie also jemanden in einem Internetkontaktmarkt suchen, woher wissen Sie, ob eine bestimmte Person zu Ihren Bedürfnissen passen könnte, wie Sie gerade sagten?
BARBARA: Das ist kompliziert; aber zum Beispiel pflege ich darauf zu achten, wie sie reagieren, wenn ich nicht gleich schreibe; wenn ein Mann das kommentiert, ist er aus dem Spiel. Da bin ich sehr ungehalten. Oder wie sie ihre Mails beenden, ob sie dies mit ein paar netten, lustigen Wendungen tun, aber es ist natürlich leichter, solche Dinge festzustellen, wenn man sich mit ihnen trifft.
INTERVIEWERIN: Wenn Sie sich dann mit ihnen treffen, worauf achten Sie?
BARBARA: Schwer zu sagen, aber es hat damit zu tun, ob er sich mit sich selbst wohlfühlt, ob er mir seine Aufmerksamkeit widmet, ob er nervös spricht oder nicht, ob er über andere herzieht, ob etwas an ihm

besitzergreifend ist, ob er Selbstachtung ausstrahlt oder einen Mangel an Selbstachtung, solche Dinge.

Dieser ausgesprochene Feinabgleich mit dem Verhalten und der Identität anderer wird dadurch möglich, daß diese Frau von feststehenden kognitiven Kategorien und Grenzen Gebrauch macht, die nur schwer verhandelbar sind, weil sie Interaktionen auf feste psychologische Eigenschaften und Persönlichkeitsmerkmale herunterbrechen. Hierfür ein weiteres Beispiel aus einem Interview mit einer Psychologin:

SUSAN: Ich lernte diesen Typ bei einem Abendessen kennen, und er gefiel mir ziemlich gut, er sieht gut aus und riß die ganze Zeit Witze, die alle zu hysterischen Lachanfällen brachten. Als er mich nach meiner Telefonnummer fragte, war ich begeistert, einfach nur begeistert. Wir trafen uns also zum Mittagessen, in einem Cafe mit Garten. Er wollte lieber im Garten sitzen, ich wollte lieber drinnen sitzen. Also saßen wir im Garten. Aber ich konnte wirklich nicht in der Sonne sitzen, weil ich keine Sonnenbrille dabei hatte und sehr empfindlich auf Sonnenlicht reagiere, aber er sagte, er leide unter Sonnenmangel und bestand darauf, daß wir in der Sonne sitzen, und wissen Sie was, eigentlich war mir in dem Moment klar, daß ich nicht mehr von ihm angezogen war.
INTERVIEWERIN: Können Sie sagen, warum?
SUSAN: Ich hatte den Eindruck, daß man mit diesem Menschen nur schwer zu einem Kompromiß finden würde. Daß er seine Interessen immer an erste Stelle setzen würde.
INTERVIEWERIN: Ausgehend von dieser Begebenheit konnten Sie also sehen, wer er war.
SUSAN: Absolut. Wenn man über einen guten Instinkt und psychologischen Scharfsinn verfügt, dann kann man sehr schnell und an kleinen Detail sehen, wer jemand ist. Vielleicht vor allem an kleinen Details.

In einer »Modern Love«-Kolumne erzählte eine Frau, wie sie sich während eines Vipassana-Workshops in einen Mann »verliebte« und ihn dann schließlich ansprach: »Ich schaute ihn von der Seite an und sah die Stifte, die er in seine Hosentasche gezwängt hatte – nicht nur einen Stift, sondern viele, ein ganzes Bündel. Es war dieses merkwürdige Detail, das mir klarmachte, wie durchgeknallt er theoretisch sein könnte.«[48] Unübersehbar wird dieses »merkwürdige Detail« in eine psychologische und emotionale Ontologie übersetzt.

Diese minutiöse, detailgenaue, psychologisierte Art und Weise, andere zu beurteilen, ist allgegenwärtig geworden. Catherine Townsends Freund etwa wurde von ihren Freundinnen wie folgt eingeschätzt: »Schau, er ist bestimmt kein schlechter Typ. Ich bin sicher, daß er dich beschützen würde, nachdem er vielleicht zwanzig Minuten darüber nachgedacht und die Vor- und Nachteile abgewogen hat. Aber willst du nicht jemanden, für den das instinktiv klar ist?«[49] Auch diese Ablehnung lebt offensichtlich von einem ausgearbeiteten psychologischen Skript darüber, woraus die psychologische Essenz eines Mannes bestehen sollte. Eine letzte Antwort möchte ich in diesem Zusammenhang betrachten:

HELLEN: In vielerlei Hinsicht habe ich den idealen Freund. Ich meine nicht, daß er intelligent, attraktiv und sehr witzig ist; was er alles ist, nebenbei bemerkt. Nein, ich sage das, weil er mich sehr liebt, Sie können sich gar nicht vorstellen, was für SMS er mir jeden Tag schickt, zwei oder manchmal fünf am Tag, sie sind echte Poesie, ich könnte sie veröffentlichen, ganz sicher. Was mich aber wahnsinnig an ihm macht, ist sein Verhältnis zu seiner Mutter. Jedesmal, wenn ihm irgend etwas Gutes oder Schlechtes widerfährt, erzählt er es mir und seiner Mutter, fast gleichzeitig. Manchmal schickt er uns beiden dieselbe SMS, und das finde ich wirklich nervend. Mehr als nervend. Ich habe mich fast schon von ihm getrennt deswegen.

INTERVIEWERIN: Können Sie sagen, warum?

HELLEN: Es ist, als ob er sich noch nicht wirklich von seiner Mutter losgelöst hat und immer noch tief in seiner Ödipusphase steckt. Ein 50jähriger Mann sollte emotional reif genug sein, um seine Mutter nicht in jeden einzelnen Schritt einzubeziehen, den er unternimmt. Ich finde das einfach nicht sehr anziehend, weil es etwas über ihn und seine emotionale Reife besagt.

48 Pagan Kennedy, »Breathe In, Breathe Out, Fall in Love«, in: *The New York Times*, 4. November 2010, ⟨http://www.nytimes.com/2010/11/07/fashion/07Modern.html?pagewanted=1&tntemail1=y&_r=2&emc=tnt⟩, letzter Zugriff 2. 3. 2011.

49 Catherine Townsend, *Breaking the Rules. Confessions of a Bad Girl*, London 2008, S. 183.

Seine Mutter anzurufen, wird hier unter der Kategorie
»Ödipus« und dem Begriff der »emotionalen Reife« ontologisiert, was beides darauf hindeutet, daß Verhaltensweisen
und Gefühle im Hinblick auf ein wohlüberlegtes und aus-
buchstabiertes Modell des gesunden Selbst mit feststehenden Merkmalen bewertet werden. Alle zitierten Antworten
ontologisieren das Selbst ausgehend von therapeutischen
Beurteilungsweisen, denen zufolge Verhaltensweisen als
mehr oder weniger gesund einzustufen sind.

Dies wiederum führt zur Entstehung einer neuen kulturellen Kategorie, die wir als die Kategorie der »Beziehung«
bezeichnen können. Die Beziehung hat einen eigenen kulturellen Status erlangt, von dem der Person abgelöst. Wie es
eine von mir befragte geschiedene Frau ausdrückte: »Gegen
die Person meines Exmanns ist gar nichts zu sagen, wirklich, ich kann heute noch in ihm sehen, was ich anfangs
in ihm sah, er ist ein prima Typ, nur hat unsere Beziehung
nie funktioniert. Es ist uns nie gelungen, eine wirklich tiefe
Verbindung hinzubekommen.« Ein psychologisches Selbst
hat feststehende Eigenschaften und bringt seinerseits eine
Beziehung hervor, ein kognitives Konstrukt, das der greifbare Ausdruck einer psychologischen Größe sein soll. Als
kulturelle Kategorie werden Beziehungen zu einem neuen
reflektierten Gegenstand der Beobachtung und Bewertung.
Eine »Beziehung« ist eine Größe, die sich von Personen unterscheidet (obwohl beides natürlich eng zusammenhängt),
und sie wird zum einen danach beurteilt, wie problemlos
sie funktioniert – gemessen an Skripten von Beziehungen –,
und zum anderen nach hedonistischen Prinzipien – gemessen daran, wieviel Genuß und Wohlbefinden sie bereitet. Was einige Soziologen als »Gefühlsarbeit« bezeichnet
haben (ein vor allem weibliches Privileg) beruht auf einer
»emotionalen Ontologie«, einer Einschätzung dessen, was
Beziehungen sind, die von Skripten und Modellen gesunder
und befriedigender Gefühle und Beziehungen ausgeht. Ge-

fühlsarbeit ist die reflexive Überwachung einer Beziehung, die sich praktisch in Gesprächen, Klagen, Bitten, dem Anmelden von Bedürfnissen und dem Verständnis der Bedürfnisse des anderen niederschlägt. Die emotionale Ontologie enthält einen unausgesprochenen Vergleich mit medial vermittelten Idealen und Geschichten, der über den soziopsychologischen Prozeß eines stillschweigenden Vergleichs mit anderen läuft. Entscheidender noch: Solche emotionalen Ontologien sind Hilfsmittel, um Beziehungen zu überwachen und damit zu vergleichen, wie sie sein sollten oder könnten.

Um die letzten Überlegungen zusammenzufassen: Das alltägliche Leben ist nicht so strukturiert, daß es die Aktivität einer stilisierten Form von Bewußtsein ermöglichen würde, mit dessen Hilfe Gefühlsintensitäten und idealisierte Bilder des anderen intakt gehalten werden könnten. Kulturelle Ontologien – des Selbst, der Gefühle und der Beziehungen – verringern zudem die Wahrscheinlichkeit, daß die alltäglichen Interaktionen einem normalen Interaktionsfluß folgen, weil sie unentwegt unterschwellig mit den vorhandenen Modellen ihrer Idealform verglichen werden.

Die Einbildungskraft und das Internet

Wenn es eine Geschichte der Einbildungskraft des bürgerlichen Subjekts gibt, dann muß die Erfindung des Internets eine entscheidende Phase in dieser Geschichte einläuten. Zweifellos steht das World Wide Web für eine der gravierendsten Veränderungen des Stils romantischer Vorstellungswelten. Ich möchte zwischen mindestens zwei Formen vorgreifender Einbildungskraft unterscheiden, die von der modernen Kultur hervorgebracht wurden. Die eine Form der Antizipation beruht auf der Synthese einer Vielzahl von Bildern, Geschichten und Waren, etwa wenn wir im Geist den Erwerb eines Luxusprodukts, einen Urlaub oder eine Liebesgeschichte vorwegnehmen. Diese Vorwegnahme kann diffus oder kognitiv hochgradig strukturiert sein, sei es nun durch Konsumartikel, das Heraufbeschwören von Vorstellungsbildern oder durch Erzählungen – etwa, wenn wir uns nach einer Liebesgeschichte sehnen, die einem bestimmten Muster folgt, oder uns gestochen scharfe Szenen vor Augen stehen wie der romantische Kuß oder das romantische Abendessen. Die zweite Form vorwegnehmender Vorstellungskraft wird durch den Versuch hervorgerufen, mit technischen Hilfsmitteln ein tatsächliches Erlebnis virtuell herbeizuführen und zu imitieren. Diese Vorstellung ist eine Vorwegnahme deshalb, weil sie eine tatsächliche Begegnung zu imitieren versucht; diese Rubrik umfaßt Onlinespiele und Internet-Kontaktbörsen, die echte sexuelle/romantische Begegnungen herbeiführen und nachahmen.

Nach einer 2010 durchgeführten Erhebung von BBC World Service, bei der fast 11 000 Internetnutzer in 19 Ländern befragt wurden,[50] suchen 30 Prozent aller Nutzer zu irgendeinem Zeitpunkt einen Freund oder eine Freundin im Internet; in manchen Ländern, wie Pakistan und Indien, liegt der Anteil bei 60 Prozent. In einem ihrer studentischen Liebesgeschichten-Wettbewerbe registrierte die *New York Times* eine völlige Umkehrung der Interaktionsformen: Die eingereichten Texte drehten sich nicht mehr um gelegentliche One-Night-Stands, sondern um internetvermittelte Beziehungen.

Im Februar [2011] forderte Sunday Styles [Rubrik der *New York Times*] Studierende im ganzen Land dazu auf, uns – durch ihre eigenen Geschichten, in ihren eigenen Stimmen – zu erzählen, wie es ihnen mit der Liebe geht. Als wir diesen Wettbewerb vor drei Jahren zum ersten Mal veranstalteten, war das beliebteste Thema der eingereichten Essays das Abschleppen: Sex ohne Verpflichtungen, der sich

50 ⟨http://articles.nydailynews.com/2010-02-16/entertainment/27056 462_1_new-poll-web-users-internet⟩, letzter Zugriff 2. 3. 2011.

für viele als gar nicht so sorglos herausstellen sollte. Die Frage, die über hunderten solcher Darstellungen zu schweben schien, lautete: Wie kriegen wir das Körperliche ohne das Emotionale? Was für einen Unterschied drei Jahre machen können. Diesmal war die am häufigsten gestellte Frage das genaue Gegenteil: Wie kriegen wir das Emotionale ohne das Körperliche? Der universitäre One-Night-Stand mag gesund und munter sein, in unseren Einsendungen aber verlagerte sich der Schwerpunkt auf technologiegestützte Intimität – Beziehungen, die nahezu ausschließlich über Laptops, Webkameras, Onlinechats und SMS entstehen und vertieft werden. Im Unterschied zur sexuellen Risikobereitschaft der One-Night-Stand-Kultur ist dies eine Liebe, die so sicher ist, daß die größte Befürchtung nicht darin besteht, sich eine Geschlechtskrankheit einzufangen, sondern einen Computervirus – oder vielleicht darin, dem Objekt der Zuneigung persönlich zu begegnen.[51]

Das Internet und die diversen Technologien, die es ermöglichen, jemanden am Bildschirm zu verfolgen und zu sehen, spielen eine herausragende Rolle bei dieser neuen Form von Partnersuche. Wie es in einem anderen *New York Times*-Artikel jedoch ebenfalls hieß:

In großer Zahl berichten Internetnutzer, daß sie äußerst verzagt ans Online-Dating herangegangen sind, sich ihm dann aufgrund des großen Vergnügens und der buntscheckigen Versuchung, die es darstellt, rasch begeistert gewidmet haben, anschließend der Versuchung nachgaben, sich die Person, mit der sie sich austauschten, als Liebe ihres Lebens vorzustellen, um schließlich eine *tiefe Enttäuschung* zu erleben, wenn das Ganze schließlich zu einem realen Treffen mit einem echten, unvollkommenen menschlichen Wesen führte, das nicht wie eine JPEG-Bilddatei aussieht und nicht wie eine E-Mail spricht.[52]

51 Daniel Jones, »Modern Love. College Essay Contest«, in: *The New York Times*, 28. April 2011, ⟨http://www.nytimes.com/2011/05/01/fashion/01ModernIntro.html?emc=tnt&tntemail1=y⟩, letzter Zugriff 19. 6. 2011.

52 Daniel Jones, »Modern Love. You're Not Sick, You're Just in Love«, in: *The New York Times*, 12. Februar 2006, ⟨http://www.nytimes.com/2006/02/12/fashion/sundaystyles/12love.html⟩, letzter Zugriff 19. 6. 2011 (meine Hervorhebung).

Wie ich in *Gefühle in Zeiten des Kapitalismus* argumentiere, muß der imaginative Stil, der sich in und durch Internet-Kontaktbörsen bildet, vor dem Hintergrund einer Technologie verstanden werden, die Begegnungen entkörperlicht und textualisiert, also den sprachlichen Austausch zu dem Mittel macht, über das eine psychologische intime Kenntnis hergestellt wird.[53] Die so hergestellte Intimität beruht auf keiner Erfahrung und ist nicht körperlich grundiert, sondern entspringt der Produktion psychologischen Wissens und psychologischer Formen, sich aufeinander zu beziehen. Die Internetphantasie lebt von einer Fülle textbasierten kognitiven Wissens; dieses verdankt sich der Priorität, die das Netz der Definition von Subjekten als Wesen mit erkennbaren, für sich stehenden und sogar quantifizierbaren psychologischen Merkmalen und Lebensstilattributen einräumt. Zeichnete sich die traditionelle romantische Einbildungskraft durch eine Mischung aus Realität und Vorstellung aus, die über eine Grundlage im eigenen Körper und Erfahrungsschatz verfügte, so trennt das Internet die Einbildung – als ein Bündel selbsterzeugter subjektiver Bedeutungen – und die Begegnung mit dem anderen voneinander, insofern es sie zu unterschiedlichen Zeitpunkten stattfinden läßt. Auch die Kenntnis des anderen ist vielfach gespalten, weil dieser erst als eine selbsterschaffene psychologische Einheit, dann als eine Stimme und erst danach als ein Körper wahrgenommen wird, der sich bewegt und handelt.

Die Phantasieproduktion im Internet steht nicht im Gegensatz zur Realität, sondern zu einer Art von Einbildung, die sich auf den Körper und intuitive Gefühle stützt, also solche Gefühle, die auf der spontanen und nicht reflektierten Einschätzung anderer beruhen.[54] Sie steht im Gegensatz

53 Eva Illouz, *Gefühle in Zeiten des Kapitalismus. Frankfurter Adorno-Vorlesungen 2004*, übers. von M. Hartmann, Frankfurt/M. 2006.
54 Wenn John Updike schreibt: »Ein Kuß in der Phantasie ist leichter zu kontrollieren, tiefer zu genießen und mit weniger Kuddelmuddel ver-

zur rückblickenden Einbildung, also jener Art von Einbildung, bei der man versucht, der durch die reale körperliche Gegenwart eines anderen ausgelösten sinnlichen und körperlichen Affekte auch in dessen Abwesenheit habhaft zu werden. Diese Form von imaginärer Projektion wird durch eine höchst rudimentäre und intuitive Kenntnis einer anderen Person in Gang gesetzt. Das Internet hingegen ermöglicht eine vorgreifende Form von Einbildung, bei der man sich ein bestimmtes Objekt vorstellt, dessen physische Präsenz es erst noch zu erleben gilt. Die eben beschriebene rückblickende Imagination beruht auf einer dünnen Informationsgrundlage, während die internetgestützte vorausschauende Imagination auf einer dichten Informationsgrundlage beruht.

Die traditionelle romantische Vorstellungskraft wurzelte im Körper, sie faßte vergangene Erfahrungen zusammen und vermengte und kombinierte das gegenwärtige Objekt mit Bildern und Erlebnissen aus der Vergangenheit. Sie konzentrierte sich dabei auf einige wenige »bezeichnende« Details am anderen, die visueller wie sprachlicher Natur sein konnten. Folglich bestand eine solche Vorstellung darin, eigene Bilder und Interaktionen aus der Vergangenheit mit einer realen Person zu vermengen. Als zugleich geistiger und emotionaler Prozeß hat diese Form der Einbildung mit dem Begehren gemeinsam, daß es nicht sehr viele Informationen braucht, um sie auszulösen. Ebenfalls wie das Begehren wird sie sogar eher durch ganz wenige als durch einen Berg von Informationen ausgelöst. Wie die Psychoanalytikerin Ethel Spector Person schreibt: »Oft ist es ein scheinbar ganz unbedeutendes Detail, an dem sich die romantischen Phantasien entzünden: die Art, wie jemand sich eine

bunden als ein echter Kuß«, dann spricht er von einem Akt der Einbildung, der in unserer Erfahrung verwurzelt ist, sich also auf jemanden bezieht, den wir tatsächlich kennengelernt haben. Vgl. John Updike, »Libido Lite«, in: *The New York Review of Books*, 18. November 2004, S. 30 f., hier: S. 31.

Zigarette anzündet, das Haar zurückwirft oder am Telefon redet [...].«[55] Mit anderen Worten: Körperbewegungen, Gesten, der Tonfall der Stimme bewirken es, daß romantische Phantasien und Gefühle ausgelöst werden. Für Freud rührte die Fähigkeit, von nebensächlichen und scheinbar irrationalen Details ergriffen zu werden, von dem Umstand her, daß wir in der Liebe ein verlorenes Objekt lieben. Wahrscheinlich ist dies die Folge tiefverwurzelter elterlicher Schemata sowie der kulturellen Vertrautheit mit bestimmten Körperhaltungen und Verhaltensformen, die uns ins Bewußtsein eingeprägt werden: »Die enorme Macht der geliebten Person über den Liebenden läßt sich zu einem guten Teil damit erklären, daß sie mit dem Nimbus aller verlorenen früheren Objekte ausgestattet wurde.«[56] In der kulturellen Konstellation, in der Freud arbeitete, waren Liebe und Phantasie durch ihre Fähigkeit, vergangene und gegenwärtige Erlebnisse in konkreten, körperlichen Interaktionen zu verbinden, eng miteinander verknüpft. Bei Einschätzungen, die auf Attraktivität beruhen, werden oft intuitive Urteile, die auf dem gesammelten Erfahrungsschatz beruhen, reaktiviert. »Intuition bezeichnet die Fähigkeit, Urteile über Merkmale des Stimulus zu treffen oder über die Zufallsrate hinaus zwischen verschiedenen Stimuluskategorien zu unterscheiden, ohne daß man die Grundlage der Urteile verbal beschreiben könnte. [...] [A]us der Binnenperspektive scheinen intuitive Urteile spontan und ohne Vermittlung durch bewußte Folgerungen zustande zu kommen.«[57]

Intuition ist eine Form des Urteilens, die unbewußtes

55 Ethel Spector Person, *Lust auf Liebe. Die Wiederentdeckung des romantischen Gefühls*, übers. von C. Holfelder-von der Tann, Reinbek bei Hamburg 1990, S. 50.
56 Ebd., S. 148.
57 Annette Bolte u. Thomas Goschke, »Intuition in the Context of Object Perception. Intuitive Gestalt Judgments Rest on the Unconscious Activation of Semantic Representations«, in: *Cognition*, Jg. 108, Nr. 3 (2008), S. 608-616, hier: S. 608.

Wissen aufruft, das heißt ein Wissen, dessen Struktur und Eigenschaften dem Bewußtsein nicht unmittelbar zugänglich sind. Daß manche Formen von Einbildung »informationsdünn« sind, ist vielleicht der Grund, warum sie leicht dazu führen können, jemanden überzubewerten, das heißt, ihm einen Mehrwert zuzuschreiben – oder, wie wir gewöhnlich sagen, ihn zu »idealisieren«. Diese Idealisierung funktioniert besser, wenn sie sich auf wenige statt auf viele Elemente der anderen Person stützt.[58]

Die vorgreifende Einbildung, wie sie durch das Internet vermittelt wird, ist hingegen informationsgeladen. Das Internet läßt sich als das Gegenteil einer informationsdünnen Einbildung bezeichnen, weil es ein Wissen über den anderen ermöglicht, ja erfordert, das nicht ganzheitlich ist, sondern auf einzelnen Merkmalen beruht. Der systematische Vergleich von Menschen und Merkmalen, den das Netz ermöglicht, neigt dazu, den Prozeß der Idealisierung zu schwächen. Die Interneteinbildung ist vorausblickend, bezieht sich also auf jemanden, dem man noch nicht begegnet ist; sie gründet nicht im Körper, sondern in sprachlichem Austausch und textueller Information; die Beurteilung des anderen stützt sich auf eine Ansammlung von Merkmalen, statt ganzheitlich zu sein; und in dieser speziellen Konstellation scheinen die Menschen über zu viele Informationen zu verfügen und weniger leicht in der Lage zu sein, zu idealisieren. Im folgenden Beispiel beschreibt eine Frau ihr erstes Treffen mit jemandem, den sie im Netz kennengelernt hat:

STEPHANIE: Ich traf ihn ziemlich bald nach einem sehr intensiven Mailaustausch und einem Telefonat, bei dem mir seine Stimme gefiel. Wir hatten uns in einem Café am Meer verabredet, die Szenerie war perfekt, und obwohl ich darauf vorbereitet war, ihn weniger gutaussehend zu finden als auf den Bildern, weil das eigentlich immer so ist, fand ich doch tatsächlich, daß er so attraktiv war wie auf seinen Fotos.

---

58 Mitchell, *Kann denn Liebe ewig sein?*, S. 95 u. 105.

Also ließ sich alles sehr gut an, aber es ist so merkwürdig, im Laufe des Abends – wir verbrachten zweieinhalb Stunden miteinander – merkte ich, daß es einfach nicht funkte. Er war nicht wirklich anders als der Typ, den ich im Netz gekannt hatte, er schien denselben Sinn für Humor zu haben, er hatte dieselben Qualitäten, war intelligent, gutaussehend, aber bei mir funkte es nicht.

INTERVIEWERIN: Und wissen Sie, warum?

STEPHANIE: Na ja, ich hasse es, das zu sagen, aber vielleicht war er zu freundlich? Etwas an seiner Freundlichkeit war einfach zu freundlich (*lacht*), ein bißchen zu sehr darauf aus, zu gefallen, oder vielleicht, ich weiß nicht. Ich liebe Freundlichkeit, aber sie muß mit ein bißchen Derbheit gemischt sein, sonst wirkt er womöglich nicht männlich genug, verstehen Sie?

Eine interessante Antwort: Obwohl dieser Mann ihre Wunschliste an Merkmalen erfüllt, weist Stephanie ihn doch zurück, weil ein »Funke« fehlt (ein wichtiges Konzept für die moderne Liebesgeschichte). Dies erklärt sie damit, daß dem Mann eine bestimmte unbeschreibliche Qualität (»Männlichkeit«) abgeht, die, wie man vermuten könnte, im Wiedererkennen althergebrachter visueller und körperlicher Kodes von Männlichkeit besteht. Die Kriterien der »Männlichkeit« (oder »Weiblichkeit«) – und allgemeiner der Sexyness – erfordern jene Art von ganzheitlichem Urteil, das sich zum Markenzeichen der Gestaltpsychologie entwickelt hat. Männlichkeit, Weiblichkeit und Sexyness können nur daran festgemacht werden, wie die diversen Bewegungen und Haltungen des Körpers zusammenspielen. Diese Eigenschaften lassen sich allein visuell identifizieren und nicht sprachlich prozessieren. Einer Herangehensweise an das Reale, der eine abstrakte, verbale Kenntnis des anderen vorausgeht, fällt es schwer, den Übergang zu einer visuell-ganzheitlichen Herangehensweise zu vollziehen. Zu viel psychologisch-verbales Wissen über den anderen kann es erschweren, sich von ihm oder ihr angezogen zu fühlen. Gefühle werden folglich in der traditionellen Liebe, die auf dem Körper und einer informationsdünnen Vorstellungskraft beruht, durch vier grundlegende Prozesse ausgelöst: eine Anziehungskraft, die ihren Sitz im Körper hat; die Mobilisierung früherer Beziehungen und Erfahrungen durch diese Anziehungskraft (wo Freud solche früheren Erfahrungen als strikt psychologisch und biographisch ansah, können wir sie mit Bourdieu als sozial und kollektiv verstehen); einen halbbewußten oder unbewußten Ablauf, der somit das rationale Cogito umgeht; eine Idealisierung der als einzigartig wahrgenommenen Person, wie sie quasi definitionsgemäß zur traditionellen Form von Liebe gehört (wobei eine solche Idealisierung oft von einer Mischung aus dem, was wir über den anderen wissen, und dem, was wir nicht über ihn wissen, lebt). Mit anderen Worten: Das Begehren, das durch eine informationsdünne Vorstellungskraft strukturiert ist, verändert sich grundlegend. Betroffen von dieser Veränderung sind die Rolle visueller und körperlicher Auslösereize, die Ersetzung bruchstückhafter Informationen durch eine Menge von Informationen und die daraus folgende Unfähigkeit, den anderen zu idealisieren.

Anders als in der traditionellen Liebe dominiert im Internet das Phänomen der »verbalen Überschattung« (*verbal overshadowing*) – womit ein Übergewicht der Sprache in Bewertungsprozessen gemeint ist, die zum Teil oder zum Großteil auf visuellen Wahrnehmungen oder Reizen beruhen. Wenn Menschen sich zwar mit Bildern, aber eben auch mit einem sprachlichen Profil präsentieren, wenn sie andere durch den Austausch von Textbotschaften kennenlernen und etikettieren, greifen sie in hohem Maß auf Sprache zurück. Doch die Sprache beeinträchtigt die Prozesse des visuellen und körperlichen Einschätzens und Wiedererkennens. »Verbale Überschattung« beschreibt die Störung des visuellen Wiedererkennens durch verbale Beurteilungen: Experimentell konnte nachgewiesen werden, daß Personen, die Gesichter, welche man ihnen gezeigt hatte, verbal beschrieben, schlechter darin abschnitten, diese Gesichter wiederzuerkennen, als andere, die dieselben Gesichter identifizieren sollten, ohne sie vorher verbal beschrieben zu haben.[59] Dies ist ein Hinweis darauf, daß eine textgestützte, sprachliche und merkmalsbasierte Kenntnis des anderen die Fähigkeit beeinträchtigen kann, die Mechanismen des visuellen Erkennens von Attraktivität in Gang zu setzen.

Wir können somit sagen, daß eine Verlagerung im Herzen des romantischen Begehrens stattgefunden hat. Wie mir scheint, wird das romantische Begehren immer weniger durch das Unbewußte bestimmt. Das Ich mit seiner scheinbar unerschöpflichen Fähigkeit, Kriterien für die Partnerwahl zu formulieren und zu verfeinern, ist eine hochbewußte Größe, und es wird unentwegt auf Wahlentscheidungen und vernünftigerweise wünschenswerte Kriterien an einem anderen aufmerksam und für diese verantwortlich gemacht. Das Begehren wird durch die Wahl als einer zweifachen – sowohl rationalen als auch emotionalen – Form des Handelns strukturiert. Man könnte darüber hinaus vermuten, daß die Idealisierung – als ein für die Erfahrung der Liebe zentraler Prozeß – zunehmend schwerer fällt, weil die Ontologisierung des Selbst die Prüfung der Persönlichkeit anderer sowie ihre Zerlegung in separate Merkmale vorantreibt, was ihre ganzheitliche Einschätzung verhindert. Auch das überwältigende Gefühl der Einzigartigkeit, das einst bezeichnend für das Gefühl der Liebe war, ist in der schieren Masse potentieller Partner untergegangen.

Begehren als Selbstzweck

Ich möchte daher behaupten, daß es immer schwieriger wird, eine Verbindung zwischen dem Begehren, der Einbil-

---

59 Jonathan W. Schooler u. Tonya Y. Engstler-Schooler, »Verbal Overshadowing of Visual Memories. Some Things Are Better Left Unsaid«, in: *Cognitive Psychology*, Jg. 22, Nr. 1 (1990), S. 36-71.

dungskraft und dem Realen herzustellen, und dies hauptsächlich aus zwei Gründen. Der eine ist, daß die Einbildungskraft zunehmend stilisiert wurde und sich mittlerweile
auf Genres und Technologien stützt, die fiktionale Gefühle
auslösen und sowohl zur Identifikation einladen als auch
zur Vorwegnahme erzählerischer Formeln und visueller Szenerien ermutigen. Der zweite Grund hat mit dem Umstand
zu tun, daß das Alltagsleben auf kulturelle und kognitive
Kategorien zurückgreift, die es erschweren, romantischen
Erlebnissen und Beziehungen eine ganzheitliche Form zu
verleihen. Im Ergebnis sind Phantasie und Einbildungskraft
immer unabhängiger von ihren Objekten geworden. Doch
möchte ich darüber hinaus die These aufstellen, daß Phantasie und Einbildungskraft nicht nur selbsterzeugt, sondern
auch selbstzweckhaft geworden sind. Sie haben sich in ihre
eigenen (lustvollen) Ziele verwandelt. Einige Beispiele mögen dies illustrieren. Ein 50jähriger geschiedener Mann namens Robert berichtet in einem Interview:

INTERVIEWERIN: Sie sagten vorhin, daß Sie mit zunehmendem Alter
immer phantasiesüchtiger werden. Was meinen Sie damit? Was verstehen Sie unter Phantasie? Meinen Sie eine Liebe, die unerfüllt bleiben
muß?
ROBERT: Ja, und ich glaube, je älter ich werde, desto mehr liegt mir
an diesen unerfüllten Lieben.
INTERVIEWERIN: Das ist sehr interessant. Können Sie sagen, warum?
ROBERT: Es bereitet mir enormes Vergnügen.
INTERVIEWERIN: Können Sie erklären, warum das so ist?
ROBERT: Es löst das existentielle Problem der Symbiose zwischen
dem Emotionalen und dem Intellektuellen. Wenn es nicht sexuell, aber
psychologisch vollzogen wird, bereitet es Befriedigung. Was so befriedigend daran ist, ist gerade die Tatsache, daß es nicht befriedigt wird,
daß die Liebe unverwirklicht bleibt. Die Tatsache, daß das Versprechen
unerfüllt blieb, macht jede kleine Geste, jedes Lächeln, jedes Winken
mit der Hand bedeutungsvoll – eine SMS am Morgen, in der nur »Guten Morgen« steht, wird mit sehr viel Bedeutung aufgeladen.
[...]

INTERVIEWERIN: Waren Sie in Frauen verliebt, die unerreichbar waren?

ROBERT: Ja, absolut.

INTERVIEWERIN: Reizt Sie das besonders?

ROBERT: Schwer zu sagen, denn wenn man sich verliebt, scheint es immer die größte Liebe zu sein. Aber ja, unter dem Strich würde ich sagen, ja. Weil ich mehr über sie phantasieren kann.

Begehren und Phantasieren fließen hier durch die Unerfülltheit einer Liebe ineinander und werden ununterscheidbar. Die Einbildungskraft wird zu einer Form und einem Vektor, um begehren zu können, und umgekehrt wird das Begehren in Form der Einbildung intensiver erfahren. Begehren und Phantasieren sind nicht nur ineinander verschlungen, sondern zu einem selbstzweckhaften Tun geworden. Daniel, ein anderer Befragter, führt aus:

DANIEL: Ich hasse One-Night-Stands. Das fühlt sich so leer an. Ich brauche das ganze Paket, das es mir zu phantasieren erlaubt. Ich muß phantasieren. […] Ohne Liebe fehlt mir jede Inspiration für meine Arbeit – sie ist meine Droge. Ich kann nicht allein sein. Ich meine damit, ich kann in meinem Kopf nicht allein sein, nicht physisch. Ich habe nicht das geringste Interesse an Intimität in vier Wänden. Die ganze Geschichte mit dem Familienleben ist für mich durch. Nicht aber die Phantasie.

Hier wird die Phantasie gleichermaßen reinen Sexbeziehungen (One-Night-Stands) und dem Familienleben entgegengesetzt, denen, wie mir scheint, gemeinsam ist, daß sie kein Phantasieren ermöglichen, wie es durch eine narrative/ ästhetische Form begünstigt wird. Oder wie eine 44jährige Französin ihre Fernbeziehung mit einem Mann beschreibt, der in den Vereinigten Staaten lebt: »Es ist viel vorteilhafter für mich, wenn er weg ist; ich habe das Gefühl, daß unsere Beziehung immer großartig bleiben wird, weil sie zu einem guten Teil im Kopf gelebt wird.« Wie diese Stimmen nahelegen, dreht sich die hypermoderne Vorstellungskraft um das Begehren des Begehrens, darum, in einem Zustand des ewigen Begehrens zu verharren und die Erfüllung des Begehrens freiwillig aufzuschieben, gerade um das Begehren und das begehrte Objekt in ästhetischer Gestalt aufrechtzuerhalten. Man beachte, daß Phantasie und emotionale Intensität hier ineinandergreifen – die Fähigkeit, sich etwas vorzustellen, bringt intensiv empfundene Gefühle hervor. Das Familienleben wird gerade deshalb verworfen, weil es diese Fähigkeit, Gefühle in imaginierten Szenarien auszuleben, bedroht. Zudem scheint in den zitierten Darstellungen die Phantasie nicht auf die Inbesitznahme eines Objekts, sondern nur auf die Inbesitznahme ihrer selbst zu zielen, also auf die phantasmagorische Lust, die sie bereitet. Dies zeigt sich auch in der Beschreibung einer außerehelichen Affäre, die mir eine 47jährige Frau namens Veronica gab:

VERONICA: Wissen Sie, der vergnüglichste Aspekt waren vielleicht die E-Mails, die wir uns von zu Hause aus schrieben, wovon unsere Ehepartner nichts wußten, und es war eine so süße Qual, darauf zu warten, ihn zu sehen, endlos nachts über ihn zu phantasieren, aber auch nach dem Aufwachen und während der Arbeit. Wenn man in einer solchen Lage ist, in der man nicht miteinander sprechen und sich sehen kann, wann man will, dann führt das zu wirklicher Sehnsucht nach ihm. Manchmal fragte ich mich sogar, ob ich ihn nicht mehr in meiner Vorstellung liebte als im wirklichen Leben, weil sich die Phantasie soviel intensiver anfühlte.
INTERVIEWERIN: Wissen Sie, warum das so ist?
VERONICA: Aua, was für eine Frage, das ist schwer zu sagen. (*Lange Pause*) Ich vermute, das liegt daran, daß man alles viel besser kontrollieren kann; alles sieht so aus, wie man es möchte; wenn man schreibt, dann schreibt man so, wie man wahrgenommen werden möchte, man macht keine Fehler. Natürlich kann man Höllenqualen erleiden, wenn er einem nicht antwortet, aber trotzdem hat man den Eindruck, daß man sich sein eigenes Drehbuch schreiben kann, während wenn man sich trifft, alles gleich soviel komplizierter wird, man wird unruhiger, reizbarer, man möchte bei ihm sein, man möchte wegrennen, man mag ihn, man mag ihn nicht; beim Schreiben sind irgendwie alle Gefühle so, wie sie sein sollten.

Mit Phantasie und Einbildungskraft geht keine Unordnung einher, wie man in der langen Kulturgeschichte der Verdammung der Einbildungskraft oft gedacht hat, sondern Kontrolle – die Fähigkeit, die eigenen Gedanken zu beherrschen und zu formen, der Erfahrung eine stabile und ästhetische Form zu geben. Auch sind die Phantasien dieser Männer und Frauen selbstzweckhaft, sie werden um ihrer selbst willen gelebt und nicht als Quelle des Leidens verstanden, sondern als Quelle der Lust.

Es gibt auch Fälle wie den von Orit, einer 38jährigen Frau, die als Assistentin im Sekretariat einer NGO arbeitet. Sie erzählt, wie sie sich in einen Mann verliebte, den sie drei Jahre vor dem Interview im Internet kennenlernte.

ORIT: Wir korrespondierten lange Zeit und bei mir entwickelte sich das Gefühl, daß ich ihn sehr gut kenne.

INTERVIEWERIN: Haben Sie sich real getroffen?

ORIT: Nein. Einmal, ich glaube vor zwei Jahren, entschieden wir uns zu einem Treffen, aber er sagte in letzter Minute ab.

INTERVIEWERIN: Und seitdem haben Sie ihn nicht getroffen?

ORIT: Nein. Ich weiß wirklich nicht, warum er abgesagt hat. Ich glaube, er bekam kalte Füße oder so.

INTERVIEWERIN: Hat das Ihre Gefühle ihm gegenüber beeinflußt?

ORIT: Überhaupt nicht. Ich liebte ihn genauso wie vorher. Seit all diesen Jahren habe ich das Gefühl, daß ich nur ihn liebe. Ich fühle mich ihm sehr nah, auch wenn wir nicht mehr korrespondieren. Ich habe das Gefühl, ihn sehr gut zu kennen und zu verstehen.

INTERVIEWERIN: Sie fühlen sich ihm nah.

ORIT: Ja. Das tue ich.

INTERVIEWERIN: Aber wie, wenn Sie sich nie begegnet sind?

ORIT: Zunächst einmal hat er mir sehr viel über sich erzählt. Wir haben eine Menge E-Mails hin und her geschickt. Schauen Sie, mit all diesen neuen Technologien kann man eine Menge über jemanden erfahren. Auf Facebook kann ich seine Freunde sehen, sehen, was er gemacht hat, wo er im Urlaub war, seine Bilder; oft geht es mir fast so, als sei er mit mir im selben Zimmer, ich kann sehen, wenn er in Google Mail ist, wenn er sich anmeldet, wenn er auf Skype aktiv ist; ich kann sehen, welche Musik er sich herunterlädt und was er hört. Es ist so, als wäre er bei mir, in meinem Zimmer, die ganze Zeit. Ich kann sehen, was er tut, was er sich anhört, auf welche Konzerte er gegangen ist, also fühle ich mich ihm wirklich nah.

Es ist nicht recht deutlich, inwieweit Orit mit einem realen oder einem imaginären Charakter interagiert. Ihre Gefühle haben meines Erachtens einen epistemologisch intermediären Charakter: Insofern sie diesen Mann noch nie gesehen hat und ihre Gefühle weitestgehend selbsterzeugt sind – also nicht durch eine tatsächliche Interaktion, ja nicht einmal durch eine virtuelle hervorgerufen werden –, sind sie fiktional. Insofern sie jedoch mit realen technologischen Apparaten interagiert (Google Mail, Bildern auf Facebook und so weiter), können wir sagen, daß es sich um eine Art interaktioneller fiktionaler Emotion handelt. Diese ist in technologischen Objekten verankert, die eine virtuelle Person objektivieren und gegenwärtig machen. Wir können sagen, daß die Technologie hier die Funktion hat, fiktionale Gefühle auszulösen, indem sie eine »Abwesenheit anwesend werden läßt«. Das Internet scheint Beziehungen gerade dadurch aufrechterhalten zu können, daß es eine phantomhafte Anwesenheit hervorbringt. So wie ein Phantomschmerz in der neurologischen Präsenz eines amputierten Glieds besteht, so erzeugt das Internet Phantomempfindungen. Sie werden als Empfindungen erlebt, die in Stimuli des wirklichen Lebens gründen, doch ihr eigentliches Objekt ist abwesend oder inexistent. Ermöglicht wird dies durch technologische Apparate, die Anwesenheit simulieren. Lösten der Roman und der Film Empfindungen durch starke Identifikationsmechanismen aus, so ruft die neue Technologie Empfindungen hervor, indem sie Entfernungen abschafft, Anwesenheit imitiert und Gefühlen objektive Anhaltspunkte bietet. Mehr als jede andere Kulturtechnik ermöglicht es das Internet der Vorstellungskraft, auf einer sehr dünnen sinnlichen Grundlage Gefühle hervorzubringen, die selbstzweckhaft werden und sich selbst speisen und erhalten. Wenn die Vorstellungs-

kraft darin besteht, sich etwas Abwesendes zu vergegenwärtigen, dann eröffnet das Internet eine radikal neue Weise,
das Verhältnis von Anwesenheit und Abwesenheit handzu-
haben. Tatsächlich ist eine der zentralen Dimensionen, hinsichtlich der man die Einbildungskraft als historisch variabel bezeichnen kann, die der Unterschiede und Innovatio-
nen in der Handhabung von Anwesenheit und Abwesenheit
sowie der Selbstaufrechterhaltung der Einbildungen. Eine
selbstzweckhafte Einbildungskraft wird durch fiktionales
Material und technologische Artefakte strukturiert, und sie
wird undurchlässig gegenüber Interaktionen im wirklichen
Leben.

Schluß

Das vorliegende Kapitel dokumentiert verschiedene Prozesse: die zunehmende Mobilisierung und Kodifizierung des
Tagträumens als einer gewöhnlichen kognitiven und emotionalen Aktivität in der Liebe; den Zusammenhang zwischen der Enttäuschung und der Struktur von Alltag und
Intimität, wobei diese Struktur den Übergang von der Vorstellung in den Alltag erschwert und somit Enttäuschung
hervorruft; die Rationalisierung von Einbildungskraft und
Begehren durch informationsdichte Technologien; sowie die
wachsende Autonomie von Begehren und Einbildungskraft,
also den Umstand, daß diese zu ihren eigenen Zwecken
werden, ohne noch über ein spezifisches Ziel oder Objekt
zu verfügen. Die Einbildungskraft als eine kulturelle Praxis
ist folglich sowohl hochgradig institutionalisiert als auch
hochgradig individualisiert worden und hat sich in eine Eigenschaft zunehmend monadischer Individuen verwandelt,
der bestimmte reale Objekte abgehen oder die zumindest
Schwierigkeiten hat, sich auf ein einziges Objekt zu konzentrieren. Während die konkreten Beziehungen in wachsen-

dem Maß anhand von prozeduralen Regeln verstanden und
ausgestaltet werden, hat sich die Ausübung der Einbildungskraft somit parallel dazu in eine Form von selbstzweckhaf-
tem Begehren verwandelt – einem Begehren, das sich selbst
speist und kaum über die Fähigkeit verfügt, den Übergang
von der Phantasie zum normalen Leben zu leisten. Diese
Entwicklungen zersetzen die klassische Struktur des Begehrens, die auf dem Willen beruhte, auf ein Objekt gerichtet
war und dafür sorgte, daß die Spannungen sowie die Über-
gänge und der kleine Grenzverkehr zwischen eingebildeten
Objekten und der Realität bewältigt werden konnten.

Epilog

> If I can stop one Heart from breaking
> I shall not live in vain
> If I can ease one Life the Aching
> Or cool one Pain,
>
> Or help one fainting robin
> Unto his Nest again
> I shall not live in vain.
> — *Emily Dickinson**

Wenn dieses Buch einen nichtwissenschaftlichen Anspruch hat, dann den, das »Leiden« an der Liebe durch ein Verständnis ihrer gesellschaftlichen Grundlagen »zu lindern«. In der heutigen Zeit läßt sich eine solche Aufgabe überhaupt nur in Angriff nehmen, wenn wir damit aufhören, Individuen, die längst schon mit dem tyrannischen Gebot überlastet sind, ein gesundes und schmerzfreies Liebesleben zu führen, mit Vorschriften und Rezepten zu traktieren. Ich hoffe, gezeigt zu haben, daß die »Angst vor der Liebe« oder das »Übermaß an Liebe«, die Ängste und Enttäuschungen, die so vielen Liebesgeschichten anhaften, ihre Gründe in der sozialen Organisation der Sexualität, der romantischen Wahl und den spezifischen Formen von Anerkennung innerhalb der romantischen Bindung finden.

Doch bevor ich die Natur dieser Veränderungen noch einmal Revue passieren lasse, möchte ich einige mögliche

---

* Das Motto stammt aus Emily Dickinson, *The Poems of Emily Dickinson. Reading Edition*, hg. von R. W. Franklin, Cambridge (Mass.) u. London 1999, S. 411.
Kann ich ein Herz zu brechen hindern, / Dann leb ich nicht vergebens; / Kann ich den Schmerz nur eines Lebens mindern, / Ein Leid nur lindern, / Eine Wanderdrossel schwach / Zurück ins Nest nur heben, / Dann leb ich nicht vergebens.

Mißverständnisse ausräumen, die mein Buch ungewollt ausgelöst haben könnte.

Unter keinen Umständen möchte ich behaupten, die moderne Liebe sei per se unglücklich oder die viktorianische Liebe sei besser als unsere beziehungsweise dieser vorzuziehen. Die stilisierten Briefe und Romane vergangener Zeiten haben mir vor allem als analytische Werkzeuge gedient, um die soziologischen Besonderheiten der modernen Situation hervorzuheben, und nicht als normative Meßlatten. Wir sollten darüber hinaus nie vergessen, daß die Frauen in der Vergangenheit zwar mitunter im höchsten Grad verehrt worden sein mögen, sich dabei aber doch in einem Zustand der Abhängigkeit und manchmal der Verzweiflung befanden, dem in keiner Weise nachzutrauern ist. Nicht nur gibt es viele moderne Formen glücklicher Liebe, sondern diese Lieben sind in ihrem Glück nicht weniger modern als in ihren Nöten. Ich habe nicht über sie geschrieben, weil das Glück sehr gut auch ohne die Bemühungen der Wissenschaft auskommt, was sich vom Unglück vielleicht nicht unbedingt sagen läßt. Gleichheit, Freiheit, die Suche nach sexueller Erfüllung, Menschen, die Fürsorglichkeit und Autonomie beweisen, ohne auf die Geschlechtszugehörigkeit zu achten – all dies ist Ausdruck der erfüllten Versprechen moderner Liebe und Intimität. Wenn Männer und Frauen, ob nun in hetero- oder homosexuellen Beziehungen, solche Versprechen erfüllen, dann, so meine ich, sind ihre Beziehungen nicht nur deshalb glücklich, weil sie an die normativen Bedingungen der Moderne angepaßt sind, sondern auch, weil sie Ideale verwirklichen, die denen vergangener Zeiten normativ überlegen sind.

Auch sind die vorangegangenen Seiten zwar aus weiblicher Perspektive geschrieben und erläutern zu einem großen Teil die Dilemmata von Frauen, doch ist damit in keiner Weise die Überzeugung verbunden, Männer hätten in Liebesdingen nicht auch gewaltig zu kämpfen. Ich habe mich auf die Frauen konzentriert, weil mir ihr Gelände vertrauter ist; weil Frauen unaufhörlich von einer psychologischen Selbstgestaltungsindustrie bombardiert werden und dringend damit aufhören müssen, permanent ihre sogenannten psychischen Mängel zu hinterfragen; und weil ich, wie viele andere, glaube, daß das Leiden unter Gefühlen – wenn auch auf komplizierte Weise – mit der Verteilung wirtschaftlicher und politischer Macht zusammenhängt. Wenn es eine grundsätzliche Schwierigkeit oder Quelle des Unbehagens gibt, für die dieses Buch eine Erklärung zu finden versucht hat, dann die, daß die feministische Revolution – die nicht nur nötig und heilsam war, sondern auch unvollendet ist – die männliche und weibliche Sehnsucht nach Liebe und Leidenschaft nicht hat erfüllen können. Freiheit und Gleichheit müssen im Kern unserer normativen Liebesideale verankert bleiben, doch ob und wie diese politischen Ideale Leidenschaft und Verbundenheit herzustellen vermögen, bleibt ein kulturelles Rätsel, das ich im vorliegenden Buch zu erhellen versucht habe. Die heterosexuellen Frauen der Mittelschicht befinden sich daher in der merkwürdigen historischen Lage, so souverän über ihren Körper und ihre Gefühle verfügen zu können wie nie zuvor und dennoch auf neue und noch nie dagewesene Weise von Männern dominiert zu werden.

Das dritte mögliche Mißverständnis, das ich ausräumen möchte, wäre die These, Liebesunglück sei ein neues, mit der Moderne verbundenes Phänomen oder gar, die Menschen litten heute stärker unter der Liebe als früher. Die stechenden Schmerzen des Liebeskummers sind ein so altes Motiv der Weltliteratur wie die Darstellung der Liebe selbst, und vergangene Epochen verfügen über ihr eigenes überreiches Arsenal an Beispielen und Modellen für die Qualen der Liebe. Doch ebenso, wie sich ein moderner selbstzugefügter Schmerz von mittelalterlichen Selbstgeißelungsritualen unterscheidet, sind in den modernen romantischen Schmerz neue soziale und kulturelle Erfahrungen eingelagert. Das soll selbstverständlich nicht heißen, daß manche dieser Erfahrungen nicht auch veränderungsresistente Elemente einschließen, doch wie jegliche Forschung mit der bewußten Entscheidung einhergeht, sich auf bestimmte Aspekte eines Phänomens zu konzentrieren und andere auszublenden, so hat sich auch dieses Buch bewußt auf das konzentriert, was am romantischen Leid neu ist. Ich habe zu zeigen versucht, daß die romantische Liebe der Schauplatz eines paradoxen Prozesses ist: Moderne Individuen sind unendlich viel besser ausgerüstet als Menschen je zuvor, um mit der wiederholten Erfahrung des Verlassenwerdens, Betrogenwerdens oder einer Trennung zurechtzukommen, insofern sie, zumindest im Prinzip, mit Abgeklärtheit, Autonomie, Hedonismus, Zynismus und Ironie auf diese Erfahrungen reagieren können. Tatsächlich gehen die meisten Menschen schon in jungen Jahren davon aus, daß der Weg zur romantischen Liebe alles andere als ein gerader sein wird. Doch ist genau das die Pointe dieses Buchs: Eben *weil* wir zahlreiche Strategien entwickelt haben, um mit der Zerbrechlichkeit und Austauschbarkeit von Beziehungen umzugehen, rauben viele Aspekte der zeitgenössischen Kultur dem Selbst die Fähigkeit, sich auf die volle Erfahrung der Leidenschaft einzulassen und sie zu leben – sowie den Zweifeln und Unsicherheiten zu widerstehen, mit denen der Prozeß des Liebens und sich Bindens einhergeht. Die Form der Liebe hat sich insofern verändert, als sich verändert hat, auf welche Weise sie weh tut.

Und schließlich ist das vorliegende Buch, obwohl es sich um eine umfassende Darstellung der Vermeidungshaltung und der Schwierigkeit der Männer mit dem Eingehen starker emotionaler Bindungen bemüht, weder eine Antwort auf die Frage »Wo sind nur die guten Männer hin?« noch eine Anklageschrift gegen die sexuelle Freiheit als solche. Es ist vielmehr ein Versuch, jene gesellschaftlichen Kräfte zu verstehen, die das emotional ausweichende Verhalten der Männer und die Folgen der sexuellen Freiheit prägen, wobei dieser Versuch nicht davon ausgeht, daß Männer von Haus aus unzulängliche Wesen sind oder daß Freiheit das Endziel unserer Praktiken sein sollte. Wenn, wie viele Menschen glauben, der Freiheitskult im wirtschaftlichen Bereich verheerende Konsequenzen haben kann und auch hat – indem er beispielsweise Unsicherheit und gewaltige Einkommensunterschiede verursacht –, dann sollten wir nach seinen Folgen auch im persönlichen, emotionalen und sexuellen Bereich wenigstens fragen. Die kritische Untersuchung der Freiheit in einer Sphäre sollte ebenso kritisch auch in anderen Sphären durchgeführt werden. Ein radikaler Geist sollte nicht davor zurückschrecken, die unbeabsichtigten Auswirkungen unserer tiefsten und uns heiligsten Normen und Überzeugungen, also im gegenwärtigen Zusammenhang der Freiheit, zu untersuchen und zu monieren. Hinzu kommt, daß die Freiheit so, wie sie im ökonomischen Bereich Ungleichheiten zugleich verursacht und unsichtbar macht, auch im sexuellen Bereich den Effekt hatte, die gesellschaftlichen Bedingungen zu verschleiern, die die emotionale Herrschaft von Männern über Frauen ermöglichen. Einer der zentralen Punkte, die dieses Buch zu machen versucht, ist ein ziemlich einfacher: Unter den Bedingungen der Moderne verfügen Männer über eine weitaus größere sexuelle und emotionale Auswahl als Frauen, und es ist dieses Ungleichgewicht, das zu ihrer emotionalen Vorherrschaft führt. Zweck dieses Buches ist es folglich, die Soziologie dorthin zu bringen, wo traditionell die Psychologie regiert, und sich um das zu bemühen, was Kultursoziologinnen am besten können, nämlich um den Nachweis, daß noch die verborgensten Winkel unserer Subjektivität von »großen« Gegebenheiten wie der Transformation der Ökologie und Architektur der sexuellen Wahl geprägt sind. Gewöhnliche Erfahrungen emotionalen Leidens – sich ungeliebt oder verlassen zu fühlen, sich mit der Distanziertheit anderer abzuquälen – sind durch die zentralen Institutionen und Werte der Moderne geprägt.

Der große Ehrgeiz dieses Buches ist es somit, mit den Gefühlen, zumindest aber mit der romantischen Liebe das zu tun, was Marx mit den Waren getan hat: zu zeigen, daß sie von den gesellschaftlichen Verhältnissen geformt ist; daß sie nicht auf freie und uneingeschränkte Art zirkuliert; daß ihr Zauber ein sozialer Zauber ist; daß sie die Institutionen der Moderne in komprimierter Weise in sich trägt.

Natürlich sollte man den Unterschied zwischen Moderne und Vormoderne nicht überzeichnen; auch vormoderne Männer und Frauen heirateten einander schließlich mit einem gewissen Grad an Freiheit, sie liebten einander, verließen einander und handelten in einem relativen Gefühl von Wahlfreiheit. Wie ich jedoch hoffentlich habe zeigen können, versucht die Soziologie, sich einen Reim auf die Entwicklungsrichtung und die allgemeinen Tendenzen der Kultur zu machen. Sie ist dadurch in der Lage zu behaupten, daß sich über die Subjektivität einzelner Menschen hinaus etwas Grundsätzliches an dieser Freiheit verändert hat, das heißt daran, wie sie in der modernen kulturellen Kategorie der Wahl institutionalisiert wurde. Diese Institutionalisierung wiederum hat die Bedingungen des emotionalen Handels und Tauschs zwischen Männern und Frauen nicht unberührt gelassen. Das romantische Unglück von Männern und Frauen beinhaltet und inszeniert die Rätsel der modernen Freiheit und der modernen Fähigkeit des Wählens. Diese Rätsel sind auf komplexe Weise mit den folgenden Schlüsselprozessen verbunden:

Die Transformation der Ökologie und der Architektur der Wahl: Aus Gründen, die sowohl normativer (die sexuelle Revolution), sozialer (die Schwächung klassen-, rassen- oder ethnisch bedingter Endogamie) und technologischer (die Entstehung des Internet und der entsprechenden Kontaktbörsen) Natur sind, haben sich Partnersuche und Partnerwahl grundlegend gewandelt. Die Idee einer »großen Transformation der Liebe« kann uns als analytisches Werkzeug dienen, um zu erfassen, worin sich die gesellschaftliche Organisation der vormodernen und die der zeitgenössischen Wahl unterscheiden. Der gängigen Meinung zum Trotz habe ich auf den vorangegangenen Seiten argumentiert, daß in der Moderne das Moment der Wahl – als erkenntnisförmige und reflexive Kategorie – viel stärker in den Vordergrund gerückt ist, wenn es darum geht, ein Liebesobjekt zu suchen und zu finden. Daß diese Kategorie so hervorsticht, ist eine Folge des Wandels der Ökologie der Wahl, die sich durch eine Reihe von Elementen charakterisieren läßt: die erhebliche Ausweitung des Angebots, aus dem man wählen kann, den damit einhergehenden Eindruck der Grenzenlosigkeit der eigenen Möglichkeiten und den Umstand, daß es komplexer geworden ist und länger dauert, sich für einen Partner zu entscheiden; die zunehmende Verflüssigung und Verfeinerung der Geschmäcker in einer Vielzahl von – sexuellen, körperlichen und kulturellen – Bereichen; die immer erkenntnishaftere und individuellere Bewertung anderer; sowie den Umstand, daß das Bewußtsein der eigenen Chancen, stets eine noch bessere Wahl treffen zu können, strukturell in die Beziehungen Einzug gehalten hat. Alle diese Aspekte haben den Prozeß der Partnersuche transformiert, indem sie ihn – auf rationaler wie auf emotionaler Ebene – erkenntnisförmiger gemacht und in eine größere Abhängigkeit vom individuellen Geschmack gebracht haben. Im Herzen der modernen Liebe spielt sich mithin ein neuer Bewertungsprozeß ab: Das Selbst stützt sich auf ontologisierte, das heißt auf erkennbare und feststehende Gefühle, die als Richtschnur des Handelns verstanden werden. Es nimmt komplexe und ausgefeilte Beurteilungen von Personen nach diversen Skalen vor. Diese Entwicklungen schaffen die Bedingungen für die Transformation der Natur des Begehrens und des Willens: dafür also, wie Menschen Versprechen machen, wie sie über die Zukunft denken, auf ihre eigene Vergangenheit zurückgreifen, um Entscheidungen zu treffen, wie sie Risi-

ken betrachten und einschätzen sowie ganz grundsätzlich
darüber nachdenken, wie sie einander lieben wollen sollten.

Die Entstehung sexueller Felder: Sexuelle Felder sind
gesellschaftliche Arenen, in denen die Sexualität zu einer
autonomen Dimension der Paarbildung, zu einem hochgradig kommerzialisierten Teil des sozialen Lebens und zu einem autonomen Bewertungskriterium wird. Sexuelle Felder
implizieren, daß die auf ihnen tätigen Akteure unablässig
andere bewerten, daß sie um ihre Konkurrenzsituation mit
vielen anderen wissen und wissen, daß sie andere unter diesen Konkurrenzbedingungen bewerten. Noch nie zuvor in
der Geschichte sind sich Männer und Frauen verschiedener
sozialer Schichten, Religionen und Ethnien wie auf einem
freien, ungeregelten Markt begegnet, auf dem Merkmale
– wie Schönheit, Sexyness, soziale Schicht – rational und
instrumentell eingeschätzt und getauscht werden. Daß die
Eheschließung ein Markt ist, ist keine natürliche, sondern
eine historische Tatsache, die sich der Transformation der
Ökologie der Wahl verdankt. Solchen Heiratsmärkten gehen sexuelle Felder voraus, mit denen sie stets koexistieren.
Beide Arenen können sich überschneiden, wobei sich ihre
jeweiligen Logiken auch gegenseitig in die Quere kommen
können. Auf einem sexuellen Feld konkurrieren die Akteure
miteinander (1) um die sexuell begehrenswertesten Partner,
(2) darum, möglichst viele Partner zu sammeln, sowie (3)
darum, die eigene sexuelle Attraktivität und Leistungsfä-
higkeit zur Schau zu stellen. Heiratsmärkte schließen diese
Dimensionen der Konkurrenz in der Paarbildung ein, umfassen jedoch auch noch andere wie sozioökonomischen
Status, Persönlichkeit und kulturelle Kompetenz. Auf einem Heiratsmarkt wird aufgrund von Kriterien wie ökonomischem Status, physischer Attraktivität, Bildung und
Einkommen sowie aufgrund weniger greifbarer Merkmale
wie Persönlichkeit, »Sexyness« oder »Charme« ausgewählt.
Weil sexuelle Felder jedoch Heiratsmärkten zeitlich vor-

ausgehen, können sie störend auf diese einwirken, indem sie dazu führen, daß Männer und Frauen länger auf ihnen verweilen wollen oder ihnen sogar den Vorzug vor Heiratsmärkten geben. Ein sexuelles Feld wird per se von Männern beherrscht, insofern diese sich länger auf ihm tummeln und auf eine größere Auswahl von Frauen zurückgreifen können. Diese größeren Auswahlmöglichkeiten führen dazu, daß Männer – vor allem solche der oberen Mittelschicht – das sexuelle Feld dominieren, wobei sich ihre Vorherrschaft in ihrer größeren Zurückhaltung manifestiert, langfristige Bindungen einzugehen. Eine solche Dynamik der sexuellen Felder und die neue Ökologie und Architektur der Wahl schaffen die Bedingungen für eine emotionale Beherrschung von Frauen durch Männer, denen sie im wesentlichen aus drei Gründen zu einem Vorteil verholfen haben: Der gesellschaftliche Status von Männern hängt heute wesentlich stärker von ihrem ökonomischen Erfolg ab als davon, Familie und Kinder zu haben; Männer sind nicht biologisch und kulturell durch die Fortpflanzung bestimmt, so daß sich ihre Suche über einen wesentlich längeren Zeitraum erstrecken kann; und schließlich setzen Männer Sexualität als Status ein: Weil die Normen der Sexyness Jugendlichkeit prämieren und weil die Altersdiskriminierung Männern Vorteile verschafft, ist die Auswahl, aus der Männer wählen können, wesentlich größer als die der Frauen. Heterosexuelle Männer und Frauen aus der Mittelschicht gehen also auf unterschiedliche Weise an das sexuelle Feld heran: Weil sie für ihr wirtschaftliches Überleben unmittelbarer vom Markt als von einer Ehe abhängen, weil sie nicht – oder nur in geringerem Maß – durch das Gebot der romantischen Anerkennung gebunden sind, weil sie Sexualität als Status einsetzen und ihre Autonomie unter Beweis stellen, neigen Männer zu einer kumulativen und distanzierten Form von Sexualität. Frauen hingegen sind in widersprüchlicheren Strategien von Anhänglichkeit und Distanzierung gefangen. In der emotionalen Distanziertheit und Bindungsangst der Männer spiegelt sich somit ihre Position auf sexuellen Feldern wider, die aus einer neuen Ökologie der Wahl hervorgegangen ist.

Mit dieser Entwicklung sind neue Ungleichheiten verbunden, die sich in *neuen Formen von Anerkennung* niederschlagen: Wie auf allen sozialen Feldern bedeutet Erfolg auch auf dem sexuellen Feld Statusgewinne und eine Steigerung des Selbstwerts. Attraktivität und sexuelles Kapital werden nunmehr dazu eingesetzt, um soziale Geltung zu erlangen und zu signalisieren; sie sind somit entscheidend für Anerkennungsprozesse. Das heißt auch, daß es eine Gefahr für das eigene Selbstwertgefühl und die eigene Identität sein kann, auf den entsprechenden Feldern nicht zu reüssieren. Die Liebe wird mithin zu einem Aspekt der Dynamik moralischer Ungleichheiten, das heißt von Ungleichheiten des Selbstwertgefühls. Diese Ungleichheiten trennen Männer und Frauen – wobei das Feld von Männern beherrscht wird –, sie trennen aber ebenso die erfolgreicheren von den weniger erfolgreichen Männern und Frauen. Wir haben es also mit einer Ungleichheit sowohl zwischen den Geschlechtern als auch innerhalb einer geschlechtlichen Gruppe zu tun. Hinzu kommt: Weil die Moderne eine Privatsphäre hervorgebracht hat, die die weibliche Identität einerseits prägte und andererseits von der Öffentlichkeit abkoppelte, ist die Liebe so entscheidend für das Selbstwertgefühl der Frauen. Unter den Bedingungen eines freien Marktes brauchen Frauen insofern mehr Liebe zu ihrer Selbstbestätigung, und sie wollen sich stärker und früher binden. Die Transformation der Ökologie und Architektur der Wahl sowie der Zusammenhang zwischen Liebe und sozialer Geltung sprechen dafür, daß die Geschlechterungleichheit sich nicht mehr an sozialen, sondern an emotionalen Ungleichheiten festmacht. Die weitverbreitete Literatur zu »Mars« und »Venus« ist nichts weiter als ein Versuch, auf psychologische Begriffe zu bringen, was in Wirklichkeit ein soziologischer Prozeß ist, nämlich die Neuorganisation der Geschlechterunterschiede anhand der Liebe als einer Quelle von Selbstwert für Frauen und als Sexualkapital für Männer.

Das Erkalten des Begehrens und die Willensschwäche: Ironie, Bindungsangst, Ambivalenz, Enttäuschung – allesamt zentrale Themen dieses Buches und der Liebeserfahrung – sind die vier Hauptelemente dessen, was ich als Entstrukturierung (und Neustrukturierung) des Willens und des Begehrens bezeichne. Wille und Begehren, zuvor auf die Entwicklung fester Bindungen gerichtet, wurden auf die Entwicklung einer coolen Individualität umgepolt. Ironie, Bindungsangst, Ambivalenz und Enttäuschung haben gemeinsam, daß sie die Schwierigkeit zum Ausdruck bringen, im eigenen Begehren das ganze Selbst zu mobilisieren; in ihnen zeigt sich das Beharren auf der autonomen Identität noch in den verborgensten Winkeln der Subjektivität und, allgemeiner, das Erkalten der Leidenschaft. Tatsächlich blieb schon die Fähigkeit, den Prozeß des Begehrens in Gang zu setzen, sich für ein Liebesobjekt zu entscheiden und sich der Kultur der Liebe zu verschreiben, nicht unberührt. Das Begehren selbst hat seine Intensität sowie die Art und Weise, wie es vom Selbst ausgeht, aus folgenden Gründen verändert: (1) Mit einer größeren Auswahl konfrontiert, verlegt sich das Begehren auf hochgradig erkenntnisförmige Formen der Selbstbeobachtung und Selbstprüfung; (2) Vergleiche zwischen verschiedenen Wahlmöglichkeiten dämpfen starke Gefühle; (3) man begehrt nunmehr in einer kulturellen Umwelt, die vom Prozeduralismus beherrscht wird, das heißt von abstrakten und formalen Regeln, wie man sich anderen und seinem eigenen Gefühlsleben gegenüber verhalten soll; (4) während das vormoderne Begehren von einer Mangelwirtschaft geprägt war, ist das Begehren heute, bedingt durch die normative sexuelle Freiheit und die Kommerzialisierung des Sex, von einer Überflußwirtschaft bestimmt; (5) und schließlich ist das Begehren in das Reich

der Einbildungskraft eingewandert und gefährdet damit die
Möglichkeit, weiterhin in echten Interaktionen zu begehren.
In diesem Sinne wird das Begehren zugleich schwächer und
stärker: schwächer, weil es keinen Rückhalt im Willen mehr
findet – Wahl und Auswahl schwächen den Willen eher, als
daß sie ihn stärken –, und stärker, insofern es in die Ersatz-
welt der virtuellen und indirekten Beziehungen Einzug hält.

Dieses Buch könnte alles in allem wie eine Anklageschrift
gegen die Liebe in der Moderne erscheinen. Sinnvoller
läse man es freilich als einen Versuch, der sich gegen die
vorherrschenden Vorstellungen richtet, Männer seien psychologisch und biologisch von Natur aus unfähig zu tiefen
Verbindungen und Frauen fiele es leichter, die Liebe zu finden und zu bewahren, wenn sie an ihrer psychologischen
Konstitution arbeiteten. In Wirklichkeit sind Biologie und
Psychologie – als Methoden, die Schwierigkeiten romantischer Beziehungen zu erklären und zu legitimieren – Teil
des Problems und keine Lösungen für diese Schwierigkeiten.
Wo die emotionale Ungleichheit von Männern und Frauen
in die Biologie, Evolution oder psychische Entwicklung eingeschrieben wurde, wurden diese Unterschiede erheblich
aufgebauscht und bis zu einem gewissen Grad durch die
Kultur und die Institutionen der Moderne gerechtfertigt;
verantwortlich hierfür waren vor allem die sich wandeln-
den Muster des ökonomischen Überlebens, die Kommerzialisierung des Sex und die normative Freiheit und Gleichheit
von Männern und Frauen. Die Venus-und-Mars-Termino-
logie, mit der wir unsere Unterschiede zu erklären und zu
beschwichtigen versucht haben, wird uns also offensichtlich
nicht weiterhelfen; tatsächlich dient sie lediglich dazu, die
kulturell erzeugten Unterschiede noch weiter zu naturalisie-
ren. Eine solche Terminologie postuliert, daß Männer und
Frauen grundlegend anders sind, daß Männer gerne Probleme lösen und Frauen Anerkennung suchen – und folglich

die Lösung darin besteht, daß die Männer den Frauen zuhören und sie bestätigen, während die Frauen das männliche Bedürfnis nach Autonomie respektieren sollen. Möchte dieser Rat desorientierten Männern und Frauen auch wie eine nützliche Hilfestellung scheinen, um über die hohe See der Geschlechterunterschiede zu schiffen, so dient er doch in vielerlei Hinsicht vor allem dazu, die Auffassung zu stärken, Männer seien emotional unfähig und Frauen müßten ihre emotionale Konstitution in den Griff bekommen.

Damit ist natürlich nicht gesagt, daß Männer und Frauen nicht persönlich für ihre Handlungen verantwortlich gemacht werden sollen. In keiner Weise schmälert oder unterschätzt das vorliegende Buch die Vorstellung persönlicher Verantwortung und Rechenschaft in zwischenmenschlichen Beziehungen. Es argumentiert ganz im Gegenteil dafür, daß ein Verständnis der auf beide Geschlechter einwirkenden allgemeineren Kräfte und Faktoren dazu beitragen kann, die Bürde eines Übermaßes an Verantwortungszuschreibung zu vermeiden und den Ort persönlicher und ethischer Verantwortung genauer zu bestimmen. Gewiß werden viele kritische Leserinnen und Leser, die dieses Buch zweifellos haben wird, wissen wollen, worin meine politischen Empfehlungen bestehen. Eine der wichtigsten normativen Annahmen, die dieser Arbeit zugrunde liegen, ist die, daß der Verlust der Leidenschaft und Gefühlsintensität ein kulturell gravierender Verlust ist und daß die Abkühlung der Gefühle uns zwar weniger verletzlich machen mag, es uns aber auch erschwert, uns mit anderen in leidenschaftlichem Engagement zu verbinden. In diesem Punkt schließe ich mich Cristina Nehrings oder auch Jonathan Franzens Auffassung an, daß leidenschaftliche Liebe ohne Schmerz nicht zu haben ist und daß dieser Schmerz uns nicht ängstigen sollte: »Schmerz tut weh, aber er tötet nicht. Bedenkt man die Alternative – einen narkotisierten, technisch begünstigten Traum von Autarkie –, dann erscheint der Schmerz als das natürliche

Produkt und der natürliche Indikator des Lebendigseins in
einer widerständigen Welt. Ohne Schmerz durchs Leben zu
kommen, heißt, nicht gelebt zu haben.«[1]

Das Ziel der Geschlechtergleichheit besteht folglich nicht
in gleicher Distanziertheit, sondern in der gleichen Fähigkeit, starke und leidenschaftliche Gefühle zu empfinden.
Doch warum überhaupt? Schließlich herrscht kein Mangel
an philosophischen oder ethischen Modellen, die zur Mäßi-
gung in allen Dingen und vor allem in den Leidenschaften
anhalten. Obwohl das vorliegende Buch die Vorstellung, die
Institutionalisierung von Beziehungen sei der einzige prak-
tikable Rahmen zur Ausgestaltung des Gefühls- und Bezie-
hungslebens, rundheraus ablehnt, versteht es die Fähigkeit,
auf eine Weise zu lieben, die das Selbst in seiner Gänze mobilisiert, als eine entscheidende Fähigkeit dafür, mit anderen
zusammenzukommen und zu gedeihen – und damit als eine
wichtige menschliche und kulturelle Ressource. Das Vermögen, aus Beziehungen und Gefühlen einen Sinn zu beziehen,
läßt sich meines Erachtens eher bei denjenigen Bindungen
antreffen, die das ganze Selbst in Anspruch nehmen und die
es ihm ermöglichen, sich auf selbstvergessene Weise auf eine
andere Person einzulassen (wie es etwa auch die Modelle
idealer Elternschaft oder Freundschaft voraussetzen). Darüber hinaus befreit uns eine leidenschaftliche Liebe von der
Ungewißheit und Unsicherheit, die den meisten Interaktionen eigen ist, und stellt in diesem Sinne eine äußerst wichtige Quelle dar, um zu verstehen und zu verwirklichen, was
uns wichtig ist.[2] Diese Art von Liebe strahlt vom Innersten
unseres Selbst aus, mobilisiert unseren Willen und vereint
eine Vielzahl unserer Begierden. Wie Harry Frankfurt sagt:

1 Jonathan Franzen, »Schmerz bringt Dich nicht um«, übers. von W.
Freund, in: *Die Welt*, 2. Juli 2011, ⟨http://www.welt.de/print/die_welt/
vermischtes/article13463367/Schmerz-bringt-Dich-nicht-um.html⟩, letzter
Zugriff 2. 7. 2011.

2 Harry G. Frankfurt, *Gründe der Liebe*, übers. von M. Hartmann,
Frankfurt/M. 2005.

Wenn wir lieben, dann befreit uns dies von den Einschränkungen und Schwierigkeiten, die damit einhergehen, nicht
zu wissen, was wir denken und, wie ich hinzufügen würde,
fühlen sollen. Eine leidenschaftliche Liebe beendet diesen
Zustand der Unschlüssigkeit, erlöst uns vom »Hemmnis
der Unentschlossenheit«.[3] Diese Art Liebe hilft der Charakterbildung und ist letztlich die einzige, die uns einen
Kompaß an die Hand geben kann, um unser Leben zu leben. Der Zustand der Unentschlossenheit darüber, was wir
lieben – wie er durch ein Übermaß an Wahlmöglichkeiten,
die Schwierigkeit, seine eigenen Gefühle durch Selbstprüfung zu ermitteln, und das Ideal der Autonomie verursacht
wird –, verhindert leidenschaftliche Bindungen und verdun-
kelt letzten Endes für uns selbst, wer wir uns selbst und der
Welt gegenüber sind. Aus diesen Gründen kann ich den Kult
der sexuellen Erfahrung, der über die kulturelle Landschaft
der westlichen Länder hinweggefegt ist, nicht kritiklos hinnehmen, vor allem, weil ich glaube, daß eine solche Form
hochgradig warenförmiger sexueller Freiheit der Fähigkeit
von Männern und Frauen schadet, intensive, allumfassende
Bindungen zu schmieden. Solche Bindungen aber sind es,
die uns zu der Einsicht verhelfen, welche Art von Menschen
uns wichtig ist.

Der radikale und der liberale Feminismus müssen sowohl
analytisch als auch normativ auf die gegenwärtige Situation
reagieren: Da Frauen immer noch nicht dazu bereit sind,
der Idee der romantischen Liebe abzuschwören, und da sie
Männern auf einem offenen sexuellen Feld begegnen, muß
die Akkumulation sexuellen Kapitals diskutiert und hinter-
fragt werden, um neue Strategien zu ersinnen, wie man mit
emotionalen Ungleichheiten umgeht und die umfassenderen
sozialen und ethischen Ziele von Frauen verwirklicht. Wir
sollten das kulturelle Modell der Akkumulation sexuellen

3 Ebd., S. 72.

Kapitals gleichermaßen aus der Perspektive einer feministischen wie aus der Perspektive einer kantianischen Ethik hinterfragen. So wie die Neue Frauenbewegung die Fesseln der sexuellen Restriktionen und Repressionen abwarf, ist es heute an der Zeit, den Zustand der Entfremdung und Verstimmung zu überprüfen, den die Wechselwirkung und Überschneidung von Gefühlen, sexueller Freiheit und Ökonomie herbeigeführt hat. Solange die Institutionen der Wirtschaft und der biologischen Reproduktion im Rahmen heterosexueller Familien die Geschlechterungleichheit institutionalisieren, wird die sexuelle Freiheit eine Belastung für Frauen sein. Folglich sollte vor allem die Frage diskutiert werden, wie die Sexualität in einen Verhaltensbereich verwandelt werden könnte, der sowohl vom Gedanken der Freiheit als auch von ethischen Gesichtspunkten bestimmt ist. In ihrem Eifer, Tabus zu beseitigen und Gleichheit zu erlangen, hat die sexuelle Revolution die Ethik im großen und ganzen aus dem Reich der Sexualität herausgehalten. Letztlich vertrete ich in diesem Buch die These, daß das Projekt des Selbstausdrucks durch Sexualität nicht von der Frage unserer Pflichten gegenüber anderen und ihren Gefühlen getrennt werden kann. Wir sollten also nicht nur damit aufhören, die männliche Psyche als grundsätzlich schwach oder lieblos anzusehen, sondern auch offen dafür sein, das Modell der sexuellen Akkumulation auf den Prüfstand zu stellen, das die moderne Männlichkeit vorangetrieben hat und das von Frauen zu begeistert befürwortet und imitiert worden ist. Und wir sollten alternative Modelle der Liebe formulieren, Modelle, in denen Männlichkeit und leidenschaftliche Liebe nicht nur keine Gegensätze sind, sondern vielleicht sogar ein Wort für dieselbe Sache. Statt den Männern ihre emotionale Unfähigkeit einzuhämmern, sollten wir Modelle emotionaler Männlichkeit heraufbeschwören, die nicht auf sexuellem Kapital beruhen. Eine solche kulturelle Beschwörung könnte uns tatsächlich dem Ziel des Feminimus näher bringen, das seit eh und je darin bestanden hat, ethische und emotionale Modelle zu entwickeln, die der sozialen Erfahrung von Frauen gerecht werden. Denn losgelöst von ethischem Verhalten ist die Sexualität, wie wir sie in den letzten dreißig Jahren kennengelernt haben, zur Arena eines nackten Kampfes verkommen, der viele Männer und besonders Frauen verbittert und erschöpft zurückgelassen hat.

Es ist also ein Paradox, das dieses Buch zu erklären versucht hat: Einerseits sind Emotionalität, Liebe und Romantik merklich erkaltet. Auf die meisten Männer würde Leidenschaft heute leicht lächerlich wirken, und die meisten Frauen würden spöttisch oder sogar leicht abgestoßen vor der leidenschaftlichen Rhetorik zurückscheuen, von der die Liebesbriefe des 18. und 19. Jahrhunderts künden. Andererseits ist die Liebe in so vielen Hinsichten, wie ich zu zeigen versucht habe, unverzichtbarer für die Bestimmung unseres Selbstwerts als jemals zuvor. Da unsere Kultur so gerne mit dem Finger auf unsere Psychen zeigt, scheint es an unserer Unfähigkeit liegen, wenn eine Liebesgeschichte scheitert, und aus diesem Grund bedrohen Liebesdramen die Grundlagen des Selbst – weshalb die moderne Liebe nach Psychotherapien, endlosen Gesprächen mit Freunden, Beratung und Zuspruch verlangt. Liebe ist mehr als ein kulturelles Ideal, sie ist eine soziale Grundlage des Selbst, und doch sind die kulturellen Ressourcen, die sie zu einer Grundlage des Selbst machen, aufgebraucht. Gerade aus diesem Grund sind wir wieder, und zwar mehr denn je, auf Ethik in den sexuellen und emotionalen Verhältnissen angewiesen – eben weil diese Verhältnisse für die Entwicklung von Selbstwert und Selbstachtung heute so entscheidend sind.

Dieses Buch ist also eine ernüchterte Bejahung der Moderne im Medium der Liebe. Es erkennt die Notwendigkeit der Werte Freiheit, Vernunft, Gleichheit und Autonomie an, sieht sich aber gezwungen, eine Bilanz der immensen

Schwierigkeiten zu ziehen, die die zentrale kulturelle Matrix der Moderne aufgeworfen hat. Wie jedem Erwachen nach einem Rausch geht einer ernüchterten Befürwortung der Moderne die Glut der Utopien und Denunziationen ab. Aber sie bietet die leise Hoffnung, daß wir diese Zeiten mit geistiger Klarheit und Selbsterkenntnis besser durchleben und vielleicht sogar neue Formen leidenschaftlicher Liebe wiedererfinden können.

Danksagung

In mehr als einer Hinsicht habe ich vor vielen Jahren, noch als Jugendliche, in Gedanken damit begonnen, dieses Buch zu schreiben. Hunderte, wenn nicht Tausende Gespräche mit engen Freunden und Unbekannten haben mich stutzig und fassungslos über das Chaos gemacht, von dem die zeitgenössischen romantischen und sexuellen Beziehungen erfüllt sind. Wie kommt es, daß die Frauen in den vier Ländern, in denen ich als Erwachsene gelebt habe (Frankreich, den Vereinigten Staaten, Israel und Deutschland), trotz ihrer Stärke und Autonomie so ratlos angesichts des ausweichenden Verhaltens der Männer sind? Warum ist unser Selbstwertgefühl so eng mit der Liebe verbunden? Litten die Menschen in der Vergangenheit die gleichen Liebesqualen wie moderne Männer und Frauen? Ich hoffe, diese Fragen wenn schon nicht beantwortet, so doch in ein Licht gestellt zu haben, das es erlaubt, auf neue Weise über sie nachzudenken. Tatsächlich hält uns unsere Kultur in erster Linie dazu an, der verschütteten Geschichte unserer beschädigten Kindheit und unseren psychischen Defekten auf den Grund zu gehen, um die Verwirrungen unseres Liebeslebens aufzuklären. Diese Voraussetzung möchte das vorliegende Buch in Frage stellen. Es möchte erklären, warum die Liebe weh tut, indem es statt des psychologischen den sozialen Kontext erhellt, in dem sich Männer und Frauen begegnen.

Dieses Buch ist mithin aus der Intimität vieler stundenlanger Gespräche hervorgegangen. Doch hat es auch weniger intimen, aber darum nicht weniger wichtigen Gesprächen vieles zu verdanken. Mein erster Dank geht an das Wissenschaftskolleg zu Berlin, das mir im akademischen Jahr 2007/2008 die Ruhe und den Frieden eines Klosters und die irdischen Freuden eines Salons des 18. Jahrhunderts bescherte. Ich danke Dale Bauer, Ute Frevert, Sven Hillenkamp, Axel Honneth, Tom Laqueur, Reinhart Merkel, Reinhart Meyer-Kalkus, Susan Neiman, John Thompson und Eitan Wilf für die vielen bibliographischen Hinweise und neuen Überlegungen, zu denen sie mir verholfen haben. Mattan Shachak war nicht nur eine Hilfe, sondern für die Niederschrift dieses Buches ganz unentbehrlich; ich danke ihm dafür, mich jeden Tag aufs neue die Freude erleben zu lassen, einen so brillanten Studenten und herausragenden wissenschaftlichen Assistenten zu haben.

Ori Schwarz, Dana Kaplan und Zsuzsa Berend haben viele Kapitel gelesen und mir mit ihrer vorbildlichen intellektuellen Großzügigkeit geholfen, das Buch bedeutend zu verbessern. Nathalie-Myriam Illouz, Sigal Gooldin und Beatrice Smedley haben endlos mit mir über den Glanz und das Elend der Liebe diskutiert. Ich kann nur hoffen, mit der Subtilität ihrer Analysen mitzuhalten. Eva Gilmer und Petra Hardt machen Suhrkamp zu dem außergewöhnlichen Verlag, der er ist. Michael Adrian, der das Buch nach dem Manuskript übertragen hat, hat sich erneut als ein fabelhafter, »mitdenkender« Übersetzer erwiesen.

Von ganzem Herzen danke ich all denen, engen Freunden und Fremden, die mir ihr Vertrauen geschenkt und ihre Geschichten erzählt haben, mal voller Verzweiflung, mal voller Hoffnung und Zuversicht. Ich widme dieses Buch den Männern und Frauen, die ich noch lange lieben werde, mit und ohne Schmerz.

Literaturverzeichnis*

Adorno, Theodor W., u.a., *Der Positivismusstreit in der deutschen Soziologie* [1969], München 1993 (Einleitung von Adorno).

Ahuvia, Aaron, u. Mara Adelman, »Formal Intermediaries in the Marriage Market. A Typology and Review«, in: *Journal of Marriage and Family*, Jg. 54, Nr. 2 (1992), S. 452-463.

Albrow, Martin, *Max Weber's Construction of Social Theory*, London 1990.

Alexander, Jeffrey C., *The Meanings of Social Life. A Cultural Sociology*, Oxford u. New York 2003.

–, »Iconic Consciousness. The Material Feeling of Meaning«, in: *Environment and Planning D: Society and Space*, Jg. 26, Nr. 5 (2008), S. 782-794.

–, u.a., *Cultural Trauma and Collective Identity*, Berkeley 2004.

Anderson, Benedict, *Die Erfindung der Nation. Zur Karriere eines folgenreichen Konzepts* [1983], übers. von B. Burkard u. Chr. Münz, 2., erw. Aufl., Frankfurt/M. u. New York 2005.

Arendt, Hannah, *Vita Activa oder Vom tätigen Leben* [1958], München ⁹2010.

Aron, Arthur, u.a., »Reward, Motivation, and Emotion Systems Associated With Early-Stage Intense Romantic Love«, in: *Journal of Neurophysiology*, Jg. 94, Nr. 1 (2005), S. 327-337.

Atkinson, Ti-Grace, »Radikaler Feminismus und die Liebe. Artikel vom 2. April 69«, in: dies., *Amazonen Odyssee*, übers. von G. Strempel, München 1976, S. 38-43.

Attwood, Feona, *Mainstreaming Sex. The Sexualization of Western Culture*, London u. New York 2009.

Austen, Jane, *Kloster Northanger* [1803, 1818], übers. von U. u. Chr. Grawe, Stuttgart 2007.

–, *Verstand und Gefühl* [1811, 1813], übers. von U. u. Chr. Grawe, Stuttgart 2007.

* Das Literaturverzeichnis umfaßt neben den von der Autorin genutzten Werken beziehungsweise, so vorhanden, deren deutschen Übersetzungen auch einige im Original deutschsprachige Schriften, die für die vorliegende Ausgabe herangezogen wurden. [Anm. d. Übers.]

–, *Stolz und Vorurteil* [1813], übers. von U. u. Chr. Grawe, Stuttgart 2008.

–, *Emma* [1816], übers. von U. u. Chr. Grawe, Stuttgart 2007.

–, *Überredung* [1818], übers. von U. u. Chr. Grawe, Stuttgart 2007.

Axinn, William, u. Arland Thornton, »The Relationship Between Cohabitation and Divorce. Selectivity or Causal Influence?«, in: *Demography*, Jg. 29, Nr. 3 (1992), S. 357-374.

Balzac, Honoré de, »Die Verlassene« [1832], übers. von E. Sander, in: Honoré de Balzac, *Die menschliche Komödie*, Bd. 2, München 1998, S. 655-704.

–, *Die Lilie im Tal* [1836], übers. von E. Sander, in: Honoré de Balzac, *Die menschliche Komödie*, Bd. 10, München 1998.

–, *Briefe an die Fremde. Eine Auswahl*, hg. von Ulla Momm u. Gerda Gensberger, übers. von G. Gensberger, Frankfurt/M. 1999.

Banner, Lois, *American Beauty*, New York 1983.

Barnes, Julian, *Liebe usw.*, übers. von G. Krueger, Köln 2002.

Bartels, Andreas, u. Semir Zeki, »The Neural Basis of Romantic Love«, in: *Neuroreport*, Jg. 11, Nr. 17 (2000), S. 3829-3834.

Barthes, Roland, *Die Lust am Text* [1973], übers. von T. König, Frankfurt/M. 1982.

–, *Fragmente einer Sprache der Liebe* [1977], übers. v. H.-H. Henschen, Frankfurt/M. ⁶1986.

Bartsch, Shadi, u. Thomas Bartscherer, »What Silent Love Hath Writ. An Introduction«, in: dies. (Hg.), *Erotikon*, S. 1-15.

– (Hg.), *Erotikon. Essays on Eros, Ancient and Modern*, Chicago 2005.

Bataille, Georges, *Die Erotik* [1957], übers. von G. Bergfleth, Berlin 1994.

–, *Die Aufhebung der Ökonomie* [1967], übers. von T. König, H. Abosch u. G. Bergfleth, Berlin ²1985.

Bauman, Zygmunt, *Leben als Konsum*, übers. von R. Barth, Hamburg 2009.

Beauvoir, Simone de, *Das andere Geschlecht. Sitte und Sexus der Frau* [1949], übers. von U. Aumüller u. G. Osterwald, Reinbek bei Hamburg 2000.

Beck, Ulrich, u. Elisabeth Beck-Gernsheim, *Das ganz normale Chaos der Liebe*, Frankfurt/M. 1990.

Becker, Gary S., »A Theory of Marriage. Part I«, in: *The Journal of Political Economy*, Jg. 81, Nr. 4 (1973), S. 813-846.

–, *A Treatise on the Family*, Cambridge (Mass.) 1981.

Beethoven, Ludwig van, *Briefe. Eine Auswahl*, hg. von Hansjürgen Schäfer, Berlin 1984.

Beisel, Nicola, *Imperiled Innocents. Anthony Comstock and Family Reproduction in Victorian America*, Princeton 1998.

Belk, Russell, Güliz Ger u. Søren Askegaard, »The Fire of Desire. Multisited Inquiry into Consumer Passion«, in: *Journal of Consumer Research*, Jg. 30, Nr. 3(2003), S. 326-351.

Bellah, Robert N., Richard Madsen, William M. Sullivan, Ann Swidler u. Steven M. Tipton, *Gewohnheiten des Herzens. Individualismus und Gemeinsinn in der amerikanischen Gesellschaft*, übers. von I. Peikert, Köln 1987.

Berk, Sarah F., *The Gender Factory. The Apportionment of Work in American Households*, New York 1985.

Berman, Marshall, *The Politics of Authenticity. Radical Individualism and the Emergence of Modern Society,* New York 1970.

–, *All That is Solid Melts into Air. The Experience of Modernity*, Gloucester 1982.

Bernard, Jessie, *The Future of Marriage*, New Haven 1982.

Berning, Laura, »I Call Your/His Name«, in: *The New York Times*, 27. Januar 2011, ⟨http://www.nytimes.com/2011/01/30/fashion/30Modern.html?pagewanted=2&tntemail1=y&_r=1&emc=tnt⟩.

Blackburn, Simon, *Wollust. Die schönste Todsünde*, übers. von M. Wolf, Berlin 2008.

Blackwood, Evelyn, »The Specter of the Patriarchal Man«, in: *American Ethnologist*, Jg. 32, Nr. 1 (2005), S. 42-45.

Boltanski, Luc, u. Laurent Thévenot, *Über die Rechtfertigung. Eine Soziologie der kritischen Urteilskraft* [1991], übers. von A. Pfeuffer, Hamburg 2007.

Bolte, Annette, u. Thomas Goschke, »Intuition in the Context of Object Perception. Intuitive Gestalt Judgments Rest on the Unconscious Activation of Semantic Representations«, in: *Cognition*, Jg. 108, Nr. 3 (2008), S. 608-616.

Boruah, Bijoy H., *Fiction and Emotion. A Study in Aesthetics and the Philosophy of Mind*, Oxford 1988.

Bourdieu, Pierre, *The Social Structures of the Economy*, Cambridge 2005.

Breslaw, Anna, »Casting Call: Bit Player, Male«, in: *The New York Times*, 13. März 2011, ⟨http://www.nytimes.com/2011/03/13/fashion/13ModernLove.html?emc=tnt&tntemail1=y⟩.

Brontë, Emily, *Sturmhöhe* [1847], übers. von G. Etzel, Berlin 2008.

Brown, Herbert Ross, *The Sentimental Novel in America, 1789-1860*, Durham 1940.

Browne, Joy, *Dating for Dummies*, Hoboken ²2006.

Brownmiller, Susan, *Gegen unseren Willen. Vergewaltigung und Männerherrschaft*, übers. von I. Carroux, Frankfurt/M. 1978.

Bruckner, Pascal, *Le Paradoxe Amoureux*, Paris 2009.

Bulcroft, Richard, Kris Bulcroft, Karen Bradley u. Carl Simson, »The Management and Production of Risk in Romantic Relationships. A Postmodern Paradox«, in: *Journal of Family History*, Jg. 25, Nr. 1 (2000), S. 63-92.

Bumpass, Larry, u. Hsien-Hen Lu, »Trends in Cohabitation and Implications for Children's Family Contexts in the United States«, in: *Population Studies. A Journal of Demography*, Jg. 54, Nr. 1 (2000), S. 29-41.

Burgess, Watson, u. Paul Wallin, *Engagement and Marriage*, Chicago 1953.

Burke, Edmund, u. Friedrich Gentz, *Über die Französische Revolution. Betrachtungen und Abhandlungen* [1790], hg. von Hermann Klenner, übers. von F. Gentz, Berlin 1991.

Bushnell, Candace, *Sex and the City. Am Bett vorbei ist voll daneben*, übers. von A. Hahn, München 1998.

Buss, David M., u. David P. Schmitt, »Sexual Strategies Theory. An Evolutionary Perspective on Human Mating«, in: *Psychological Review*, Jg. 100, Nr. 2 (1993), S. 204-232.

–, Todd K. Shackelford, Lee A. Kirkpatrick u. Randy J. Larsen, »A Half Century of Mate Preferences. The Cultural Evolution of Values«, in: *Journal of Marriage and the Family*, Jg. 63, Nr. 2 (2001), S. 491-503.

Butler, Judith, *Subjects of Desire. Hegelian Reflections in Twentieth-Century France*, New York 1987.

Camp, William, *Prospects of Love*, London u. New York 1957.

Campbell, Colin, *The Romantic Ethic and the Spirit of Modern Consumerism*, Oxford u. New York 1989.

Cancian, Francesca M., *Love in America. Gender and Self-Development*, Cambridge u. New York 1987.

Carson, Anne, *Eros the Bittersweet. An Essay* [1986], Princeton 1998.

Casper, Lynne M., u. Philip N. Cohen, »How Does POSSLQ Measure up? Historical Estimates of Cohabitation«, in: *Demography*, Jg. 37, Nr. 2 (2000), S. 237-245.

Chang, Szu-Chia, u. Chao-Neng Chan, »Perceptions of Commitment Change During Mate Selection. The Case of Taiwanese Newly-weds«, in: *Journal of Social and Personal Relationships*, Jg. 24, Nr. 1 (2007), S. 55-68.

Cherlin, Andrew J., »The Deinstitutionalization of American Marriage«, in: *Journal of Marriage and Family*, Jg. 66, Nr. 4 (2004), S. 848-861.

Chodorow, Nancy, »Oedipal Asymmetries and Heterosexual Knots«, in: *Social Problems*, Jg. 23, Nr. 4 (1976), S. 454-468.

–, *Das Erbe der Mütter. Psychoanalyse und Soziologie der Geschlechter* [1979], übers. von G. Mühlen-Achs, München 1985.

Chojnacki, Stanley, »Dowries and Kinsmen in Early Renaissance Venice«, in: *Journal of Interdisciplinary History*, Jg. 5, Nr. 4 (1975), S. 571-600.

Chowers, Eyal, *The Modern Self in the Labyrinth*, Cambridge (Mass.) 2004.

Christina, Greta, »Are We Having Sex Now or What?« [1992], in: Alan Soble u. Nicholas Power (Hg.), *The Philosophy of Sex. Contemporary Readings*, ⁵2007, S. 23-29.

Clark, Anna, *Desire. A History of European Sexuality*, New York u. London 2008.

Cockshut, A. O. J., *Man and Woman. A Study of Love and the Novel, 1740-1940*, New York 1978.

Coetzee, J. M., *Schande*, übers. von R. Böhnke, Frankfurt/M. 2000.

Collins, Randall, »A Conflict Theory of Sexual Stratification«, in: *Social Problems*, Jg. 19, Nr. 1 (1971), S. 3-21.

–, »On the Microfoundations of Macrosociology«, in: *The American Journal of Sociology*, Jg. 86, Nr. 5 (1981), S. 984-1014.

–, *Interaction Ritual Chains*, Princeton 2004.

Coontz, Stephanie, *In schlechten wie in guten Tagen. Die Ehe – eine Liebesgeschichte*, übers. von W. Müller, Bergisch Gladbach 2006.

Cornell, Drucilla, *At the Heart of Freedom. Feminism, Sex, and Equality*, Princeton 1998.

Cott, Nancy F., »Passionlessness. An Interpretation of Victorian Sexual Ideology, 1790-1850«, in: *Signs. Journal of Women in Culture and Society*, Jg. 4, Nr. 2 (1978), S. 219-236.

Craig, Randall, *Promising Language. Betrothal in Victorian Law and Fiction*, Albany 2000.

Crichton, Sarah u.a., »Sexual Correctness: Has it Gone Too Far?«, in: *Newsweek,* 25. Oktober 1993, ⟨www.soc.umn.edu/~samaha/cases/ sexual%20correctness.htm⟩.

Cubbins, Lisa, u. Koray Tanfer, »The Influence of Gender on Sex. A Study of Men's and Women's Self-Reported High-Risk Sex Behavior«, in: *Archives of Sexual Behavior,* Jg. 29, Nr. 3 (2000), S. 229-255.

Curtis, J. Thomas, u. Zuoxin Wang, »The Neurochemistry of Pair Bonding«, in: *Current Directions in Psychological Science,* Jg. 12, Nr. 2 (2003), S. 49-53.

Dank, Barry M., »The Ethics of Sexual Correctness and the Cass Case«, in: *Book Of Proceedings, Seventh Annual Conference On Applied Ethics* (1996), S. 110-115, ⟨www.csulb.edu/~asc/post9.html⟩.

Davidson, Cathy N. (Hg.), *The Book of Love. Writers and Their Love Letters,* New York 1996.

Delumeau, Jean, *Une Histoire du paradis,* Bd. 1: *Le Jardin des délices,* Paris 2002.

D'Emilio, John u. Estelle Freedman, *Intimate Matters. A History of Sexuality in America,* New York 1988.

Derrida, Jacques, *Mémoires. Für Paul de Man,* übers. von H.-D. Gondek, Wien 1988.

–, *Deconstruction in a Nutshell. A Conversation with Jacques Derrida,* hg. von John D. Caputo, New York 1997.

Descartes, René, *Meditationen über die Grundlagen der Philosophie mit sämtlichen Einwänden und Erwiderungen* [1642], übers. von A. Buchenau, Hamburg 1972.

Dhar, Ravi, »Consumer Preference for a No-Choice Option«, in: *The Journal of Consumer Research,* Jg. 24, Nr. 2 (1997), S. 215-231.

Dickinson, Emily, *Poems, 1890-1896,* Gainesville 1967.

–, *The Poems of Emily Dickinson. Reading Edition,* hg. von R. W. Franklin, Cambridge (Mass.) u. London 1999

Donaldson, Mike, »What Is Hegemonic Masculinity?«, in: *Theory and Society,* Jg. 22, Nr. 5 (1993), S. 643-657.

Dostojewski, Fjodor, *Arme Leute* [1846], übers. von H. Röhl, Frankfurt/M. 1997.

Douglas, Ann, *The Feminization of American Culture,* New York 1978.

Dowd, Maureen, *Are Men Necessary? When Sexes Collide,* New York u. London 2005.

–, »Blue is the New Black«, in: *The New York Times*, 19. September 2009, ⟨http://www.nytimes.com/2009/09/20/opinion/20dowd.html⟩.

–, »Tragedy of Comedy«, in: *The New York Times*, 3. August 2010, ⟨http://www.nytimes.com/2010/08/04/opinion/04dowd.html⟩.

Duck, Steve, *Meaningful Relationships. Talking, Sense, and Relating*, Thousand Oaks 1994.

Dumont, Louis M., *Gesellschaft in Indien. Die Soziologie des Kastenwesens* [1966], übers. von M. Venjakob, Wien 1976.

–, *Individualismus. Zur Ideologie der Moderne* [1983], übers. von U. Pfau u. A. Russer, Frankfurt/M. u. New York 1991.

Easton, Judith, Jaime Confer, Cari Goetz u. David Buss, »Reproduction Expediting. Sexual Motivations, Fantasies, and the Ticking Biological Clock«, in: *Personality and Individual Differences*, Jg. 49, Nr. 5 (2010), S. 516-520.

Eastwick, Paul, u. Eli Finkel, »Sex Differences in Mate Preferences Revisited. Do People Know What They Initially Desire in a Romantic Partner?«, in: *Journal of Personality and Social Psychology*, Jg. 94, Nr. 2 (2008), S. 245-264.

Edgar, Jr., Howard Brian, u. Howard Martin Edgar II, *The Ultimate Man's Guide to Internet Dating. The Premier Men's Resource for Finding, Attracting, Meeting and Dating Women Online*, Aliso Viejo 2003.

Elias, Norbert, *Über den Prozeß der Zivilisation. Soziogenetische und psychogenetische Untersuchungen* [1969], 2 Bde., Frankfurt/M. [24]2001.

Ellwood, David T., u. Christopher Jencks, »The Spread of Single-Parent Families in the United States since 1960«, in: Daniel P. Moynihan, Lee Rainwater u. Timothy Smeeding (Hg.), *The Future of the Family*, New York 2006, S. 25-64.

Erikson, Robert, u. John H. Goldthorpe, *The Constant Flux. A Study of Class Mobility in Industrial Societies*, Oxford 1993.

Espeland, Wendy u. Mitchell Stevens, »Commensuration as a Social Process«, in: *Annual Review of Sociology*, Jg. 24 (1998), S. 313-343.

Evans, Dylan, *Emotion. The Science of Sentiment*, Oxford u. New York 2001.

Evans, Mary, *Love. An Unromantic Discussion*, Cambridge 2003.

Faison, Edmund W. J., »The Neglected Variety Drive. A Useful Concept for Consumer Behavior«, in: *Journal of Customer Research*, Jg. 4, Nr. 3 (1977), S. 172-175.

Fein, Ellen, u. Sherrie Schneider, *The Rules. Time-Tested Secrets for Capturing the Heart of Mr. Right*, New York 1995.

Feingold, Alan, »Gender Differences in Effects of Physical Attractiveness on Romantic Attraction. A Comparison Across Five Research Paradigms«, in: *Journal of Personality and Social Psychology*, Jg. 59, Nr. 5 (1990), S. 981-993.

Feist, Hans (Hg.), *Ewiges England. Dichtung aus sieben Jahrhunderten von Chaucer bis Eliot*, übers. von H. Feist, Zürich 1945.

Ferrand, Jacques, *A Treatise on Lovesickness* [1610], Syracuse 1990.

Fielding, Helen, *Schokolade zum Frühstück*, übers. von A. Böckler, München 1997.

Fields, Marguerite, »Want to Be My Boyfriend? Please Define«, in: *The New York Times*, 4. Mai 2008, ⟨http://www.nytimes.com/2008/05/04/fashion/04love.html⟩.

Firestone, Robert W., u. Joyce Catlett, *Fear Of Intimacy*, Washington, D.C. 1999.

Firestone, Shulamith, *Frauenbefreiung und sexuelle Revolution* [1970], übers. von G. Strempel-Frohner, Frankfurt/M. 1987.

Fisher, Helen, *Warum wir lieben. Die Chemie der Leidenschaft*, übers. von M. Klostermann, Düsseldorf u. Zürich 2005.

Fisman, Raymond, Sheena S. Iyengar, Emir Kamenica u. Itamar Simonson, »Gender Differences in Mate Selection. Evidence from a Speed Dating Experiment«, in: *Quarterly Journal of Economics*, Jg. 121, Nr. 2 (2006), S. 673-697.

Flaubert, Gustave, *Madame Bovary* [1857], rev. Übers. von A. Schurig, Frankfurt/M. ⁵1981.

Frank, Robert H., *Die Strategie der Emotionen*, übers. von R. Zimmerling, München 1992.

Frankfurt, Harry G., *Gründe der Liebe*, übers. von M. Hartmann, Frankfurt/M. 2005.

Franzen, Jonathan, »Schmerz bringt Dich nicht um«, übers. v. W. Freund in: *Die Welt*, 2. Juli 2011, ⟨http://www.welt.de/print/die_welt/vermischtes/article13463367/Schmerz-bringt-Dich-nicht-um.html⟩.

Fraser, Laura, »Our Way of Saying Goodbye«, in: *The New York Times*, 30. Mai 2010, ⟨http://www.nytimes.com/2010/05/30/fashion/30love.html?emc=tnt&tntemail1=y⟩.

Freud, Sigmund, »Massenpsychologie und Ich-Analyse [1921]«, in: *Studienausgabe*, hg. von Alexander Mitscherlich, Angela Richards u. James Strachey, Bd. 9, Frankfurt/M. 1986, S. 61-134.

Frevert, Ute, »Was haben Gefühle in der Geschichte zu suchen?«, in: *Geschichte und Gesellschaft*, Jg. 35, Nr. 2 (2009), S. 183-208.

Frost, Ginger S., *Promises Broken. Courtship, Class, and Gender in Victorian England*, Charlottesville u. London 1995.

Fukuyama, Francis, *Der große Aufbruch. Wie unsere Gesellschaft eine neue Ordnung erfindet*, übers. von K. Dürr u. U. Schäfer, Wien 2000.

Gaeddert, LouAnn, *A New England Love Story. Nathaniel Hawthorne and Sophia Peabody*, New York 1980.

Gane, Nicholas, *Max Weber and Postmodern Theory. Rationalization versus Re-enchantment*, Basingstoke 2004.

Gerhard, Jane F., *Desiring Revolution. Second-Wave Feminism and the Rewriting of American Sexual Thought, 1920 to 1982*, New York 2001.

Giddens, Anthony, *Die Konstitution der Gesellschaft. Grundzüge einer Theorie der Strukturierung* [1984], übers. von W.-H. Krauth u. W. Spohn, Frankfurt/M. 1995.

–, *Modernity and Self-Identity. Self and Society in the Late Modern Age*, Stanford 1991.

–, *Wandel der Intimität. Sexualität, Liebe und Erotik in modernen Gesellschaften*, übers. von H. Pelzer, Frankfurt/M. 1993.

Gies, Frances, u. Joseph Gies, *Marriage and the Family in the Middle Ages*, New York 1989.

Girard, René, *Figuren des Begehrens. Das Selbst und der Andere in der fiktionalen Realität* [1961], übers. von E. Mainberger-Ruh, Thaur 1999.

–, *Shakespeare. Theater des Neides* [1972], übers. von W. Meier, München 2011.

–, *Le sacrifice*, Paris 2003.

Goethe, Johann Wolfgang von, *Die Leiden des jungen Werther*, in: *Werke. Hamburger Ausgabe*, hg. von Erich Trunz, Bd. 6, München 1988.

Gogh, Vincent van, *Briefe an seinen Bruder Theo*, Bd. 1, hg. von Fritz Erpel, übers. von E. Schumann, Leipzig ⁶1997.

Gould, Eric D., u. M. Daniele Paserman, »Waiting for Mr. Right. Rising Inequality and Declining Marriage Rates«, in: *Journal of Urban Economics*, Jg. 53, Nr. 2 (2003), S. 257-281.

Gray, John, *Mars sucht Venus, Venus sucht Mars. Wie Sie Ihren Seelengefährten erkennen*, übers. von C. Wilhelm, München 1998.

Green, Adam, »The Social Organization of Desire. The Sexual Fields Approach«, in: *Sociological Theory*, Jg. 26, Nr. 1 (2008), S. 25-50.

Greene, Robert, *The Art of Seduction*, New York 2001.

Habermas, Jürgen, *Der philosophische Diskurs der Moderne. Zwölf Vorlesungen*, Frankfurt/M. 1985.

Hakim, Catherine, *Work-Lifestyle Choices in the 21st Century. Preference Theory*, Oxford 2000.

Hall, Ann C., u. Mardia J. Bishop (Hg.), *Pop-Porn. Pornography in American Culture*, Westport 2007.

Halperin, David, »Love's Irony. Six Remarks on Platonic Eros«, in: Bartsch u. Bartscherer (Hg.), *Erotikon*, S. 48-58.

Hannay, Alastair, *Kierkegaard. A Biography*, Cambridge u. New York 2001.

Harding, David, u. Christopher Jencks, »Changing Attitudes Toward Premarital Sex. Cohort, Period, and Aging Effects«, in: *Public Opinion Quarterly*, Jg. 67, Nr. 2 (2003), S. 211-226.

Harris, Barbara J., *English Aristocratic Women, 1450–1550. Marriage and Family, Property and Careers*, Oxford u. New York 2002.

Harris, Susan K., *The Courtship of Olivia Langdon and Mark Twain*, Cambridge 1996.

Haskell, Thomas L., »Capitalism and the Origins of the Humanitarian Sensibility«, in: *The American Historical Review*, Jg. 90, Nr. 2 (1985), S. 339-361 (Teil 1), und Nr. 3 (1985), S. 547-566.

Hertz, Rosanna, *Single by Chance, Mothers by Choice. How Women Are Choosing Parenthood Without Marriage and Creating the New American Family*, Oxford 2008.

Hite, Shere, *Hite-Report. Das sexuelle Erleben des Mannes* [1981], übers. von G. Aschenbrenner u. U. von Sobbe, Bindlach 1991.

Holmes, Emily A., u. Andrew Mathews, »Mental Imagery and Emotion. A Special Relationship?«, in: *Emotion*, Jg. 5, Nr. 4 (2005), S. 489-497.

Honneth, Axel, *Kampf um Anerkennung. Zur moralischen Grammatik sozialer Konflikte*, Frankfurt/M. 1992.

–, »Unsichtbarkeit. Über die moralische Epistemologie von ›Anerkennung‹«, in: ders., *Unsichtbarkeit. Stationen einer Theorie der Intersubjektivität*, Frankfurt/M. 2003, S. 10-27.

–, u. Avishai Margalit, »Recognition«, in: *Proceedings of the Aristo-telian Society, Supplementary Volumes*, Bd. 75 (2001), S. 111-139.

Hume, David, *Traktat über die menschliche Natur. Ein Versuch, die Methode der Erfahrung in die Geisteswissenschaft einzuführen* [1739/40], übers. von Th. Lipps, Berlin 2004.

Hunt, Lynn, *Symbole der Macht, Macht der Symbole. Die Französi-sche Revolution und der Entwurf einer politischen Kultur*, übers. von M. Bischoff, Frankfurt/M. 1989.

Hunter, James Davison, *Death of Character. Moral Education in an Age Without Good Or Evil*, New York 2000.

Illouz, Eva, *Der Konsum der Romantik. Liebe und die kulturellen Widersprüche des Kapitalismus* [1997], übers. von A. Wirthenson, Frankfurt/M. 2003.

–, *Gefühle in Zeiten des Kapitalismus. Frankfurter Adorno-Vorlesun-gen 2004*, übers. von M. Hartmann, Frankfurt/M. 2006.

–, *Die Errettung der modernen Seele. Therapien, Gefühle und die Kul-tur der Selbsthilfe*, übers. von M. Adrian, Frankfurt/M. 2009.

–, u. Shoshana Finkelman, »An Odd and Inseparable Couple. Emo-tion and Rationality in Partner Selection«, in: *Theory and Society*, Jg. 38, Nr. 4 (2009), S. 401-422.

Insel, Thomas R., u. Larry J. Young, »The Neurobiology of Attach-ment«, in: *Nature Review of Neuroscience*, Jg. 2, Nr. 2 (2001), S. 129-136.

Iyengar, Sheena S., u. Mark R. Lepper, »When Choice is Demotivating. Can One Desire Too Much of a Good Thing?«, in: *Journal of Per-sonality and Social Psychology*, Jg. 79, Nr. 6 (2000), S. 995-1006.

Jacobson, Bonnie (m. Sandra J. Gordon), *The Shy Single. A Bold Guide to Dating for the Less-Than-Bold Dater*, Emmaus 2004.

James, William, *The Principles of Psychology*, Bd. 1 [1890], New York 2007.

–, *The Will to Believe and Other Essays in Popular Philosophy*, & *Human Immortality* [1897/1898], Mineola 1956.

Johnson, Diane, »The Marrying Kind«, in: *The New York Review of Books*, 19. August - 29. September 2010, S. 22-27.

Jones, Daniel, »Modern Love. You're Not Sick, You're Just in Love«, in: *The New York Times*, 12. Februar 2006, ⟨http://www.nytimes.com/2006/02/12/fashion/sundaystyles/12love.html⟩.

–, »Modern Love. College Essay Contest«, in: *The New York*

Times, 28. April 2011, ⟨http://www.nytimes.com/2011/05/01/fashion/01ModernIntro.html?emc=tnt&tntemail1=y⟩.

Jones, James W., *Terror and Transformation. The Ambiguity of Religion in Psychoanalytic Perspective*, New York 2002.

Jong, Erica, *Angst vorm Fliegen* [1974], übers. von K. Molvig, Berlin 2007.

Kahneman, Daniel, Barbara L. Fredrickson, Charles A. Schreiber u. Donald A. Redelmeier, »When More Pain Is Preferred to Less. Adding a Better End«, in: *Psychological Science*, Jg. 4, Nr. 6 (1993), S. 401-405.

Kaplan, Dana, »Sexual Liberation and the Creative Class in Israel«, in: Steven Seidman, Nancy Fisher u. Chet Meeks, (Hg.), *Introducing of the New Sexuality Studies* (Second Edition), Abington u. New York 2011, S. 357-363.

–, »Sex, Shame and Excitation. The Self in Emotional Capitalism«, unveröffentlichtes Manuskript.

–, »Theories of Sexual and Erotic Power«, unveröffentlichtes Manuskript.

Kaplan, Marion, *The Marriage Bargain. Women and Dowries in European History*, New York 1985.

Karlin, Daniel (Hg.), *Robert Browning and Elizabeth Barrett. The Courtship Correspondence, 1845-1846*, Oxford 1989.

Katz, Evan, *I Can't Believe I'm Buying this Book. A Commonsense Guide to Internet Dating*, Berkeley 2004.

Kaufman, Gayle, u. Frances Goldscheider, »Do Men ›Need‹ A Spouse More Than Women? Perceptions of the Importance of Marriage for Men and Women«, in: *Sociological Quarterly*, Jg. 48, Nr. 1 (2007), S. 29-46.

Kaufmann, Jean-Claude, *Was sich liebt, das nervt sich*, übers. von A. Beck, Konstanz 2008.

Kendrick, Keith M., »Oxytocin, Motherhood and Bonding«, in: *Experimental Physiology*, Jg. 85 (2000), S. 111s-124s.

Kennedy, Pagan, »Breathe In, Breathe Out, Fall in Love«, in: *The New York Times*, 4. November 2010, ⟨http://www.nytimes.com/2010/11/07/fashion/07Modern.html?pagewanted=1&tntemail1=y&_r=2&emc=tnt⟩.

Kenslea, Timothy, *The Sedgwicks in Love. Courtship, Engagement, and Marriage in the Early Republic*, Boston 2006.

Kierkegaard, Sören, *Entweder – Oder. Teil I und II* [1843], übers. von H. Fauteck, München [10]2009.

Kilmer-Purcell, Josh, »Twenty-Five to One Odds«, in: Michael Taeckens (Hg.), *Love Is a Four-Letter Word. True Stories of Breakups, Bad Relationships, and Broken Hearts*, New York 2009, S. 106-119.

Kimmel, Michael S., *The Gender of Desire. Essays on Male Sexuality*, Albany 2005.

Klein, Gary, *Natürliche Entscheidungsprozesse. Über die »Quellen der Macht«, die unsere Entscheidungen lenken*, übers. von Th. Kierdorf in Zus. mit H. Höhr, Paderborn 2003.

–, *The Power of Intuition. How to Use Your Gut Feelings to Make Better Decisions at Work*, New York 2004.

Kleinman, Arthur, Veena Dass u. Margaret Lock (Hg.), *Social Suffering*, Berkeley 1997.

Kleist, Heinrich von, *Penthesilea* [1808], in: *Sämtliche Werke und Briefe*, hg. von Ilse-Marie Barth, Klaus Müller-Salget, Walter Müller-Seidel u. Hinrich C. Seeba, Bd. 2, Frankfurt/M. 1987.

Kline, Galena, u. a., »Timing Is Everything. Pre-Engagement Cohabitation and Increased Risk for Poor Marital Outcomes«, in: *Journal of Family Psychology*, Jg. 18, Nr. 2 (2004), S. 311-318.

–, Scott M. Stanley u. Howard J. Markman, »Pre-Engagement Cohabitation and Gender Asymmetry in Marital Commitment«, in: *Journal of Family Psychology*, Jg. 20, Nr. 4 (2006), S. 553-560.

Kreider, Tim, »The Referendum«, in: *The New York Times*, 17. September 2009, ⟨http://happydays.blogs.nytimes.com/2009/09/17/the-referendum/?scp=3-b&sq=Light+Years&st=nyt⟩.

Kuksov, Dmitri, u. Miguel Villas-Boas, »When More Alternatives Lead to Less Choice«, in: *Marketing Science*, Jg. 29, Nr. 3 (2010), S. 507-524.

Lamont, Michèle, *Money, Morals, and Manners. The Culture of the French and American Upper-Middle Class*, Chicago u. London 1992.

Latour, Bruno, *Wir sind noch nie modern gewesen* [1991], übers. von G. Roßler, Frankfurt/M. 1998.

–, *Die Hoffnung der Pandora. Untersuchungen zur Wirklichkeit der Wissenschaft*, übers. von G. Roßler, Frankfurt/M. 2000.

Lawler, Edward J., Shane R. Thye u. Jeongkoo Yoon, *Social Commitments in a Depersonalized World*, New York 2009.

Lespinasse, Julie de, *Briefe einer Leidenschaft, 1773-1776*, hg. und übers. von Johannes Willms, München 1997.

Lewis, Susan K., u. Valerie K. Oppenheimer, »Educational Assortative Mating across Marriage Markets. Non-Hispanic Whites in the United States«, in: *Demography*, Jg. 37, Nr. 1 (2000), S. 29-40.

Li, Norman P., u. Douglas T. Kenrick, »Sex Similarities and Differences in Preferences for Short-Term Mates. What, Whether, and Why«, in: *Journal of Personality and Social Psychology*, Jg. 90, Nr. 3 (2006), S. 468-489.

Lystra, Karen, *Searching the Heart. Women, Men and Romantic Love in Nineteenth-Century America*, New York 1989.

MacDonald, Michael, *Mystical Bedlam. Madness, Anxiety, and Healing in Seventeenth-Century England*, Cambridge 1983.

MacFarlane, Alan, *Marriage and Love in England. Modes of Reproduction, 1300-1840*, Oxford 1986.

MacIntyre, Alasdair, *Der Verlust der Tugend. Zur moralischen Krise der Gegenwart* [1981], übers. von W. Rhiel, Frankfurt/M. u. New York 2006.

MacKinnon, Catharine A., *Sexual Harassment of Working Women. A Case of Sex Discrimination*, New Haven 1979.

Marazziti, Donatella, Hagop S. Akiskal, Alessandra Rossi u. Giovanni B. Cassano, »Alteration of the Platelet Serotonin Transporter in Romantic Love«, in: *Psychological Medicine*, Jg. 29, Nr. 3 (1999), S. 741-745.

Marion, Jean-Luc, *Le phénomène érotique. Six méditations*, Paris 2003.

Markowitz, Miriam, »A Fine Romance. On Cristina Nehring« in: *The Nation*, 28. Februar 2010, ⟨http://www.thenation.com/article/fine-romance-cristina-nehring?page=full⟩.

Markus, Hazel M., u. Shinobu Kitayama, »Models of Agency. Sociocultural Diversity in the Construction of Action«, in: Virginia Murphy-Berman u. John J. Berman (Hg.), *Cross-Cultural Differences in Perspectives on the Self*, Nebraska Symposium on Motivation, Bd. 49, Lincoln 2003, S. 1-58.

Markus, Julia, *Dared and Done. The Marriage of Elizabeth Barrett and Robert Browning*, New York 1995.

Martin, John Levi, u. Matt George, »Theories of Sexual Stratification. Toward an Analytics of the Sexual Field and a Theory of Sexual Capital«, in: *Sociological Theory*, Jg. 24, Nr. 2 (2006), S. 107-132.

Marx, Karl, *Der achtzehnte Brumaire des Louis Bonaparte* [1852], kommentiert von Hauke Brunkhorst, Frankfurt/M. 2007.

–, u. Friedrich Engels, *Manifest der Kommunistischen Partei* [1848], Stuttgart 1981.

Matthews, Jane, *Lose that Loser and Find the Right Guy*, Berkeley 2005.

McEwan, Ian, *Am Strand*, übers. von B. Robben, Frankfurt/M. 2007.

McNair, Brian, *Striptease Culture. Sex, Media and the Democratization of Desire*, London 2002.

Mitchell, Sally, »Sentiment and Suffering. Women's Recreational Reading in the 1860s«, in: *Victorian Studies*, Jg. 21, Nr. 1 (1977), S. 29-45.

Mitchell, Stephen A., *Kann denn Liebe ewig sein? Psychoanalytische Erkundungen über Liebe, Begehren und Beständigkeit*, übers. von Th. Kierdorf in Zus. mit H. Höhr, Gießen 2004.

Motzkin, Gabriel, »Secularization, Knowledge and Authority«, in: Gabriel Motzkin u. Yochi Fischer (Hg.), *Religion and Democracy in Contemporary Europe*, Jerusalem 2008, S. 35-54.

Nabokov, Vladimir, *Lolita* [1955], übers. von H. Hessel u.a., bearb. von D. Zimmer, Reinbek bei Hamburg 2007.

Napoléon I., *Briefe an Josephine*, übers. von W. Müller, München 1967.

Nehring, Cristina, *A Vindication of Love. Reclaiming Romance for the Twenty-First Century*, New York 2009.

Neiman, Susan, *Moralische Klarheit. Leitfaden für erwachsene Idealisten*, übers. von Chr. Goldmann, Hamburg 2010.

Nevid, Jeffrey, »Sex Differences in Factors of Romantic Attraction«, in: *Sex Roles*, Jg. 11, Nr. 5/6 (1984), S. 401-411.

Nietzsche, Friedrich, *Zur Genealogie der Moral*, in: *Sämtliche Werke*, hg. von Giorgio Colli u. Mazzino Montinari, Bd. 5, München 1980.

–, *Nachgelassene Fragmente 1887-1889*, in: *Sämtliche Werke*, hg. von Giorgio Colli u. Mazzino Montinari, Bd. 13, München 1980.

Nock, Steven L., *Marriage in Men's Lives*, New York 1998.

Norwood, Robin, *Wenn Frauen zu sehr lieben. Die heimliche Sucht, gebraucht zu werden* [1985], übers. von S. Hedinger, Reinbek bei Hamburg [28]2010.

Oatley, Keith, »A Taxonomy of the Emotions of Literary Response and a Theory of Identification in Fictional Narrative«, in: *Poetics*, Jg. 23, Nr. 1/2 (1994), S. 53-74.

Ofir, Chezy, u. Itamar Simonson, »In Search of Negative Customer Feedback. The Effect of Expecting to Evaluate on Satisfaction Evaluations«, in: *Journal of Marketing Research*, Jg. 38, Nr. 2 (2001), S. 170-182.

Oliver, Mary B., u. Janet S. Hyde, »Gender Differences in Sexuality. A Meta-Analysis«, in: *Psychological Bulletin*, Nr. 114 (1993), S. 29-51.

Oppenheimer, Valerie K., »Women's Rising Employment and the Future of the Family in Industrial Societies«, in: *Population and Development Review*, Jg. 20, Nr. 2 (1994), S. 293-342.

Osgerby, Bill, »A Pedigree of the Consuming Male. Masculinity, Consumption, and the American ›Leisure Class‹«, in: Bethan Benwell (Hg.), *Masculinity and Men's Lifestyle Magazines*, Oxford 2003, S. 57-86.

Ovidius Naso, Publius, *Liebesgedichte. Amores. Lateinisch-Deutsch*, hg. u. übers. von Niklas Holzberg, Düsseldorf u. Zürich 2002.

Paul, Pamela, *Pornified. How Pornography Is Transforming Our Lives, Our Relationships, and Our Families*, New York 2005.

–, »A Young Man's Lament: Love Hurts!«, in: *The New York Times*, 22. Juli 2010, ⟨http://www.nytimes.com/2010/07/25/fashion/25Studied.html?_r=1&emc=tnt&tntemail1=y⟩.

Payne, Michael, u. Jessica Rae Barbera (Hg.), *A Dictionary of Cultural and Critical Theory*, Malden 1997.

Peiss, Kathy, *Hope in a Jar. The Making of American's Beauty Culture*, New York 1998.

–, »On Beauty ... and the History of Business«, in: Philip Scranton (Hg.), *Beauty Business. Commerce, Gender, and Culture in Modern America*, New York 2001, S. 7-23.

Pendergast, Tom, *Creating the Modern Man. American Magazines and Consumer Culture, 1900-1950*, Columbia 2000.

Person, Ethel Spector, *Lust auf Liebe. Die Wiederentdeckung des romantischen Gefühls*, übers. von C. Holfelder-von der Tann, Reinbek bei Hamburg 1990.

Peter, Katharin, u. Laura Horn, *Gender Differences in Participation and Completion of Undergraduate Education and How They Have Changed Over Time* (NCES 2005–169), U.S. Department of Education, National Center for Education Statistics, Washington, D.C. 2005.

Pines, Ayala M., »A Prospective Study of Personality and Gender Differences in Romantic Attraction«, in: *Personality and Individual Differences*, Jg. 25, Nr. 1 (1998), S. 147-157.

Pippin, Robert, »Vertigo. A Response to Tom Gunning«, in: Bartsch u. Bartscherer (Hg.), *Erotikon*, S. 278-282.

Platon, *Symposion*, in: *Sämtliche Werke*, Bd. 2, übers. von F. Schleiermacher, Reinbek bei Hamburg 1994.

Polanyi, Karl, *The Great Transformation. Politische und ökonomische Ursprünge von Gesellschaften und Wirtschaftssystemen* [1944], übers. von H. Jelinek, Frankfurt/M. ³1995.

Praz, Mario, *Liebe, Tod und Teufel. Die schwarze Romantik* [1930], übers. von L. Rüdiger, München 1981.

Pugmire, David, *Sound Sentiments. Integrity in the Emotions*, Oxford u. New York 2005.

Puschkin, Alexander, *Eugen Onegin. Ein Versroman* [1833], übers. von S. Baumann unt. Mitarb. von Chr. Körner, Frankfurt/M. u. Basel 2009.

Qian, Zhenchao, »Changes in Assortative Mating. The Impact of Age and Education, 1970-1990«, in: *Demography*, Jg. 35, Nr. 3 (1998), S. 279-292.

Reddy, William M., »Against Constructionism. The Historical Ethnography of Emotions«, in: *Current Anthropology*, Jg. 38, Nr. 3 (1997), S. 327-351.

–, »Emotional Liberty. Politics and History in the Anthropology of Emotions«, in: *Cultural Anthropology*, Jg. 14, Nr. 2 (1999), S. 256-288.

Redelmeier, Donald A., u. Daniel Kahneman, »Patients' Memories of Painful Medical Treatments. Real-Time and Retrospective Evaluations of Two Minimally Invasive Procedures«, in: *Pain*, Jg. 66, Nr. 1 (1996), S. 3-8.

Regan, Pamela, u. Carla Dreyer, »Lust? Love? Status? Young Adults' Motives for Engaging in Casual Sex«, in: *Journal of Psychology and Human Sexuality*, Jg. 11, Nr. 1 (1999), S. 1-23.

–, u.a., »Partner Preferences. What Characteristics Do Men and Women Desire in Their Short-Term Sexual and Long-Term Romantic Partners?«, in: *Journal of Psychology & Human Sexuality*, Jg. 12, Nr. 3 (2000), S. 1-21.

Rich, Adrienne, »Zwangsheterosexualität und lesbische Existenz« [1980], in: Audre Lorde u. Adrienne Rich, *Macht und Sinnlichkeit. Ausgewählte Texte*, hg. von Dagmar Schultz, übers. von R. Stendhal u.a., 3., erw. Aufl., Berlin 1991, S. 138-168.

Richardson, Samuel, *Pamela, or Virtue Rewarded* [1740], Harmondsworth 1985.

Rieff, Phillip, *The Triumph of the Therapeutic. Uses of Faith After Freud* [1966], Chicago 1987.

Roach, Catherine M., *Stripping, Sex, and Popular Culture*, Oxford 2007.

Rogers, Mary, u. Paola Tinagli (Hg.), *Women in Italy, 1350–1650. Ideals and Realities. A Sourcebook*, Manchester u. New York 2005.

Rossi, Alice, »Children and Work in the Lives of Women« (Vortrag an der Universität von Arizona, Tucson, Februar 1976).

Roth, Philip, *Empörung*, übers. von W. Schmitz, München 2009.

Rothman, Ellen K., *Hands and Hearts. A History of Courtship in America*, New York 1984.

Sandel, Michael J., »The Procedural Republic and the Unencumbered Self«, in: *Political Theory*, Jg. 12, Nr. 1 (1984), S. 81-96.

Sanford, Mollie Dorsey, *Mollie. The Journal of Mollie Dorsey Sanford in Nebraska and Colorado Territories, 1857-1866*, Lincoln 2003.

Sartre, Jean-Paul, *Das Imaginäre. Phänomenologische Psychologie der Einbildungskraft* [1940], übers. von H. Schöneberg, überarb. von V. von Wroblewsky, Reinbek bei Hamburg 1994.

Savani, Krishna, Hazel Rose Markus u. Alana L. Conner, »Let Your Preference Be Your Guide? Preferences and Choices Are More Tightly Linked for North Americans than for Indians«, in: *Journal of Personality and Social Psychology*, Jg. 95, Nr. 4 (2008), S. 861-876.

Scaff, Lawrence A., *Fleeing the Iron Cage. Culture, Politics, and Modernity in the Thought of Max Weber*, Berkeley 1991.

Scarry, Elaine, »On Vivacity. The Difference Between Daydreaming and Imagining-Under-Authorial-Instruction«, in: *Representations*, Nr. 52 (1995) S. 1-26.

Schechter, Susan, »Towards an Analysis of the Persistence of Violence Against Women in the Home«, in: *Aegis*, Juli/August 1979, S. 46-56.

–, *Women and Male Violence. The Visions and Struggles of the Battered Women's Movement*, Boston 1983.

Schlegel, Friedrich, *Philosophische Vorlesungen insbesondere über die Philosophie der Sprache und des Wortes* [1830], in: *Kritische Friedrich-Schlegel-Ausgabe*, hg. von Ernst Behler, Bd. 10, Paderborn 1969.

Schlosberg, Suzanne, *Stell dir vor, du bist Single – und keiner merkt's*, übers. von G. Reichart, Bergisch Gladbach 2007.

Schluchter, Wolfgang, *Die Entwicklung des okzidentalen Rationalismus. Eine Analyse von Max Webers Gesellschaftsgeschichte*, Tübingen 1979.

Schoen, Robert, »First Unions and the Stability of First Marriages«, in: *Journal of Marriage and Family*, Jg. 54, Nr. 2 (1992), S. 281-284.

–, u. Robin M. Weinick, »Partner Choice in Marriages and Cohabitations«, in: *Journal of Marriage and the Family*, Jg. 55, Nr. 2 (1993), S. 408-414.

–, u. Vladimir Canudas-Romo, »Timing Effects on First Marriage. Twentieth-Century Experience in England and Wales and the USA«, in: *Population Studies*, Jg. 59, Nr. 2 (2005), S. 135-146.

Schooler, Jonathan W., u. Tonya Y. Engstler-Schooler, »Verbal Overshadowing of Visual Memories. Some Things Are Better Left Unsaid«, in: *Cognitive Psychology*, Jg. 22, Nr. 1 (1990), S. 36-71.

Schopenhauer, Arthur, *Parerga und Paralipomena* [1851], Bd. 2, hg. von Ludger Lütkehaus, Zürich 1988.

Schulte-Sasse, Jochen, »Imagination and Modernity. Or the Taming of the Human Mind«, in: *Cultural Critique*, Nr. 5 (1986), S. 23-48.

Schwartz, Barry, *Anleitung zur Unzufriedenheit. Warum weniger glücklicher macht*, übers. von H. Kober, Berlin 2004.

Schwartz, Pepper, *Peer-Partner: Das ideale Paar. Was Gleichheit im Zusammenleben wirklich bedeutet*, übers. von M. Klostermann, Hamburg 1996.

Schwarz, Ori, »Negotiating Romance in Front of the Lens«, in: *Visual Communication*, Jg. 9, Nr. 2 (2010).

Seligman, Adam B., Robert P. Weller, Michael J. Puett u. Bennett Simon, *Ritual and Its Consequences. An Essay on the Limits of Sincerity*, Oxford u. New York 2008.

Sen, Amartya K., »Rationale Trottel. Eine Kritik der behavioristischen Grundlagen der Wirtschaftstheorie« [1977], übers. von A. F. Middelhoek, in: Stefan Gosepath (Hg.), *Motive, Gründe, Zwecke. Theorien praktischer Rationalität*, Frankfurt/M. 1999, S. 76-102.

Shakespeare, William, *Romeo und Julia* [1599], übers. von A. W. Schlegel, Stuttgart 2002.

–, *Ein Sommernachtstraum* [1600], übers. von A. W. Schlegel, Stuttgart 2008.

Shalit, Wendy, *Girls Gone Mild. Young Women Reclaim Self-Respect and Find It's Not Bad to Be Good*, New York 2007.

Shapin, Steven, *A Social History of Truth*, Chicago 1994.

Shapiro, Susan, *Five Men Who Broke My Heart*, New York 2004.

Shusterman, Richard, »Auf der Suche nach der ästhetischen Erfahrung. Von der Analyse zum Eros«, übers. von R. Celikates u. E. Engels, in: *Deutsche Zeitschrift für Philosophie*, Jg. 54, Nr. 1 (2006), S. 3-20.

Simon, Herbert, »Bounded Rationality in Social Science. Today and Tomorrow«, in: *Mind & Society*, Jg. 1, Nr. 1 (2000), S. 25-39.

Singer, Irving, *The Nature of Love, 2: Courtly and Romantic*, Chicago u. London 1984.

Smelser, Neal, »The Rational and the Ambivalent in the Social Sciences. 1997 Presidential Address«, in: *American Sociological Review*, Jg. 63, Nr. 1 (1998), S. 1-16.

Spechler, Diana, »Competing in My Own Reality Show«, in: *The New York Times*, 11. Juni 2010, ⟨http://www.nytimes.com/2010/06/13/fashion/13love.html?emc=tnt&tntemail1=y⟩.

Stafford, Laura, u. Andy J. Merolla, »Idealization, Reunions, and Stability in Long-Distance Dating Relationships«, in: *Journal of Social and Personal Relationships*, Jg. 24, Nr. 1 (2007), S. 37-54.

Stepp, Laura Sessions, *Unhooked. How Young Women Pursue Sex, Delay Love and Lose at Both*, New York 2007.

Stewart, Stephanie, Heather Stinnett u. Lawrence B. Rosenfeld, »Sex Differences in Desired Characteristics of Short-Term and Long-Term Relationship Partners«, in: *Journal of Social and Personal Relationships*, Jg. 17, Nr. 6 (2000), S. 843-853.

Stone, Lawrence, *The Family, Sex and Marriage in England, 1500-1800*, New York 1977.

–, *Broken Lives. Separation and Divorce in England, 1660-1857*, Oxford u. New York 1993.

Strachey, Lionel, u. Walter Littlefield (Hg.), *Love Letters of Famous Poets and Novelists*, New York 1909.

Strohm, Charles, Judith Seltzer, Susan Cochran u. Wickie Mays, »Living Apart Together. Relationships in the United States«, in: *Demographic Research*, Jg., 21, Nr. 7 (2009), S. 177-214.

Sum, Andrew u.a., *The Growing Gender Gaps in College Enrolment and Degree Attainment in the U.S. and Their Potential Economic and Social Consequences*, Boston 2003.

Susman, Warren I., *Culture as History. The Transformation of American Society in the Twentieth Century*, New York 1984.

Swidler, Ann, *Talk of Love. How Culture Matters*, Chicago 2001.

Symons, Donald, *The Evolution of Human Sexuality*, New York 1979.

Taylor, Charles, *Quellen des Selbst. Die Entstehung der neuzeitlichen Identität*, übers. von J. Schulte, Frankfurt/M. 1994.

–, *Modern Social Imaginaries*, Durham 2004.

Tennov, Dorothy, *Limerenz. Über Liebe und Verliebtsein*, übers. von W. Stifter, München 1981.

Tesser, Abraham, u. Delroy L. Paulhus, »Toward a Causal Model of Love«, in: *Journal of Personality and Social Psychology*, Jg. 34, Nr. 6 (1976), S. 1095-1105.

Thaler, Richard H., u. Cass R. Sunstein, *Nudge. Wie man kluge Entscheidungen anstößt*, übers. von Chr. Bausum, Berlin 2009.

Thélot, Claude, *Tel père, tel fils? Position sociale et origine familiale*, Paris 1982.

Thornton, Arland, »Changing Attitudes toward Family Issues in the United States«, in: *Journal of Marriage and the Family*, Jg. 51, Nr. 4 (1989), S. 873-893.

Tosh, John, *Manliness and Masculinities in Nineteenth-Century Britain. Essays on Gender, Family and Empire*, Harlow 2005.

Townsend, Catherine, *Breaking the Rules. Confessions of a Bad Girl*, London 2008.

–, »Romance and Passion«, 19. September 2008, ⟨http://sleeping-around.blogspot.com/2008/09/romance-passion.html⟩.

–, »Culture of Love«, 23. September 2008, ⟨http://sleeping-around.blogspot.com/2008/09/culture-of-love.html⟩.

–, »The Seven Ages of Love«, 26. September 2008, ⟨http://sleeping-around.blogspot.com/2008/09/even-during-my-hedonistic-teenage-years.html⟩.

–, »Why Some Men's ›Hot‹ Sex Scenes Leave Me Cold«, in: *The Independent*, 7. Januar 2010, ⟨http://catherinetownsend.independent-minds.livejournal.com/17943.html⟩.

Trivers, Robert, *Social Evolution*, Menlo Park 1985.

Trollope, Anthony, *Doctor Thorne* [1858], London 1953.

Turner, Bryan S., u. Chris Rojek, *Society and Culture. Principles of Scarcity and Solidarity*, London 2001.

Twain, Mark, *Mark Twain's Letters*, Bd. 2: *1867-1868*, hg. von Harriet Elinor Smith, Richard Bucci u. Lin Salomo, Berkeley 1990.

Updike, John, »Libido Lite«, in: *The New York Review of Books*, 18. November 2004, S. 30f.

U.S. Census Bureau Report, *Number, Timing and Duration of Marriages and Divorces: 2001*, Februar 2005.

–, *America's Families and Living Arrangements:* 2007, September 2009.

Vincent-Buffault, Anne, *History of Tears. Sensibility and Sentimentality in France*, New York 1991.

Wagner, Peter, *A Sociology of Modernity. Liberty and Discipline*, London u. New York 1994.

Wahrman, Dror, *The Making of the Modern Self. Identity and Culture in Eighteenth-Century England*, New Haven 2004.

Walton, Kendall L., »Fearing Fictions«, in: *Journal of Philosophy*, Jg. 75, Nr. 1 (1978), S. 5-27.

Walzer, Michael, *Sphären der Gerechtigkeit. Ein Plädoyer für Pluralität und Gleichheit* [1983], übers. von H. Herkommer, Frankfurt/M. u. New York 2006.

Warren, Neil Clark, *Frosch oder Prinz? Wie man den Prinzen findet, ohne viele Frösche zu küssen*, übers. von A. Klos, Asslar 2003.

Watt, Ian, »The New Woman. Samuel Richardson's Pamela«, in: Rose L. Coser (Hg.), *The Family. Its Structure and Functions*, New York 1964, S. 267-289.

Weber, Max, »Die protestantische Ethik und der Geist des Kapitalismus« [1904/1905], in: ders., *Gesammelte Aufsätze zur Religionssoziologie I*, Stuttgart ⁹1988, S. 17-206.

–, »Die Wirtschaftsethik der Weltreligionen«, Abschnitt »Zwischenbetrachtung« [1915], in: ders., *Gesammelte Aufsätze zur Religionssoziologie I*, Stuttgart ⁹1988, S. 536-573.

–, *Wissenschaft als Beruf* [1919], Stuttgart 2006.

Webster, Murray, u. James E. Driskell, »Beauty as Status«, in: *American Journal of Sociology*, Jg. 89, Nr. 1 (1983), S. 140-165.

Weigert, Andrew J., *Mixed Emotions. Certain Steps Toward Understanding Ambivalence*, Albany 1991.

Wharton, Alexandra, »The Dating Game Assessed From ⟨www.revenuetoday.org⟩«, Mai/Juni 2006.

Wharton, Edith, *Sommer. Eine Liebesgeschichte* [1917], übers. von B. Schwarz u.a., München u. Zürich ³1994.

–, *Zeit der Unschuld* [1920], übers. von R. Kraushaar u. B. Schwarz, München u. Zürich ⁷1997.

–, *The Letters of Edith Wharton*, hg. von R. W. B. Lewis u. Nancy Lewis, New York 1988.

Whimster, Sam, u. Scott Lash (Hg.), *Max Weber, Rationality and Modernity*, London 1987.

Wilkinson, Iain, *Suffering. A Sociological Introduction*, Cambridge 2005.

Wilson, Timothy, »Don't Think Twice, It's All Right«, in: *International Herald Tribune*, 30. Dezember 2005, S. 6.

–, u. Daniel T. Gilbert, »Affective Forecasting«, in: *Advances in Experimental Social Psychology*, Jg. 35 (2003), S. 345-411.

–, u. Jonathan W. Schooler, »Thinking Too Much. Introspection Can Reduce the Quality of Preferences and Decisions«, in: *Journal of Personality and Social Psychology*, Jg. 60, Nr. 2 (1991), S. 181-192.

Wolf, Naomi, *Der Mythos Schönheit*, übers. von C. Holfelder-von der Tann, Reinbek bei Hamburg 1991.

Woll, Stanley, u. Peter Young, »Looking for Mr. or Ms. Right. Self-Presentation in Videodating«, in: *Journal of Marriage and Family*, Jg. 51, Nr. 2 (1989), S. 483-488.

Wood, James, »Inside Mr Shepherd«, in: *London Review of Books*, Jg. 26, Nr. 21 (4. November 2004), S. 41-43.

Yalom, Marilyn, *A History of the Wife*, New York 2001.

Young, John H., *Our Deportment* [1897], Charleston 2008.

Zetterberg, Hans, »The Secret Ranking«, in: *Journal of Marriage and the Family*, Jg. 28, Nr. 2 (1966), S. 134-142.

Zweig, Stefan, *Brief einer Unbekannten* [1922], Frankfurt/M 1996.

suhrkamp taschenbücher
Eine Auswahl

Tschingis Aitmatow. Dshamilja. Erzählung. Mit einem Vorwort von Louis Aragon. Übersetzt von Gisela Drohla. st 1579. 123 Seiten

Isabel Allende
- Eva Luna. Roman. Übersetzt von Lieselotte Kolanoske. st 1897. 393 Seiten
- Fortunas Tochter. Roman. Übersetzt von Lieselotte Kolanoske. st 3236. 486 Seiten
- Das Geisterhaus. Übersetzt von Anneliese Botond. st 1676. 500 Seiten
- Im Reich des Goldenen Drachen. Übersetzt von Svenja Becker. st 3689. 337 Seiten
- Paula. Übersetzt von Lieselotte Kolanoske. st 2840. 488 Seiten
- Die Stadt der wilden Götter. Übersetzt von Svenja Becker. st 3595. 336 Seiten

Ingeborg Bachmann. Malina. Roman. st 641. 368 Seiten

Jurek Becker
- Amanda herzlos. Roman. st 2295. 384 Seiten
- Der Boxer. Roman. st 2954. 304 Seiten
- Jakob der Lügner. Roman. st 774. 283 Seiten

Samuel Beckett
- Warten auf Godot. Deutsche Übertragung von Elmar Tophoven. Vorwort von Joachim Kaiser. Dreisprachige Ausgabe. st 1. 245 Seiten

NF 266c/1/12.11

Louis Begley
- Lügen in Zeiten des Krieges. Roman. Übersetzt von Christa Krüger. st 2546. 223 Seiten
- Mistlers Abschied. Roman. Übersetzt von Christa Krüger. st 3113. 288 Seiten
- Schiffbruch. Roman. Übersetzt von Christa Krüger. st 3708. 288 Seiten
- Schmidt. Roman. Übersetzt von Christa Krüger. st 3000. 320 Seiten
- Schmidts Bewährung. Roman. Übersetzt von Christa Krüger. st 3436. 314 Seiten

Thomas Bernhard
- Alte Meister. Komödie. st 1553. 311 Seiten
- Heldenplatz. st 2474. 164 Seiten
- Holzfällen. st 1523. 336 Seiten
- Wittgensteins Neffe. st 1465. 164 Seiten

Peter Bichsel
- Eigentlich möchte Frau Blum den Milchmann kennenlernen. 21 Geschichten. st 2567. 73 Seiten
- Kindergeschichten. st 2642. 84 Seiten

Ketil Bjørnstad. Villa Europa. Übersetzt von Ina Kronenberger. st 3730. 536 Seiten und st 4012. 535 Seiten.

Volker Braun. Unvollendete Geschichte. st 1660. 112 Seiten.

Bertolt Brecht
- Dreigroschenroman. st 1846. 392 Seiten
- Geschichten vom Herrn Keuner. st 16. 108 Seiten
- Hundert Gedichte. Ausgewählt von Siegfried Unseld. st 2800. 188 Seiten

Lily Brett
- Einfach so. Roman. Übersetzt von Anne Lösch.
  st 3033. 446 Seiten
- New York. Übersetzt von Melanie Walz. st 3291. 160 Seiten
- Zu sehen. Übersetzt von Anne Lösch. st 3148. 332 Seiten

Antonia S. Byatt. Besessen. Roman. Übersetzt von Melanie
Walz. st 3718. 632 Seiten

Truman Capote. Die Grasharfe. Roman. Übersetzt von An-
nemarie Seidel und Friedrich Podszus. st 1796. 208 Seiten

Clarín. Die Präsidentin. Roman. Übersetzt von Egon Hartmann. Mit einem Nachwort von F.R.Fries. st 3390. 864 Seiten.

Sigrid Damm. Ich bin nicht Ottilie. Roman. st 2999. 392 Seiten

Marguerite Duras. Der Liebhaber. Übersetzt von Ilma Rakusa.
st 1629. 194 Seiten

Karen Duve. Keine Ahnung. Erzählungen. st 3035. 167 Seiten

Hans Magnus Enzensberger
- Ach Europa! Wahrnehmungen aus sieben Ländern. Mit
  einem Epilog aus dem Jahre 2006. st 1690. 501 Seiten
- Gedichte. Verteidigung der Wölfe. Landessprache. Blinden-
  schrift. Die Furie des Verschwindens. Zukunftsmusik.
  Kiosk. Sechs Bände in Kassette. st 3047. 633 Seiten

Hans Magnus Enzensberger (Hg.). Museum der modernen
Poesie. st 3446. 850 Seiten

Laura Esquivel. Bittersüße Schokolade. Mexikanischer Roman um Liebe, Kochrezepte und bewährte Hausmittel. Übersetzt von Petra Strien. st 2391. 278 Seiten

Max Frisch
- Andorra. Stück in zwölf Bildern. st 277. 127 Seiten
- Biedermann und die Brandstifter. Ein Lehrstück ohne
  Lehre. st 2545. 95 Seiten
- Homo faber. Ein Bericht. st 354. 203 Seiten
- Mein Name sei Gantenbein. Roman. st 286. 288 Seiten
- Montauk. Eine Erzählung. st 700. 207 Seiten
- Stiller. Roman. st 105. 438 Seiten

Carole L. Glickfeld. Herzweh. Roman. Übersetzt von
Charlotte Breuer. st 3541. 448 Seiten

Fattaneh Haj Seyed Javadi. Der Morgen der Trunkenheit.
Roman. Übersetzt von Susanne Baghestani. st 3399. 416 Seiten

Peter Handke
- Die drei Versuche. Versuch über die Müdigkeit. Versuch
  über die Jukebox. Versuch über den geglückten Tag.
  st 3288. 304 Seiten
- Kindergeschichte. st 3435. 110 Seiten
- Der kurze Brief zum langen Abschied. st 3286. 208 Seiten
- Die linkshändige Frau. Erzählung. st 3434. 102 Seiten
- Mein Jahr in der Niemandsbucht. Ein Märchen aus den
  neuen Zeiten. st 3887. 628 Seiten
- Wunschloses Unglück. Erzählung. st 3287. 96 Seiten

Christoph Hein
- Der fremde Freund. Drachenblut. Novelle. st 3476. 176 Seiten
- Horns Ende. Roman. st 3479. 320 Seiten
- Landnahme. Roman. st 3729. 357 Seiten
- Willenbrock. Roman. st 3296. 320 Seiten

Marie Hermanson
- Muschelstrand. Roman. Übersetzt von Regine Elsässer.
  st 3390. 304 Seiten
- Die Schmetterlingsfrau. Roman. Übersetzt von Regine
  Elsässer. st 3555. 242 Seiten

Hermann Hesse
- Demian. Die Geschichte von Emil Sinclairs Jugend.
  st 206. 200 Seiten
- Das Glasperlenspiel. Versuch einer Lebensbeschreibung des
  Magister Ludi Josef Knecht samt Knechts hinterlassenen
  Schriften. st 2572. 616 Seiten
- Siddhartha. Eine indische Dichtung. st 182. 136 Seiten
- Unterm Rad. Erzählung. st 52. 166 Seiten
- Steppenwolf. Erzählung. st 175. 280 Seiten

Ödön von Horváth
- Geschichten aus dem Wiener Wald. st 3336. 266 Seiten
- Glaube, Liebe, Hoffnung. st 3338. 160 Seiten
- Jugend ohne Gott. st 3345. 182 Seiten
- Kasimir und Karoline. st 3337. 160 Seiten

Bohumil Hrabal. Ich habe den englischen König bedient.
Roman. Übersetzt von Karl-Heinz Jähn. st 1754. 301 Seiten

Uwe Johnson
- Mutmassungen über Jakob. st 3355. 310 Seiten

James Joyce
- Dubliner. Übersetzt von Dieter E. Zimmer. st 2454. 228
  Seiten
- Ulysses. Roman. Übersetzt von Hans Wollschläger.
  st 2551. 988 Seiten

Franz Kafka
- Amerika. Roman. st 2654. 311 Seiten
- Der Prozeß. Roman. st 2837. 282 Seiten
- Das Schloß. Roman. st 2565. 424 Seiten

André Kaminski. Nächstes Jahr in Jerusalem. Roman.
st 1519. 392 Seiten

Ioanna Karystiani. Schattenhochzeit. Roman. Übersetzt von
Michaela Prinzinger. st 3702. 400 Seiten

Wolfgang Koeppen
- Tauben im Gras. Roman. st 601. 210 Seiten
- Der Tod in Rom. Roman. st 241. 187 Seiten
- Das Treibhaus. Roman. st 78. 190 Seiten

Else Lasker-Schüler. Gedichte 1902-1943. st 2790. 439 Seiten

Gert Ledig. Vergeltung. Roman. Mit einem Nachwort von
Volker Hage. st 3241. 224 Seiten

Stanisław Lem
- Der futurologische Kongreß. Übersetzt von I. Zimmer-
  mann-Göllheim. st 534. 139 Seiten
- Sterntagebücher. Übersetzt von Caesar Rymarowicz. Mit
  Zeichnungen des Autors. st 3534. 528 Seiten

H. P. Lovecraft. Cthulhu. Geistergeschichten. Übersetzt von
H. C. Artmann. Vorwort von Giorgio Manganelli.
st 29. 239 Seiten

Amin Maalouf
- Die Reisen des Herrn Baldassare. Roman. Übersetzt von
  Ina Kronenberger. st 3531. 496 Seiten
- Samarkand. Roman. Übersetzt von Widulind Clerc-Erle.
  st 3190. 384 Seiten

Andreas Maier
- Klausen. Roman. st 3569. 216 Seiten
- Wäldchestag. Roman. st 3381. 315 Seiten
- Sanssouci. Roman. st 4165. 298 Seiten

Angeles Mastretta. Emilia. Roman. Übersetzt von Petra Strien. st 3062. 413 Seiten

Robert Menasse
- Selige Zeiten, brüchige Welt. Roman. st 2312. 374 Seiten
- Sinnliche Gewißheit. Roman. st 2688. 329 Seiten
- Die Vertreibung aus der Hölle. Roman. st 3493. 496 Seiten
- Das war Österreich. Gesammelte Essays zum Land ohne Eigenschaften. st 3691. 455 Seiten

Eduardo Mendoza. Die Stadt der Wunder. Roman. Übersetzt von Peter Schwaar. st 3925. 512 Seiten

Alice Miller
- Am Anfang war Erziehung. st 951. 322 Seiten
- Das Drama des begabten Kindes und die Suche nach dem wahren Selbst. st 950. 175 Seiten
- Wege des Lebens. Sechs Fallgeschichten. st 3935. 231 Seiten

Magnus Mills
- Die Herren der Zäune. Roman. Übersetzt von Katharina Böhmer. st 3383. 216 Seiten
- Indien kann warten. Roman. Übersetzt von Katharina Böhmer. st 3565. 230 Seiten

Adolf Muschg
- Der Rote Ritter. Eine Geschichte von Parzivâl. st 3420. 1104 Seiten
- Sutters Glück. Roman. st 3442. 336 Seiten

Cees Nooteboom
- Allerseelen. Übersetzt von Helga van Beuningen. st 3163. 440 Seiten
- Die folgende Geschichte. Übersetzt von Helga van Beuningen. st 2500. 148 Seiten
- Philip und die anderen. Roman. Übersetzt von Helga van Beuningen. st 3661. 168 Seiten
- Rituale. Roman. Übersetzt von Hans Herrfurth. st 2446. 231 Seiten

Sylvia Plath. Die Glasglocke. Übersetzt von Reinhard Kaiser. st 3676 262 Seiten

Ulrich Plenzdorf. Die neuen Leiden des jungen W. st 300. 140 Seiten

Marcel Proust. Auf der Suche nach der verlorenen Zeit. Frankfurter Ausgabe. Herausgegeben von Luzius Keller. Übersetzt von Eva Rechel-Mertens. Sieben Bände in Kassette. st 3641-3647. 5300 Seiten

Patrick Roth
- Die Nacht der Zeitlosen. st 3682. 150 Seiten

Ralf Rothmann
- Hitze. Roman. st 3675. 292 Seiten
- Junges Licht. Roman. st 3754. 238 Seiten
- Milch und Kohle. Roman. st 3309. 224 Seiten
- Feuer brennt nicht. Roman. st 4173. 304 Seiten

Carlos Ruiz Zafón. Der Schatten des Windes. Übersetzt von Peter Schwaar. st 3800. 565 Seiten

Jorge Semprún. Was für ein schöner Sonntag! Übersetzt von Johannes Piron. st 972. 395 Seiten

Andrzej Stasiuk. Die Welt hinter Dukla. Übersetzt von Olaf Kühl. st 3391. 175 Seiten

Jürgen Teipel. Verschwende Deine Jugend. Ein Doku-Roman. Über den deutschen Punk und New Wave. Vorwort von Jan Müller. Mit zahlreichen Abbildungen. st 3271. 336 Seiten

Hans-Ulrich Treichel
- Der irdische Amor. Roman. st 3603. 256 Seiten
- Tristanakkord. Roman. st 3303. 238 Seiten
- Der Verlorene. Erzählung. st 3061. 175 Seiten

Galsan Tschinag
- Der blaue Himmel. Roman. st 2720. 178 Seiten
- Die graue Erde. Roman. st 3196. 288 Seiten
- Der weiße Berg. Roman. st 3378. 290 Seiten

Mario Vargas Llosa
- Das Fest des Ziegenbocks. Roman. Übersetzt von Elke Wehr. st 3427. 540 Seiten
- Das grüne Haus. Roman. Übersetzt von Wolfgang A. Luchting. st 342. 429 Seiten
- Der Krieg am Ende der Welt. Roman. Übersetzt von Anneliese Botond. st 1343. 725 Seiten
- Das Paradies ist anderswo. Roman. Übersetzt von Elke Wehr. st 3713. 496 Seiten
- Tod in den Anden. Roman. Übersetzt von Elke Wehr. st 2774. 384 Seiten

Martin Walser
- Brandung. Roman. st 1374. 319 Seiten
- Ehen in Philippsburg. st 1209. 343 Seiten
- Ein fliehendes Pferd. Novelle. st 600. 151 Seiten
- Ohne einander. Roman. st 3907. 197 Seiten
- Ein springender Brunnen. Roman. st 3100. 416 Seiten